中國鄉土小說名作大系

平凹题

主编 郑电波

中篇小说系列（一九七七年至二〇一二年）

第三十二卷

中原出版传媒集团
大地传媒
中原农民出版社

图书在版编目(CIP)数据

中国乡土小说名作大系.第32卷/郑电波主编.—郑州:中原出版传媒集团,中原农民出版社,2014.12
ISBN 978-7-5542-1006-2

Ⅰ.①中… Ⅱ.①郑… Ⅲ.①中篇小说-小说集-中国-当代 Ⅳ.①I247

中国版本图书馆CIP数据核字(2014)第278515号

中国乡土小说名作大系

出版人	刘宏伟
总编审	汪大凯
总策划	刘宏伟
策划编辑	郑电波
责任编辑	郑电波 高燕燕
责任校对	肖攀锋
装帧设计	吴丹青
装帧制作	董 雪
封面题字	贾平凹
插 图	董 钺

出版发行	中原出版传媒集团 中原农民出版社		
地 址	河南省郑州市经五路66号	邮 编	450002
网 址	http://www.zynm.com	电 话	0371-65751257
邮购热线	0371-65724566	传 真	0371-65751257
承印单位	河南省瑞光印务股份有限公司		
开 本	787mm×1092mm	1/16	
印 张	22.5		
字 数	435千字		
版 次	2014年12月第1版	印 次	2014年12月第1次印刷
书 号	ISBN 978-7-5542-1006-2	定 价	98.00元

本书如有印装质量问题,由承印厂负责调换

凡例

本大系全套共36卷，精选了1977年至2012年在中国国内公开发表、出版的乡土小说作品中的短、中篇名作。其中前6卷为短篇小说，后30卷(7卷—36卷)为中篇小说。其中包括荣获全国大奖的乡土短、中篇小说；被小说选刊选载且极具影响力的作品；在当时受到社会广泛关注、在读者记忆中留下深刻印象的优秀作品。

本套书的选编原则上是以发表、出版的时间顺序排列的，每卷从作品的品质考量前后有所微调，但大的格局不变。

上世纪整个80年代，是中篇乡土小说创作的黄金时段，名作灿若群星，该大系收录此时段的作品较多。短篇小说系列每卷分上、中、下三部分，而中篇小说系列不作界分。

每卷的字数大致相当。由于上世纪80年代及90年代初，一般中篇小说的篇幅比后来的较长，因此每卷的篇数较少，这也是全套各卷选篇数目不均的原因。

卷首语

三十多年来，中国农村发生了翻天覆地的变化，而中国农村题材小说的创作，正是对应了这段历史。它们是如此的丰富、瑰丽、饱满和激越，如此的斑驳陆离色彩纷呈。它们是心史，是一次不曾间歇的歌哭相随——过人的敏感，欣悦和忧郁，惊愕与绝望，大喜过望以及突如其来的沮丧，肤浅的赞许和陡峭的情感——这一切情愫一切境遇的全面记录和生动描摹。

张　炜

2013 年春

卷首语

中原农民出版社出版《中国乡土小说名作大系》，是当今文化界一个大事件。

中国现代文学过去多少年取得的成就主要是乡土小说。

现在我们国家的改革进入到了城乡一体化阶段，农民进城，小城镇的人到县上，县上的人到省城，省城的人到北京上海等大城市，中国社会已是迁徙的社会。我估计将来再过一两代人，乡土小说类型慢慢就要消退了，肯定不会再成为中国文学的主流了。但是，消亡我觉得是不可能的，因为大量的农村还在，更重要的是中国农村文明的思维还在，只要土地在，思维在，农耕的思维观念在，不管在哪儿，就是你在美国，到月球上去，你还是中国的，中国式的，写中国人的文学就不会消失 ，因此乡土小说也不会真的消失。

在中国，你想真正了解这个社会，获得一些更深层的东西，就去看一看乡土小说。乡土小说就好像馆藏一样，那里有丰富的宝藏。现在它已经不出现在街头了，就像庙堂或者说茶室一样，有闲时可以去坐一坐，静一静，慢慢品味它。

贾平凹

2014 年春

前 言

中国是一个乡土性很强的大国，诚如社会学家费孝通所说，中国是一个“乡土中国”。

乡土，几乎是每个中国人的精神家园。

在新时期文学中，乡土文学堪称最敏感的文化神经。新时期当代文化思潮的演进变化，许多是从乡土小说中透露出重要信息的。应该说，从中国乡土小说中可以读懂当代中国。

农民在我国的文学中，历来处于一个突出而显赫的地位。农民的社会地位不高，而文学地位不低。这是由中国作家的乡土情结、生活阅历、审美情趣及价值取向所决定的。在文学对民族文化心理的反思中，农民作为民族文化心理的主要载体，自然成为小说家关注和表现的对象，故乡土小说天然地在新时期小说中，有着举足轻重的地位。

改革开放的三十多年，这是一个伟大的时代，一个中国前所未有的大变革时代。农村生活的改变，农民心气的勃发，新一代农民在精神、意识、思想上的吐故纳新，新与旧在现实生活中的冲突与较量，以及对于腐败现实的理性批判，随后成为乡土小说在一个时期里反复吟唱的主旋律。作家成了这个时期乡村广大农民理想的抒发者和愿景诉求的代言人。农民在内心理想的感召下奋发向前，作家与之击鼓前行。

改革开放以来的文学，我们称之为新时期文学。新时期文学有三个相互联系的阶段：“伤痕文学”、“反思文学”和“改革文学”。许多作品系统地反映了农村农民生活命运的变化，社会的深层变革，抒写了自己的社会理想。有些作家把思想的锋芒指向乡土文化与农耕文明，以自己的眼光与理性来发现和表现乡土中国的浑重、复杂与嬗变。当然，也有不少作家在作品中多有对自身命运的描述和情感宣泻。

新时期文学初期，印象深、乡土味儿较浓的有何士光的短篇小说《乡场上》，高晓生的《陈奂生上城》《李顺大造屋》，张炜的《一潭清水》，贾平凹的《黑氏》，铁凝的《哦，香雪》，邵振国的《麦客》，张石山的《镢柄韩宝山》，王润滋的《内当家》，史铁生的《我的遥远的清平湾》，田中禾的《五月》，乔典运的《满票》等。中篇小说有郑义的《老井》，路遥的《人生》，张贤亮的《绿化树》，张一弓的《犯人李铜钟的故事》，叶蔚林的《在没航标的河流上》，莫言的《红高粱》，张炜的《秋天的愤怒》，映泉的《桃花湾的娘儿们》，王安忆的《小鲍庄》等等。

新时期文学的早期，是一个激动人心的时期，是一个重建希望的时代，人的内心如同枯木逢春，激情被时代精神所鼓舞并迅速地再度燃烧起来。人们在思想解放运动的昭示下又一次看到了未来的希望，并热情地期许这一切尽快变成现实。深怀理想主义文化信念的作家，无论用什么样的创作方法，骨子里都潜伏着浓重的浪漫主义基因，时代气氛使这浪漫潜滋暗长。那个时代的作家极少悲观，历经再多的苦难也不能告别乐观。作家几乎对未来用承诺的方式描绘着生活，读者的期待使写出好作品的作家一夜成名，自发阅读小说的人超过以往任何时代。人们最大的自由就是对美好的向往，人们在想象的话语中得到满足。

时间在飞驰，中国的变革在加深、加快。二十世纪九十年代引发的经济热潮、商业大潮席卷而来，文学受到很大冲击，一些作家纷纷下海弃文经商，文学创作受到了影响。然而乡土小说的创作，因与政治思潮、商品大潮都有一定程度的疏离，也由于作家的坚守，似乎并没有出现中断或萎缩的情形，无论是中、短篇小说还是长篇小说，都在坚守中有所拓展，且成就了乡土小说创作的特有景观，其作家创作形成了楚文化群落、吴越文化群落、齐鲁文化群落、燕赵文化群落、秦晋文化群落、中原文化群落、东北文化群落、巴蜀滇黔文化群落等，乡土小说内容丰富，五彩斑斓。

九十年代的乡土小说不再是单色的，而是多色的，很耐人寻味。如陈源斌的《万家诉讼》，李佩甫的《无边无际的早晨》，关仁山的《九月还乡》，余华的《活着》，迟子建的《雾月牛栏》，张宇的《乡村情感》，韩少功的《马桥人物》，杨争光的《公羊串门》，赵德发的《通腿儿》等等。

这一时期的长篇小说数量不太多，但质量很高，作家开始向家族、人生命运深处思考，审察人性、反思历史、反观传统，因此作品更显得有分量。长篇小说取得了重大成就。先有张炜的《古船》初现端倪，继有陈忠实的《白鹿原》，莫言的《丰乳肥臀》，阿来的《尘埃落定》的联袂冲刺，掀起长篇小说创作的第二个新高潮，是继八十年代古华的《芙蓉镇》，路遥的《平凡的世界》，贾平凹的《浮躁》之后第二个创作高峰。

新世纪阶段比之于前二十年文学文化领域，因面临着商业文化、传媒文化与信息科技的多重冲击，更由于人们价值观的变化，乡土小说读者的减少，作家浪漫情怀的式微，总体来说乡土小说创作出现了下滑和萎缩的趋势。然而，乡土小说并未到这部乐曲的尾声，不少乡土作家还在这片“土地”上耕耘，他们的笔墨自由而灵动，多元的叙事与多元化的观念已出现，令人感到振奋的是长篇小说的进一步繁荣，乡土长篇小说的创作出现了新的景观。贾平凹的《秦腔》，蒋子龙的《农民帝国》，孙慧芬的《歇马山庄》，铁凝的《笨花》，张炜的《你在高原》，刘震云的《一句顶一万句》，莫言的《蛙》等，其中有的作品的水平，已达到乡土长篇小说的新高。这是由于一些乡土小说作家一直在创作的深刻思考之中，他们甘于寂寞，其思考已抵达生活、社会、历史、人生甚至哲学的深处。

中国乡土小说可以说是新时期文学的精华与支撑，几乎所有的小说名篇都与“乡土”血脉相连，这不但有广泛的共识，也是不争的事实，它们占据了文学、文化、出版价值的制高点。

它是我们这个时代特有的文学形态，具有深厚的人文价值，就中国乡土小说而言，可以说达到了中国文学史上“前无古人”的思想和艺术高度，而且由于我们社会的深度变革，农耕文明的逐渐瓦解，这种形式的文学必将终结，因此可以说，它不仅是空前的，也是绝后的，它的辉煌如同唐诗宋词在中国文学史上的辉煌一样。

乡土小说植根于中华民族精神深处汲取营养，又表现并滋润着民族精神和意识，形成了新时期的文化景观。它不但被中国有识之士充分肯定和赞许，同时也被世界看重。“越是民族的，越是世界的”，莫言获诺贝尔文学奖，就是一个有力的证明。

多年来，从鲁迅到沈从文，中国作家无不有着共同的诺贝尔文学梦，可是直到去年，莫言才为中国作家实现了这个梦想。我认为，莫言获诺贝尔奖，不是他一个人的胜利，而是一大群中国乡土小说作家的胜利。这片热土，造就了这一批作家；这个时代的气候，滋润了这一批作家的成长。如张炜、贾平凹、陈忠实等一批作家，其文学创作的实绩和水平，也大都进入了这个层面。我们为中国乡土作家的成功而鼓掌，为中国乡土小说的辉煌而欢呼。

这是一套乡土小说的精选本，我们这套书重在推出改革开放35年(1977—2012)来中国乡土小说的精华部分，它们绝大部分是获奖名篇或被小说选刊选载、被评论家和广大读者所关注、极具影响力的作品。这些作品是时代的一面镜子，较深刻地反映了一个时期的社会现实。

本套书重时代感，所选作品的排序按照原作初次发表的时间先后顺延。选篇首重乡土气息、时代精神和文学价值，以作品品质为标杆(作家名气、地位作第二位考虑)以期展示35年中国农村变革、农民精神嬗变的文明进程，使内涵巨大的乡土小说所构成的文字画卷，具有以文学纪录时代史诗般的价值。

虽然过去也有一两家出版社出版过一些乡土小说选集版本，但大多是以作家为标杆选择篇目，规模小，不全面；而这套书以整个大改革时代为着眼点，登高望远，选篇宏观铺陈，将散失于长达35年间奇珍般的乡土小说，用一根乡土彩线串系在一起，这是对乡土小说的寻找与抢救，也是在打造我们中国人共同的心灵家园。

由于书的印张所限，有不少影响大、水平高的乡土小说未能选入，对此我们深感遗憾。我们希望这套书的出版，不但能让热爱乡土小说的读者喜欢，而且能让更多的农民兄弟读到。让农民了解农民，了解农村的变化，关心自身命运，关心社会变革，这是我们的初衷。

郑电波

2013年初春

目　录

望 粮 山

陈应松

这年春上的天气骚怪，到了五月，山上的冰还没有融化的意思，麦子甭说成熟了，就是从冰原里露出几棵绿色的脑袋来也是难事。这一天，就听说一个从陕西来的采药人在山上放言，说他在望粮山上看到了天边有一片麦子。情况本来就让人十分紧张，这人又说出让人如此惧怕的话来，于是金贵的爹余大滚子顾不得年老体衰，挺身而出，率领十来个村人上得山去，捉住陕西来的采药人痛打了一顿，打断了他几根肋骨，赶出了望粮峡谷。余大滚子用他的鹰爪手指着西南方向，对十多个刚刚施过暴的乡亲说："你们看好了，哪儿有什么鸡巴麦子？没有，是不是没有呀？"他启发他们说。那些人分明听见余大滚子的声音都变了，一双被冬日的火塘熏得如鸡屁眼的眼睛压根儿没敢往自己手指的天边看。大家就只好骑驴下坡说："没有没有，确实没有。"

这事是不能说的。苟家老五在很早前说他望见了那片麦子，后来就失踪了。那一年，雷劈死了村里的两牛两人；王家屋场的一个二丫，割猪草上山也说看见了那片麦子，焦黄焦黄的，还香气扑鼻呢，三天后人们在一个山洞里发现了她，不知道被什么野物奸了（有说是大青猴），端坐在那儿，眼睛闪闪发光，下身流血，可惜已经死了。那一年，下黑雪，黑豆大一颗一颗的冰子儿，把庄稼全糟蹋了；七十年代一个叫黄春的看见那片麦子后，拿着镰刀就出发了，几年以后回来，已是疯疯癫癫，挥舞着镰刀到处割人的头，后被乱棍打死。那一年最惨，泥石流一夜之间埋了七八户人家。今年若有人说看见了那片麦子，我的天，还不知会出什么怪事儿呢！

五月还不化冰，已经够邪乎了，陕西人被打跑后没几天，就是小满。这天晚上，一个惊天炸雷，天河就决口了，且是温暖的、滚烫发热的雨水，把山上的冰盔全部冲得七零八落，大块大块的冰凌儿从山顶上冲下来，推倒了房屋，砸死了牲畜，把凡是生长着的东西都踩碾了一遍，就连粗壮的柿子树也被一棵棵剐了皮。事情就这么来了。

村里的人从冰块里爬出来，看着这个可怕的世界，就知道今年的日子又难了。陕西人说的那番话，不过是想讽刺一顿他们。麦子是“六月黄”和“泥麦”，很适合当地严重不足的光照和高寒，可是老天爷发了怒，再怎样的品种也没用。

那个早晨金贵就被一群人呼唤着上山去砍树，因为公路不通了，林区的护林巡视员不能赶来。要抢在他们到来之前下手。一群灾后的村民睁着血红的眼睛，挥着斧头，向羊岩尖进发，那儿有几百亩原始芝麻栎林，棵棵是百年老树。金贵的姐夫王起山总是这种事情的头领，他过去在伐木队待过。后来他染上了赌瘾，不靠盗伐国家的树木几乎无法支撑他时常瘪下去的口袋。这样的一个人，现在在村里却是一呼百应的英雄。王起山一张皱巴巴的筲箕脸，说话嘶声哑气，可他站在村头振臂一呼的时候浑身的每一块肌肉都是亢奋的，连指甲壳都亢奋得一跳一跳的。他对护林员们的行踪几乎有天生的灵眼，知道他们何时不在，似乎根本不需要去盯梢和观察，有时候蹲在茅厕里，一捋裤子就跑到了村头的大石头上大喊开了：“同志们，上呀，今日没人！”跟着他进山的老乡基本没有空手而归的，总能背上一两根砍好的门方下来，有时七根八根。但也有失误的时候，被赶得鸡飞狗跳的时候，那就要跳岩断脖子断胯了，也可能会罚个一百两百，或者关到乡派出所唐所长那里。但是成与不成，王起山都是村里的红人，大家夸他不吃独食，有了机会大家分享。如果他要谁赌，没有谁敢不跟他赌的，驳不下他的面子，他是大家的财神嘛。

金贵跟在他姐夫的后头。他是被他爹余大滚子一脚踢下床来的，他爹说：“你这个混蛋，懒鬼，看老子不一斧头剁了你。”立马就有一把早已磨得闪闪发光的斧头粗暴地丢到了他面前，他睁开眼还没分清东南西北，就被推拥进了泥泞中的盗伐队伍。

寂静的刚遭受过凌汛蹂躏的山林还没喘过气来，迎头又被一顿斧头砍杀。木屑一块一块地在飞溅，树木一根一根地在呜咽。站立不住的、面相光鲜的“壮汉子们”一个个倒了，剩下的是些老弱病残的无用的灌木和虫眼树。山外的木材商人可以说是如蝇逐臭，也可以说是里应外合，金贵他们砍伐的树木，立马就被解成门方，一根根以现金交易，悄悄地背过荒无人迹的大山，到了四川那边，然后顺水路一溜无影无踪。

这天金贵只砍了二十块钱。第二天，看着天晴了，挂在墙上的一排腊肉都生出了几寸长的绿霉，他就背上了几刀腊肉，想去县城一趟，把它们卖掉。金贵步行出峡谷，再翻过一个山冈，到公路上搭了个班车，赶到县城想赶快卖掉这几刀腊肉。

从地狱般被摧残的望粮峡谷到了县城，城里百无禁忌，欢乐祥和，街上一尘不染，人们行色匆匆。金贵赶紧脱掉他的棉袄，因为县城早已开始穿 T 恤和裙子了。如何有这么大的差距？他来不及细想，刚在菜市场门口的一个斜坡上放下背篓，就有一个戴大盖帽的递给他一张条子，说：“收两块钱。”“这是什么钱？”“工商管理费。”金贵本能地往口袋里掏，也许他根本没听清楚这是啥费，他就是这么个温顺的甚至有点羞怯的山里娃子。还没掏出钱来(钱总是藏得很深很深),又甩过来一个人的另一张条子。"什么钱?""城管费。"后面跟着卫生费一元、治安费一元、税费一元、检疫费一元。

"我的天,我不卖了。"

金贵只掏了一个两块,他不想再掏了,他背起背篓来就走。他昨天累死累活换回的二十元钱还被爹缴去了十元,他的口袋里估计也就是三五块钱了。多乎哉?不多也。他想起了在初中念过的一篇课文中的一句话。他沮丧地、赌气地、怒气冲冲地往街上走,冲出了收费的包围圈。一个穿着灰不灰蓝不蓝的制服的人跟着他,是一个收城管费的。

"你老跟着我干什么?"

"老子要你滚蛋,滚回你的村里去,你妈的个老×!"

那个人怒发冲冠,果然帽子掉了,要过来打人的样子,手上还是那张撕掉了却没有换成钱的什么票。金贵撒开腿来就跑,同时抱着臃肿的棉衣。

"多乎哉不多也,多乎哉不多也!"这样金贵念着跑着,一直跑到城郊,转过头,才发觉早已甩掉了那个骂人的家伙。

哪是甩别人,是被别人撵了出来。金贵就很伤心了。他休息了片刻,把棉袄拾掇好了,就在城郊稀稀落落的小餐馆和小卖部挨户叫卖他的腊肉。

没有谁要,人们说新鲜的都吃不完,五黄六月了哪个还吃腊肉。吃多了生痰,有人说是生癌,不一而足。见天色已晚,金贵只好又拦了一辆个体户的破客车,赶回家去。

一上了车他就突然一改他的羞怯,变得涎皮赖脸了。司机要他买票,他从背篓里抠出了一刀沉甸甸的腊肉,丢到司机的脚前,差一点让司机刹不了车还吓了人家一跳。他下了狠心,不管怎么非得弄一刀腊肉出去。

"我抵车票,再找我十块钱好不好?"

"你坐我的车,我还倒找你十块钱?"司机的一双眼睛就鼓起了,像两颗慢慢从鸡屁眼挤出来的鸡蛋。

"我只到油桐拐。"

"下去下去。"司机气急败坏,狠狠地踢了腊肉一脚。

"那你说腊肉多少钱一斤?"金贵不下,"你说啦,五块钱一斤没有?"

"你这是什么肉?"那司机问。

"麂子肉。"

"鸡巴!这么大的麂子?天下第一大!被你打着了。下去下去下去,老子不带你。"

金贵提着那刀沾了些机油味的腊肉一个人在路上走,他发誓他今天一定要掀一刀肉出去。他又拦了一辆车,是个年轻司机。他又说了相同的话,这次只要人家找八块钱。那个司机说:"这是不是腊肉,我很喜欢吃腊肉的,你这都生蛆了。"金贵说:"生蛆也是盐蛆。"他于是给司机算账,大约只划三块钱一斤。两个乘客都说他是吃横的,问他是哪儿来的。他说是望粮峡谷的。司机忽然说:"你认不认识那儿的余大滚子?"金贵说:"余大滚子是我爹。"

"哈!"那个司机像看见了明星一样地从座位上跳起来,差点甩了方向盘,"是你爹!你爹在县城可有名了。"

金贵感到莫名其妙,一个足不出户的山里老头子何以在县城出了名,搞没搞错?

那司机就说出了原委:"打老婆呗,把老婆打跑呗,让老婆高高兴兴地被别人拐卖呗。你爹打老婆听说很有技法,叫一抓二揪三拧——头发一抓,满头一揪,头就拧过来了,叭叭!"司机腾过一只手拍了拍大腿:"头就搁在这上面来了,女人把头发一抓,人就软了,就像蛇的七寸。这都是望粮峡谷余大滚子发明的,如今县城打老婆都是这个打法,叫'驴打滚',就是用你爹的名字滚出来的,不晓得打跑了多少女人,跑到广州卖×去了,你爹的……"

"放屁!完全是瞎放屁!"金贵涨红了脸,大叫说。可是车拐了个弯,差点把他给颠摔倒了,他抓住了后靠背,看到的却是满车的景仰的目光。嘿,名人的儿子!

他摸黑回到村里的时候根本不知道村里和家里发生了大事。

话还得从这天上午说起。这天上午他的姐夫王起山又在村头高呼,邀了几个惯盗的狐朋狗友,继续上山砍树。这一天因为与护林队打上了游击,收获不大,其中有一个叫康保的二流子拿着斧头手痒,见了一条扁头的竹叶青,那蛇也怪,头白身青,那蛇也没招惹谁,拖着个大肚子在石头上晒太阳,康保就走过去一斧头将其剁了脑袋。脑袋是纯白的,还透明,里面筋骨毕现,康保就觉好奇,众人也觉甚奇,康保就将那脑袋放到手里,准备细细把玩。哪知那死脑袋此时却张大了嘴,一口咬住了康保的指头,看着看着康保的手就肿了,接着脸肿了,头肿了,身子肿了,脚也肿了。常言说:男怕穿靴(脚肿),女怕戴帽(头肿),虽然大家赶紧给他找了些大金刀、鸭跖草来嚼了敷上,全身肿,敷不胜敷。康保那时躺在望粮山顶上,自知死期已到,说:"再过一把瘾吧。"

他说的是赌博。

金贵的姐夫王起山排开了众人,他要单独跟康保赌一把了。他看着肿得像个水桶的康保,康保过去是小个子,臂膀像一些青桐的枝子,光溜是光溜,可细得过了头。他砍树不是王起山的对手,但玩牌却高他几个档次。王起山十有八九输在康保手上,这一次,看着自己强大的对手已经奄奄一息,为了维护他一贯在村里呼风唤雨的尊严,此时正是回击的大好时机。你看,那家伙双眼恍惚了,眉目恐惧了,双手颤抖了,面色青紫了,对这样一个不太清醒的人,王起山感到机会来了。于是,他让人把康保抬到阳光处。康保先押了第一根山毛榉,他正指挥着人抬木头时,木头一不小心就骨碌碌滚下了山去,后来把五保户老叶的屋子压塌了半边,狗胯压断了一根。

康保仅剩下一根芝麻栎了。于是他说:“我屋里还有五根,加上我老婆。”

“那你要什么?”王起山内心骇然而口气却故作平静地问。他没有这么多码子与他押注。

康保艰难一笑,说话了:“我想睡你老丈人的柏木棺材。”

余大滚子的香柏棺材?!

“伙计,你都快见马克思了,还有心开玩笑。”

“全是真的。”康保说。

“赌就赌吧。”王起山说。他的心是虚的,他在想如果他输了,他怎么才能弄出余大滚子的棺材。这一闪而过的念头让他心紧了那么一下,只一下,有人就发牌了。发了第一张,再发第二张,再发第三张。只有三张,叫“诈金花”。牌现在都扑在石头上,大家都望着那六张牌。开始看牌了。王起山拿起一张是个四点,再拿起一张,又是个四点。他的心里开始狂跳,老天爷这回要成全我了,我有两个老婆了!康保的老婆属于我了!

“康保,你替我翻开。”他指着最后一张。

眼睛肿得只剩下一条缝的康保就替王起山翻开了。

四点!金花,真正的金花!

“你翻呀!”他对康保说,康保的牌还一张未翻。

康保就去翻自己面前的那三张牌。一个老K,又一个老K,还是一个老K:翻三张牌康保一点都没有停顿,就像平时打牌一样,随随便便地信手翻来,可他的是更大的“金花”。

“444,死死死!”王起山一声大呼,吐出一口血来,就听见康保哈哈大笑起来,康保笑得浑身乱颤,在地上打滚,最后一口气没接上来,四肢蹬直了……

金贵回去时他的爹早就躺在床上了,他姐在给爹喂水喝。爹的头上缠着毛巾。听说爹一头撞在了自己的棺材上。那时候,爹已经被几个人骗到别人家喝了半斤酒。那些人给他灌酒,王起山就指挥人去金贵家抬棺。等金贵爹得知棺材没了,赶到康保家,康保已经稳稳地睡在那棺里了。

金贵还没有足以对抗他那个恶姐夫的力量。他的姐呢?他的姐更惨。姐夫批判地继承了岳父余大滚子的打法,他创造性地发明了“下膀子”的新式酷刑。就是让其双膀脱臼,双膀咔嚓咔嚓地脱了臼,无论多烈的女人,也就缴械投降了。你若服了,不闹,就给你上膀子,咔嚓咔嚓地就上去了,然后,又是一个能洗衣、能做饭、能剁猪草喂牛的老婆。金贵的姐自第一次脱臼后,脱顺了,臼窝子与双膀上上下下已经是很随便的事了,你若不服,你告到村长那里,告到派出所去,那又怎样!

这一次，金贵决定告到派出所去，如果唐所长过问一下，兴许还能要得回这口棺材的损失。但是，精神损失似乎是无法要回了，金贵看到他的爹遽然之间老去了，脸上皮吊吊的，蜡黄蜡黄，眼珠子像两颗生霉的核桃。要知道，这香柏棺材是他的命根子，所有的希望。他的晚年靠什么支撑，就是这口香气扑鼻的香柏棺材。

十年前的一天，那时候的余大滚子五十出头，正当壮年，可那时候就已经失掉了阳气，打不起精神了，使你根本想象不出他当年打老婆的威风。有一天他进山采药，遇到雷暴，躲进一个山洞。山洞里黑咕隆咚的，可异香阵阵，直撞他的鼻翼，好像有菩萨经过了一般。余大滚子其实明白这是过路人在此烧过香柏的香味，可是那一天特有的浓香让他突然明白了什么，仿佛有神仙向他暗示，在深黑的岩洞里，告诉他：你必须睡在这样的香味里才是归宿。他忽然就想到了死。他才五十出头，他说，我得为自己准备一口棺材了。人生还有什么想头呢，这就是想头。

于是他把十几把锄头交给了肩尚嫩弱的金贵，让他去麦田里薅草去，他背着一把斧头，一块好磨刀石，一口袋火烧粑粑，一头钻进了大山。金贵并不知道他的爹是去干什么的，有一阵子，他还以为爹是去找妈呢。对生活他不担心，姐姐还在身边，而地里的活，得中断了学业干。他开始认识那十几把锄头了。一共有十一把，有象牙形的羊角锄，有蛇头形的扁锄，有大薅锄、小薅锄、大挖锄、小挖锄、耙子锄、抓锄，还有别在腰里的手锄。它们的柄金贵和他的爹都煞费苦心配置：枸骨过冬青安在羊角锄上，老榉子木安在挖锄上，土榔木配大薅锄，腊子木配中锄。苦楝配耙子锄。这些精心挑选的锄柄，粗细适中，无瘢无节，无虫眼，经过汗水与唾液加上手心年复一年的打磨后，像上了火漆一样的，发出一种浑圆的、深沉的、藏而不露的光来，加上锄板全是好钢火，一把把锄头在一堆黯淡的、各种质地的农具中散发出卓尔不群的、矜持的气质来。它们依次挂在一根很结实并香馥的还香木上。金贵走近它们逐一使用后，发现劳动并不是一桩容易的事，尤其是薅草，它如此单调、漫长，无尽无头的田垄似乎全是茂盛的杂草，而麦苗不值一谈，这世界哪有麦苗的生存空间呀，为什么需要保护的总是十分弱小，而要除掉的却又无比强大。有些草，如回头青、野丁香甚至野草莓，你前头一锄锄了，回过头来一看，又蹿出来了，过了两天，锄掉的野草莓又会挂果。草不需肥料，它们强壮无比，生机勃勃，以石头为肥，就像五九年啃棉籽饼长大的孩子。在这个神农架，人们的农活主要是薅草，只要丢下了种子，你也就开始了紧张的、持久的与杂草搏斗的历程。干薅干变，湿薅湿变，不薅不变；荒了头道不见面，荒了二道去一半；想喝苞谷酒，要薅鸦鹊口。说的全是在荒草中夺粮的经验。农谚也是一种祖先的提醒，死去的祖先以一种轻松的韵白年复一年不厌其烦地告诫你：过日子可别走神啊，去田里好好拾掇吧。

二十多天过去了，金贵的爹余大滚子从深山里回来了，他背回了两根香柏木，还差了个农民帮他背了另外两根。在屋里打香柏棺材的那几天里，余大滚子的死鱼般的眼珠活了，在深山里熬得黄皮寡瘦的脸又出现了一种光彩，从未见过的光彩，手脚有力了，沙哑的喉咙出现了深沉的共鸣音，随着棺材成形，屋里香柏砍出的香味刺激得他一天打几十个喷嚏，阿嚏！阿嚏！阿嚏！我的个妈耶！他揩着鼻子，鼻子因为长时间处于痉挛中可能发酸，又牵动了泪腺，打一场喷嚏泪水巴嚓的，可那是幸福的泪水！

十年里，每到农历的六月初六，他都要金贵跟他一起抬出那口棺材在太阳底下晒，那香柏木一经太阳就冒出一层油来，油也芳香。奇怪的是，在最初的亢奋之后，余大滚子活蹦乱跳的身子却慢慢起了变化，整个身躯像棺材一样臃肿，凝滞，脸上有了棺材的颜色，这种老态正一步一步地接近他每天凝视着的那个庞然大物，直到有一天被那个东西收走。

可是这一天还没有等来，他的女婿就将其输掉了。

乡派出所唐所长是一个长得像个螳螂的年轻人，可是他极有杀气，说一不二。那身让乡下人惧怕的制服助长了他说话的霸道。他把康保的老婆找来说："这赌债不算数，哪个睡了棺哪个付钱，坐车还要付钱呢，睡棺不付钱？那么我问你，嫂子，康保若是输了你真跟王起山睡？你睡么？"康保的可怜的女人就摇头。

"这就对了，你不会跟王起山睡，因此赌债不算数。"因为是连夜赶来的，唐所长打了个深深的呵欠，露出久久不能闭合的喉咙，还打出了些眼泪。他抹了泪继续说："遭了这么大的灾，你们不想办法补种，还赌博，还有闲心思赌博。再赌，我不罚王起山——罚你（指王起山）是虱子身上剐皮；再与你赌的，我第一次罚一百，二次二百，三次三百，绝不食言。"康保的女人和康保父亲说：那我们到哪儿找香柏去？唐所长说："那我就管不着了，我哪知道香柏的出处，去偷呀，上山盗伐呀。听说你们已经盗伐了，等着打击吧。这一次我不抓人，王起山，我不抓你，我放你一马，下次，我再来，手铐、电警棍、皮带，一样都不能少。"

唐所长匆匆处理了这个事，到村长家吃了早饭，就离开了望粮峡谷，翻山走了。

这天本来是村长要大家都到四川那边挖独活苗，补栽独活。但没有一个人约金贵去。唐所长来的时候，那些参与盗伐的人一个个都躲起来了，他们在暗处看见是金贵把唐所长给带来的，虽然他们明知道金贵是为他爹那口寿木的事，但与派出所的人过分亲密，这等于是站到了全村的对立面。人们有理由相信金贵是个内奸、叛徒。

"他要出卖我们了。"

"这小子不跟我们一条心。"

"到时候我们合伙打死他。"

在去四川的山路上王起山依然前呼后拥，他与刚才在唐所长面前孙子似的样子判若两人。他说："你们打死我小舅子时，我给你们放哨。"

望粮峡的风气看来很不正了，众人正在诅咒一个小小的年轻人，而这时候的金贵还一概不知。小满来叫他了，他终于与他的同学小满一起溯羊圈河往上游走去，寻一些本地的独活苗。

在往河沿道攀行和涉水时金贵与小满发生了一些冲突，金贵认为应该种一季荞麦，而不是独活。不管怎么说，荞麦也是麦子，虽然有些苦，但磨出的面掺蜂糖很好吃，小满对金贵的想法极其不屑，他说："你只知道薅麦子，当你没有麦子薅了的时候，你竟然想薅荞麦，荞麦是猪吃的！"

小满一路数落着金贵，说："我约你来那是瞧得起你，他们都不喊你，走过你的门口时一声不吭，故意喊你的姐夫，你知道这是为什么吗？我就想，金贵是个好人，他是我的同学，这样我就跟他们分了伴，我一定要跟你在一起。哪知道你根本就不想挖独活，你只想种荞麦。你这个人怪呀，难怪你不合群的。"小满还背着一杆枪。因为两人不志同道合，小满挖独活也没了劲儿，加上那天羊圈河上游雨雾笼罩，四野昏暗，还有许多在草上的山蚂蟥，直朝他们裤腿里爬，吸他们的血，腿上血流成溪，奇痒难耐，不用打火机烧，你还真弄不掉它。

金贵没有了说话和申辩的机会，小满与他在一起，是天大的恩赐，那他还有什么可说的呢，就去挖独活呗，挖呗。在河流对岸不远的悬崖上，金贵发现了一些独活，他就爬石头过去。可是，远处小满的嘴巴却闭住了，他突然不说话了。他在干什么呢？一个一路不停地说话的人霎时缄口不语了，还真让人觉得有些怪异呢。

小满端着枪在瞄准他！

金贵的嘴想"啊"一声，还没来得及张口，就见那一道道辛辣的火线挟带着呛人的浓烟，齐刷刷地向他奔来，眼前一阵金亮，又一阵模糊，他就被无数颗铁砂子儿击中了。

"小满！"金贵一个倒栽葱从悬崖上滚下来，跌进河里。

"我打中了！我打中了！"小满高举着枪向河中大踏步而来，飞过一块石头又一块石头，跳得老高。

"我是金贵……"金贵细细地呻吟道。他的半个身子打湿了，另半个身子在河滩的卵石堆上。

"你不是獐子吗？"

"我是金贵……"

"我打的是獐子，我没有打你。"小满护着枪，生怕别人把它夺走似的。他弯下腰看着睡在地上流血的金贵。"我打的是獐子！"他说。他哭了起来，将金贵翻过来看了看，便赶紧从自己裤裆里寻东西，寻出了那乌龟，就朝金贵劈头盖脸浇，"金贵，我给你止血。"

金贵疼得找不到方向了，无法阻止小满的尿水。然后，小满又寻了些断血流，赶快嚼成一团了又丝丝地拉开，往金贵流血的地方按。他不停地扯草，不停地嚼，不停地按。他说："你怎么就是金贵啊，我明明看见是一头獐子，你怎么变成了金贵呢？獐子，告诉我，金贵去了哪里？”

金贵必须把他抓住，他想跑。金贵喊：“还不快背我上医院！”

小满哭哭啼啼就来拉金贵，把背篓丢了，把他往背上抄。小满背着金贵先回了村里喊人，金贵的爹不在，到镇上金贵的叔叔家去了，好歹叫上了他姐姐，小满喊上他弟弟及爹。他们扎滑竿时金贵有些窟窿的血还在往外冒，小满的爹又掏出乌龟来往金贵身上尿，小满的弟弟也尿。金贵整个身子都泡在小满一家的骚尿里了。好歹他们给他换了件干净的衣服，又弄来了些止血药，连敷带绑，终于把血给止住了，然后就用滑竿把他往山外抬。

到了县医院，没交够的钱小满就用他弟弟背来的一背篓上好雨前茶给抵了。因为在肉里找子弹的时间太长，许多没找出来的子弹就缝进肉里了，脑袋里的子弹和肺部的子弹也是。总共取出了二十多颗子弹。第二天金贵醒来的下午，他爹余大滚子才赶到医院。听了小满讲的故事，余大滚子一点也不生气，还附和说：“确有此事，确有此事，人在某个时辰就是牲口，是这样的，是这样的。”于是他还说出了一个自己的故事呢。他说他年轻的时候，有一次上山采箭竹米回来煮酒，在迷魂岭碰上了一只老虎。他是去沟边喝水的，老虎就在沟边等他。老虎把嘴吧嗒了三下，坐在那里，尾巴垂着，这表示要吃他。他就对老虎说：老虎啊老虎，你要吃我，我还是个饿的呢。这样好不好，你让我吃点东西，让我成个饱死鬼。你若同意，请把头点三下。嘿，老虎果然点了三下头。他就从布袋子里拿出熟苞谷来吃，吃了几口，就到沟里去喝水。他一看水里，喝水的哪是余大滚子呀，是一只羊子，脸上是白的，两个大弯角。难怪老虎要吃他，他在老虎眼里原来是一只岩羊子。他就边喝边想着怎么脱身，不让老虎下口。他慢慢吞吞地吃着苞谷，吃了足足两个时辰，那老虎也有耐性，就蹲在那里看他吃。他吃完苞谷，再去水里一照，嗬，又是余大滚子啦，又变回来啦。他一抬头，老虎就离开了。余大滚子对满病房的病人、家属和小护士唾沫乱飞地说：“亏得我找水喝，不然哪晓得我变成了一头牲口，人一天中有两个时辰是牲口，其余时辰是人。在山里被野物吃掉的，都刚好那时是个牲口，让野物瞧见了。你躲过两个时辰就没事。所以野兽一般是怕人的，它非要吃你，你就是牲口……”

他还说，今年有人在咱山上看到了天边的麦子，没有不出事的，并对小满说：“这事不能全怪你，医疗费咱一半，你一半。”

大度的爹说了，金贵还有啥好说的呢。自己的一半到哪儿拿去？小满的一半用茶叶抵了，那个县医院整天飘着望粮山雨前茶的芬芳。这终不是长久之计，医院就赶人了，金贵只好又被抬回村里。

他的腿上的肌肉全萎缩了，医院要他不停地走动才能把肌肉恢复，他疼痛未消，昏头涨脑，枪眼还能见肉呢，却不得不背上薅锄上了山。

苦荞是姐帮忙种上的。

天气越来越暖和了，离开了半个月的土地又试试探探地恢复了生机，从里面拱出很柔嫩的通红的荞麦苗来，那种需要人呵护的、娇羞的苗子让人柔情顿生，百感交集。可那些苗子藏在粗鲁的、大大咧咧的杂草中，就像藏在一群大人中一样。那些杂草全是些横蛮的大人，犁头草、白酒草、仙茅，它们昂首挺胸，仿佛是这块田地的主人。金贵一锄一锄地下去，只听见刃口切割草根的嚓嚓声，声音当然干脆，也沉闷。时间久了就沉闷，接着出现的就是疲乏、困顿。生命总是不甘沉寂的，它要爆发，在这对付连天荒草的战斗中，多年以前，每当在这个时辰，田坡间就会响起此起彼伏的薅草扬歌。

早晨来时雾沉沉，
只见锣鼓不见人，
双手拨开云和雾，
遍山都是种田人……

他忽然听见了一阵极尖锐悠长的女人的歌声，从山那边传来。这歌声是从石缝中间冲出来的，从地底下，从雾气弥漫的山腰。他看到云彩和旋转的树冠。他知道这又是一次幻听，跟他每次梦中听见的歌，在寒夜里北风吹拂的间隙听到的一样，是他母亲的歌，在很久以前。它已经不真实了，没有人的热气了，被时间慢慢改变着，成为一种山里游魂似的东西。但是，母亲却在执着地歌唱，在他想或者不想的时候，这歌声总会出现。这歌声如今依然游荡在望粮山上。别人肯定是听不到的，只有他金贵才听得分明。

他让歌声离开了现场。草就是草。他要让草就是草，而不是什么别的，别的妖魔鬼怪。他要实在地流汗，朝手心里吐唾沫，一锄一锄地前进，薅出荞麦来。

锄头两只角，
薅草要过脚，
吃的猪狗食，
做的牛马活……

这可是实实在在的一个人唱的，歌声很浪，由远而近，很有几分自得其乐的醉意。

金贵总算看到了从山坡上下来的唱歌人，他是小满。前面用一根藤子牵着他的妮子。

“快活呀，你。”

小满低头自顾哼唱，哪知道荒草中有个金贵，一见到他，脸就变了，“我快活什么呀，我是穷快活。金贵，我对不住你。”

“噢。”

“我该死。”

“别说了，说了也没用了。你把你妮子捆着是做什么？”

“嘿嘿。”他拉着藤子，把他女儿护到了背后。

“你像牵什么的。”

“我就实话告诉你吧，金贵，我担心……你害她。”

“你说什么呢！”

“你恨我，我晓得的，我怕你把气发到她身上，趁她在山上割草不注意，一把把她推到崖下去了。”

“放你娘的屁！我跟你有仇，我推你女儿干什么！”

“你断我的后啦。金贵，我媳妇这次又怀了，一定是个儿子，你可不要投毒呀。”

“我投毒，我投毒害你媳妇？唉！”金贵拿起手上的那根榉子木锄柄就往膝盖上撅，想把它折断。他太冤屈了，他不知怎么出这个气。锄柄没折断，倒碰上了腿上没痊愈的枪伤，疼得他钻心。

“小满你不是个东西。”

“可村里的人都是这么说的。”

“他们说我要报复你？”

金贵一个人绝望至极地坐在田坡上，坐到夕阳隐去，群山成了慢慢模糊的黛青色的剪影。坐在山岚升起的寒冷中，他是如此的觉得浑身没有滋味，连炊烟和狗吠都唤不回他去；过去，人在愉悦的时候，真的是每一个毛孔都伸出一个舌头，品味着每一刻的日子和生活，连最简单的酸菜都是美的，舔着自己身上的盐晶儿也是美味。而现在，我是不是被这个不明不白的村庄抛弃了呢？

在最后一抹西天像溪流一样的红云里，他恍恍惚惚看到了一片麦子，是麦子的景色。他不愿那么想，是麦子，可有什么东西在他后面强迫着暗示他，是一片成熟的麦子。他拄着锄头站起来时，浑身冰凉的汗水贴着了衣服，小路被云烟湮没，而星星还没有出来，森林变成了山腹的黑暗。他忽然听见自己对自己说：“你看见了麦子。”另一个自己就走了，另一个自己在给他交代后，走进了山里。

他拼命地摇头，在心里，眼神却惶然四顾，没有实处。

最后的红光消失了。他在心里说：“我没有看见它们！”他在心里高喊。他要回去，回家去，他薅了一天的草，旧伤未愈，浑身疼痛。他从来就没想报复谁。“为什么要说报复呢？”他在田里薅着草，为什么要说报复？

真正想报复的是王起山，他的姐夫。这几天，风声小了，王起山又胆大了，对余大滚子家的报复当然得从余大滚子的女儿开始，那女的反正是他屋里的人，他的老婆，关了门楼，谁管得着。不就是输了一口棺材吗，把派出所的都叫来了，还以后不准他赌博了，最恶毒的是罚他的赌友，那不断了他的赌路？只有到外村去赌，到四川去赌，为赌一次博，要出村出省，好呀，金菊，你这婆娘，老子打不死你！

王起山下女人的膀子前也还是要抓上女人的头发的，抓下一把头发来，抽几耳光，抽的全是骨头，这女人脸上没肉了，害一种望粮峡女人共有的干瘦病，身上也没肉了，女人的骨头硌了他的手，更让他生气。

“憨娃子，你爹打我呀！憨娃子，帮帮妈吧。”

憨娃是他们的儿子，憨娃早死了，有一年照庄稼，被熊啃了。有一年王起山要赌博，就让十二岁的儿子憨娃去代班，憨娃就去了，晚上睡得太死，被熊啃吃了。后来金菊就再也没生育，身上没肉了，就像这坡田，一场水一洗，啥都不长了。她每在挨打时就喊她的儿子，死去的儿子。她喊谁呢？喊爹，爹不管，喊弟弟金贵，金贵怕这个凶姐夫。她只好喊她的儿子。喊她的儿子拳头就更加雨点般地上了身。

“你不提憨娃还强些，别的女人，十个憨娃也生出来了！”王起山说。便下她的膀子，咔嚓一声，膀子垂下来了。

“金贵，快给我上膀子！”

金贵的姐冲进爹的屋来，像得了软骨病一样，两个膀子晃荡着。余大滚子插上门，就对金贵喊道：“把你姐箍住。”

金贵就去箍姐，让她不能动弹。余大滚子拿起女儿的膀子，探着肩上的部位，很有经验似的，说了声：“金菊，忍着点。”咔的一声，把骨头接上去了。然后再接另一只。

金菊的膀接好了，坐下来，缓过一口气，终于说：“王起山这王八日的怎还不死呀！”

“瞎说，”余大滚子说，“他是你男人。”

“天底下有他这样的男人？”金贵愤怒了，“他害我姐的命。”

“他就是死期到了。”金菊抹着泪说。

余大滚子却在火塘里找火点烟，余大滚子的情绪一点都没坏，都没激起来，仿佛被下膀子被打的不是他的女儿，是别人家的。在神农架，女儿嫁出去，就是别人家的人了，媳妇却是自家的人，骂女儿可以，骂媳妇不可，因为媳妇是家里人。这是什么样的规矩？金贵对爹的无动于衷，其实是心知肚明的，他爹每每在女儿挨打时处于一种难堪的境地——他能说什么呢？说不起话啊，他自己的老婆不是被他打跑的吗？

“姐，告诉我，你是不是真想让王起山死？”金贵昂起头来，郑重地、声音洪亮地问他姐。

“想。”他姐说。

“那你提一把斧头，我提一把斧头，把他杀了。”

他不知道从哪个角落里早抄起了一把斧头，还把另一把斧头递给他姐。

他姐在黑暗中接过了斧头。

“都放下！”

余大滚子大吼。他为自己及时制止了一场凶杀而满脸肃穆，像一个称职的长者。

“他又没把咱家的人打死。”他说。

“非得要出人命了，再去杀他？”

“不能剁人，康保剁了蛇头，蛇头还把他咬死了，这就是报应。”

“你要谁报应？”

“欠账的还钱，杀人的才抵命。”

“我把他砍成重伤，让他卧床不起。”金贵说。

“你这不是害了你姐，畜生！放下斧头。你好狠，你好狠，你是王起山的对手？”

这后一句话终于刺到了金贵的痛处。原来余大滚子并不看好自己的儿子，这些年来，儿子生活在一种他极不信任的怜悯中。儿子这身子骨不是争强斗狠的料，除了能薅好一块麦田外。

“你是说我不敢？”金贵真的很伤心，但嘴不示弱。

“好啊，敢啊，妈拉个×，还不放下斧头睡觉。”

最后是金贵乖乖地放下了斧头，他进了房里，他睡了，他爹后来也睡了。他姐呢？他听见他姐坐在堂屋的火塘边，不停地给火塘加柴，并且不停地抽着鼻子。姐在哭，姐坐了一夜。第二天早上，他起来给牛喝水时，看见一夜未睡的姐，又踩着白雾背着背篓，手拿镰刀上山割猪草去了。

他望着姐那几根骨头支撑的背影，他真想哭一场，可他是个男人，虽然被自己的爹也瞧不起，他还是不能哭。他站在牛栏前，那一阵子，他感到全身骨头疼痛得像有人拿板子敲。许多未摘净的铁子儿在肉里提醒他：要变天了。

中午，乌云蓦然间从别处的山谷里翻过来，急剧地膨胀，接着带来了大风，首先切断了几棵正在灿烂开花的青桐，那是在小满的屋后。再听见山石啪嗒啪嗒地乱响，石头滚滚，青光历历，树叶漫天飞舞。

金贵开始收拾锄头和背篓往山下跑。他得抓住石头，有一阵风把他的衣裳吹翻过来包住了头，很容易他就会被风吹下悬崖。已经有人吹下悬崖了，还有一张犁和一头牛，哀哀叫着坠下崖去。这风叫“白毛风”，吹得地皮一下子就干透了，呼呼地往外长白毛，白毛又吹到天上去。地皮刹那间长出一根根白净净的茸毛来，这是哪门子事儿呀，哀哀的叫声不绝于耳，羊也吹下崖了，一些人补栽的独活摇摇晃晃地变成了蒲公英，四处飞散。这山上农民种的庄稼没一样是木本的，全是草本，经不起风吹雨打乱石砸霜雪压。为什么庄稼是草本的呢？为什么没有洋芋树、麦子树呢？金贵扶着石头小心翼翼地下山，他回过头看到自己的荞麦全被吹折断了，伏地了。早知如此还不如不薅，让它们埋在荒草丛中，兴许能躲过一劫。

这是不可能的。风吹了三天，地刮平了，背阴的水洼重又结冰，山里的庄稼都枯萎了，村里连喝的水都没有了，只有朝每个窗口扑进来的乌云。在半夜里，还突然下了一场雪，霎时又被吹得无影无踪。被人和牲畜的脚踩得泥泞不堪坑坑洼洼的村路与山路，现在坚硬似铁。

第三天一大早，金贵他爹余大滚子突然要进山去了。他用罐头瓶子装了满满一瓶腌薤白，还带了不少的粑粑。他对金贵说："我进山砍香柏。"

他说了这句话就头也不回地走了。这几个晚上他可能又想到了死亡，十年前为自己的死亡进行了盛大准备的他，现在那口棺材没了，他一定心慌了。康保家赔他八十元钱加两根芝麻栎，他朝都没朝那两根栎木看一眼，他瞧不上。钱呢，还给了他在镇郊的弟弟，那是为金贵的医疗费借的，还远远不够，他没与儿子商量着怎么还那笔医疗费，却一个人背着斧头进了山。这一次他可是有点蹒蹒跚跚了，风把他吹得歪歪欲倒，像喝醉了酒一样。

"没有香柏了。"金贵对他的爹说。远远地，他向那个人喊。

他的爹根本没有听见，风还在刮。他觉得爹可能一去不复返了，那个影子将消失在群山中。

在身上疼得不行时，金贵就背上一把扁锄到坡上去了。他出坡，这儿的人把下地干活叫出坡。

不知又要改种什么。金贵一路走一路想着这扰人的问题。他一个人背一把锄头上山来干啥啦？他能锄动石头一样的地，锄松了，地就飞起粉尘，像烟雾一样的。他后来找到了锄松它们的办法，他挥舞着锄头，他是在薅草呢，还是在薅苗？他想出点汗，他想把这狗日的坡地挖翻。他发疯了。

有人一把抓住他的锄头。他转头一看，是小满。就像过去画片上画的那个拦惊马的欧阳海。小满手扬着拽紧金贵的锄头，一个大弓步，呵斥道："住手！"

"这是我的地！"

"胡搞！胡搞！胡鸡巴搞！"小满不松手，小满骂他，小满像教训自己的兄弟一样。

金贵到底掐不住了，泄气了，一屁股坐到地上。金贵没哭，小满却假模假样地哭起来了。

"金贵，是不是你脑子被我打坏了？"

"没有，呔！"

"咱们过的是啥日子呀，金贵，风也不怕咱们，雨也不怕咱们，就钱怕咱们……峡谷口那三层楼你晓得是哪个的吧，是人家县里一个副局长的，就一个老娘，三层楼，玻璃红墙，咱们有啥，鸡巴一个，还小人家尺寸。我当年在房县给加工厂锯木板，那老板有四五个女人陪他睡觉。咱村里有好多男人一辈子没闻见过女人的腥。咱舅舅你不是不晓得，让一条老母狗咬死了，他要奸那狗，狗还不咬他？没钱讨老婆呗！他假若是条公狗，也不至于如此下场呀！所以说，这里的人狗都不如。你爹说人有两个时辰是牲口，我看咱们啥时辰都是……”

“别提牲口的事了！”金贵说。

“那就商量挣钱的事吧，咱们要挣钱，兄弟！”

“出去打工。”

“打工有几个挣钱回来了？有的把命送了，有的关进了监狱，除非是个女的，那倒是可以卖×。”

“你让你姨妹子去。”

“金贵，你说这个话？你好狠毒！我那姨妹就是个卖×的料？我还准备把她说给你的，我跟我老婆商议了，觉得欠你的，把姨妹给你，咱们结个亲戚，俩姨老，一担挑……”

“你说你把你姨妹给我？”

“她配不上你？你这么不讨人喜欢，又妮子似的脾性，你娶她还亏了？我看你就一点小聪明外，啥都没得，钱无一分，金无一两。”

金贵不知道小满后来说了些什么，他突然就有了一个女人，而且跟小满成了姨老，一担挑。他还很难相信这是真的，是人话是鬼话，可他想着那个也不怎么高大的女人，小满的姨妹子，一个小脸红红的，走路猴腰的女人。他最后看见小满站起来，说：“明早我到你家捆猪。”

他捆猪做什么？捆猪给他姨妹，作为聘礼？村里可没这个规矩呀。

有了女人，他就不想西天云上的麦子的事了，那个耳畔强迫他的声音，替他说话的声音：“我看见了麦子，我看见了麦子……”他没听见。他说。他坐起来，拍打着身上和裤腿上的灰土，他想女人。女人是什么，就是笑，就是做针线活？剁猪菜？晚上睡在一起，关了门，假装让谁都不知道？女人在家里进进出出，然后，生娃子，头上包个大红的枕巾，掏出不大不小的奶来给娃儿吃，然后就……“我是不会揍她的。”他说。他心里漾着一股幸福的溪流，这可是从未流经他心头的一股水，这水怎么这么甜呀，它流淌着，流了一夜，把干涸的金贵遍身都浸润透了。

接着，圈里的猪开始叫了。

金贵竟然一句话都说不出来，他打开门，看到晨雾里的小满正在捉他的猪，下绳子。

“你来帮一把啦！”小满命令他。

他跳进猪圈，就帮着捆。猪站在粪水里，他们把它拽到干草角上，用腿跪着，小满就麻利地下绳子了。金贵懵里懵懂地帮小满捆猪，像捆别人的猪一样。幸福让他手足无措，大权旁落。

“然后，”小满对他说，“你在背篓上垫板子呀！”

金贵又去拿背篓，拿来板子，板子与背篓连在一起了，横在背篓上了，再将猪捆在板子上，就这么，猪捆好了，猪叫着，另一头猪在圈外叫着，是小满的猪，也捆在板子上。两头猪呼应着，越叫越凶。他捆两头猪干啥去？他这才回忆起他昨天好像说过的买锅，煮黄包刺熬黄连素粉，难道是指我们自己？

金贵揉着眼屎背上猪上了路。事情就是真的，小满要与他合伙，卖猪，买锅，熬黄连素粉。小满说现在五十块钱一斤了，是粗粉，细粉就更值钱，我们做不来，不过，就粗粉一斤便能抵一亩麦子的钱。

“我们并不比城里人蠢，可是我们为什么就是没有钱呢？钱啊，钱。钱一定在黄包刺里。”

“我想再补种一季苦荞，到时收割了就可以再种泥麦了。”

“种个鸡巴苦荞，那么苦的粑粑你还能吃，现在是什么时代了，你还吃八百年的苦荞，现在人家城里吃啥？吃麦当劳，吃脑白金，把金子吃到脑壳里面去，就成金脑壳啦。人家是金脑壳了，咱连颗金牙也镶不起，你看咱穷的。金贵，咱们也要挣票子，然后吃脑白金，你脑壳就不疼了，咱们都吃成个金脑壳，晚上一走出去，闪闪发光……”

小满自以为见过了许多世面，不过他想办的事是一定要办成的，他说他想通了，人应该拼了，与其穷死，不如拼死。他说他总觉亏欠金贵的，所以别人不选，只选金贵，他说：“等我富了，让那些人看看。”

小满因想富想花了眼，见人也当做能取麝香的獐子杀。金贵不知，他熬黄包刺的想法已经遭到了许多人的拒绝，他一家人家的猪都没能捆成，他也是将自己的姨妹作为诱饵，可没一个上当——没一个瞧得起他那十八九岁还未见发育的姨妹，可金贵糊里糊涂地就被小满捆了猪。他们在房县县城，卖了猪，买了一口两米宽的海锅。这锅怎么背回去啊，路又窄又陡又险。金贵说不能买小点的锅吗？小满说这算大啊，还有更大的，不大你能熬出什么黄连素粉来，真是开玩笑。金贵说那你背吧，小满说当然我背，你那个身子骨我好意思要你背。我就背这个黑锅喽。他们让卖锅的给了两块木板，做成了个高高的背叉子，放上海锅，小满的人就不平衡了，锅的下部分只能到膝弯，否则腿迈不动，但上面太高，小满一走一翘，一不踏稳就会罩进锅里去。小满像踏云一样地在街上走了一段，慢慢地找到了感觉，加上有金贵在旁边扶着，就进山了。

进山后事情越来越难。路真是太窄了，那路只走背背篓的人，一脚板宽的路，贴悬崖，你得横着走，你不可能把悬崖撬掉，头上是密密匝匝横陈的树枝，你走不过，只好砍，还有两边的刺棵葛藤，你也得砍，挂不住锅，它挂裤腿和背叉子。

看着看着天就黑了。金贵坐下来歇息时，喉咙里呼啦呼啦地漏气，肺里的弹孔好像没长平一样，枪伤都在疼，头疼，钉子钻的疼一样。他在那儿大口地喘气，小满问他怎么了，他自言自语地说："我算废了，我真的废了。"

"瞎说，走吧，有钱了把枪子儿从脑壳里拈出来。"

他以为小满会说"你废了我姨妹养你一辈子的"，那话听到了他会恢复点体力，小满这家伙根本不提他姨妹了，这让金贵彻底地气馁了。他们好歹扎了两个松明子，点火照路，再继续走。

背着黑锅的小满不吭声地走。到了险处，就等在后头挪的金贵。走到观音岩，路被春上的冰汛砸断了，根本不能过，小满就放下锅，想两个人抬过去。断路处放了两根嘎嘎作响的细木头，又滑，底下就是百丈深渊。小满先走过去，一只脚放在木头中间，去抓那边的锅沿。锅的重心在悬崖下，锅时刻想往崖底下跳。两个人抓着，想用肩抵住，那也很危险。金贵一憋气，吐出一口腥咸的痰来，不用看也知是血。两人慢慢地移动，把锅抬过了断路，金贵的腰就弯了，直不起来，胸前疼得一阵阵痉挛。

"伙计，直不起来了？"小满背上锅，手举松明说。他自己的汗也像水一样淌。他看着金贵，无能为力。

"走吧。"金贵缓缓站起来，捂着胸。

"有钱了……"

"什么鸡巴钱！"金贵打断那个背锅人的话，他对着那口锅大骂，他只看得见那口锅，和锅底下一双移动的脚，"鸡巴钱，小满，你说话像玩儿似的，总是不能兑现。"

"还没有。"

"你不能兑现。"

"不兑现天打五雷劈。"

"我鞋都走穿了。"他想让小满明白他的意思。让小满把过去的事想起来，让他的姨妹……金贵也等得不要脸了，干脆挑明："没有人给老子做一双鞋。"

"等咱们有钱了买旅游鞋。"

有几次小满差一点闪失进崖下，几次都让金贵把他拉住了，金贵想，他人下去了没什么，砸了锅，锅上面有我两只猪腿呢。

走到鸡叫二遍，两个人才进了村。锅就放在了小满的猪圈里，金贵回家，门上依然一把锁，爹还没有从山里回来。

因金贵枪伤复发，小满只好一个人去四川请师傅了。三天以后，请来了三个人，一师二徒。三个四川人都长得短小精悍，寸土寸金。其中的那个穿一件灰色西服上衣的师傅嘴甜，把小满和金贵都叫"老板"。他们成了老板，就那么一口锅他们就成了老板？老板就是有钱人，有票子周转，抽好烟，喝大杯子茶，眼角都时常滋润得冒眼屎。两个"老板"就赶快砌灶了，放锅了，派人去山上挖黄包刺了。首先上山挖刺的没有外人，是小满一家，加上金贵的姐姐，金贵的姐夫王起山直好笑，从塌鼻子里发出毛猴一般的鸣声，"倒找我几个看。"他说。

山上的黄包刺还不少，刨来的根两个四川徒弟就用斧头剁成块块片片，师傅就加水，生火。噼噼啪啪的大火烧起来之后，村里有了些骚动。大家是来看锅的，也来看人。村里很少有外人进入，几个四川矮先生也让大伙瞧得有滋有味。大伙说小满要成万元户了，金贵也要成万元户了，但都不知道他们熬什么，“是熬盐啦还是熬炸药?”他们全不知道。知道的背后说，某某村也熬过这东西，几年前的事啦，那赚个卵的钱，还不如偷树。而且把山全挖坏了，寸草不生。金贵看小满，无论怎么看，也不像即将成为有钱的人，自己看自己，一副苦相，瘦弱不堪，穿一件破毛衣，里面秋衫的衣领已经坏掉了，竖在外面，像荷叶边。

可是三个四川请来的师傅却十分尽职尽责地劳作着，那四川师傅揉着被烟熏得流泪的眼睛，观察着火色，用青筋暴突的手伸进锅里去捞那煮得咕咕响的树根，拿起来，舔舔，又放进去，盖上盖子，说：“猛火！猛火!”好一阵猛火，炊烟升有几丈高，火把添柴的徒弟的眉毛烧干净了，一根一根的杂木棒子往灶膛里塞，两个添火的徒弟轮换着跪地吹火，满脸通红，黑汗直下，噗，噗——噗——那师傅只管坐在一块大石头上，撩起二郎胯子，抽着烟，用一个大罐头瓶子喝浓茶，同时吐痰：“嘿——呸!”在小满屋场的岩坡上，在那棵有了些年头的大柿子树下，几个外地来帮着发家致富的人显得高深莫测而又风度翩翩。一些小媳妇走近后那穿西服的师傅就会搔首弄姿，挤眉弄眼，还要表演一番：掐熄烟头，揭开锅盖，舀一些热气腾腾的黄汤，用手沥了沥，故意不怕烫的样子，又指挥道：“猛火！猛火!”然后，又复坐于石头上，又掏出一支烟来，点燃。有男人在场，就将烟分赠予他们，还送上火，很和蔼可亲的见过世面的样子。叼着烟的四川师傅就这么很有人气了。在人越聚越多的时候，他就动手了，让大家让开一下，“免得烫着你们了啊。”他手拿木瓢，把锅里的黄汤舀进一个大脚盆里，对小满说：“老板，盐来。”小满就递上盐，四川师傅就抓盐放入脚盆。风一吹，那脚盆的黄汤就慢慢凝固了，就成了豆腐花啦，这真是神奇，这个师傅不愧是师傅。大家再伸长脖子往下看。两个徒弟已将大锅淘空了，这脚盆的豆腐花已倒入一个大布袋子中，吊在树桠上，让其滴出水来。沥干了，再把布袋子中的豆腐花抬着倒入锅中，用一把铁锹代替锅铲炒来炒去，慢慢地，哈，成粉状啦，黄爽爽的，那师傅笑着说：“成啦!”

“成啦!”就这样，成了黄连素粗粉，就能卖钱了，钱就这么变戏法似的，由一堆埋在土石中的不中用的根，到了小满和金贵手上。

钱就是这么变的么？这可是新鲜的法儿，不是偷树、种泥麦和荞麦、挖药、打猪草得来的，是请几个师傅做出来的。谁都不敢相信，两个穷得叮当响的人，竟然请了三个雇工，这在旧社会是地主的做派。人变富真是太容易了。虽然金贵家听不见猪叫了，堂屋里的猪菜铡了就堆在那里，他躺下来时，一个人冷清清地望着屋顶，有点不敢相信地问自己：“我还请了雇工?”有一个半是他的，用卖猪的钱请的。请他们喝酒时，金贵说：“肉账酒账都记着吧。”他喝了些酒，感谢三个四川人，说：“有钱大家一起赚。”这话是小满先说的，小满还唱了一句《水浒》里的歌：“你有我有全都有。”初定的是四川人以人力和技术入股，占三股之一。

事情就像真的一样了。这三个师徒不仅造出了黄连素粗粉，还在村里站稳了脚跟。有些祖籍是四川的村人还想跟他们攀亲呢，请他们喝酒，大家在一起唱四川民歌，四川的西服师傅有一副好假嗓，一个人唱女唱男，唱得哀哀切切，用两根筷子在碗上敲节奏，主人家不说他失礼，倒还很高兴，难得有远客把家里弄得这么热热闹闹，歌舞升平的。这有一副好假嗓的师傅以他的技术和歌声不仅征服了男人，也征服了女人，有的女人开始悄悄打探起他的家庭情况来，甚至流露出不惜跟他做二奶的愿望。这些贱女人们想方设法与他接触，有的来添柴，有的给他打下手，有的放下手中的活去上山挖黄包刺根，虽然一天下来赚不了两块钱。但是跟穿西服的四川师傅干活，分文不给也高兴。只要听到他唱四川民歌的声音，看到他在海锅前英姿飒爽的身影，那就是一种满足。那些人都看着金贵和小满发财啦，看着这两个在村里最没有本事的人发财？一个是想野物想疯了，见了人乱开枪的憨货，一个是比女娃子都怕羞的薄脸男人，他们竟然成了村里的能人，那王起山一伙人往哪儿摆呀？

小满背着粗黄连素粉去了县城，果然换回了一些钞票。大家看他笑眯眯地回来，就知道有戏了，他把金贵和穿西服的师傅叫到一起，大家看到他们把门掩了，坐在屋里，然后出来，还是一脸的笑，票子分好啦，接着师傅就很有劲头地挥手道：“猛火！猛火！”

半头猪回来了。金贵点着票子，他告诉了他姐。他姐也因为挖黄包刺给开了二十元的工钱——小满给大家开工钱时是在屋场上，摆开桌子，叼着烟，手拿笔，还磕算盘，你二十，他十块，他五块，没有结账的他就说：“下次再结。”

金贵点了票子，就要磨锄头去了，他的几把好扁锄和羊角锄都刨得像狗牙齿了。地垄上的苦荞来不及去看它，锄头借出去后，成了石头和树根的仇人。他磨着锄刃，检查老榉子木、过冬青、苦楝、杜仲和腊子树的柄儿有没有断损。

他的爹还没有回来。

小满的姨妹来了，叫一旦。这一旦妮子是来照顾她有身孕的姐姐的。小满没提那个事，也许他忙得团团转了，忙昏了。可金贵看一旦的眼里没有他，眼神也不特别。他就想问问一旦，她姐夫给她说了什么没有。

一旦穿红裤子，一旦穿白球鞋，一旦上身穿运动服。一旦有红是白，不过看背影，就像个十二三岁的学生，屁股倒是长圆了。金贵就趁一旦去山坡那边的溪沟洗衣时，从另一条路背着锄头去会她了。金贵有了半头猪的钱，他想着这钱可以给一旦买些什么，头巾？香帕？银镯子？一个男人想为女人花钱，那一定是爱上了她。

一旦在溪边洗着衣服，金贵就喊了她。金贵还从没这么大胆过，简直像一头想吃猎物的野牲口，张着牙齿大喊："一旦！"

可他又站得远远的。一旦抬起头，见是金贵，没说话，只是笑笑，手搓得更勤了。

"一旦，你给你姐夫洗衣呀？"

他就过来了。可是一旦还是笑，还没有讲话，有气无力的，好像有望粮峡已婚女人的干瘦病的征兆一样。一看到她，就联想到她以后就算结婚也会得干瘦病，就突然没了兴趣。城里的女人却白白胖胖的，伸出手臂来，藕节似的。他不说话了，一旦就说了：

"啊，嗯，挖？"

"嗯。啊。挖。"金贵回答说。

后来金贵看着她蹲在那儿紧紧的小屁股，就忍不住了，就比画说："你姐夫，给你，说？"

"他？"

"嗯？"

"啊，他。他？"

"他。"他想了想，还是得他说，他就把屁全放了，"你姐夫说，我与他以后是亲戚。"

"亲戚？"

"一担挑。"

"我？你？"

"明天搭个伴到镇上去吧，一旦，我想买点东西。"他看着看着一旦要说别的了，要推辞了，他就想把她紧紧抓牢，他不容一旦说话，他继续紧紧地说："出村口那儿一个洞，在洞门口我等你好吗？搭个伴儿，去去就回。"

他说完就走了，边说边走，不容一旦回绝，走了老远还在喊："吃了早饭以后啊，早点啊，七点啊。"

他哪来的这么大的胆？他想给姐姐说，这事成了。这事感觉上成了，在他看来，就是成了。他没说。这一夜他都没睡好。没有人上门回绝，一旦没来，小满也没来，证明一旦没给小满说，或者说了，小满同意他姨妹与金贵"搭个伴"。

早上用冷水洗脸，在火塘里拨燃火把剩饭用水煮了，拈上几块凤头姜，呼噜呼噜地捅进肚里去，饱了，就把钱放好，放进内衣荷包里，背上空背篓。去买啥啦？他还真没想。他买啥，那钱买啥？捆猪的时候还以为是换定亲物品呢，这下买啥，走啊。

天才麻麻亮。他走到村头的洞口，寒雾蒸腾，峡谷寂冷，松鸦在雾崖上断断续续地叫。他伸长脑壳，看那雾中的来路。

她不来呢？她瞧不起我呢？村上的人都瞧不起我，说我不长胡子，撒尿的声音也不响，细水长流的。一旦她也就那个样，可我为什么偏偏喜欢上了她？这么想，需要一旦的愿望越来越强烈，恨不得抱着她啃，抱着她上床。把门做牢实些，离爹远些，把板壁上的缝用报纸糊紧些。

他在那儿想入非非地站着，等到太阳慢慢地升起来了，等到有人走过，他就待在洞里。等到有狗叫的时候，一旦带着小满家的狗来了。小满家的狗不咬金贵，那是只豌豆色的公狗，雄赳赳气昂昂地高卷着尾巴。一旦来啦，你看她那个样子，女人走路的样子，好像要避人的样子！金贵从洞里冲出来说：

"一旦，我们走嘛。"

一旦站着了，不看他，看也只扫一眼，看石头，看脚下很细很远的河流，说：

"我姐夫不让我去。"

"小满？"

"他说家里有事。"

"你为什么要给他说？"

"我问他。"

"他就不让？"

"他说你也有事，他要找你，这几天不能出去。"

"不出去可以，晚上咱们还是能在这儿见面吗？"

"干什么？"

"不干什么。见见面，见了再说。"

一旦先走，金贵后走，金贵走的时候想一旦的话，她问我想干什么，她是不是想干什么，她什么都懂，她早就想干什么了。

"青布衫子白布领，口问二姐肯不肯，你要肯来你就肯，免得干哥想掉魂。"他小声地唱着就去了小满家。他是学着四川师傅的假嗓唱的，唱得果真差一点把自己的泪给唱出来了。这事儿还真有些难受，这事为何如此难受呢？可难受得心里甜丝丝的，像吮甘草。

他到了小满家，见那几个四川师徒正在烟熏火燎地烧火，锅里的刺根冒出一股涩苦的潮湿气息。小满在砍刺根，金贵只好也拿起一把斧头砍刺根。两个都没有说话。过了一会儿，小满就停下来脱衣服了，他把衣服扔进屋里，招手要金贵进去。

金贵没看见一旦，小满瞅瞅门外，急急地与他低声说话了，他说那四川师傅要他给一百块钱，去房县买制作精粉的工具，小满说那师傅缠了他一晚，说不做精粉划不来，精粉一斤当粗粉十斤八斤，要想搞，就搞精粉。金贵说那就给他嘛。小满说他们几个人嘀咕，躲着他。金贵说他会不会拿了一百块钱跑掉呢？小满说有这种可能。金贵说他们是不是嫌饭菜不好？小满说顿顿酒肉，差点把我老婆累流产了，我姨妹一旦的工钱也不知怎么算呢？

这是又一项开支。金贵来不及想这些，金贵想着晚上的事，心不在焉，说一百块就一百块吧。小满说,那就一百块。

三个四川人磨磨蹭蹭到中午才出发,可他们走得很快。等不见人影了,小满出来就对金贵大喊说:“箱子撬了!”

添火的金贵冲进屋里,那个装粗粉的红漆箱子果真被撬了,只有小满才有钥匙的,但现在盖子开了,里面空了,里面是这些天熬的粗粉,足有十五斤。

小满提上他打金贵的枪,拉起金贵就去追赶,小满的弟弟和父亲也加入了追赶的队伍,他们分两股包抄,想截住那几个盗窃犯。

在出门的时候,金贵终于在厨房找到了一旦,匆匆留下一句话:“晚上我会回来的。”

追赶那三个四川人并不是一件容易的事,他们沿着长长的峡谷奔跑。路时而下到河滩,又时而跃上悬崖,跑了一个多小时,金贵明显体力不支,胸腔里拉风箱一样,咳嗽,吐出的涎泡全是红色的,头疼,脚软,没有重心,这一次,金贵感到这条命去了一半。到了与小满父亲和弟弟会合的地方,没见三个四川人一根毛。小满的弟弟终于说出了大家都不愿说出的那句话:“他们早钻老林子溜掉啦。”

那肯定是溜掉了,这峡谷往哪块石头后面一躲,你也看不到,不用说那么多岩洞,那么多小峡谷,那么多密密匝匝的树,山上全是路。这只是苦了金贵,他们看他垂着头在那儿吐血泡子,问他还能不能坚持,金贵不吭声,他知道魂快掉了。他听见小满在骂四川佬,说要报案。那又要回去报案,要翻过望粮山,整个夜晚又得在山路上过了。这算哪门子苦差事呀,这是赚钱做生意吗?雨下来了,天气闷得人出气不顺畅,峡谷里充斥着一股呛人的硫黄味,烟雾腾腾,天气晦暗,仿佛要进入冬天的样子,可现在是夏天。

小满父子三人急匆匆在前头走,金贵在后头跟着。走了老远歇息时,他们等着他,小满说要不要架着走,金贵摇头。小满的弟弟给了金贵一根捡拾的木棍子,很结实,金贵就拄着了。

天色已经很晚才到村头,他们没有进村,谁也没提吃饭的事,就径直上山,到乡里去。

到了乡里已是三更时分,乡里的几栋房子都没了灯光,倒是派出所还有灯,运气不错。没进屋,便听见哭声,还是一个男人的。他们推门进去,都看到那个在椅子上哭的人是金贵的爹,余大滚子。

余大滚子像一只饥饿的猴子,人不人鬼不鬼的,金贵这一趟走来,也人不人鬼不鬼了。父子相见,无语凝噎。金贵问爹这是怎么了,怎么到派出所哭,他的爹说抓住了抓住了。唐所长伸出螳螂颈从里屋出来说:“金贵你爹我只罚他两百块钱,是看在他棺材被你姐夫输走了,若不是这样,我抓去让他蹲半个月的号子。”金贵的爹说:“那就蹲吧,蹲吧,要钱没有,要命一条。”小满就说大家凑点钱罚了算了,当下就各自掏荷包,共掏出了三十七元八角钱,堆在桌上。唐所长说,香柏是国家二级保护植物,你余大滚子还这么大的胆。大家为余大滚子求情,见是半夜,冷风飕飕,唐所长就答应了,按桌上的钱开了个收据,又问:"怎么你们都晓得了?"小满说我们是来报案的。唐所长说:"现在夜已深了,到时我跟四川方面联系了再说。"并详细记下了小满说的地址与姓名。

锅就这么空了,火就这么冷了,余大滚子回来找儿子要猪,只有半头猪的钱,金贵还想给一旦买东西呢,只好悉数交了。

余大滚子这一趟从山里偷木回来,胃受了风寒,整日喊疼,看着那挖得缺头凹脑的十几把锄头,一个劲骂金贵,要他去捡炮弹来再打几把好锄头。金贵就去了望粮山的黑风洞,那里过去解放军放炮炸过土匪,有时可以捡到一些弹壳。捡了一天,没见到半只弹壳,叔叔余大梭子来了,是来要钱的,那时医疗费全是借的他的,他家要钱急用。没钱,康保家赔的钱又太少,说起失棺的缘由,余大梭子就上了王起山的门,他踢门,背着手站在堂屋中间,也不坐,瞪着两只老虎眼睛,朝王起山啐了一口,要他别动,别抄家伙,他说:

"你这个小杂毛,老子叫几个黑社会的打死你,杀你全家,连你父母兄弟姐妹侄女侄儿一起杀,老子没见过你这号人,你还叫人?连你丈人的棺材都输掉了,你还叫人?猪狗不如!看你把金菊打成什么样了?你有狠的你打自己的老婆?你打外人啦,你看看镇上有狠的人,人家吃香喝辣,会赚钱,往屋里扒,像你这种吃里爬外的男人,还不如自己吃老鼠药死了好些。从今天起,镇蔬菜队余大梭子警告你,再打你老婆,再跟你老丈人过不去,老子对你绝不客气……"

余大梭子从怀里掏出一个水杯,拧开,咕噜咕噜地喝下去,然后"啪"的一声,将杯子摔在堂屋里,登时酒香四溢。摔毕,拍拍手,昂头而去。王起山屁都没放一个,王起山躲在房里抽烟。金贵的姐姐金菊倒是哭着收拾那些碎玻璃,王起山说话了,王起山说:"呵呵,呵呵。"

村里全在笑话小满和金贵的那口海锅。小满说:"我准备养猪。"他是说拿它煮猪食。说是这么说,锅里那一天就装上了一满锅的冰雹。

一旦回去了,在山那边。金贵就跑到山那边去找到了一旦,又约了一个山洞。在两个村庄的中间,一扇悬崖边,周围有栎树和被山洪冲进沟的滚滚乱石。那天晚上,他们在山洞里见了面,外面就下起了冰雹。只听见洞外的树木到处被人砸着石头,一旦就说鬼来了,金贵说哪来的鬼,正好紧紧把一旦抱住了,用衣裳把一旦包起来,然后找她的嘴唇,一旦的嘴唇左躲右躲,还是被金贵一口咬住了,还咬一旦的舌子,一旦也咬金贵的舌子。金贵的一只手放在一旦小小的胸脯上,不敢往里面摸。可他想摸,多次在睡前想象着怎么摸。当一旦说要送她回去时,对机会的即将消失使他顾不了那些,在往外走的时候冰雹砸着脑袋也没去护,手急匆匆在一旦的内衣里,可那隆起的地方比一颗冰雹都不如,他挨着打,一旦在他的腋下,在他的衣服里，冰雹猛砸他的脑壳，好大的冰雹，疼也就让他疼去，他扪着一旦的奶，有滋有味地放不下，一旦在喊砸得好疼啊，她一准心思没放在金贵的那只手上，他们在路上跑，一旦拿着电筒，电筒光里是鸡蛋一般大小的冰雹，有的比柿子还大。金贵被砸得眼冒金花，到了村里，一旦把电筒给了金贵，金贵又往自家村里跑。这冰雹可真是怪了，金贵来时，只穿了一件夹衣，还呼呼冒汗，他口含电筒抱着头跑着，双手有甜蜜蜜的感觉，可冰雹打他，把他的感觉往死里打，抹去。幸福来得太突然了，他一路想着他成了大人了，他摸了女人了，女人的肉细嫩些，女人的胸脯也软些，虽然不大，可那是女人的胸脯，一旦的，别人绝没有摸过的地方。他想他成了大人啦，地上尽是些硌脚的冰雹粒儿滑他，绊他。

到了家冰雹越砸越多，地上堆起了一层，有瓦砸破了，冰雹从屋上漏下来，到了屋里。他爹到处找漏瓦，帐子顶上用一件蓑衣盖着，怕砸到床上了。金贵冷得直打牙磕，在火塘边烤了半天，牙稳住了，双手烤着火，看着那手，没有什么变化，可心里甜着，头上有许多麻木的包块，他爹在床上说："谁他妈又看见了天边的麦子。"他爹说了几遍，大骂，大放厥词，说："看你的荞麦！"

荞麦和天边的麦子都说到一块儿了，金贵上了床，躲在被窝里，麦子涌动，人也在动荡。胸口疼，可那只有摸着没有见着的一旦的胸脯在给他寒冷的心送温暖，还有吻，一旦的嘴，嘴里湿漉漉的舌头和上下颚，还有一旦用嘴吸他的那巨大的力量。一旦爱他了，一旦要把他的舌头咬下来。他想他迟早要被一旦咬死的。真幸福啊，被女人咬。

早上就有人在外头嚷嚷说虫子的事。金贵的爹余大滚子先起床，开了门，带进寒气进来说："好大的虫子啊！大天虫啊！"

什么虫子？

余大滚子敲开一个冰雹，里面就有一个虫子，肉乎乎的。余大滚子对金贵说："那一年下黑雪，你不知道下来了好多巴狗子(豺)，那也是有人作了恶，老天爷要惩罚，后来雷劈死了后山的五个人……"可这是虫子，僵而不死，用棍子拨拨，蠕动了。正在这时，金贵的姐姐青着眼睛来了，老远就喊："我的妈啊，死鬼他们还没回来！"

接着就有了哭声，也是家有没回来的人——王起山和四五个进山挖藁本的人一夜未回，他们全是单衣单裤进山的。

金菊在那儿垂泪，金贵就对姐说："冻死他！"

余大滚子说："恶人做了恶事有恶报。"

金菊说："那狗日的死了我可怎么活啊！"

她说出了这样的话，王起山把她打得鬼一样了，她到头来说这种话。金贵不想可怜她了，姐不值得可怜，这么个人。姐要他去帮忙找王起山，他不去，他说："我不去，我找谁，我帮你找王起山？"他爹余大滚子一巴掌打过来，说："再怎么他还是你的姐夫，再怎么也是一条命，混账东西！"

金贵被迫出门，正准备跟随一群处于悲伤和惶恐中的人去寻人，从南头又出现了一群村里的老家伙，都手拿着拾到的大冰蛋和肉虫上门来了，请教余大滚子。余大滚子突然昂起头，神色凝重，微微闭目，道：

“天上送来的东西，你只管照收不误。”

“吃了?”有人问。

“为啥不能吃。”那人的话很可能临时启发了糊里糊涂的余大滚子。在众星捧月的目光期待下，谁知道余大滚子是怎么把别人递来的一条肉虫送进嘴里嚼烂并吞进喉咙中去的。他连吃了三条，绿色的虫汁顺着两个皱巴巴的嘴角往下流，他不慌不忙地吃着，说出了两个字：“麦子。”

“这是麦子吗？这是天边的麦子?!”

“是麦子！是麦子!!”全村一片相同的声音。

于是开始抢麦子了。蠕动的麦子，肥大的麦子。人们想麦子想疯了，饥饿的人们，就这么突然发了疯，连那些准备去山里寻找亲人的人也驻了足，人们纷纷从家里拿来篮子、背篓，在地上、田头抢“天虫”，人们开始大嚼天虫，口里塞得鼓鼓囊囊，一片呱唧之声。天上的鸟似乎也听懂了余大滚子的话，也来抢这些天虫了，大杜鹃、乌鸦、喜鹊、鸫鸟，都亢奋地拍打着翅膀，俯冲下来啄食这些从冰雹里爬出来的虫子，小一点的冰雹开始融化了，天气又晴了，气温又升高，大冰雹有人用开山刀和石头砸碎，在里面寻找虫子。鸟越聚越多，鸟没有人的手脚麻利，鸟愤怒了，鸟啄不到虫子，就啄人的眼睛，有几个人的眼睛啄瞎了，啄得鲜血直流，一手捂着眼睛，一手还在地上摸虫子。

太阳大约三竿子高的时候，一阵热风吹过来，冰雹骤然之间没影了，虫子也没有了。有人竟然抓住了两只鸟，拧着它的头说：“叫你吃我的麦子！叫你吃我的麦子!”

所有的人都突然住手在那儿，好像有人指挥一样，停止了抢掠。你看着我，我看着你，如梦初醒。我们刚才做了些什么？我们手上抓着什么东西，嘴里嚼着什么呀?

“全是疯子，疯子!”金贵大喊着，用一块石头狠砸自己的脑袋。

没一个人理他。

在迷魂岭的一个山洞里，终于找到了那六七个死鬼，全死啦，冻死啦，六七个人抱成一团，皮肤乌紫，浑身结满了冰碴儿，一个个惊恐万状，连眼珠子都冻成了冰疙瘩。村里来了几十个人，把他们抬回村去，下山时，他们一个个突然大汗滚滚，抬尸的人以为他们又复活了，一摸，还是冰的，那汗是真汗，是临死前憋的，冷汗。抬尸的人给尸体擦着汗，自己也擦着汗，天气可热哪!

抬下山去后，哭声一片，金贵的姐姐金菊手拿着王起山的一个蛇皮袋子，里面有满满一袋子藁本。她解开袋子，在里面翻着什么，明眼人知道她在里面翻扑克。

没有。于是金贵他姐扑上王起山的尸体,噼啪就是两嘴巴,狂吼道:“王起山,龟儿子,老子打死你,你还手！哈哈,看你还能还手!”人家去拉她,她又一屁股坐下地,号啕着:“王起山哪负心郎,你中途走了,憨娃也走了,留下我受罪啊!”

被姐姐打歪了脸的王起山是不出声了,金贵看着那个死人,也风光过,可他就这么无声无息了,这就是人的一生？他会下女人的膀子,他还会下？不会了。多么风光的人也就是这个下场,站在村头大石头上的那个人,比村长还牛×的那个人,又怎么样呢？日子无滋无味,活着跟死了有什么两样？他扶着他的姐姐,看到姐姐对死人横眉竖眼摩拳擦掌,就偷偷笑了两声。他笑了两声,那可响亮了,所有的哭声都住了,都瞧着金贵这个人,愤怒地瞧着他,这个人怎么啦,他一个人偷偷地笑?他就笑了。要不是他跑得快,他会狂笑不已的。那时候,他往山上走的时候,唐所长手拿着一大沓“死亡证”来念了。他只听见了一句“属非正常死亡”,他就疯狂地跑上了山,他知道那些人恨不得把他撕了。

他的心很乱,绊了一跤,又绊了一跤,手拽着草站起来,他是来看天边的麦子的。他预感到麦子会出现,麦子就出现了,在天边,哗哗地起伏,一片喧嚷之声,挤得云水翻腾,朝他滚滚而来。

“那不是我的麦子。”他说。他不承认。他坐在那里,骨头一根根地被人拆掉似的疼。

“我看见了,那又怎么样?”他说。他很想跟小满说,他想吓唬吓唬小满,说不定小满会拿枪去打天边的那个魔鬼的。打得让他沾上了甩不掉——就像脚鱼咬手,看他发疯后再打哪个。

晚上,他跟一旦说了。一旦说:“金贵,你说么事?”一旦又说,“金贵,你千万别胡说了。你是不是也想麦子想疯了？金贵,我嫁给你,我们再种一季苦荞吧。”

“不,我要赚更多的钱,我要热热闹闹地娶你,我要到天边去。”

一旦捂住了他的嘴。一旦拉住他,说:“金贵入邪了。”

“哈哈,我才不会入邪咧,与其在这峡谷里等死,不如到外面去寻死。”

“你说屁话。”

“不如去天边寻死。”

“金贵,你撇下我?”

“我们一起走吧,一旦,这儿不是人待的地方,你都看见了,一旦。”

“你邪火了,金贵,我不理你了。”一旦跑了。

金贵想带着一旦出去,到很远的山洞里寻欢作乐一段时间后,两个人喝一瓶农药了事。金贵喜欢说过头话,也是吓唬一旦的,一旦不听,一旦像躲瘟神一样躲开金贵。金贵有些费解,就去找小满,小满大骂了金贵一顿,说:“你妈的个×,你要害死我姨妹？我一枪把你脑子打坏了？我还会上项目的,我上了新项目,赚了钱给你诊脑子。”小满又去了一趟房县，会过去锯木场的朋友，只带回了几根甜柿子苗。我的天，苗只有两尺高，要结甜柿子，那要等到猴年马月？小满就蹲在甜柿子苗前抽烟，每天三泡尿，浇那苗子。

一旦用背篓背来了一袋苦荞种。她悄悄地来，放下后又悄悄地走了。那天金贵不在，她放下荞麦种，又把金贵的锄头磨了几把。金贵回来，余大滚子给他说："还不上山去种苦荞!"

锄头磨得又亮又快，好好的苦荞种子，喷香喷香。金贵不种，说："说不定又要遭什么灾呢。"可他不得不种，为了一旦，他也得种。他就上山种了，他在坡田里边种边发呆。撒肥的时候发呆，锄地的时候也发呆。

就有人说，金贵看到了天边的麦子。

他的爹余大滚子上山去质问金贵，给了他两嘴巴，把他打出了血，问他："你说，你究竟看见了啥?"金贵不吭声，爹扯着他的耳朵，指给他看西边的天空，说："那里有个鸡巴，几朵云，哪里有麦子，哪个造谣说你见了麦子？哪个栽赃我的儿子!"余大滚子再好好地跟金贵说："等我把棺材打起了，就给你打结婚的家具，一旦是个好妮子，天下难找的女人，金贵，下半辈子你要享福了。"

第二天一早，余大滚子就不许金贵出坡了，把他关在家里，说地里的草他去薅。余大滚子还托人让金贵的叔叔给金贵买了一盒"镇脑宁"，让他关在屋子里吃。

可村里人都说金贵看到了天边的麦子。

"这是村里人都在咒你死，不要理他们的。"余大滚子背着薅锄临走时叮嘱他说。

余大滚子上山的第三天晚上回来，就报告了一个天大的消息：他发现了一个红毛野人。他说那野人人高马大，高额角、扁鼻子、大嘴巴，群山之间，如履平地。他说野人见了他就大笑，他吓坏了，就喊："修长城，修长城!"那野人就跑了。他说野人都是秦朝避乱的，怕修长城就逃到咱神农架来了，年长月久，成了山精，有时会出来问："长城修完没有?"你见了这些野人，只要说一声"修长城"，野人就会吓跑，比风还快。

这话不知怎么就传到乡里了，乡里又传到县里，望粮山来了许多捉野人的人，都拿着照相机，说只要弄一张野人照片，到香港去就可卖十万块钱。村里人可惜没有照相机，都拿了锄头、扁担、猎钩子，小满甚至拿了枪，想把野人死活捉到。

金贵没去，他被爹关着了。等到捉野人的人回来，果真把野人捉到了，哪是个红毛野人呀，就是个野疯子，傻×。

那些人捆着傻×下山来，金贵目睹了一场抢夺野人的大战。这是今年的又一场大战，跟抢夺肉虫差不多，大家恨不得把那"野人"五马分尸，拉膀子的拉膀子，抓手的抓手，抱腿的抱腿，都说"是我的"，为此打得一塌糊涂，听说张学有的两颗卵子踢破了一颗，刘家二娃的指头扯断了两根。翁婿反目，叔侄成仇，兄弟翻脸，应有尽有,都是为了分那悬赏赏金。可是一到村里,坐在村长家的干部们看了,说:“是啥鸡巴野人!”一文钱也得不到的村民们失望至极,恨不得揍那野疯子一顿,大家以为那疯子不能说话,可那疯子说出话了,傻笑着说:“俺找娘的。”

他没说修长城的事!

说是找娘,深山老林找哪门子娘?这人是哪儿的呀?河南口音,或是陕西口音?河南与陕西交界的?商南?新野?

金贵他姐就端来了一碗玉米糁子给他吃。他狼吞虎咽,吃着吃着,望着金贵他姐,就张口喊了一声:“娘!”

金菊先是一惊,后来就应声了,不自觉地“唉”了一声,说:“憨娃,你是憨娃子么?”

憨娃是她的儿子。

“是憨娃,是憨娃!”大家都说。

大家就交了差,把一个又脏又傻的小伙子交给了金贵的姐姐,上面来的干部也就说:“好么,好么,认了个娘,这小子有福呀!”

这样,金菊就捡了个儿子。

余大滚子对这个来历不明的傻孙儿可是不答应的,他对村民说:“你们太无耻了,你们养着不行,你们让她个寡妇养个傻×,你们好得意。”

爹不让养,可金菊非要养,她说这就是憨娃,她说你看他笑,跟憨娃一样的。便把王起山生前的衣裳给他穿,给他铰头发,要他洗澡。

傻儿不怕余大滚子,喊他爷爷,傻儿怕金贵,金贵问他吃啥,喝啥,问他喝不喝农药。金贵的姐就赶金贵滚,金贵不滚,研究着铰了头发的青春焕发的傻×,说:“外甥,跟你舅上山薅苦荞。”

这傻儿就去了,他只薅草,不薅苦荞!

傻儿还喜欢一旦,他喊一旦“娘”。这屎人,见了女人就喊娘,有奶便是娘。一旦说:“我不是你娘。”

金贵说:“那他叫你什么,说呀?”一旦不说,金贵就说了:“叫舅娘。”“舅娘!”“这就对了。”一旦脸红了。一旦说:“你叫什么名字呀?”傻儿就笑。

傻儿蹲墙根,端一碗饭,呼呼地吃,不给他搛菜,就不吃菜。金贵的姐给他搛菜,拣好的搛,搛肉,腊肉,把肉都炒给他吃了。傻儿吃完一碗饭,空着碗看金贵的姐姐。金贵的姐姐说:“添去。”傻儿才敢走进厨房,到锅里添第二碗。又吃完了,又看金贵的姐姐,又得到指令后,又添。

这傻儿能吃。

傻儿吃后就背上背篓自个儿去割猪草。嘿,他真能割,一个上午一大花背篓,少说一百五十斤,全是上好的猪草,鹅儿肠啦,红花蓼啦,构叶啦,水苎麻啦。下午就打柴,一捆捆的柴就码在金贵姐姐的屋山头了。卸了柴,抹着鼻涕,指着望粮山高高的雾霭茫茫的山脊，说："那是俺娘。"

怪不得他爱上山的，他把山也认作娘了。

凡是金菊家男人干的活，傻儿全干了，女人干的活，傻儿干一半。傻儿像一架机器，悄悄地干了，不争吵，不顶嘴，不喊累。傻儿还帮金贵薅草，薅了头道薅二道。一旦给他量了脚，给他做了一双灯芯绒面子的松紧鞋，纳的鞋底比给金贵纳的都厚。傻儿穿上新鞋，干活更有劲了。

傻儿脸上有了红色，金贵姐姐的脸上也有了红色，且胖了。金贵的姐姐对他说："憨娃，慢慢吃，啊。"又说："憨娃，那一年你去守苞谷，咋就一走没回来呢？你玩性好大啊。"还说："憨娃，莫再走了，莫再离开娘了。"

姐流出了泪。金贵看着这情景，也悄悄地抹了一把泪。他在墙外头，听见屋里叫"娘，娘"。他听见这亲切地叫娘的声音，他感到心痒痒的，欠欠的。他也想叫上一声"娘"，叫谁一声"娘"。叫谁呢？有一天他在山上薅草时，就对群山叫了一声："娘！"他猛然叫了一声，沿着娘当年走去的方向，野马河、药棚垭的方向，撕心裂肺地叫了一声娘。

他想娘了。一旦不在身边。一旦又躲他了，连小满都躲他，一旦的父母不同意，说金贵怪里怪气的，又受了伤，又穷。小满也说："他背不得一百斤重的东西了。"是一旦失口说出来的，说除非金贵把身上七八颗残存的铁砂子儿取出来。说金贵到时不跟他爹一样呀，打不死你，把你打跑了，有其父必有其子，等等，不一而足。金贵想到的主要还是穷，没钱给一旦的父母塞东西，金贵兜里是空的，爹为半头猪已经骂他多次了，看见小满了就呸呸。金贵决定找爹要点钱，给一旦的爹提两瓶火酒去，还要加一条金蝶的烟。

爹到哪儿去啦？爹鬼鬼祟祟。有一天，金贵看见爹用铅笔画在纸烟盒上的一些字——爹识得一些字。这些字是：他碰见过老虎？他跟老熊打架？蛇不咬他？在哪儿过夜？他冻不死？……

他在跟踪傻儿。

他藏在傻儿发现不了的角落，看他干些什么？他要解开那些不解之谜。几天下来，余大滚子裤子也剐破了，手也剐破了，膝盖也碰破了。回来，他自言自语地说：

"有一只乌鸦歇在他肩上……他掏蜂窝舔蜜……他跟山说话：娘啊，娘啊……他砍断一根藤子，藤子就流出了红血，像女人的经血……"

余大滚子示意金贵不要说话，他还沉浸在山上的情景中，他说："他是个山混子，山魈，哪有一个人在山里成天钻不被野牲口吃掉的；他从哪里来，他到哪里去？……坡上的荞麦都长成藤子了，今年可邪乎啦……"

"那是因为光照不足。"

可余大滚子一副大难临头的样子，他说："村上的老人不多了，你们还不引起警觉。想想今年发生的事吧，这不是巧合。”

这天夜里三更时，余大滚子就起了床，偷偷烧了三炷香，并把蒸好的一只腊蹄子祭给了山神，祈求山王天子大慈大悲，百怪不侵，五谷丰登；十二麻王天子，十二茅花草神，七十二化精邪鬼魅，鬼哭眼之神，梨山老母木精作怪邪王，都一一拜上了。然后，他出了门。

在日近中午雾还未散的时候他回来了，脸上有抓挠过的血痕，且苍白，头发凌乱，惊恐，他对金贵说：“我把他推下山去了。”

爹要杀人？爹杀了人！他把一个傻儿推下了悬崖！

金贵的脑子里嗡嗡作响，一片空白，不知道眼前这个人是谁。可是，就在这时，一个浑身血淋淋的人打门口经过了，那个血淋淋的人看不到脸和眼睛，只是手拿镰刀，背着背篓。

他是傻儿！

“他还活着？”余大滚子望着那个人，那个人影。

“他快死了。”金贵说。拔腿跑过去追赶傻儿。他听见他姐一片嘹亮的哭声：“儿啊，儿啊！”

姐找来了医生，给傻儿治伤，姐要找她爹余大滚子算账。余大滚子无所畏惧，说：

“我是为了咱们全村，为了咱们这个家。”

“你是个杀人犯！”

“傻儿是七十二化精邪鬼魅。”

“杀人犯！杀人犯！”

医生给傻儿把了脉，给他敷了许多药，还开了些草药：苍耳草、七叶一枝花、鹅不食，让金菊采来给她的傻儿子煎汤。

七天以后，傻儿的鼻涕收了。

十天，眼神没雾了。

十五天，晚上，傻儿猛烈地咳嗽，吐出几口黑糊糊的痰来，然后倒头便睡，鼾声大作。

早晨起来，傻儿揉揉眼睛，扒了一碗饭，金菊给他背篓和镰刀，像往常一样，对他说：“去吧，上山会你娘去吧。”

傻儿突然很陌生地看着眼前这个瘦女人，清清楚楚地摇头说：“那不是俺娘。”

“我呢？”

“俺不认识。”

金菊的腿软了，他的病好啦，我给他治好啦，可他连我都不认了。

“俺家在内乡。”他说。那天他还是上山了，可背下来的猪草没有半篓。

他问金菊说：“大姐，这是哪儿呀？”

金菊告诉他这是神农架。

他说:"我做了一个梦,就到神农架来了么?"

他就要走了。他说要回去了。金菊不让他走,说:"憨娃,你又要到哪儿去?"

他说:"俺接娘去。"

金菊泪眼婆娑,给他用梳子梳了个小分头,给他背篓里装上她做的鞋,还有粑粑,还有神农架的香菇、木耳、柿饼。"好走啊,憨娃。"她说。她送傻儿。傻儿没言语,摔下悬崖时被树碰出的伤都好了,他不说话,头也不回地走了。走了老远,金贵的姐姐还在那儿招手。

姐又剩了一个人。

这天晚上,金贵梦见了娘。他梦见娘跟一旦一样,娘讲一旦的话,也小小巧巧的不大爱理人,低着头一个人笑,露出小牙齿,纳着鞋底。金贵说:"娘,你到哪儿去了呀?"金贵跟着娘走,好像上了街,街上有许多人,走着走着娘就不见了,挤散了。他到处找娘,后来看到娘从一个门里钻出头来朝他笑,完全是一旦。金贵问她:"你见到我娘了吗?"一旦拿眼睛鼓他,一旦说:"我不认识你,你是哪个?你是一只獐子。"金贵看见一旦抽出一把手枪来,就跑。一旦叭叭叭叭地朝他开枪,就是打不着,金贵跑得比獐子还快,后来爬上一棵树,好高大的一棵树,树上结的全是麦子,一穗穗像狼尾,他去抓麦子,老是抓不着,一头栽下来。金贵醒来了,胸口突突突突地跳,还生疼。

他想娘了。

那一年,他五岁,姐也只有十几岁。早晨醒来,不见了妈,妈被内乡一个来神农架伐木的男人给拐跑了。那个河南伐木工是个驼背,羊鼻子,鸦鹊腿。他在这里伐木时跟金贵的爹余大滚子交上了朋友,两人经常一起干杯。可伐木工看不惯余大滚子打老婆,打老婆时就夺余大滚子手中的劈柴或棒槌,还帮金贵的妈治伤。后来,金贵的妈就跟那人跑了。姐弟俩找余大滚子要娘时,余大滚子给了他们一人一拳头,说:"找你们的娘去,你们都死了,老子才安逸。"

在金贵的记忆中,娘总是在爹的膝盖下面,头发在爹的手里。可娘是天底下最勤快的女人,不停地做活,不停地补衣裳,纳鞋底,剁猪草,做饭,伺候一家人。被打了,打得青了眼睛,肿了嘴,用水洗一把,又去干活,该干什么干什么。金贵的记忆被那股米汤浆过的香味儿一直缠绕了许多年,衣裳上的米汤味儿,被子上的米汤味儿。睡在这样的被子里,浑身裹着粮食煮过的气息,丰衣足食的气息。就是一件补丁衣服,娘也要浆的,穿得那么挺括,做人端端直直。娘夜里被打了,第二天上山薅草,一样唱她的扬歌,娘的嗓音像溪沟的流水,清澈得如蓝天,哪有夜里被暴打、嘶哑哭过的痕迹呀,娘就是这么个人,娘高高朗朗地唱着:"吃了中饭扬个歌,不唱扬歌不快活,喝了山中桂花酒,不想唱歌也唱歌。"酒全是爹喝了,娘从没喝过一杯,娘只喝凉水。可凉水润过的苦难的嗓子就是那么清，就是那么亮，云就呼呼地飞舞旋流，狗就摇头晃脑，村庄变得幽趣无比了，田垄上的麦子比女人都动人了，大白茅在向阳的地方张望着，森林突然变得忧郁深沉起来……

金贵半夜里翻箱倒柜，他终于找到了压在箱子底下的那五块钱，是娘临走时悄悄塞在他的枕头下的，他从来都没用，老是闻那钱上的娘的气息。他现在拿出这五块钱，又压在了枕头下。

他开始磨苦荞面。

他把要走的事给姐姐金菊讲了，说："姐，地里的苦荞就交给你了。"姐姐恐惧地问："金贵，你真的看到了天边的麦子？"金贵说："姐，我不是去割麦的，我是大人了，我不带镰刀去，我是去找娘的。""哦，"他姐说，"你找娘去，那可好了。""我见见娘，然后，我挣钱。我挣了钱回来娶一旦。""金贵，你真的没有看见天边的麦子吧？"

金贵说："我不会死的。"

他背着一袋子炒熟的苦荞面最后对姐姐说："姐，你等着我。"

他不想与一旦道别，他赌了一口气，他会带钱回来的，不是半头猪的钱，而是一头两头猪的钱。

"天边没有麦子。"他的姐姐反复叮咛他。

"我知道天边没有麦子。"

他沿着娘当年走的路线：八人刨、药棚垭、迷魂岭、野马河……走到望粮山顶时天就彻底地亮了，太阳雄赳赳地从山里跳出来，把自己弄得响亮无比，森林中的青枫、铁桦、橡树都一股脑儿地鲜活起来；红枝子、刺泡、火漆果都燃起了它们的灶口，空气里浆果的甜味灿烂刺人。

天边是什么？麦子！

他闭上眼睛。他背着苦荞面。他什么也不敢看了。他甚至不由自主地往腰里摸了一把，他想摸镰刀。麦子跟上我了？

他闭着眼睛走路，走进了峡谷，四周是山。天空一线，鸟影都没有。他长长地吁了一口气。还是看那些令人压抑的沉重的山壁吧，看河里的巨石，石上厚厚的苍苔，看乱水，看峡谷终年弥漫的烟岚吧，看路吧，看脚下的坡和腿上吸血的山蚂蟥吧。

我为什么早晨就看见了那个东西？那究竟是什么？谁人能说得清？别人都看见过吗，只是都不敢说而已？说出来如果往山外走去就意味着死亡？我没有说出来，那个东西不会跟着我，我悄悄地走了，现在我就像一次赶集，一次卖腊肉。我走，我倒要真正地看看，那个东西怎么能征服我！不，我要征服它！

他在走到老河口之前在一个潮湿的山洞里睡了一觉，第二天感到自己还好好地活着（有一个看见麦子的女孩就是冻死在山洞的），他就笑了，握着拳头，为自己鼓劲。同时却感到浑身发烫，流鼻涕，还打喷嚏。在公路上行走，就有个骑摩托的年轻人停下车来热情地同他打招呼了，问他上哪儿去，表示可以带他一程，不过要酌情收点油钱。金贵没有出过远门，根本无法辨清人的好坏，有人要他搭车，许是跑载客生意的，那人说出给三十块钱又（油）钱时，金贵就自然地跟他还了价；他是懂得还价的，还了价，表示你是有过见识的人，他就说出了十块。那人也没同他多说，想了想，就爽快答应了："中，就算你给俺买了包红塔山的盐（烟）吃。"那人的话已经明显不是神农架和神农架周边（如宜昌和四川）的话了，周围的风景也不是神农架风景，这种新奇感使金贵来不及细想就有生头一次爬上了别人的摩托，且坐在后头，前裆贴着另一个男人的屁股，还要双手抱男人的腰肢。脚呢，脚找踏脚的地方，等这一切落实之后，听那摩托发动并行走之后，他更无所想了，那人把他带到外国去带到地狱去也是那人的自由了。金贵还来不及恐惧，因为坐在上面飞奔在道路上的感觉处处都是新鲜有味的，风在身边呼呼吹，风噎着喉咙，完全不像坐汽车或手扶拖拉机。况且他还发着高烧，他想早一点到老河口，然后就去……

那人虽开着车，盯着前面的路况，还跟金贵说着话。那人说你到老河口去做啥，金贵扯了个谎说找他叔叔，说叔叔在老河口工作，那人问他是哪儿的，他就说他是房县的。过了谷城县城，天就完全黑了。金贵感到彻骨的寒冷，风吹得他快成一块冰了。他想说要那个人停下他加一件衣服，但那人打着灯沉默了，他也不好意思开口了。就这么，他可怜巴巴地坐在后头，路不好，颠得他上气不接下气，肝胆欲坠，迷迷糊糊的当儿，车停了，车一歪那人就要他下来。

他慌里慌张从混沌中下来，那人就向他亮出了一把白晃晃的匕首，在前灯的模糊光影里，那人极横蛮地命令他道："把钱全部拿出来！"又说："不然俺杀死呢（你）！"

金贵就明白是咋回事了，就说实话了，双膝跪下说："我没有钱，我是去河南找我娘去的，她十几年前被人拐跑了。"他想求得那人的同情，放了他。他把先前准备好放在裤兜里的零钱大约十几块钱掏出来捧上交给那人。那人停顿了一会儿把钱抓了过去，又吼道："还又（有），包里还又（有）！"

金贵想抢劫的都是很精明的，在外头混的。他眼看赖不过去，只好从背上取下找姐姐借的王起山生前的一个破牛仔包，拉开拉链。钱就放在最下边的一件衬衣的荷包里，共有五十块钱，姐姐给他的。可他又不甘心就这么拱手交出，他故意一件件细细寻找，那人就说："快点！"并用刀戳他的肘子。那抢劫犯好像闻得到钱的气味，夺过包来，翻出最后几件衣服，抠出两包香菇，在衬衣里摸去了他那五十块钱。然后那人又要他站好，在上上下下的口袋外头又摸了一遍，要他站着不动，跨上车，箭一般地开走了。

金贵在黑暗里不知道是哪儿。他摸索着那些衣物，把它们塞进牛仔包，顺着那个歹徒走去的路，高一脚低一脚地走。

他讨饭讨到内乡。

他找到了他的娘。他按照人们的指点来到一个热气腾腾的郊区，穿过一片厂房，落脚之处到处是废弃的钢铁、翻斗车、煤炭，许多人在灰与火一样炽烈的大炉前用巨大的铁瓢子舀出煮沸的铁水往一些坯子里倒，有人从炉火中拖出一根根通红的带着耀眼橘黄的钢条出来了，然后水就往上面吱吱地喷射，蒸气弥漫。在堆着煤炭后面的一排破烂平房里，他推门走进了他娘的房子，那是一个办公室，里面有一张很大的闪着深红色漆光的桌子，还有沙发和一些铁柜。一个又矮又胖的妇人以一种冷漠、愤怒和嘲笑的口吻对他说话了：

"你是金贵，余大滚子的儿子？你连头发都像他的，一根根比刺都尖，你的下巴就是他的狠毒的下巴，你的眼睛是他的吃人的眼睛，牙齿都全是他的，一颗颗疯狗的牙齿。你为什么长了一副他那个下流坯子的相？你为什么像他，你是不是他，十几年了还不肯放过我，要把我追杀到天边？"

金贵说："娘，我不是爹，我是金贵，来看你的。"

那个根本不像他娘的胖女人说："可我不想看见你，看见你就等于是看见了吃人不吐骨头的余大滚子，看见了比虎豹豺狼还凶残的余大滚子，看见了我八世八代的仇人，看见了屠刀、铁掌、监牢！"

"我像您，娘，村里人都说我长得像您，我是您的亲生儿子，怎么会不像您，而只像我爹呢。"

"你就像你爹，那个活阎王。说吧，找我来干什么的？故意搞得这么一副惨兮兮的样子，是找我来要钱的吧？"

"我不是的，娘，我是在半道上被人抢了。"

"你跟余大滚子一样，极会伪装。就像神农架的野牲口。还想说什么？你说你来看我，你给我带来了什么呀？你编谎话都编不圆，神农架山沟里的人，跟那个活阎王一样，没鸡巴出息，就会算计家里人。"

"娘！"

"不要叫娘，叫我孙经理。想你已经知道了，我确实发了点小财，我知道你们会像苍蝇一样寻来的。说吧，余大滚子叫你来找我要多少钱？"

"我不是要钱来的，我根本不晓得您当了经理。"

那一天晚上他躺在一个工人的床铺上，工人们都上夜班去了。他终于知道拐他娘来的那个伐木工已经死了，后来他的娘就接手承包了村里的炼钢厂。就是这样，成了一个发福了的女老板，有二十多个工人。他还有了两个同母异父的弟妹。

各种尖锐的碰撞声响在夜里不眠地活动着，屋外灯火辉煌。他的娘来到了工棚，还是那么傲慢和冷漠。这个女人戴着金光闪闪的项链，穿着一件挺括的茄色大翻领外衣。她手上提着一个印有许多外国字母的新旅游包。她把包放到金贵面前，说：

"这是给你的，里面有你的一套西服，你姐的一套西服。"她又从那包里拿出一大沓钱来，全是一百一张的，用一根纸带扎着。又拿出一张写满字的纸来，是打印的，说："这是五千块钱，这里，你签个字。"

这女人从兜里掏出一支准备好的水笔，拧开笔帽。按自己的想法说完她要说的话："这就了断了。以后，我百年归山，我的遗产与你和你姐，你们余家的人没有任何关系。"

"您要我签？"

"你先把钱收好，再签。需要我念一遍吗？"

"娘，我真不是来要钱的。"

"你签。"

"好，我签。"金贵接过笔，在那个女人指的地方签了自己的名字。那个女人收好了那张纸。

"现在，我与你们余家两清了。"

"娘！"

"这里没有你的娘，请你叫孙老板。"

"您不记得我了？您走的时候放了五块钱在我的枕头底下……"

"别说钱的事了！"那个女人严厉地制止他。

"娘，您还记得带我到山上薅草时唱的扬歌吗？"

"哈哈，扬歌？薅草？"

金贵紧紧地咬着自己的嘴唇不让自己哭出来，他咬出了血，他品尝到了一股咸腥。他唱了起来："早晨来时雾沉沉，只见锣鼓不见人，双手拨开云和雾，遍山都是种田人……"他模仿着他记忆中的那个女人的声音，他的娘的声音。他看眼前的这个胖女人的反应。有了一点反应，至少她在听，她并不总是那样让人跟着她的思路跑。他甚至看见她眯缝的眼张开时有一丁点湿润的反光，但是马上不见了。她说：

"余金贵，你别指望我想起什么了，神农架的事我什么都想不起来，别耽误时间了，早点睡觉，明天赶去十堰的早班车。"

他的头下枕着五千块钱，像一块厚木板，可内乡没有了他的母亲。他拿着钱，就像拿着一块木板。他几乎流了一夜的泪。早上，他不辞而别，他拿着钱大大咧咧地去了一趟街上，他把钱汇到了神农架，他汇了四千五百元。他点着手中的钱，五十张，一张不少。他怎么在这么个陌生的地方不费力不费神就点这么多钱呢？啊，他是卖了母亲。他说："我卖了母亲。"他把钱递给营业员时，在心里说："我卖了娘的钱。"

他在餐馆里点了一个菜，还点了一杯酒。刚开门营业的餐馆老板只好赶快生炉子，并且说："一停(听)你就是湖北人，喜欢喝糟(早)酒。"

他到了十堰。他在街上溜达，他不想买回神农架的票。只有早晨一班车去神农架，他那时到十堰只有下午去房县的车了。他不去。他不想回去。他把钱寄给姐时，他没写什么话。让他们去猜。他可以结婚了。可他不想在那个望粮峡谷的村子里杀猪摆席炸鞭炮，他看着城市里花花绿绿的女孩子，对那个望粮峡谷的矮矮瘦瘦小小的叫一旦的女孩有了些隔膜。她家还嫌弃我？他们有什么能耐嫌弃我？我就赌了这口气出来，我犯得着吗？我一出来就有钱了，只是心里不是滋味，不好受。他口袋里还有一些钱很暖荷包，他晚上住旅社时穿上了那个内乡女人给他的一套西服，真合身。我干吗不穿。她不认我，我不认她了。他穿了手感那么光滑的西服下楼，在门口有女人来搭讪问他要不要做业务。有一个、两个、三个，有许多，有漂亮的，不漂亮的，有丰满的。总归是漂亮加丰满。金贵是个天生聪明人，他知道“做业务”后面的隐语，忧郁的眼神也变得轻佻和流气了，他问：“多少钱？”有人说五十，有人说一百，有人说八十。他皆不理。路上被抢的阴影还未在心上散去，他怕陷阱，他已经有些学乖了。他看着街上的霓虹灯，比雨前的石蛙还多的汽车，人流，他看了一会儿就回到了旅社。他坐在很昏暗的灯光下发呆。他没有睡意。后来才和衣躺了一会儿。天亮后，又发呆。

现在他的心里波澜不惊，什么都没有了，什么都没装下，空了。这一趟把心掏空了？没有回忆，没有思念，没有感情。甚至没有家了。有了钱，没了家。

他不想回家。这真是奇怪。他在暗暗地想，我得做点什么。

他先是被一个职介所骗去了五十元，倒去倒来的也没能做成工作，他后来又想到一个武术学校学习，又想去学厨师。可是报名的钱又不够了，只好去打工，想挣点钱再说。他在一个汽车零件厂拆房子，拆了几天，因为住在工棚，他的那个旅行包被人翻来翻去，加之差一点从房顶上掉下来，他便速速离开了。后来，总算找到了一个工厂，烧锅炉，比较正规，又安全，两三个人住一间房子，这不错，他就去烧锅炉了。

烧锅炉就是一车一车地拉煤，然后又一锹一锹地往炉子里送，再一车一车地出渣。这活儿跟用大背篓背粪去坡田差不多，还轻松一点，只干八个小时，三百五十块钱一个月，每餐不能吃肉至少可以吃到炒干子。还可以天天洗澡。哈哈，冬天天天洗澡。洗完澡，散架的身子又复原了，又成了原来的余金贵，还有余热可以发挥，还可以逛逛街，看看录像，甚至跑到大商场里去，跟那些穿得很高级的城里女人们站在一起，因为他也穿着他狠心的娘给买的西服，他不自卑地与她们站在一起，看这看那。他还在公园里看别人跳舞，练气功，玩剑，打腰鼓。

热气腾腾的城市！

他现在能静下心来心平气和地想给他娘写一封信了。他写道：娘，是我卖了您还是您卖了我？我感谢您的五千块钱。我想用它来发展小尾寒羊和波尔山羊，不过我不喜欢望粮山，跟您一样。我想做点生意，做什么呢？我过去当过老板，可惜失败了。也许您是对的，不要回去，好马不吃回头草。这样您才憋着一口气有了几个臭钱，这样就敢欺负并不认您过去的娃子了，您知道他们曾多么想念您。他写着写着又想流泪,后来把这封信揉了。他再给一旦写信。他突然很想一旦,他开始把城里各种女人身上的优点加在一旦身上,特别是把从澡堂出来的女人身上的优点加在一旦身上。他想象一旦也可以这么湿漉漉着香喷喷的长发出来,半遮住自己被热水烫过的红扑扑的脸,或者拿一把梳子把头发梳到后头去露出丰满、光洁的额角;也可以翘着乳和翘着屁股直噔噔地走出来,好像要给男人去睡的样子。他想,一旦就是这么个女人。他写道:一旦,来吧,到我这里来吧,离开那个寒冷、荒凉、不近情理的地方,你若是看了外面的世界,根本就不想回去了。那是一个遍地虚妄、神经错乱的地方。他还写道:一旦,我爱你,吻你!

写完信,他才感到,他真的很轻松。

锅炉房有三个人,头儿是老树,另一个是小午,老树是个什么人的亲戚,也是乡下人,因为时间久了,也能说一点十堰腔了。老树有五十来岁,身板长得很端直,但脸相不好看,獐头鼠目,没有下巴,眼眶突出。小午是从竹山县来的,老树叫他红魔司令,因为他染了头发,红的。有时候被煤灰盖了,抖一抖,又抖出红色来,很好看。老树对金贵说:管好气压,管好进水阀和气阀,管好分气缸。老树说,你记死,气包上的压力不能超过四。这机器是十个(气压)的,可这炉子有十八年了,只能升到四个,分气缸那儿也是四个,一个四个,两个四个,三个四个,四个四个,五个四个……一车间、二车间、三车间、澡堂、宿舍一栋、二栋、三栋、四栋,科干楼、局干楼、休干楼、招待所、食堂、办公 A 栋、办公 B 栋、剧场、实验室、研究所……超过四个,咱们就炸到天上去了。不到四个也不行,热水不热,洗澡的要骂娘。

小午很热情地教金贵干,干了几天,金贵就能干了。他有一股子冲动,学习新事物的冲动,好像还有一股子激动。想了想,有四千五百块钱往家里去了,后方有保障了,学这个玩意儿,只是好玩的事儿,钱不钱的无所谓,不高兴就走。可是没几天,他发现那锅炉房的各种机械声音越来越占有了他的大脑,刺耳、砺心、顽固、流氓。他先是不能睡觉。除了隔壁的锅炉房,还有另外两个人走动。老树爱喝酒,他搬响杯子,喝两口酒再去上班,时常在半夜有人走动并碰响杯子的声音,把他刚刚入睡的梦境划破了,再睡又要再使劲忘记耳畔那刺耳的锅炉声、电机声。

他就有些无精打采了,渐渐腿没有劲了,头疼了。神农架遭受的子弹全醒了过来,在肺里,在脑袋里翻身。这一发现使他骇然。它们全跟他来啦?来到了十堰?它们一个也不少,它们什么时间找到他的?

自觉症状一天天加重了,不能睡,睡不沉。老树和小午却不知道,邀他喝酒。后来他说他睡不着,小午就要他看报。报纸都是从澡堂的柜子里拿来的,人家垫衣服的。金贵也去收,收了不少。看着报纸,也看出了一点门道,还不错,很有意思,报是小报,全是杀人放火抢劫的消息。也有一些小文章,很耐读,看着看着就睡着了。睡不着,是因为有酒喝,三人搭伙,很融洽的,弄得金贵想走又不好走。另外,他在等一旦,他怕一旦来十堰了,找不到他;他在等一旦的信,地址写的是这儿。

一个月了还没有等到一旦和一旦的信。他领了工资的那天，准备好好上街点一个蕨菜炒腊肉，两个守大门的保安就来了，说，我们来检查一下。那两个保安平时还点头的，他看保安翻了翻三个床的枕头，就要来查金贵的旅行包了。旅行包金贵后来加了个小锁，那两个保安要他打开。金贵说："为什么？"那两个人说："你打开我们找一找。"金贵只好打开了。他找钥匙费了时间，手有些抖，对这阵势有些惧怕，有些反感，有些愤怒，在谷城公路上遭抢的往事又闯进了神经。那两个人看他找钥匙，打开，然后蹲下身子翻里面的东西。

"这是女的服装？"

那两个人拿出了服装，还抖开，提在手上。

"这是我娘给我姐姐买的，我娘在内乡当老板。"

"当老板？让你到十堰来打工？你不是神农架的吗？"

"我娘与我爹离婚了。"

那些人把旅行包翻了个底朝天，好像很失望，又看金贵其他的东西，未洗的内衣、臭鞋子，还翻金贵的衣领，看他的脖子。

"你没有在澡堂拿过东西吗？一条项链，一张银行卡？"

"项链？卡？"他说。他蒙然，他脑子大了。

"你往澡堂里跑，别人就放在那垫衣裳的报纸上面的，忘了拿。"

"我没拿！冤枉，我没拿人家的东西，我只看了几张旧报纸。"

"你看见了吗？"

"我没有看见！"

这事是谁说出去的，谁栽赃我？他在想。我拿过报纸，他们就说我偷人家失落的东西？谁，那个澡堂收票的老头儿？

下班回来的老树和小午都不理他，他本想同他们倾吐一下的，那两个人神色不自然，躲他。他去上班，那天有老树在，老树在煤火里煨红薯，后来啃着红薯，他就跟他说了，说自己受了冤屈。可老树用两颗大门牙啃热乎乎的红薯只在鼻子里哼了一声。

"老子有的是钱。"他不知怎么就说出了这句话。他怕老树没听见，又说了一句："他们又不是派出所的，凭什么搜老子的包？"

老树又含含混混地在喉咙里咕噜了一下。后来吐出一块苕皮道："你做你的事，管他呢。"

事情好像就平息了，也再没人过问。老树和小午真跟他有点距离了。他想走，反正拿到了一个月的工资，他想回去，回神农架去，与一旦结婚。还有他的苦荞，不知收割了没有，有没有收成，然后又要种下明年的泥麦了，新一年的希望将又要撒进田里了。可他不能一走了之。这时候走，别人还真以为他是做贼心虚，逃之夭夭呢。他就不走。他睡不着，头里有好多钉子钉，白天他还是忍着随时会晕倒的疼痛卖力地拖煤，拖煤渣，看表。他在暗中等待有个水落石出后再走不迟。他在听消息：那根项链人家找到了，什么卡也找到了。

他不再去澡堂。身上自然脏得不行，打一盆水洗洗，就进被子。他那么脏了，那两个同室的老树和小午时常捂着鼻子，他们甚至可能想着怎么把这个人挤出去，或者自己搬出去。

他也不跟他们喝酒了，独来独往。有一天晚上，他在厂外一个小酒店喝了些酒，想麻木麻木自己的脑袋，一喝就喝到十二点过了。工厂的大门关了，他不敢喊保安，那两个保安他跟他们鼓眼睛，于是他就从铁栅子上翻过来。他刚一落地，从黑暗处蹿出两个人来，就把他按倒在地，一顿好揍。金贵知道是两个什么人，他没喊，只是抱着头打滚。那两个人说："打翻墙的小偷，看你还跟咱们称不称老子！"

金贵晃晃悠悠地站起来，往自己的宿舍走去，伤还不轻呢，都是内伤，外面没有流血的地方，全在腹部、背部、腰部。他捂着肚子，没想让老树和小午知道，怕丢了面子。因为太疼，他无法入眠，躺着躺着，就一下想起他们说他给他们称了"老子"？这是哪儿的事，后来想起在老树面前说过他们，说了一句"老子"。哦，老树。一切是老树。仇恨和怒火滚滚而来。这个晚上，一向爱打鼾的老树一点鼾声都没有了，连出气的声音也没有了。他好像感到了这是一场阴谋，聪明的金贵知道老树没有睡着，正紧张地谛听着他的动静呢。

他第二天早晨无事一般地跟老树请了个假，说到车站接个人。他去了医院，开了些跌打损伤的药。他回来偷偷吃了药，在心里说：老树，在走之前我得解决你了。

他本来想一走了之，打了一顿那些人也解气了，他就忍了，回去，过他的小日子，种麦。他又想在不远处找个地方住下，化了装，每天守候在厂门口，跟踪老树（或者那两个保安），到时下手。或者他想把小满写信邀来，让他携来枪，一枪的铁砂子儿穿两个人的身子是没问题的。他后来想，走归走，仇还是得报，一人干，干净利索，神不知鬼不觉。那天他在工厂的后山上最后制订了计划。他朝西南的天边看了看，没看见什么，他是择傍晚去的，故意去的，他要把天边看个究竟。天也晴，看不到什么，高楼大厦和霭霭的灰尘挡住了天边，没有天边，只有眼前。

他磨了一把刀子，是一把在修理车间拾到的三角刮刀。他把东西都收拾好了，逃跑路线也找好了，后门有一个小豁口，可以一跃而过。

拿着刀子的时候，他想到了镰刀。可这是杀人。他磨刀子的那个晚上想看看刀刃，眼肿得睁不开，他想到在家里磨锄头和镰刀。用手试试，不错。他想让他们笑话去，他们吃亏的日子在后头，他们笑话不了我几天啦。

意外地，他收到了一旦的信。信开头说：我不来，你回来，你姐你爹也要你回来。后来又说了"我们的友谊"之类啰啰唆唆的话。字写得很糟糕，纸也皱皱巴巴，好像是在茅厕里捡的纸。金贵读得十分头疼，他把信放在床上，又一个人发了很长时间的呆。他说：那我就回去吧。有一旦，他的心里柔爽多了，反正已经有了钱，他高兴，给姐一千块钱就够了，另外三千多，他可以好好过一辈子，在村里，他就是首富了，谁再敢欺负他？何必再在这儿拉煤烧炉子，被人打。一想到被人打了，心就滴血。我出来了两个月，被人抢，被人打，我得还他们点什么后再回到峡谷去。还点什么给山外的人。

他左想右想下不了手，那天内伤发作了，腰疼得扯筋，他只好叫了一辆三轮到医院去。医生说他可能是肾打伤了，要他去拍片。他给谁讲呢？找谁去评理？他没去拍片。拿着拍片的报告单，犹犹豫豫就回到了厂里，吃了点药，就躺下了。

晚班是他跟小午。可他没去。到了晚上十二点钟的时候，老树就进来了，下班了，也是来喊他的，“喂，上班了。”四个字一说完，一把刀子就直直地捅了过来，捅中的是腹部。老树就软了身子倒下去了，一只手捂着肚子，一只手张开，向他抓挠，想喊什么，可是喊不出。

东西早就收拾好了。金贵便很快消失在黑夜里。他跳墙时说了一句：“我杀死的是一头獐子。这个时辰他正是獐子。”他想了想，他看见的的确是一只獐子，那脸，那神情。他哪里能出手这么快呢，这是不可能的，除非他看见了野牲口。神农架人的身手只有在看见野物后才会如此敏捷。

他日夜不停地往神农架方向走。

他也没吃，也没喝，只觉得腰疼得非常厉害，撒了一泡尿，全是血。血砸在雪里，分外刺目。那时整个鄂西北山区都开始下雪了，一路上他全走在漫漫风雪里。

“娃儿乖，你快睡，隔山隔水自己回，虫蛇蚂蚁你莫怕，你的身边有妈妈……”

他想起了一首歌，他就唱了。这是一首儿时他娘教他唱的歌。一首催眠曲，怕梦中的小儿玩得太远，丢掉了魂，迷了路，安抚儿，唤儿回来的。

他一遍又一遍地唱。他就走上了望粮山。

这雪亲切，熟悉的惨白色，熟悉的峡谷里终年不散的硫黄味，熟悉的沟壑与剪影，树的样子，都熟悉。

他又走到了自己的挂坡地里。为防止水土流失他过去不停地搬运来垒在崖边的护坡石，像一双双乌溜溜的惊奇的眼睛朝他打量着。他笑了一下，“看你们，不认识我了？”他说那些眼睛。

他跪下来，扒开厚厚的雪。有麦子！有青翠的麦子。哦，苦荞收啦，又翻了地种下泥麦啦，他比了比，有一小指头高了。

雪越下越大。

雪下得如此密集，使人什么都看不见了，也忘了身在何处，要不是北风呜呜地在山冈上吹。

他被雪壅成了一个雪人。他一动没动。

雪遽然停了。

他看见一些人在向他围过来。他站了起来。他看见领头的是颈子很长的唐所长。黑洞洞的枪口正对着他。

他闭上眼睛，纵身向下跳去。

那峡谷凛冽刚劲的风像无数只巨手把他托上来，又坠下去，托上来，又坠下去。他忽忽悠悠的，感觉正在一片麦浪上打滚呢。

陈应松

1956年出生于湖北公安县，祖籍江西余干，中国作家协会会员。武汉大学中文系毕业，出版有长篇小说《魂不守舍》《失语的村庄》《别让我感动》，小说集《松鸦为什么鸣叫》《狂犬事件》《马嘶岭血案》《豹子最后的舞蹈》，随笔集《世纪末偷想》《在拇指上耕田》《小镇逝水录》，诗集《梦游的歌手》等二十余部。小说曾获第三届鲁迅文学奖，首届全国环境文学奖，第六届上海中长篇小说大奖，2004年人民文学奖，第一、二届湖北文学奖，2004年湖北文化精品突出贡献奖等。其作品2001—2004年连续四年入选中国小说学会的“中国小说排行榜”。

败节草

李佩甫

一

儿时,他的记忆是从一株草开始的。

那时候,他还没有正经名字。

只知道:爷叫捆,爹叫绳,他叫辫儿。都是喉咙喊出来的。

记得,娘上地时常把他捆在一根绳子上,一头拴在娘身上,一头拴在他身上。娘在前边割豆子,他在后边的豆地里爬,活活一个土孩子。娘割得太远时也会把绳子解开,让他带着一根绳子爬,绳长,也落不太远,不会出事的,他就这么爬着爬着站起来了,他走路并不是人教的,而是在田埂上摔出来的。他在田野里爬来爬去,爬着爬着就走起来,而后他栽倒在高粱地里,就摔在一株小草的跟前。他趴在那里,像气肚儿蛤蟆似的,很久很久站不起来。眼前晃着那么一株小草,整整一个上午,他就一直趴在那里望那株草。那草曾给他打下了强烈的记忆,以至于成人之后,他仍然记得那株小草的状态。那是一株很瘦很弱、细线一样的小草,秆是青色的,微微泛一点灰,泛一点点白,草节上还有一些麻麻淡淡的小黑点,让人看了心寒。他说不出为什么会害怕,可他就是怕,那么弱的一株小草,他怕。后来,也是到了后来,他慢慢地伸出小手,抓了那草。当他把草抓在手里时,他发现那草已经散了,草是自动散的,草散成了一节一节的,他抓在手里的只是一些碎了的小节节……为什么呢?为什么会散呢?这个疑问也许只是一个讯号,一个存留在小小脑海里的讯号,完整在一刹那间分解了,脑海里却存活了一个疑问。一直到很久,大些了,当他成为一个割草孩子的时候,他才知道那叫"败节草"。这时候"败节草"成了他生命中的第一个记忆信号,他就这样记住了"败节草"。

然而,记忆是延伸的,与"败节草"有关的是一段声音,如果没有这个声音,他也不会记得如此深刻。

那其实是一个字。

就在那片高粱地里,他还拾到了一个字,他听见有人说:"脱!"

那个字像是突然从天上掉下来的，带一种不容置疑的果决，很突兀。那个字很干，很硬，是哑声迸出来的，就像是夹板一样，一下子夹住了什么，夹出了一片橘红色的恐怖。那个字还甩出了一股簌簌的声响，一股甜腻腻臭腥腥的气味……“脱”很生动，就这么“咚”一下打在了他的耳膜上！而后他的记忆曾不断地对这个字进行修饰，一次一次地增补删改。在以后的很多日子里，他曾无数次地重复过这个“脱”字，他曾经一个人偷偷地躲在麦秸垛里默念“脱、脱脱脱……脱！”那个字太生动了，他念了就笑，念出了很多愉悦，也念出了五光十色的润味，于是就有了“白亮亮”的感觉。这个字跟“白亮亮”有机地联系在一起，联系出了更多的内涵。在时间中，“白亮亮”有了无限的扩展，直至定位。于是在一片青色的高粱地里，他看到了麻子五爷和幺婶。这是记忆的重复，还是那么一个“脱”字……这个“脱”字终于跟“白亮亮”勾在了一起。

就这样，“脱”字成了他儿时的第一个玩具。他是在心里玩的。

“二脱”和“一脱”是有差别的。一脱仅仅是一个字，是嘎嘣脆；二脱却是一组字，是阴阳声。在那片青色的高粱地里，高粱叶子哗啦哗啦响着，那些字就像是炸豆一样一个个迸落在他的头上：

“脱。”

“……桂生……”

“草。”

“红叶他爹……”

“草。”

“红叶他爹……”

“草。”

“……”

这些字是需要时光来翻译的。他看到的是情景，在情景中麻子五爷肩上搭着一件土色的汗褂，光脊梁站在那里，歪着一张汗津津的麻脸；幺婶身上背着一捆草，头上蒙着蓝花格格头巾，头深深勾下去，而后是草捆慢慢地坠落在了地上。接着，幺婶蓦地摘下蒙在头上的蓝花格格头巾，只见她半弯着腰，一双手“唰、唰、唰、唰……”眨眼之间，在四周的高粱棵上刷出一抱叶子来，随手铺在了地上，接着，她一件件地脱去身上的衣服，赤条条地躺在了高粱叶子上，夕阳照着一片白亮亮的沉默……

后来，在时光中，经过一次次的咂摸，一次一次地把玩，他隐隐约约地明白了那组字的含意。他先是在语气上感觉到了“脱”字的深刻。他觉得那不是一个字，那是一种不可抗拒的力量。为什么说脱就脱呢？为什么别的人就不能让幺婶脱呢？在村街上，他亲眼看见幺婶把一碗饭泼在了石磙身上，因为石磙趁她不备，在她屁股上轻轻拍了一下。石磙那样壮，可石磙还是吓跑了……当然，等他认了一些字之后，他首先懂得的就是这个“脱”字，他认为“脱”的真实含意就是脱了衣服用肉体说话。很生动啊！接下来，他又逐渐明白了那组字的外延，在特定的环境里，他在那组字里品出了对抗的意味，“脱”是命令，“桂生”是抗拒，那抗拒是一步一步的。他在第一个“草”字里品出了低贱，在第二个“草”字里品出了不屑，在第三个“草”字里品出了带有威胁成分的鄙夷。他曾经有很长一段不明白“红叶他爹……”是什么意思，不明白“红叶他爹……”跟这件事的关系。慢慢，慢慢，他才品出了对抗的剧烈，在那片高粱地里，这是幺婶最为强烈的一次反抗！桂生是幺婶的男人，而对应却是“草”；在万般无奈的情况下，幺婶抬出了“红叶他爹”，红叶肯定是一个女娃，却有这么一个好听的官名：红叶。红叶是谁？而红叶她爹又是谁呢？这是一个语码，是一个暗号，分解后他得出结论，这不是大李庄人……可是，他的力量仍不能抗拒麻子五爷，他的对应还是一个“草”字，看上去虽简简单单，可幺婶无奈了，她再次强调了“红叶他爹……”而麻子五爷最后喊出的那个“草”字的含意极为丰富，那里边包含着在平原上可以傲视一切的东西……可那又是什么呢？

在一个时期里，他看见幺婶的三个儿子在茁壮成长。幺婶的三个儿子大国、二国、三国全都长得虎头虎脑的，一个比一个壮实；而那时候他却像麻秆儿一样瘦小，他的碗也小，他只有一个小木瓯，他饿。

在村街里，幺婶的三国曾气势势地对他说：“辫儿，你过来。”可是，待他一走过去，小小的三国一下子就把他推倒了，摔他一个满脸花！

他反抗过，他曾经把幺婶家的三国引到一块埋了草蒺棘的地里，而后把他一下子推倒，让三国滚了一身草蒺棘……可是，大国、二国、三国一齐来了，他们把他按倒在地上，差一点就把他卡死了……大国说：“让他喊爷！”他不喊，他实在是不想喊。二国说：“不喊让他吃屁！”于是，三个国一个个褪下裤子来，坐在他的脸上一人放了一个响屁！屁很臭，一股子红薯味。他哭了。

后来，他把这次反抗的失败归结于红薯。这是关于屁的总结，从三个国放出的屁里，他闻到了足量的红薯味，那就是说，幺婶家的红薯多！三个国有足够的红薯可以吃，而他，却从没吃过一块完整的红薯。

时间仅仅过了三年，在这三年里，他看到幺婶一次次上地割草。而割草的幺婶却一次次地躺倒在田野里，像败节草一样分解开来，让麻子五爷用肉体说话……麻子五爷嘴里喊出的那个“脱”字已经失去了那旧有的霸气，而变成了一种温和的絮语。那字后边也常加上一个“吧”，那“吧”肉肉的，带一股黏黏糊糊的气味。每到最后，麻子五爷总要捏着一个地方，说：凉粉豆。

什么是凉粉豆呢？

当麻子五爷又一次说过“凉粉豆”之后，就再不见幺婶上地割草了……

突然有一天，他看见麻子五爷像死灰一样蹲在村街的一个墙角处，他像是眨眼之间老了。他蹲在那里，手里哆哆嗦嗦地捧着一只老碗，正在“嗞嗞喽喽”地喝面条，这时候幺婶走了过来。幺婶挺身从麻子五爷身边走过，就在她将要走过去的时候，她却突然勾下头，“呸！”一下，朝麻子五爷碗里吐了一口唾沫，而五爷连头也没有抬，他只是缓慢地动着筷子，木然地望着那口吐在碗里的唾沫。久久，他像是终也舍不了那碗面条，竟然把那带有唾沫的面条吃下去了……

在那一刻，他简直是目瞪口呆！

于是，在他很小的时候，他就凭着那一株草和一个字的启示，在无意间接近了平原的精髓。

二

辫儿到了八岁才算有官名，那官名是一位当过私塾先生的小学老师起的，先是唤做李金斗，后又改成了李金魁。

关于这个官名，他们全家曾有过一次认真的讨论。

目光晃晃的，捆坐在门槛上眯细着眼儿，一边捉虱一边摇着头说：“怕是太贵了吧？草木之人，只怕压不住。”

绳是站着的，绳说：“人家没收钱。”

捆说：“驴性！我说钱了么？我是说这名儿贵气了。”

绳说：“那，弄个石磙压压？”

捆气了，说：“……你下地去吧！下地去！……”接着，他看了儿媳妇一眼，说：“我看，还是叫狗蛋吧，名贱人不贱。”

女人正在纳鞋底子，女人说：“娃大了，狗蛋不好听，别叫狗蛋。”

捆说：“还是叫狗蛋吧。”

女人很坚决地说：“不叫狗蛋。”

这家一向是女人说了算的。捆就说：“去吧，绳，再跑一趟，去领领教。”

于是，绳颠颠地又去找了老师，而后拎着一张纸回来了，说：“老师说，就加个鬼吧。”

捆有点疑惑地说：“加个鬼？”

绳瓮声瓮气地说：“老师说的，加了个鬼。”

捆说：“我看看。”说着，就把那张纸拎过来，拿在手里，颠来倒去地看了好几遍，说：“那‘斗’还在呢。加个鬼就镇住了？”

绳说：“人家说能镇住。”

于是就叫了李金魁。往下讨论就是大事了。捆说：“我看，就让金魁跟他舅去学木匠吧，好孬是门手艺。”

女人说：“太小了吧？”

捆说："起根学是门里滚，大了就失灵气了。"

捆说："成一个张瓦刀也就十年的光景。"

捆又说："成一个张瓦刀就可以坐酒席了，净吃好菜。"

女人也没再说什么。女人只说："虽说是他舅，也得封刀礼吧？"

捆说："那是。礼不能缺，至少得封刀肉。"

女人说："一刀血脖也得五块钱，也别说后腿了……"

家里没钱，连五块钱也拿不出来。捆就说："这事我办了，我去办。"说着，就把手里的旱烟一拧，半弓着腰很大气地走出去了。

那时候，刚有了官名的李金魁正在地里捉蚂蚱，捉了蚂蚱可以用火烧着吃，很香。李金魁满地扑蚂蚱，捉一只，就用毛毛穗草穿起来，已穿了两串了……这时才听见有人叫他："辫儿，辫儿。"他抬起头，看见爷一颠一颠地走过来，对他说："娃子，你有了大号了，记住，你叫李金魁。"

李金魁说："爷，我有名了？"

捆说："有名了，俩鸡蛋换的。这名儿不赖吧？好好记着，你叫李金魁。"

听了这话，不知怎的，他的腰就有些直，一个小人硬硬地站着，说："知道了，我叫李金魁。"

于是，捆说："走，跟我进城去。"

李金魁从没进过城，眼一亮，说："爷，你真带我去？"

捆说："真带你去。"

李金魁说："是去我表姑奶家吧？"

捆说："城里人规矩大，去了也别动人家东西。"

李金魁说："我不动。"

到了城边，李金魁突然伸手一指，万分惊奇地说："爷，爷，你看那是啥？那是啥?！……"只见"呜"的一声巨响，两条亮亮的铁轨上，游动着一间间绿色的小房子，眨眼之间，小绿房子一扭一扭地游走了……

捆说："火车，那是火车。"

李金魁呆呆地说："还会叫呢……"

到了城里，路就宽了，很宽。爷说，那是油路。油路两旁还立着一根一根的高杆，杆子用线连着，每根杆子都伸出一个草帽样的东西，看上去很光滑。爷说，那叫电灯，不喝油，喝电，电在线里裹着……城里楼很多，也很高，多是两层，也有三层五层的，人上去是一坎台一坎台走的……商店里摆满了一管一管的东西，爷得意地说，那是牙膏，城里人刷牙用的，所以城里人牙白。还有糖果点心，好像卖啥的都有；商店里的人都戴着蓝袖子，女人一个个都白……爷说，别看，你可别看，那东西勾人。李金魁的眼不够用了，迟迟地走，人傻了一样，像是满地在找眼珠子……

后来爷带着他七拐八拐来到了表姑奶家。表姑奶家住的是红瓦房，一排一排的，表姑奶家住在第三排。进门后，表姑奶就说了两句话，一句是："来了？坐吧。"爷嘿嘿地笑着，说："娃子要进城看看，我就带他来了，让他看看他姑奶家阔不阔……"停了一会儿，表姑奶又说："这是谁跟前的孩子？"爷说："绳家的。也不会说个话。"表姑奶轻轻地嗯了一声，就再也不说什么了。而后是一片沉默，很久很久的沉默，那沉默像锁一样，一下子把爷的嘴锁住了。爷就干干地笑着，可他笑着笑着就笑不下去了，一个人也不能总笑呀？他在那儿坐着，手就像没地儿放似的，一会儿放在胸前，一会儿把他的旱烟杆拿在手里，烟锅一直在烟布袋里挖着、挖着……城里的表姑奶就那么高高在上地坐着，穿着很好的衣服，板着一张干干的柿饼脸，一句话也不说。有很长时间，李金魁望着爷，他发现爷就要哭了，爷的脸非常难看，爷脸上的血丝一条一条胀了出来，像是陡然间爬满了蚯蚓……一直到很久之后，李金魁每每想到他第一次去表姑奶家的情景，就深刻地体味到了两个字的含意，那就是"尴尬"。"尴尬"二字是他先有了体验，才有了认识的。那是一种叫人死不得又活不得的一种滋味。坐得太久了，坐得人都有些发木了，可那沉默却一直没有打破。这时，李金魁把小手伸进了裤腰，他是想抓痒的。可他的手刚一贴进裤腰处，立时就感觉到了什么，在那一刹那间，他脑海里轰了一下，那也许是他生命中的第一次顿悟，立时有了醍醐灌顶之感！他慢慢、慢慢地从裤腰里掏出了小手，小手里高擎着那两串蚂蚱……他举着那两串蚂蚱，由于紧张用略显磕巴的童音说："姑、姑奶，也、没啥拿。"立时，表姑奶那高扬着的头垂下来了，她吃惊地望着这个乡下小人儿，望着那一双黑黑的小眼睛；接着，她又望了望那两串穿在毛草上的蚂蚱，大张着嘴，好久说不出话来……这时，只见里屋跑出一个年龄跟他差不多大小、花蝴蝶一般的女孩，女孩一脸欣喜地跳出来，顿着脚高声说："我要！我要！……"顿时，表姑奶笑了。表姑奶的脸像松紧带一样弹回了一抹笑意，也弹出了一抹慈祥，她笑着说："这孩子，你看这孩子……好，好。拿着吧。"爷的脸也松下来了，他讪讪地笑着，说："你看，也没啥可拿的……"表姑奶淡淡地说："来就来了，还拿啥？"接着又说："这孩子怪机灵的，叫啥名呀？"爷慌忙说："小名叫辫儿，大名叫李金魁。"表姑奶看了他一眼，说："这名儿好哇。"爷说："胡起的，草木之人，就是个口哨。"表姑奶摆了摆手，说："孩子，你过来。"爷赶忙推他一把，说："去吧，见见你姑奶。"李金魁慢慢走上前去，站在那城里老太太的跟前。表姑奶把手伸进兜里，从兜里掏出三块钱来，放在了他的小手里，说："拿去吧。"李金魁勾着头一声不吭，就那么站着。爷又赶忙说："还不谢谢姑奶……"

出了门，李金魁默默地掉了两滴眼泪。

在回去的路上。爷默默的，他也默默的，谁也不说话。那仿佛不是人在走，是城市的街道在走，街面在眼前一闪一闪的，可他什么也看不见了……那两串蚂蚱一直在他的眼前晃着，而爷常挂在嘴上的"城里的表姑奶"却在他的眼前訇然倒下了，两串蚂蚱成了"城里表姑奶"的"祭品"。小小的两串蚂蚱成活了一个思想，那味道是许多个日日夜夜之后才咂摸出来的。

当爷儿俩路过一个集市的时候，爷才开始活泛了。他停住步子，突然小心翼翼地说："金魁，爷喝二两吧？"小人儿停下来。诧异地望着爷，他发现爷脸上竟有了一丝巴结的意味。爷说："要不，一两也行？"俗话说麦熟一晌，人的成熟也是在一瞬间完成的。李金魁从兜里掏出钱来，默默地递给了爷。爷接过钱，拿在眼前看了，讪讪地说："我只喝二两。"于是，爷儿俩在街边的小摊坐下来，爷要了二两散酒，一小碟花生，"嗞、嗞"地喝着，爷的脸红了一小块，那红像补丁一样。爷说："酒是人的胆哪。"而后又回过头来，看了他一眼，说："要盘煎包吧，我的孙子还没吃过水煎包呢。"说着，他站起身，要了两盘水煎包，一盘放在了自己跟前，一盘放在了李金魁的跟前。他先伸出三个指头捏了一个塞进嘴里，嚼了，又咂了咂指头上沾的油，待咽下去后才说："吃吧，香着哩。"煎包太香，不顶吃，这么三下五除二地就吃完了。爷看了看他，他看了看爷，爷又说："罢了，一不做，二不休，既吃就吃好它，我孙子还没喝过肉胡辣汤呢。"说完，他站起身，又一人盛了一碗胡辣汤……仍是爷先嘬了一口，问："尝尝，辣不辣？"他赶忙也尝一口说："辣。"而后，爷小声吩咐说："金魁，回去可别给你娘说。"

可是，一回到家，爷就像变了个人似的，进门就一蹿一蹿地嚷嚷道："他姑奶亲着哪，这回可让咱金魁见世面了！……"娘问，吃饭了么？爷就说："哪能不吃饭？不让走啊，他姑奶死拉活拉的，就是不让走。看看，都看看，吃一嘴油！"爷进屋后就像个小磨似的，转着身子吹嘘道："闻闻，都闻闻。叫咱娃说吧，叫娃自己说，他姑奶亲着呢！……"

爷仅喝了二两酒，却又一次生动地叙说着城里的见闻，滔滔不绝地讲述"他表姑奶"家的"神话"……这可以说是他们家的保留节目了，爷百说不厌。可是，当爷说出一嘴白沫子的时候，却见孙子独自一人在院里站着。娘探头朝外看了说："这娃咋啦？"爷说："轻易不进回城，他姑奶亲，怕是受不住了……临走时还塞给他两块钱呢。快拿来让你娘看看。"

可是，李金魁就是不进去。他站在空空荡荡的院子里，像个小木桩似的立着，一句话也不说。后来爷出来了，爹出来了，娘也出来了，三个人转着圈问他，问他是怎么了？可李金魁仍然一声不吭地在院子里站着，两眼呆呆地望着天空，人就像傻了一样……爷摸了摸他的头，说："不烧啊？"

最后，他慢慢地嘘了一口气，还是说话了。他说了一句让三个大人都莫明其妙的话。他站在院子里，望着眼前的茅屋，说："窗户太小了。"

三

只有两块钱。

也正是那两块钱改变了李金魁的命运。

两块钱不够封一刀礼，所以，李金魁最终也没有成为“李瓦刀”。然而，就是这两块钱加上六个鸡蛋，使李金魁成了大李庄小学的一名学生。

那时上学便宜，学费才一块六毛钱，书费五毛，加起来一共两块一，还是不够，爷去代销点里卖了六个鸡蛋，三个鸡蛋一毛，算是交上了书费；剩下的三个鸡蛋，爷死缠活缠的，跟代销点的洪昌费了半天嘴，才换了五支铅笔和一块橡皮，橡皮是饶头。洪昌不愿了，洪昌骂道：“舅？俺舅，你又来了？把账清了吧。你欠的账还没清哩。”爷说：“鳖儿，不救你你死牛肚里了！……”“这是这，那是那，两码子事。”爷又说：“饶一块儿吧，饶一块儿。”洪昌板着脸说：“你今儿赊一两，明儿赊一两，一两一两可都在账上记着呢……”说着，他又骂起来：“嗑瓜子嗑出个臭虫，你算个啥屎仁?!也敢来一回回蹭?”爷脸上红了一小块儿，爷说：“饶一块儿吧。洪昌，将来你侄瓜子不定结个啥果，要是……”洪昌哈哈大笑，洪昌说：“三岁看大，就这两筒鼻涕……”爷趁他说话的当儿，伸手抓了一块儿橡皮……洪昌赶忙去夺，见夺不过来，就在爷的头上狠狠地捋了三下，爷仍然笑着说：“又跟你叔乱哩？……”说着扭头就跑，到底把橡皮赖下了。

就要开学了，他还没有书包。上学的书包是娘连夜用碎布头缝的，作业本是他自己用捡来的烟盒纸缉的。烟盒纸有的太皱，娘给他在石头下压了一夜，总算平展了。第二天背上书包上学时，老师点到李金魁时，他愣了片刻，在众人的哄笑声中匆忙站起身来说：“我、是我。”老师为此多看了他两眼，说：“你就是李金魁?”他小声说：“是。”老师“哦”了一声说：“李金魁同学，你坐下吧。”

上学了，知识是可以出思想的，在以后的日子里，李金魁总是想爷逃跑时的情景。为了二分钱一块儿的橡皮，爷拧着身子一蹿一蹿的，跑起来像夹了尾巴的狗一样，那样子引得村人们哈哈大笑。代销点的洪昌没有真去追赶，洪昌只是做出了一种要追赶的样子，那得意扬扬的神情使他刻骨铭心。以后爷每次撞见洪昌，那眼神总是躲躲闪闪的，像偷了他什么一样。这种感觉是从物质渗到精神的，是一种时间中的升华，是从一次次的咀嚼和品味中得来的。在时光中他发现了给予和索取的奥秘，那就是无论多么小的事物，给予都是高高在上的，就像是洪昌的那张脸；而索取是低贱的，索取在心理上永远处于劣势。你给了人家一点什么和拿了人家什么，那感觉是绝对不一样的，这种关系有一种本质上的差别。这个烙印伴着他读完了六年小学，在这六年里，他一边认字一边用那些字来体味和丰富感觉。他是蘸着感觉来认字的，所以他认字认得很快，学字的能力也是超常的。

在这六年时间里，他一共用了一万八千三百四十六张烟盒纸，香烟的气味伴着他度过了许多个日日夜夜。他的烟盒纸作业本在大李庄小学是独树一帜的，他的绰号在大李庄小学也几经变换，有一段时间，学生们都叫他“红锡包”，又有一段，又叫他“白锡包”，还有人叫他“白河桥”，也有人叫他“哈德门”，还有人称他“飞马”，都是香烟的牌子。因此所有的老师都认识他，都知道本村有一个叫李金魁的学生。他的烟盒纸作业本因为不合尺寸常常摆在一摞作业本的上边，每个老师批改作业的时候，都忍不住要多看两眼，先是翻过来看一看烟盒纸上的图案，然后才去批改写在烟盒纸上的作业，改的时候也格外的细致。如有错处，老师第二天是一定要在课堂上讲一讲的，每到这时，老师就显得格外的兴奋，老师站在讲台上“哗、哗”地扬着那由烟盒纸缉的作业本，高声说：“同学们，看看这道题是怎么错的？为什么错呢？一个小数点啊?！……”同学们望着那些在讲台上空飞舞的花花绿绿的烟盒纸不由得又一次哄堂大笑！就这样，烟盒纸使他在大李庄小学成了学生们的笑料，烟盒纸也使他在大李庄小学出了大名。毕业的时候，整个大李庄小学独有李金魁一人考上了县一中。

这是烟盒纸的胜利。

那一年的夏天，发通知的时候，李金魁正在田里割草。捆一蹿一蹿地走来说：“娃子，中了，咱考中了。”李金魁正赤条条地在玉米地里蹲着，手里握着一把小铲，一身的汗水。他抬起头看了看站在田边上的爷，而后才从玉米棵上取下那条烂裤子，匆匆穿在身上，腰一拧，欢欢地跳出来说：“爷，是县中吧?”捆扬着手里的那张纸说：“是。光彩呀！就你一个。走，进城给表姑奶报喜去！”

李金魁愣了片刻，却又慢慢地把那裤子脱下了，依然挂在玉米棵上，往地里一蹲，说：“爷，我不去。”

捆手搭凉棚看了看孙子的下身，笑着说：“咋？鸭娃儿大了?”

李金魁脸一红，不由又磕巴起来，说：“不、不去。”

捆说：“你看这娃，你看你这娃……”捆只说了两句，就再也不说了，孙子的眼正望着他呢。阳光下，地边上，一个黑黑的小泥人，眼很毒，那光蜇人，看着看着就把爷看小了。捆挠了挠头，讪讪地说：“不去就不去吧。”过了一会儿，他又说：“头前队上出了咱两棵树，作价八十，还没给呢……”

在那个夏天里，捆一直跟在新任队长李大牙的后边，絮絮叨叨地说：“队长，那树，那树可是好树，还不该给哩?”

李大牙最喜欢的事就是敲钟，他每天都站在村头那棵挂有一口旧钟的老槐树下，用力敲响那口锈迹斑斑的大钟。让人们下地干活。李大牙敲完钟只给了他一个字，李大牙说：“虫！”

捆说：“结了吧，那树，你给结了吧。”

李大牙还是一个字："虫!"

捆巴结地笑着，磨着身子给队长说好话，再敬上一支烟，说："明明说好的，说是麦罢给，那树……"

说急了，李大牙就龇着一口黄牙说："虫!! 闹什么？队里没钱。"

捆急了，说："不是有烟款么。说过要给钱哩，咋就不给呢？"

李大牙扔下一句话："你告我去吧!"说了，扭头就走。

捆仍笑着跟在队长的屁股后……

就在那个暑期里，割草娃子李金魁一直不敢在村街里走。他背上草捆回家时总要绕一个很大的弯，他是怕在村街上跟爷爷碰面。他自从碰上了几次之后，就再也不从村街里过了。他不止一次看到队长李大牙在捋爷的头，爷总是像孩子一样弓身站在身材高大的李大牙跟前，而队长一次一次地捋爷的头，一边捋一边说："捆，你个老虫！你个酒迷瞪。我还不知你么？你欠洪昌的酒账结了么?"爷个儿小，爷被他捋得像陀螺一样在他身前转着，可爷仍然笑着，爷总笑着说："别乱，别跟你叔乱……那树，还是结了吧。"

后来他才知道，爷的确欠着洪昌代销点里的酒账。他总是偷偷地在洪昌那里赊酒喝，是那种五分钱一两的红薯干酒，他一两一两地赊着喝，喝出了脸上的那一小块红，也欠下了一笔一笔的酒债。洪昌跟李大牙是儿女亲家，洪昌不说话，李大牙是不会给的。

在夏日的村街里，李金魁眼前一片刺痛。他眼前总是出现爷的那白苍苍的头，爷的头一垂一垂的，就像是一蓬乱草……他觉得李大牙捋的不仅仅是爷的头，李大牙捋的是他的眼泡。他眼疼。他不敢去看。可为了那八十块钱，爷仍然不屈不挠地跟在李大牙的身后，爷总是不厌其烦地说："这是两码事，洪昌是洪昌，队里是队里……"

于是，李金魁哭了，一个小人儿因为没有办法在偷偷地哭泣。他躲在麦场上默默地想了一个晚上，满脸都是伤心的泪水。头上有月亮，水一样的月亮，月亮很大很圆，可月亮一点儿也帮不了他，月亮离他太远了。一直到了后半夜，他悄悄地摸到了爷住的牲口棚里，对正起夜撒尿的捆说："爷，那钱，你别再去要了。咱不要了。"

捆背对着孙子，一边撒尿一边说："咋不要？树是咱的，咱凭啥不要?"说着，他系上腰带，转过身来，很自信地说："金魁，你放心，爷能要回来，误不了你开学。鳖儿答应过的，就是拖拖……"

李金魁轻轻地吐了口气，默默地说："爷，我去要吧。"

捆诧异地看了看孙子："你?"

李金魁说："我去。"

捆怔了怔，说："要不让你娘出面？娘儿们家好说话。"

李金魁重复说："我去吧。"

捆说："你想试试？试试也成，你已是县中的学生了，对不对？"

捆又说："他要骂，就让他骂两句，骂骂也长不到身上。他要打你就哭，打滚哭……"

李金魁不语，他垂下眼皮，像个小鬼魂似的飘出去了。

三天后的一个早晨，风凉凉的，当队长李大牙趿拉着鞋，大声地咳嗽着，匆匆赶到村口敲钟时，却见老槐树上绑着一根绳子，绳子上吊着一个小人，人下是一双脚，脚尖下点着一摞碎砖头，那砖头摇摇晃晃的，眼看就要倒了……李大牙吓了一跳，定睛一看，那人竟是捆家的孙子——李金魁！

李大牙吓坏了，忙说："金魁，娃子，你、你你你……这是干啥呢?！下来，快下来吧。"

李金魁苍白着一张小脸，轻轻地吐一口气，说："给我树钱。"

李大牙说："娃子，有话好说，你先下来……队里确实没钱。"

吊着的李金魁喉咙里"咕勾"了一下，两手拽着绳套，再吐一口气，默默地说："我知道你不想给……"说着，只见他脚尖一踢，脚下那摞碎砖头"呼啦"一下倒下去了，一个人整个吊在了树上……

这时，李大牙的脸都白了！眼看就到了上工的时候了，村人们马上就要拥出来了，到了那时候，一村人都会说，是他在逼一个小娃上吊！真到了那时候，他就是浑身是嘴也说不清楚了……他忙扑上去抱住了李金魁的两条腿，连声说："我给我给……我立马给！"

李金魁身下有了依托，又吐了一口气，喃喃地说："你真给？"

不料，李大牙竟哭起来了，他张着大嘴，一把鼻涕一把泪地说："我真给。我不给是孙子，你是爷，你下来吧！"

李金魁又说："你别捋我爷的头……"

李大牙说："我不捋，我再也不捋了，你只要下来……"

李金魁说："你要再捋我爷的头，我就死在你家大门口。你信不信？"

李大牙忙说："我信。我信了！"

此刻，李金魁呆住了。连他自己都不相信，事情竟然解决了，就这么简简单单地解决了?！……

事后，使他感到惊讶的是，一根绳子竟然有这么大的力量?！爷跑了整整一个夏天都没把钱要回来，眼看着没有办法了，他没有任何办法。天不能帮他，地也不能帮他，爹、娘、爷，谁也帮不了他，他已无路可走了。其实，他是非常怕李大牙的，他怕他已经怕到了极限，他的心也已经抖到了极限。李大牙野得就像是红头牛一样，在村里没有人是他不敢骂的，没有人是他不敢收拾的。在大李庄所属的十个队里，他是最厉害的一个队长啊！可是，可是呢，一根绳子就产生了一个办法。那只

是一根草绳，是捆草用的绳，绳在这里好像是没有一点用处，绳是无势的，绳也仅仅是圈成了一个套，挂在了树上……于是，没有办法也就成了办法。这个梦幻一般的过程是他一生都受用不尽的，只是在事过之后，他才发现，一根绳子可以产生一种定力，一根绳子也可以产生一种办法，这是一种从无到有的认识，也是一种从死到生的体验。于是，十三年的时光，十三年的感觉在这一刹那串了起来，串出了一种对人对自然的再认识，串出了一种生的顿悟。那时，他一口气跑到田野里，躺在草地上，眼望蓝天，满含热泪地高声喊道：草啊，那生生不灭的草啊！

夏天过后，当李金魁背着铺盖卷，兜里揣着他自己要来的八十块钱，兴冲冲地到县城中学上学去的时候，他也背走了一种无畏的豪气。

一路上，捆唠唠叨叨地对孙子说："到城里要小心些，城里人悭哪。要是有难处，就去找你表姑奶，你表姑奶家阔着呢……"

李金魁一声不吭，只默默地走着。来到了城里的集市上，李金魁突然说："爷，你坐下歇歇脚吧。"捆说："算了，我闻不得香味，那味烧眼。"李金魁拽了他一下，说："爷，你坐。"捆说："歇歇也干歇歇。"说着，就在一个饭铺前坐下了。只见孙子堂堂地走过去，片刻时光，就端来了两盘水煎包，两碗肉胡辣汤，四两烧酒，一碟花生米。捆愣愣地望着孙子，正要说什么，只见孙子重新背上铺盖卷，说："爷，你慢慢吃吧，我去了。"

捆呆呆地望着孙子，眼里泪汪汪地叫道："金魁呀……"

李金魁回过头来，说："爷，钱我给过了，你吃吧。"

四

李金魁略显口吃的毛病，是上中学时才开始明朗化的。

那是因为一个叫李红叶的女同学。

在记忆里，红叶首先是一种声音，童年里的声音。那声音是从三国的娘幺婶嘴里吐出来的，带有一股高粱叶的气味。在夕阳的红烧里，高粱地像一蓬铺天盖地的火焰，火焰在风中"哗哗"响着，忽红忽绿，飞舞着一个橘红底镶金边的声音……而后，在漫长的时光里，"红叶"逐渐地幻化成了一个符号，一个淡化了的印象。

印象的重叠是在县城中学里完成的。开学的第一天，李金魁坐在教室里的第五排第四个位置上，听到手拿花名册的老师高声喊道："……李红叶。"只见坐在他前边位置上的一位穿橘红色短袖衫的女同学应声站了起来："到。"

"到"字像珠儿一样打在了他记忆的神经上，那声音脆生生地敲开了岁月的闸门，有一种东西像水一样漫出来了，于是记忆中童年里的"红叶"与坐在教室里的红叶重合了。重合产生了猜测，那么，那个"红叶"与这么一个红叶是不是一个人呢？

红叶就坐在他的前边。李金魁不由得想看一看她的脸，想看一看她长得什么样子，可他看不到。他看到的只是乌黑的剪发和脖子上的一小块白，那一小块白上还长着一颗紫红的小痦子，那个小痦子在她的衣领处时隐时现，她每一次勾动脖颈，那小痦子就醒目地跳了出来，倏尔就又不见了。在一段时间里，这个诱人的小痦子弄得李金魁心烦意乱，它就像虱子一样在他的眼前晃来晃去，叫人忍不住想去捏一下，一下子把它捏下来！李金魁自然不敢。

后来，李金魁为此骂过自己，他说，你他妈的是来上学的，还是来看人家脖子的？你也不想想你是个啥东西?！看黑板！

此后，他就再也不看她的脖子了。

然而，在李金魁的内心里，仍然存着这样一个念头，他很想知道这个红叶与童年里听到的那个“红叶”是不是一回事。可是，开学很长时间了，他一次也没有跟她照过面，他甚至不知道她到底长得什么样。这个叫李红叶的女同学并不住校（那么，她一定是城里人了），她一下课背上书包就走了。按说平日里也是有机会的，可他坚持着不去主动看她，这样一来，机会也就失去了。这似乎是一个漫长的等待，也是一个深藏在内心里的向往。

有一段时间，李金魁经常到学校附近的一家废品收购站去。他偶然发现那家废品店里有许多收来的旧作业本，那些写过的作业本是论斤称着卖的。上中学了，作业太多，不能再用那种烟盒纸当作业本了，再说他也没时间去捡烟盒了。于是这些很便宜的旧书纸就成了他的作业本。那个管废品收购站的人是个歪脖子，人家都叫他歪叔，他也跟着叫歪叔。开始的时候，歪脖收二分一斤的废书纸，卖给他五分钱一斤，待买过两次后，有些熟识了，他知道这个歪脖也爱喝两口，就给他买了两瓶散酒掂去了，说：“歪叔，你看，整天来麻烦你。”歪脖非常高兴，就说：“学生，你说哪儿去了，你叔是一个收废品的，哪值得你这样？这、这、太不像话了……”可此后，待李金魁再去废品店时，歪脖就说：“学生，你进来挑吧，随便挑，你叔一分钱都不收你的。”就这样，一来二去的，他跟歪脖成了忘年交的朋友了。有一天，他刚从废品店里出来，迎面碰上了三国。于是，一个久远的谜语就此解开了。

那天，三国肩扛着一布袋红薯叶胳膊上还挎一篮子红薯，像逃荒似的在路上走着，一边走一边四下看，一下撞在李金魁的身上。看见李金魁时，他愣了，想说话又有点不好意思。李金魁说：“三国，你干啥呢?”三国见李金魁不记仇，就咧嘴笑了笑说：“我娘让我给我大伯送点红薯叶。我大伯爱吃红薯叶。”李金魁见他累出了一头汗，就说：“三国，我帮你拿点。”说着，他走上前去，从三国手上取下了那篮红薯。这样一来，三国轻松了许多。三国甩着手说：“你知道我大伯是干啥的?”李金魁说：“不知道，你大伯干啥?”三国说：“我大伯是校长，我大伯是县一中的校长啊!”李金魁“噢”了一声，再没说什么。三国说：“我大伯戴的眼镜一圈一圈的!”李金魁笑了，三国忙说：“真的，真的，骗你是孙子!”校长家就住在县一中的后边，是一个小院。

来到小院门前时，李金魁站住了，他对三国说："三国，到地方了，你去吧。"三国说："走吧，你帮我拿了这么远，一块儿去吧，也认识认识我大伯！"李金魁本也想去，看三国那语气，就把红薯篮往地上一放，说："你自己去吧，我还有节课呢。"

过了大约有一个星期，有一天，轮到李金魁值日打扫卫生，他正在教室扫地时，突然发现门口一黑，有一个女同学匆匆走了进来。这位女同学在门口处站了一下，而后快步走到他跟前，突然说："李金魁，你为什么不理我？咱们是老乡啊！"李金魁一怔，慢慢直起身来，他先是闻到了一股香丝丝的气味，看见站在他面前的是一个秀气的椭圆脸姑娘，穿一身米黄的格格衫，脸儿白白的，两眼大大的，嘴角处汪着两个浅浅的酒窝……片刻之间，他脑袋里"轰"的一下，像有什么东西炸了个洞似的，积存了很久的东西重又漫了上来……他的心咚咚跳着，人却一下子被激住了！他干瞪着两只眼睛，就是说不出话来，那句话在喉咙里卡住了很久很久，最后才勉强地、结结巴巴地说出来："你、你、你……你就是、是红、红叶？"

李红叶有点吃惊地笑着说："是啊，我就是李红叶。怎么了？你不知道？一个教室坐这么久了？你是真不知道还是假不知道？"

李金魁心里积存的东西太多了，那旧有的印象也太深刻了，他仍然没有转过弯来："你、你你……就是、是……红叶？！"

李红叶当然不明白他心里曾经有过两个"红叶"，看他急得说不出话来，脸都憋红了，就转了话题说："那天你不是跟三国一块儿到我家去了么？你为什么不进去呢？"

李金魁这时才有点缓过劲来，他说："三国？……"

李红叶说："三国是我二叔家的孩子。"

李金魁说："噢，噢。也、也没什么事……"

李红叶说："没事就不能坐一坐了？我早就听同学们说，有个人整天不说话，光啃干饼子，菜也不舍得吃，竟考了第一，原来是我的老乡啊！"

李金魁脸红了……

李红叶忙说："好，好，你扫吧。我爸说，让你有工夫到家去玩。"说完，就快步走出去了。

李红叶走后，李金魁仍然呆呆地立在那里，手里拿着那把笤帚，一直愣了很久很久……他在心里一遍一遍地重复说：她就是红叶，原来她就是"红叶"呀！

"红叶"由声音还原成了一个鲜活的人，这是他始料不及的。那童年里的印象在无限地扩大，织出了一个稠密的联系，在高粱地里飞出的两个字，竟然在现实中化成了校长的女儿，这是多么大的惊喜呀！这对他的刺激实在是太大了，从这天起，他居然变得口吃起来，他总也说不好第一句话，越是激动越是说不出话来，一到说话的时候，他就不由得紧张，一张嘴就卡壳，非得过上一会儿，才会逐渐地缓过劲来。他为此非常沮丧，说话时就更加地注意，谁知越是注意越坏事，磕巴得就更厉害了。于是，从这天起，他又成了学生们的笑料。

红叶就在他的前边坐着。每当同学们哄堂大笑的时候，她总是不由得要转过脸来，朝他投来同情的一瞥。怎么说呢？人在人眼中是会变的。红叶初看他时，他不过是一个又黑又瘦的家伙，穿得破破烂烂的，脖子脏得像车轴一样，也不知道洗，身上还有一种很难闻的气味。可是，看着看着，他在她的眼里就发生了一种说不出来的变化。也许是可怜他的处境，也许是熟悉产生了一种亲情，她总是越来越多地注意到了他的眼神，她在他的眼神里看到了一种光，那光是别的男孩身上所没有的。每当他的口吃引起同学们哄堂大笑时，他总是默默地、孤零零地站在那里，一声不吭。这沉默又激起了她更多的同情。不知从什么时候起，她陡然产生了要帮他一把的愿望。

一天，临上课时，有个绰号叫"大嘴"的同学突兀地把他拽住了。"大嘴"是县公安局长的儿子，平时就有些霸道，说话横横的。他一把拽住李金魁说："结子，我那支蓝杆笔找不到了，是不是你拿了?!"

李金魁一怔，说："啥、啥、啥……笔？"

"大嘴"学着他的结巴语气说："你说啥……啥……啥笔？——钢笔！"

"哄"的一下，同学们笑了，立时都围了上来，他们都望着他，那眼光很复杂。于是，李金魁沉默了片刻，说："是，是我拿了。"

"大嘴"得意扬扬地说："哼，我想着就是你！操，下课给我拿回来！"

人们的目光像箭一样在李金魁的身上射来射去，可他却一声不吭，他再没说什么……

第二天上午，李金魁迟到了。在众目睽睽之下，他匆匆走进教室，把一支蓝杆钢笔放在了"大嘴"的课桌上。"大嘴"拿起笔看了看，有点诧异地说："我的笔好像……是这一支么？"

李金魁说："是、是。"

不料，刚刚上了两节课，坐在前边座位上的李红叶"呀"了一声，说："我这儿多了一支笔，这支笔是谁的？"说着，她高高举起那支笔，那正是一支蓝杆钢笔！

同学们全都看着那支笔，而后又齐刷刷地回过头去看"大嘴"……"大嘴"大张着嘴愣了一会儿，才说："我的我的，是我丢的。操！"

此刻，李红叶拍案而起，厉声说："冯相义，你怎么能这样?！你太不像话了！你怎么能乱怀疑哪?!"

"大嘴"看了看李红叶，又望望李金魁，嬉皮笑脸地说："这关你什么事？我又没逼他，是他自己承认的……"

这时，李金魁冷冷地看了"大嘴"一眼，看得"大嘴"身上一寒，竟乖乖地把那支笔给李金魁送过来了……

这天晚上，李红叶突然来到李金魁的寝室门前，有点激动地高声叫道："李金魁，你出来一下。”

已是秋末了，风寡寡的，带着些微的寒意。可人的心却很热。两人一前一后来到了校园后边的操场上。天很高很远，星星碎碎的亮，月光撒下一地银白，周围汪着一片暧暧昧昧的黑，不远处校舍里的灯光亮着一盏一盏红，显得很温馨。李红叶默默地说：“你为什么要承认呢？你不该承认的。”

李金魁一张嘴就噎住了，话一直在喉咙里卡着，他过了一会儿才说：“人、人家、怀怀……疑咱咱咱……”

李红叶说：“他怀疑你，你就承认么？他要怀疑你杀了人，你也敢承认？”

李金魁不语……

李红叶说：“那支笔是你在商店里买的，对吧？”

李金魁说：“是。”

李红叶望着他说：“你怎么能这样呢？要是那支笔找不到怎么办？你不就成……偷了么？”

李金魁说：“偷偷、偷就偷吧。人家已、已、经怀疑了。我、我就是、是不承认，他也照、照样怀、怀疑……一、一个穷字在我脸上写着，他能……不怀疑么？”

李红叶很惊讶地望着他：“你这人真奇怪，人家一怀疑，你就认了，也不解释？”

李金魁说：“他怎么就不怀疑你……你哪？他怎么就不怀疑别、别人呢？他怀疑就说明他认定是我了，解释有什么用？”

李红叶说：“你怎么能这样想呢？”

李金魁说：“这就是穷人的逻辑。”

李红叶嗔道：“你再这样说我不理你了。”

李金魁说：“对。你别理我。理我沾你一身穷气，划不来。”

李红叶说：“你再说……”

李金魁说：“我不说了，我走了。”说着，扭头就要走。

李红叶一顿脚说：“你站住！”

李金魁扭过脸来，说：“有话你说吧。别说你让我站住，是个人都能让我站住……”

李红叶气得直跺脚，说：“你你……怎么这么犟啊！”

夜里，李金魁睡不着觉了。他眼前总是晃动着红叶的影子，红叶的发辫，红叶的脖子，红叶的脸儿，红叶的眉儿，红叶的眼儿……那影像是一帧一帧的、一片一片的在他眼前出现，而后又是一段一段地放大。一个姑娘在他的脑海里翻来覆去地搅动，整体上看是模糊的，那仅是一个亭亭的白色剪影；局部又是清晰的，逼真的……那颗痦子叫人多想摸一摸呀！往下就出现了“白亮亮”的感觉，不管他怎么想，最后总要落到“白亮亮”上，一片“白亮亮”！……接下去又叫他有点后怕。他对自己说，金魁呀，可不敢瞎想啊！你是谁呀？人家又是谁呀？人家可是校长的女儿，人家是金枝玉叶呀！再说，你不能让人家可怜你，她是看不起你才可怜你，你可不能让她可怜哪！收心吧你，收心吧。还是好好退回来，读你的书吧，前程要紧哪！……这么思来想去的，他怎么也睡不着。于是，他咬着牙一骨碌从床上爬起来，独自一人在校园里的操场上跑了二十圈，跑出了一身的大汗！

紧接着，期中段考时，李金魁仅考了第七名，还是班里的。于是，他一下子蒙了！他悄悄地跑到校外的一片杨树林里，狠狠地扇了自己三个耳光！他说：金魁呀金魁，你完了！

此后，李金魁开始真正退却了。他不再看她了，也不再想她了，一门心思钻在了书本里。夜里，为了避开她，他常常到那个邻近的废品收购站里去，在那里一边为歪叔看门，一边读书。

然而，李金魁越冷，李红叶却越热，她越来越感到李金魁的与众不同。那寒寒的目光总让她忍不住地牵挂。校长的女儿，长得又漂亮，学校里有多少小伙想跟她说话呀！可是，却有这么一个黑小子，连看都不看她一眼，这是她无法忍受的！她总想骂他一顿，可一走到他跟前时，她身上的力量就消失了，剩下的只有猜测和柔情。有一段时间，她总是悄悄地给李金魁送吃的，有时候是两个白馍，有时是一个鸡蛋……偷偷地塞到李金魁的课桌抽屉里，不让任何人知道。而李金魁却总是不动声色地给她退回去。这在两人中间成了一种较量，一种意志的较量，你送，我就退，你越退，我越送。终于有一天，李金魁烦了，他找到李红叶说："李、李红叶，你你你……别再送了。你你……也别可怜我。我一个乡下人，你可怜我耽误事。"李红叶也冷着脸说："我为啥要可怜你？谁给你送了？你怎么知道是我给你送的？是你自己心里有鬼吧?!"李金魁说："那那、那好。我给你说，你要再送，我就吃了，我吃也白吃，吃了也不感谢你！"李红叶说："你吃不吃关我什么事？谁让你感谢我了?!"说完，她扭头就走，走了几步后，她在心里忍不住笑了。

此后，李金魁对自己说，反正我也说过了，贱就贱到底！我就白吃你，谁让你送的?!于是，李红叶再送什么，李金魁就吃，吃了也不理她。他就是要让她知道，我这人说到做到，吃也白吃！他想，我就这样，"肉包子打狗！"她就不会再送了。谁知，这倒给了李红叶一个具有隐蔽性的喜悦，一个姑娘深藏在内心里的小秘密。人一有了秘密，那心气就不一样了，李红叶像是浑身都长了眼睛，时刻关注着他，这反而造成了无形的贴近。她送得更欢了，隔三岔五的，她都要给李金魁送点什么，有时，她实在没什么送了，就上街去买上几块糖……她甚至动员当校长的父亲给李金魁申请到了每月可以补贴六块钱的助学金！可是，在教室里，两个人谁都是冷冷的，一句话也不说，形同陌路。

寒假快到了，临放假前的一天，李红叶在收拾书包的时候，突然在书包里发现了一包软绵绵的东西。她悄悄地打开一看，竟是整整一打手绢！在那时候，她虽然是校长的女儿，也从没一次见过这么多手绢。十二条啊，整整十二条！她的脸"喷"

的一下就红了,红得发烧发烫,她的心都快要蹦出来了! 那种感觉是从未有过的,她真想大喊一声……可是,她仅是匆匆地背上书包,快步走出了教室,她觉得要是再晚一会儿,她就疯了!

李红叶背着书包像游魂似的在街上走着,她不知道自己要干什么,只是走,不停地走……也许是等待太久了,企盼太久了,她虽然并不期望有回报,可在她内心深处,还是有那么一点点怨气的,她也替自己不平。可是,突然来这么一下子,这几乎是给她以摧毁性的打击! 她简直不知道自己该怎么办了。走着,走着,她来到了县城最大的一家百货商店。在商店的柜台前,她忍不住问了手绢的价格,她平时买的是两毛五一条的,那已是较好的了,而这种有各种图案的手绢却是五毛钱一条的,是商店里最贵的一种……她喃喃地说:他真敢哪,他真敢!

傍晚,在县城边的小桥上,她截住了背着铺盖卷准备回家的李金魁。她一见他,就激动地说:"李金魁,你呀你呀……你怎么能这样哪? 谁让你给我送手绢了?!"李金魁站在那里,连头都没抬,说:"你、你……弄错了吧? 我、我……连饭都吃、吃不饱,我会给你送手绢?!"李红叶一怔,说:"不是你是谁? 你还不承认?"李金魁说:"我早就给你说过了,我、我是个吃白食的。我会干那种事?"说着,把铺盖卷往肩头上一撂,径直走了。李红叶没有办法了,喊道:"你真无赖呀,李金魁!"李金魁立时勾回头说:"城里人,你这话说对了。我就是一个十足的乡下无赖!"

整整一个寒假,李红叶都是在心焦火燎中度过的。她脑海里驱之不去的是那一双寒寒的目光,那目光就像刀子一样刻在了她的心上……她一天到晚都心神不宁的,人像垮了一样。过年的时候,她实在是熬不下去了,就以看二叔的名义骑车跑到乡下去了。可她仅在二婶家待了不到一个时辰,就让三国领他去了李金魁家。进了门,就见一个弓腰老头半仰着身子,扛着一把扫帚,嘴里淌着长长的口涎,痴痴地看她,一边看一边喃喃地说:"这是谁家的闺女? 跟画儿一样!"三国忙说:"这是老捆,金魁他爷,你别理他!"可李红叶却迎上去说:"爷爷,我是李志尧家的女儿。跟金魁是同学……"老捆一听,凑得更近些,看了又看,说:"噢,志尧家的。咋跟画儿一样?! 听说你爹当大官了?!"三国抢先大声说:"我大伯是校长! 县中的校长!"于是,老捆喊道:"快,金魁,来客了!"李金魁从屋里走出来,倚在门旁站着,说:"来、来了? 是、是串亲戚的吧?"李红叶看了他一眼,说:"是,串亲戚的。顺便来看看……"此时,家人们都围上来了,老捆兴奋得一蹿一蹿地说:"看看,志尧家的,真是跟画儿一样啊! 是咱金魁的同学。他娘还不烧火打鸡蛋? 快烧火!"李红叶忙拦住说:"不麻烦了,别麻烦了,我是顺便来看看,一会儿就走……"李金魁也说:"算了,咱家这样,人家也不会在这儿吃……"老捆转着圈说:"就是,也没啥好吃的……有红柿呀,咱有红柿呀!"坐了片刻,老捆那一喷一喷的唾沫星子让李红叶受不了了,她终于说:"我走了,我得走了。"李金魁说:"我送送你吧?"李红叶就等这句话呢,她站起就走,一家人送出门,老捆说:"让金魁送,让金魁送吧。"可是,李金魁刚出家门,却又被老捆叫住了,老捆一把把他拽到屋里,瞪着眼压低声音说:"金魁,娃子呀,长胆了没有?"李金魁怔怔地望着爷。只见老捆喘着粗气咬牙切齿地说:"……你把她日了!你要敢把她日了,她就是你的媳妇了!"听了这话,李金魁身上的火苗"噌"一下蹿起来了!

五

那个字是从他心里长出来的。

那个字在开始时仅是一个小芽儿,是个模糊不清的概念,是一种颜色和声音,而后经过了时光的浸染,它逐渐长成了一棵树。

当那个字脱唇而出时,连他自己都吓了一跳。他没想到那个字竟然一直在他心里长着……

本来,李金魁送红叶出来,在村路上,两人默默地走着,谁也不说话。等出了村,李红叶说:"我知道你不想送我,嗯?"李金魁笑了笑,不语。李红叶说:"你要不想送我,你就回去吧。"说着,就独自一人推着车子往前走,李金魁也跟着走。李红叶回头看了他一眼,嗔道:"你呀,你呀……"天很冷,路上一个人也没有,当她看到路边的一个草庵时,就红着脸说:"坐一会儿吧?"说着,便朝着那个孤零零的草庵走去。草庵还是夏天里遗留下的,地上还铺有发黄了的麦草。李红叶大着胆进了草庵,她先从衣兜里掏出一块手绢铺在了麦草上,坐下来,而后又掏出了一块手绢铺在了身边处,说:"坐吧。"李金魁站在那里,呆痴痴地望着她……李红叶脸"喷"的就红了,说:"你坐呀,老看着我干什么……"就在这时,李金魁心里陡然起了一股狼烟,那个字像子弹一样迸然射出:

"脱!"

"脱"字来得太猛太快,也太突然了,它在李红叶的心上射出了一片红雾!她不由得颤了一下,一时浑身发软,愕然地惊叫道:"你,你……?!"

李金魁也愣住了。他的头"轰"的一下,像是炸了一样。话已出唇,他不知道该怎么办了,他只是愣愣地站在那里……

片刻,还是李红叶先醒过神儿来,她红着脸,用蚊子样的声音呢喃着说:"李金魁,你真无赖呀……"

李金魁站在那里,默然不语……

李红叶脸红得像绽开的花一样,她望着他,柔声说:"怎么?你生气了?你呀你呀……"说着,她微微闭上眼睛,开始解扣子了,她一边解着扣子,一边呢呢喃喃地说:"你真想看么?你要真想看你就看吧……"说着,她脱去了穿在身上的外衣,勇敢地把贴身衣服一层一层搂起来,顿时,两只白兔一样的乳房扑噜一下露了出来,那是多么白呀！在那一片团白的尖尖儿上，弹着两颗晶莹的紫葡萄！

李金魁眼前一片“白亮亮”！他猛地扑了上去，先是用两只手捉住了她的两只乳房，那滑软像热油一样一下子溅到他心里去了，他急切地埋下头去，下意识地用嘴叼住了那弹弹软软的紫葡萄，叼了这只，又去叼那只……两人立时烧成了一团火焰！李红叶紧紧地搂着他，嘴里吐着一串断断续续的燕语：“你呀你呀你呀呀……”到了这时，李金魁已是昏头昏脑了，他又下意识地去解她的腰带，他从小到大从没束过腰带，他不知道怎样才能解开，他只是用力去拽……久久，当他终于把皮带扣弄开的时候，却见李红叶满脸都是泪水……李金魁怔了一下，手慢慢松开了，片刻，李红叶睁开眼来，流着泪说：“你要是真想要，我就给你吧，我什么都可以给你……”说着，她伸手把下身的衣裤也褪去了，把整个身子都裸露在他的眼前……可她这样做的时候，身子却开始抖了，她整个身子都瑟瑟地抖着，抖得像寒风中的树叶，此时此刻，她的身上一片冰凉！

李金魁说：“你抖了。”

李红叶说：“我，没抖……”

李金魁定定地望着她，说：“你抖了。”

李红叶垂下头喃喃地说：“我……有点害怕。”

李金魁站起身来，咬着牙说：“我穷，我野。可我不会坏你。你要不愿意，我决不坏你。”

李红叶望着他，小声说：“我只是有一点点怕……”

李金魁把衣服往她身上一扔，说：“穿上衣裳吧。”

李红叶坐在那里，一边穿着衣服一边流着泪：“你坏，你太坏了……”

李金魁朝草庵外边看了一眼，说：“走吧。”

李红叶仍坐在那里，喃喃地说：“我起不来，我起不来了……”

李金魁吓了一跳！忙回过头来，说：“你……病了?!”

李红叶软软地伸出一只手，说：“我软，我身上软。”

李金魁又问：“你是不是病了?”

李红叶说：“抱我吧，把我抱起来……”

在回城的路上，李红叶一直在默默地淌眼泪。李金魁说：“你哭什么？我又没咋你?”可她一声不吭，只是默默地掉泪。到了城边上，李金魁站住了，说：“我不送了，你回吧。”他这样一说，李红叶也站住了。李金魁又说：“天不早了，回吧。”说着，扭头就走。不料，李红叶却返回来跟着他走……又走了一段，李金魁站下了，说：“好，我再送你一段。”两人重又折了回来。就这么翻来覆去地你送我我送你，天很快就黑了。最后，在县城里的一盏路灯下，他说：“我就站在这儿，看着你走。”进了城，李红叶不再流泪了。她站在那里，望着他说：“我看着你走。”李金魁说：“你走。你要不走，我就一直在这儿站着，我在这儿站一夜!”李红叶勾下头去，一声也不吭。

过了一会儿，她说:“我问你，你为什么要送我那么多手绢?”李金魁说:“我不知道该送什么。我只是不想欠你太多。”李红叶说:“你已经欠我了，我让你欠我一辈子!”说完，她扭头骑上车疾驶而去。

在那个寒假里，那个字在李金魁的眼里成了一颗金豆。那只是一个字哇，一个字的使用竟产生了如此巨大的征服力！那是校长的女儿呀，那是……多么的！有时候，他会兴奋地跳起来，对着一棵树说:“脱!”那个字真是余味无穷啊。他在那个字里读出一种新的东西，那是他还从未体验过的东西。他像重放电影一样回味着草庵里发生的故事，他一点一点地倒着读，在脑海里，那画面一个扣子一个扣子地动着，叫人激动万分！油灯下，在爷住的牲口棚里，当老捆提着裤子问他:“花儿掐了没有?”他觉得他一下子就成熟了，他读懂了爷的这句话。他什么也没有说，只是笑了笑，很自信地笑了。

后怕是见了那个红×之后。开学不久，他在校门口看到了一张布告。在那张布告上，他看到了一串醒目的红×！那红×像炸弹一样矗立在他的眼前。那上边写着“某某某”的名字，名字上打着一串红×，那是一个被枪毙了的强奸犯……他在那张布告前站了很久很久，整个人就像傻了一样，他不知道自己是怎么走回去的，只觉得脊梁骨一阵发凉！他心里说:李金魁呀李金魁，你差一点就毁了你呀!!

在一个时期里，李红叶和李金魁又成了陌路人。两人仍坐在一个教室里，还像往常那样，谁也不理谁。可在两人的内心里，却有了微妙的变化。李红叶更多是一种羞涩，她甚至不敢正眼看他，一看他就脸红，一看他就不由得咬一下嘴唇，可她的衣服却换得很勤，她身上开始透出一种成长中的女性姿态……而李金魁却是有意地躲避，那躲闪是由后怕而产生的恐惧。那目光仍是寒寒的，但寒意中多了一点“贼”色，多了一点防范。话是更少了，但出人意料的是，他说话磕巴的毛病却好了一些，他只是说第一句话时有点磕巴，往下就自然了。后来，他开始更多地出现在操场上，出现在一群学生的中间，自从他击败了“冯大嘴”之后，他已成为乡下学生的主心骨了。

天说热就热了。这年夏天，天热得有些异常，空气里弥漫着一股说不出来的气味。突然有一天，睡了一夜之后，早上起来，李金魁发现校园里到处都是大字报！整墙整墙的大字报……更让人吃惊的是，校长李志尧的名字是倒着写的，上面还打着三个刺目的红×!！一切都来得十分突兀，叫人都来不及想。这天上午，倒也照常上课了，铃声响过后，校园里出奇得静，老师一个个都绷着脸，很紧张的样子。在教室里，李金魁又发现李红叶是趴在桌子上的，她一直不抬头，就那么无声地趴着……到了第二节课的时候，只听校园里一片“哄”声，同学们纷纷探头往外看，有的甚至跑出了教室……这时，只见一群年轻教师高喊着什么把校长李志尧揪到了教室前边的空地上，校长挣着身子，仍是很严肃地说:“干什么？你们想干什么?!”可陡然之间，他的眼镜被打掉了，紧接着是一桶糨糊兜头浇了下来！一向高高在上的校长，顿时一脸惨白，他就这么一下子像落汤鸡一样地勾下了头……就此，校园里的铃声再没有响过。

那是一些既让人激动又叫人不安的日子。学校不上课了，城里的学生一个个兴奋异常！乡下来的学生却一个个沮丧万分。李金魁心里说：完了完了，前程完了！在一片混乱中，有的乡下学生打起铺盖回家去了，留下的也仅是跟着城里的学生瞎起哄。“冯大嘴”在一夜之间竟然成了学生的司令……于是，李金魁毅然卷起铺盖，搬到废品店去住了。

这个决定对李金魁来说，是十分痛苦的。这是他人生的又一次选择。这就是说，他要切断与家乡的联系了，在前程无望之后，他也决不回去了。这是一次精神上的放逐，也是情感上的背叛，他的心与昔日的大李庄村越来越远，前程无望，回头也无望啊！从此以后，他要自我漂流了。他把两瓶好酒摆在了歪叔的面前，说：“歪叔，你说句话吧。”歪叔乜斜着眼，看了看他，说：“学生，你愿意当一个收破烂儿的？”李金魁说：“只要你要我。”歪叔把酒瓶盖用牙咬开，一人倒了半碗酒，很爽快地说：“喝了这碗酒，我就收下你！”于是，李金魁端起那酒，一下子倒进喉咙里去了，喝了酒，他泪流满面，泣不成声地说：“我亏呀，我太亏呀！我是第一名啊！”

在城里收破烂儿，在他看来也是没有办法的办法，是破罐破摔。心是痛的，那疼痛烧出了满眼的仇恨。可究竟恨什么，却又是说不清的。每当他走在大街上的时候，就不由得咬着牙，尽量躲着熟人走，一句话也不说。他把仇恨憋得足足的，他几乎把自己憋成了一个沉默的火药罐！与白日相比，他的夜晚却日渐丰富。废品店收的书越来越多了，那大多是“四旧”，他就整夜整夜地在这些“四旧”里泡着……正是这些夜晚使他那备受压抑的情绪得到了宣泄。

在以后的日子里，李金魁总是想起那些个晚上。那些夜晚对他来说是战栗中的享乐，是蜗牛一样的伸展；又像是生命中的一次小憩，没有目的，也不须特意地记住什么。这是一种精神上的偷窃，是随意地采摘禁果，他就滚在那些收来的“四旧”堆里，蜷着身子，一本一本地翻，那偷来的喜悦不是用言语可以表述的。直到有一天，那闩着的门板突然被拍响了，那是个细雨蒙蒙的夜晚，门板“咚咚”响了两下，而后又是两下，在这一刻，他的心已跳到了喉咙眼上，他惊惧地叫道：“谁?!”门外没有回答……在匆忙之中，他随手把那本正在看的书“嗖”的一下扔在了废纸堆里，然后跳起来，几步走到门板后，再次叫道：“谁呀?”仍是没人应声。于是，他疑疑惑惑地开了门，就在这时，一个黑影飞快地挤了进来，那影儿嗦嗦的，带着一股飕飕的寒气。他很快就明白了，是李红叶！李红叶就像变了个人似的，她的头包着，一脸憔悴，哆嗦着嘴唇说：“李金魁，你救救我爸吧，他就快要被人打死了！”说着，她呜呜地哭了起来。李金魁站在那里，身子一下子凉了半截，他木然地说：“怎么……救?”李红叶呜咽着说：“他就关在学校的小楼里……”往下就无话了，谁也不说话，只有目光一点一点地往前探，而后又缩回来。片刻，李金魁说：“你让我想一想，我得想想。”李红叶看了他一眼，说：“你要是怕受牵连……”没等她把话说完，李金魁生硬地打断说：“你……得让我想想！”

李红叶走后，李金魁顺手从地上拾起了一根捆废品用的麻绳。他把那根麻绳拿在手里，翻来覆去地看着，绳子一扣一扣地从他的手上捋过，那感觉麻丝丝的。后来，他把麻绳绾成了一个活扣套在了脖子上，心里说，操，我欠她么？这是把我往火坑里推呢！

第二天夜里，李红叶又来了。她默默地望着他好一会儿，才问：“你想好了么？”李金魁说：“想、想好了。我想了想，我确实欠你。”李红叶说：“你也别这样说。你说吧，你想要什么，我什么都可以给你。”李金魁笑了笑，说：“我、我可是个收破烂儿……”李红叶流着泪说：“你是想污辱我？到这种时候了，你还要污辱我？”李金魁说：“我不是这意思，你也知道，我不是这意思。”李红叶说：“那你是啥意思，你到底是去不去？”他说：“你看，你这是把我往火坑里推呢。”她就那么直直地看着他，良久之后，她说：“我看错人了，我真是看错人了。”说着，她泪流满面，扭头就要走。李金魁上前一把拽住她，就往后边拉。李红叶用力地挣着身子：“你、又想干什么?!”他仍是紧拽着她不放，一边走一边说：“我是个兔。你也知道，我是个兔……”拐过了废纸堆，在一垛一垛的旧麻袋的缝隙里，李红叶蓦然发现，她爸爸就在一堆旧麻袋片里躺着！李红叶的嘴立时张大了，她悲喜交加地说：“你呀！怎么……”紧接着，李红叶刚叫一声：“爸爸……”李金魁马上说：“他已经睡着了。你就让他睡吧，他说他已经半个月没睡一个囫囵觉了。”李红叶默默地望了望父亲，而后悄没声地退了出来，她望着他，激动地说：“你是怎么……”李金魁把身上的衣服脱下一半，露出了脊梁上勒出的那一道道带血丝的绳痕，说：“我把你爹背出来了。我不欠你了吧？”李红叶默默地看了他一会儿，细声说：“就在这儿么？”李金魁说：“啥，你说啥？”李红叶不语，她开始解扣子了，她把衣服上的扣子一个一个都解开……这时，李金魁走上前去，一把抓住她，定定地说：“现在是你欠我了。”李红叶说：“是。我欠你。”说着，就要往下脱……李金魁果决地说：“别，你可别。我就愿意让你欠着。”

李红叶说：“你……怎么这样？”

李金魁说：“我就这样。你欠着吧。”

六

欠着真好。

有人欠你，总欠着，这是什么滋味呢？——真好哇！

在废品店的那些日子里，他几乎是越来越自觉地播撒着人情的种子。他最愿意干的事就是让人家“欠着”。在那条街上，甚至是在整个废品回收系统，只要是有人找到他头上，不管让他干什么，他都会一口答应。当然，一个收破烂儿的，人家也不会求他干什么大事，也就是帮着拉拉煤、修修房、搬搬家什么的。这虽都是些小事，可人情却不论大小，人情就是人情，欠着就是欠着，这是一笔笔记在心灵上的债务。时间一长，口碑就出来了。

李金魁要的就是这样一种感觉，这也是他在心理上保持平衡的一种办法。人已经贱到了这个样子了，剩下的还有什么呢？那就是感觉了。感觉就像是一个储蓄所，存了些什么，只有自己心里知道。那像乱草一样的头颅在人前是低着的，在感觉里却是昂着的，那里写着一个“操！”字。

三年后的一天早上，李红叶找他来了。李红叶穿着一件紫红色的风衣，默默地站在他面前，说：“我爸出来了。”他“噢”了一声。李红叶又说：“我爸已经出来了。”他就说：“噢，你爸出来了。”李红叶说：“我爸想见见你。”说着她把一沓钱递到李金魁的手里：“你去洗个澡，理个发，换件衣服……我爸要见你。”这句话李红叶说得很平静，可李金魁却受不了了。他说：“校长出、出来了，我应该去看看他。可这……”李红叶说：“我爸已经到市里了……”李金魁说：“那我就不用去了吧？”李红叶说：“你必须去。”李金魁想了想说：“还非去呀？去就去吧。你别给我钱，你给我钱干什么？”李红叶说：“你……怎么还这样？”李金魁重又把那沓钱塞回去，说：“咋也是个收破烂儿的，还怕人笑话？我有钱。”

李金魁是穿着一身旧工作服去的。去的时候，他想了想，也不能空着手呀，于是就上街买了两瓶酒、两筒好茶叶，就那么提着去了。到了市委门前，警卫拦住他说：“找谁呢？”他说：“李志尧。”警卫上下打量了他一番，说：“你跟李主任是什么关系？”他说：“老乡。”那人很干脆地说：“李主任不在！”李金魁笑了，说：“不在？不在就算了。”正在这时，李红叶快步从里边走了出来。她说：“小董，这是我表哥，让他进来吧。”李金魁仍是笑着对那警卫说：“啥表哥呀，也就是个老乡吧。”

进了大门，李红叶一边引着他往前走，一边小声说：“我让你换衣服你为什么不换呢？你那农民习气要改一改了。”他说：“要是改不了呢？”李红叶说：“还是改一改好。”看李红叶说得很严肃，他也就不再说什么了，只默默地跟着走。绕过一个小花园，李红叶领他来到了一座小楼前。那是一座两层的小红楼，墙上长满了绿茵茵的爬山虎，看上去十分的优雅静谧。再往里走，人的脚步就显得重了，心里却很空，李金魁暗暗掐了自己一下，说怕啥呢？不就是见个人么？进了楼，来到了客厅里，李红叶站在那里说：“爸，他来了。”只听沙发里“吱吖”响了一声，说：“哦，来了，坐吧。”这时，李金魁才看清坐在皮沙发里的李志尧。他的身子稍微直了直，那一头白发看上去梳理得很整齐，却一脸疲倦的神色，人显得很麻木，很冷淡。李金魁把手里提的东西放下，而后他按村里七连八扯的辈分叫道：“七叔……”李志尧摆了摆手，只说：“噢噢。坐吧，坐坐。”对李金魁提来的东西，他连看都没看。待李金魁坐下来，李志尧默默地看了他一眼，用和缓的语气说：“我刚到市里，一时还没顾上去看你，怎么样啊?”他说:“还那样吧,还行。”李志尧挠了一下头上的白发,淡淡地说:“哦。有什么困难么?”他说:“没啥。”李志尧又说:“有啥想法可以提出来嘛。想不想到市里来呀,啊? ……”到了这时候,李金魁的牙咬起来了。他沉默了很久,心里的火苗一蹿一蹿的。他心里说,机会来了,你的机会来了呀,你说呀!可是,他望着靠在沙发上的那张脸,那是很乏的一张脸,那张脸上似乎有一种让他感到惊恐不安的东西,他说不清那是什么……就在他发愣时,只听李志尧问:“听说,你读了很多书?”李金魁含含糊糊地说:“也……没读多少。”接着,李志尧“哦”了一声,慢声慢气地说:“我这里嘛,也需要一个人。你来当秘书怎么样啊?”李金魁猛一下有点晕乎乎的,他觉得头有些沉,不知道该说什么好了,就吞吞吐吐地说:“怕、怕不行吧?”李志尧直了直身子,微微地笑着说:“……秘书嘛,最重要的一条,就是要可靠哇。”说着,他的眼突然睁大了,目光一下子变得十分锐利!李金魁心里突然“咯噔”一下,像是有什么东西泛上来了,那东西漂漂的,凉凉的,叫人不由得发怵。那是什么呢?李金魁想不明白,他只觉得头更重了。于是,在这最关键的时刻,他居然又结巴起来了:“我、我、我……不不行,怕怕怕……是是真、真不行。”看他说话磕磕巴巴的,李志尧皱了一下眉头,他有些失望地往沙发上一靠,眯着眼看了看他,连声说:“噢,噢,是这样。你是还有别的想法喽?”李金魁怔了怔,心里说,说吧,你得说了,说呀!于是,他正了正身子,喃喃地说:“也没啥想法。要说……想法……我还是……想上学。”李志尧“噢”了一声,那“噢”声很长,往下就再没有话了……

后来,当李金魁离开那栋小楼的时候,他的脸色黄蜡蜡的,人就像害了场大病一样,满身都是虚脱的汗水。他知道他已失去了一个极好的机会,失去了也就永远失去了。

他突然想哭!

李红叶出来送他,竟也有意地跟他拉开了一点距离,两人都默默的。到了分手时,李红叶终于忍不住说:“你……怎么又磕巴起来了?!”

李红叶恨恨地说:“你知道你放弃的是什么吗?”

李金魁默默地说:“你已经不欠我了。”

李红叶说:“你是说我还欠着你呢,是不是?”

李金魁说:“清了。谁也不欠谁。”

李红叶说:“你会后悔的。”

李金魁轻轻吐了一口气,硬撑着说:“我从不后悔。”

李红叶最后看了他一眼,扭头走去了。那一眼哪,叫人……

一个月后,李红叶送来了一张表。那是一张上大学的“推荐表”。而后李红叶说:“我再也不欠你什么了。”李金魁望着那张表,很久没有说话。他还能说什么呢?不料,李红叶说:“我顺便告诉你,我要结婚了。”李金魁沉默了片刻,说:“跟……谁?”李红叶说:“军人,是个军人。”李金魁木木地说:“好好、事,那是好事。”李红叶说:“你不是会送礼么,不送我什么?”李金魁刚要说什么,李红叶立时打断他,冷冷地说:“你欠着吧,我也让你欠着。”

拿到那张表后,李金魁一天都没说话。他心里说,李红叶要结婚了。李红叶已经是人家的人了。李红叶说,一个军人……他在一张废报纸上一连写了九十九个李红叶,写到三十一个的时候,他心里像是塞了块砖;写到七十一个时,他加了一个“脱”字;写到最后时,他把那张旧报纸团了团,扔了。

第二天早上,他围着县城一连跑了三圈,一边跑一边气喘吁吁地背道:香稻啄余鹦鹉粒,碧梧栖老凤凰枝……

一听说他要上大学,废品店的歪脖眼都瞪大了,说:“城里有好亲戚?”

他说:“没有。”

歪脖说:“有好连手?”

他说:“也……没有。”

歪脖说:“真没有?”

他说:“真没有。”

歪脖说:“那是烧高香了。金魁呀,你是烧高香了!”

李金魁默然,他眼里湿湿的……

歪脖说:“别说你高兴,我也高兴。老难,老难。”

按说,推荐上大学,办手续是很困难的,有一个个的公章要盖。可李金魁长期以来送出的“人情”也到了兑付的时候了。市里盖过章的表已经有了,剩下的就是顺水人情了,这是谁都愿意做的。所以,他几乎是没费什么劲,就把手续办了。在临行前,废品回收公司的主任又特意奉送了一份礼物,那就是在上大学期间,工资照发。其实他只是在主任搬家时给他刷过两次墙,主任一句话,工资就照发了。

走时,他本意是想去看看李红叶的。他心里说:金魁,不管怎么说,你欠了人家,是你欠了人家呀!可李红叶已经走了,到部队结婚去了。于是,他回了一趟家。老捆一听说孙子要上大学了,就一蹿一蹿地跑出去,到处跟人说:“冒烟了,冒烟了,俺家老坟里冒烟了!”

七

上大学的时候,他总是梦见那株草。

在梦中,那株草带着一股苦艾艾的气味。草是那样的小,青麻麻的,带着褐色的斑点,一节一节地散落在他的眼前……而后他就醒了,每到这个时候,他一准醒,一醒就再也睡不着了。这时候,他就会不由得想起李红叶,一想李红叶他的心就乱了。他心乱如麻!有时候,他会一骨碌从床上爬起来,恨不能站起就走……可过一会儿，他就会说，罢了罢了。

然而，那件事情却一直在他的脑海里悬着。有时，他会说，你真蠢哪，事到了你头上，你都不敢做？

大学真是一个让人思考的地方。在省城上大学的那几年里，李金魁在省城既没有朋友，也没有熟人，课又不多，于是，他大多时间就窝在寝室里看书，看着看着就又不由得想起了那件事情。他说，你是怕么，你怕个鸟啊？你说在那种时候，你磕巴什么，你早不磕巴晚不磕巴，怎么偏偏在那个时候磕巴起来了？你一磕巴不当紧，把一个好前程磕巴掉了，你不光磕巴掉了一个好前程，你还丢掉了一个好女人呀！

那么，你是闻到什么了。你一定是闻到什么了。究竟是什么让你害怕了呢？是小红楼的那种静谧么？是红木地板发出的那种声音么？还是那语气、那声调让你感到不安了？想想，应该说都有一点，可又不全是。人是要往高处走的，对不对？人家已把话说到那种地步了，人家是想让你当秘书的，市里的秘书啊！那是多少人争都争不来的。这里边当然包含着一种暗示，一种允诺，一种让你可以意会的……那是多么的多么！可你却短路了。学了电之后，你知道什么是短路，可后悔已经晚了。你真的不后悔么？

你说，不后悔。可为什么呢？

大学上到第三年的时候，他终于把答案找到了。应该说，这个答案并不是他自己找到的，是李红叶告诉他的。在暑假里，李红叶给了他一个字："贼！"就这个字，一下子嵌进他的骨头缝里去了。

就在那年的暑假里，当他提着礼物去看李志尧时，却发现李志尧已经从那栋小红楼里搬出来了。更让人无法相信的是，曾经高高在上的李志尧居然搬到一个破车库里去住了。当时的情境真是惨不忍睹啊！东西乱七八糟地堆在那间破车库里，书一堆一堆地扔在地上。白发苍苍的李志尧双手捧头，默默地瘫坐在一张破藤椅上……那个鲜艳无比的李红叶，此刻却丑陋无比地挺着一个大肚子在收拾东西……当李金魁走进去时，也曾经显赫一时的李主任却慌忙站了起来，佝着腰说："金魁回来了？坐吧，快坐。"说着，四下看了看，发现实在是没地方可坐，就慌忙把那张破藤椅让出来，往前一拉："你坐，你坐。"他没有坐，他只是惊愕地立在那里，一时不知该说什么才好。李志尧说："放假了吧？"他说："放假了。"就在这时，李红叶抬起头，冷冷地看了他一眼，说："李金魁，我爸已经下台了，你还来干什么?!"李志尧赶忙说："金魁能来看我，我很高兴。不要这样说嘛。"李红叶"哼"了一声，把那张满是蝴蝶斑的脸扭过去了，然后说："你走，你走吧。"接着，李志尧小声嘟哝着解释说："……很多事都是集体决定的。这不是我一个人的问题，我要上诉，我还是要上诉的。"李红叶满脸含泪地怒斥说："爸，到这个时候了，你还说这些干什么?!"李志尧赶忙说："好，好，不说，不说了。"李金魁十分尴尬地在那里站了很久，那沉默简直让人喘不过气来。最后，当他离开那间车库的时候，李红叶站在车库的门口，用怨恨的语气说："李金魁，你真'贼'呀，想不到你这么'贼'！"

李金魁还能说什么呢？他脑海里訇的一下，像是天窗开了……

这个字是很伤人的。可这个字用得太准确了，这个字让人茅塞顿开呀！是啊，你贼，你确实"贼"。这"贼"是与生俱来的。在那样的时候，在要你作出选择的关键时刻，你骨头里的"贼"起作用了。那时你就知道你是一株草，自生自灭的草啊。你一生下来就处于败势，你只是一点一点地生长着，你的身量很小，你的基点也很小，再小的脚印也是你自己的，是你一步步走出来的。你是在小处求生，在败处求存的。当你攀缘而上时，你仅仅是为了借力。可失去自己，你就成了绑在人家身上的一件东西了，一旦绑上去，你就不再是你了，万一……没有了自己，你还怎么活呢？

从这个角度说，"贼"是从土里生出来的。那是一种长在骨头眼儿里的警觉，是先天的防范，是一种生存本能的敏锐。万幸，你磕巴得真是时候啊！

可是，你同时也放弃了一个曾经滋润过你的女人。那时候她是多么美丽呀！那时她对你是一个多么大的诱惑呀！你的心痛过，你甚至几乎要发疯，可你都忍下了，你是能忍的呀。是的，那时候，你已发现了她身上的某种细微的变化，当她的父亲出来之后，她的语气一下就变了。也许她自己并未觉察到，可你感觉到了。也仅仅是过了三年，三年之后，想不到哇，她就成了一个挺着大肚子的"她"了，竟是那样丑的一个"她"！那么，旧日的她呢，鲜艳到哪里去了，那惊人的美丽又到哪里去了？时间真是可怕呀！

就这么一个"贼"字，使李金魁彻底领悟到了退却的艺术，完成了从感性到理性的一次升华。这件事对他来说，是坐了一次精神监狱呀，他煎熬的日子太久了！他记住了那次"磕巴"，在后来的日子里，那次"磕巴"在他人生的记忆上画上了一个深深的印痕。一天晚上，当他来到大学校园的操场上，一连跑了十圈之后，他又是独自一人大汗淋淋地站在那里，默默地仰望着省城的夜空，心里说：李红叶，对不住了。

第二天，他跑到邮局给李红叶寄了二百块钱。那时他虽说是带工资上学，可他一月也不过才三十六块钱。寄去这二百，等于他从牙缝里抠去了半年的生活费。然而，事隔不久，那钱又原封不动地退回来了。没有附一个字。

李金魁心想，她是想让我欠着她呢，一直欠着。

四年大学一晃就过去了。当毕业临近时，刚好也到了文凭吃香的时候。一时，同学们都开始四下奔波，期望着能在省城里找到一个好的单位。只有李金魁没有动。他知道，动也是白动，因为他在省城里根本就没有门路，不过，按他的成绩，也是有可能留校的。可他想了又想，还是决定回去。

临离校前，李金魁做了一件让全班同学都感到意外的事情。那天，当他们高高兴兴地去照毕业照时，路上，李金魁突然说，同窗一场，就要分手了，我请大伙吃顿饭，咱们最后再聚一次。听他这么一说，同学们都怔了。平时，他们都知道李金魁是个吃干馍就咸菜的主儿，打菜从来都是一分二分，从未见他动过荤腥，有同学开玩笑叫他“素人”。由于他平时也很少说话，从不跟人开玩笑，于是在大学里，他就又有了一个绰号，叫“素人”。这次毕业分配，应该说，他是最差的，也是最让人同情的。就要分手了，人一走，从此就天各一方了。他怎么会请客呢？这话让人有些感动。于是，就有人说，吃也不能让你掏。这样吧，要吃就吃好些，咱们大家一块儿凑个份子吧。李金魁说，不用凑份子，说过了，我请。有人不相信地问：你真请？他说，我真请。于是，一班三十六个学生，乱哄哄地进了一家饭馆。吃饭时，班长问，上酒么？他说，上。班长怔怔地望着他说，好家伙，四桌呀？！再少一桌也得四五十呀！你……他说，放开。结果，酒一上，就有了很多的感叹，喝着喝着，有人就哭了，说李金魁，平时太不了解你了，真够哥们儿啊！于是又纷纷留下了地址……走时，李金魁又是最后一个离校的，他帮人扛着行李，把外地的同学一个个都送上车，而后握手告别。把同学们弄得都掉泪了，一个个都分别对他说，金魁呀，同学四年，就你这一个真朋友啊！

然而，在同学们中间，却没有一个人知道他是背着铺盖卷步行回去的……

八

李金魁从省城回来，当他把那一张纸交上去之后，就由不得他了。

他先是从市里放到了县里，县里又把他放到了坟台乡。乡里呢，也好像没地方搁似的，就把他放到了乡农机站。乡农机站紧挨着乡政府，都在一个灶上吃饭。李金魁是学文的，不懂农机，就每天在乡政府院里晃晃悠悠的，举目四望，很孤独啊。他心里想哭，面上却是笑着，见人敬支烟。一天，乡长把他叫住了，乡长说：“金那个啥，你过来。”李金魁就过去了。乡长挠了挠头说：“李金魁是吧？”他说：“是。”乡长说：“你那个吧。乡总机生孩子去了，你替她守守电话，如何？”李金魁说：“成、成啊。”乡长拍拍他说：“行，小伙子诚恳。”就这样，他替乡话务员守了一个月的电话。

那时，在坟台乡，乡总机是唯一对外的通信工具。乡里方方面面如果有什么事，都是瞒不过总机的，因此，总机室也就成了信息中心，乡里的干部们有事没事总喜欢在这里凑。要是谁有了长途，李金魁就跑去叫一叫，这样一来二去的，乡里的情况他就基本摸清了。于是，不到一个月，在乡政府大院里，谁都知道新分来一个叫李金魁的大学生，说起来，都是一个评价：那人诚恳。

到了这时，李金魁豁然明白了，磕巴是一种诚恳哪！刚守电话时，李金魁对电话还不太熟悉，说话不免有些紧张，他一紧张就打磕，说头两个字时总是磕磕巴巴的。想不到，这反倒换来了为人诚恳的评价。说话稍稍打磕的人，紧张是免不了的，但紧张造成了一种专注，说话时总不由得要盯着人家的脸，这就给人以认真的感觉，你只要认真听，面部肌肉就跟着生动起来，生动加上磕巴，这就是诚恳了。李金魁得出这个结论后，还偷偷地对着镜子试了几次，就觉得很好。以后，他曾专门对着镜子练，只练头两个字，他说你只能磕巴这头两个字，可不能再往下磕了，再往下可就毁了。他对着镜子说：你、来、来了？……心里跟着说，很好哇！

月末，李金魁在总机室里接了一个县上的电话。电话里的口气很随意，也很大气，电话里说：胖妞么？李金魁马上说：胖妞生、生孩去了。电话里就说：你是谁？李金魁说，我是新分来的大学生，叫李金魁，是替她的。电话里“噢”了一声，说：胖妞还干不干了？李金魁说，那我就不知道了。电话里沉默了片刻，说：你去把乡长给我叫来。李金魁顿了一下，说你是哪一位？电话里说：告诉他，王木贵。李金魁慌忙找乡长去了。见了乡长，李金魁心里“咯噔”了一下，说：“乡长，王木贵电话。”乡长忽地站了起来，急走。一边走一边回头看了他一眼，说：“你认识王县长？”李金魁说：“不、不认识。”乡长不再问了，匆匆抓起电话，说：王县长……只听电话里熊道：好你个老吴，咋搞的？你真是有人没地方使了？让一个大学生给你守电话?!你要是真使不上，给我退回来吧！……乡长一听就慌了，赶忙解释。李金魁一看这情形，悄悄地从总机室里退出去了。

第二个月，乡长就不让他再守电话了。这时刚好赶上乡里的计划生育宣传月，乡妇联主任又把他借到了计划生育小分队。乡妇联主任叫王翠花，是个很泼辣的女人，她本就有几分姿色，再加上她丈夫是县银行的行长，这就更增加了她说话的分量。她对乡长说：“那个大学生让我用用。”乡长笑着说：“用吧，别用坏了。”妇联主任说：“老吴，你这话可够粗了，小心我骗了你！”乡长哈哈大笑说：“粗不粗妇联主任知道！你要用我就让你用，你还咋的？”说着，他把李金魁叫过来说：“金那个，你归她使了！可别让她把你用坏了。”妇联主任也笑着说：“当乡长的，没一点正经！金魁，你可别听他的……”李金魁说：“大、大姐，我听、听你的，你让我干啥我就干啥。”乡长说：“听听，你请用了。童子鸡啊，咋用都行。”妇联主任“咯咯”地笑起来，竟然笑出了眼泪。李金魁这句话使王翠花心里燃起了一丝柔情。她说：“学生，你别听他胡咧咧，你跟着大姐，大姐不会亏你。”

就这样，李金魁又成了乡计划生育小分队的一员，跟乡妇联主任到村里搞结扎流产去了，一搞又是一个多月。在这段时间里，每每进村的时候，王翠花就交代众人说：“紧脸。都给我绷紧脸！”开始李金魁还有点不大适应，慢慢也就适应了。有一次，在半坡村，小分队在村里给妇女们检查的时候，王翠花的喉咙喊肿了。下来的时候，王翠花捂住半边脸，随口说：“谁那儿有小药？明儿给我捎来点。”立时，李金魁说：“我、我那、那儿有。”王翠花说：“冬凌草吧？”李金魁说：“冬凌草三黄片都有。”王翠花说：“行，捎几片吧，我牙也疼。”于是，第二天早上，李金魁特意到乡卫生院去了一趟，买了一瓶冬凌草，一瓶三黄片，一瓶草珊瑚，给妇联主任拿去了。王翠花看了看，什么也没有说，就把药收下了。到了小分队要解散的时候，王翠花当着大伙的面一人发了六百块钱的奖金，而后又私下里给了李金魁六百，说："上头有规定，这钱我当家。大兄弟，咱俩是一千二！"李金魁不要，说："大姐，这一段跟着你学了不少东西。这钱我不要，我也花不着。"王翠花一嗔脸说："拿着！年轻轻的，正用钱的时候，叫你拿着你就拿着。"说着，把钱硬往他怀里一塞，又笑着说："你是大学生，有学问人，跟我能学个啥呢？"李金魁正色说："就学了一招，紧脸。"王翠花笑了，说："这算个啥呢？"李金魁说："你这'紧脸'学问大了。在基层工作，面对的都是老百姓，也没啥文化，有时候你讲理是讲不通的。但是脸一绷，他先就怵了三分，这首先让他看清了自己的位置，这是告诉他，你是官，他是民。往下的工作就好做了……"王翠花一怔，心里热热的，说："到底是大学生，说出来一套一套的。不过，在下边工作，也就得这个样儿。"这么一来，两个人就又近了三分。

女人是经不得表扬的。尤其是带几分豪气的女性，只要夸对路了，她可以成为你的死士。于是，王翠花又跑去找了乡长，说："把李金魁调我那儿吧。我看这小伙子诚恳。"乡长说："咋，用了还想用？"不料，王翠花脸一紧，说："这可是正经事！"乡长又挠了挠头，说："研究研究吧。"王翠花就紧着问："啥时研究？"乡长就打哈哈说："真是急着用呢？夜里你就先使着……"这话一说，气得王翠花直跺脚。

两天后，李金魁却又被借到乡"人大"去了。乡"人大"只有一个人，是个老头。这老头原是乡党委副书记，年纪大了，就退了二线，到乡人大当了主任。乡一级的"人大"虽说是常设机构，但平时事情并不多，只是到了换届时才忙活一阵。现在离换届时间还有一个多月呢，只是有些表格要填，可郭主任就要借人，乡长也不能不借。就这样，借来借去的，李金魁又成了老郭头的人。跟着郭主任，他只是每天填些表格，再往上头送送表格……老郭头是一个很古板的人，不吸烟不喝酒，人落了势，牢骚就很多，有时不免骂骂咧咧，李金魁就听着。有一天，老郭的女人突然病了，送到医院一看，得的竟是癌。女人就落泪了，给老郭说："回去吧，这不是咱得的病。"这么一说，老郭也掉泪了。两人正伤心呢，李金魁头一个到医院里来了，他手里提着两匣点心，往桌上一放，说："老、老郭，听、听说婶子病了，我来看看。"说着，他从兜里掏出一千块钱，往床上一放，说："这钱不是别的，是我搞计划生育那会儿得的奖金。我一个人，也用不着，多多少少的，是个意思，给婶子补补。"老郭忽地站了起来，说："金魁，你这是……"李金魁说："郭主任，你已退了二线了，我也犯不上来巴结你。我知道，这点钱也起不上多大作用，是个心意吧。"老郭就默默地站着，竟说不出话来了。待李金魁走后，老郭的女人说：这人看着眼生，谁呀？老郭说是新来的。老郭的女人就说，这人真实诚啊！后来病一天天重了，老郭就问女人，还想吃点啥？女人说：啥呢，也都吃过了。就是那樱桃，觉着老好。老郭搓了搓手，说眼看入冬了，哪还有樱桃呢？女人说，我也就是说说。这话。老郭上班时就顺嘴说出来了。李金魁听了，一句话也没说，就连夜进了省城，来回跑了三百多里，买回了两瓶樱桃罐头，当时就送过去了。女人也就吃了两颗……临死时，女人还说，人家待咱恁好，咋还报人家呢？郭主任送走女人，再上班时，就直接去找了乡长，说："把金魁给我吧，乡人大缺个秘书。"乡长见老郭头也争着要，就说："这事得研究，研究研究再说吧。"

两个半月后，乡长又把李金魁叫去了。乡长背着手在屋里来回走了几步，突然问："'省组'也有人？"这句没头没尾的话把李金魁问愣了，他说："啥、你、说啥？"乡长这才把一摞信拿了出来，说："你的信。"李金魁接过信看了一眼，他明白了，这都是些同学来信，时间过了两个半月，他们大概一个个都安排好了，这才陆续给他来了信。在这段时间里，信来得很密，他先后收到二三十封了。李金魁见放在最上边的那封信，用的是省委组织部的信封，就说："是一个同、同学。"乡长"噢"了一声，说："组织部的。"李金魁说："是。"乡长在屋里走了一圈，有点忸怩地说："有机会认识认识？"李金魁说："那可行。"乡长就再没话了。过了几天，乡长当着老郭头和王翠花的面宣布说："那个啥，我考虑了一下，金魁就留乡里吧，政府也需要人。"老郭说："我这正忙呢，说话人大就开会了……"乡长说："人你先用，算借的。"

乡"人大"将要选举时，事情又出来了，按上头的要求，坟台乡候选班子平均年龄超了三岁。于是老郭头又找了乡长，说："上头说，年龄超了。"乡长说："超多少？"老郭头说："三岁，超了怕人家不批呀。"乡长说："尿，也就是个形式。"老郭说："上头有政策。补个年轻的不就降下来了？"乡长说："都到这时候了，你说补谁？"老郭头说："咱乡最年轻的就是金魁了。要是给他补个副乡长的名，这年龄就降下来了。"乡长说："不就是候选人么，一个变成两个。成。"这么一来，李金魁就成了副乡长的候选人。乡长还特意嘱咐说："给金魁说一声，可是假的。"

夜里，老郭头找了李金魁，说："金魁，我给你弄上了，你是副乡长候选人了。"李金魁赶忙说："郭主任，别，你千万别、别弄，我资历太浅，弄不成净让人笑话。"老郭头说："弄不成？我还非叫弄成不可！你等着吧。"说罢，倔倔地走了。

结果，在选举的头一天，那个正式的副乡长候选人出事了，他在上八里叫人按住了屁股，于是县上一句话，就取消了选举资格。到了这时候，李金魁才知道，老郭头有个侄儿在县委组织部当干事呢。

就这样，三个月零二十一天之后，一纸任命下来，李金魁成了副乡长。

九

那个日子，是让李金魁永远不能忘怀的。

秋天里，李金魁抽空回了一趟家。那时乡里已有了一辆吉普车，他是坐吉普车回去的。回到大李庄时，天已半晌了，在离村不远的一片槐林里，李金魁看见一个球样的东西在地上翻动着,那东西竟还拖着一个长长的尾巴……他一时心动,就让车停下来,独自一人走了过去。在一片灿烂的黄叶里,他看见了他的爷。爷的腰已弯到了九十度,看上去人就像皮球一样,一滚一滚的,他手里正拖着一个竹筢,在林子里搂树叶呢!当他走到跟前时,老捆原地转了一个圈,半仰着身子,慢慢地拧着脖子朝上去看他,他赶忙叫道:“爷。”老捆喉咙里“咕”了一声,一只手半捂着耳朵,眯着眼看了他一会儿,突然说:“李乡长回来了。”他心里一酸,差点流出泪来,他说:“爷,你别这么说。”不料,老捆却一挪一挪地朝树林里走去了,片刻,老捆又一团一团地走回来,他背在后边的手里拿的是一个四条腿的小木凳,他用袖子在小凳上抹了一下,说:“李乡长,你坐吧,不脏。”李金魁头皮都要炸了,他说:“爷,你别再这么说了……”老捆又拧着脖子往上看了看,说:“是还没‘正’呢?”李金魁说:“正是正了……”老捆说:“正了就是官身了。坐吧,别嫌你爷脏。”李金魁仔细地看了看爷,发现爷没有点儿戏耍的意思,爷说得一本正经,爷眼里甚至洋溢着抑制不住的喜悦。于是,他在爷面前坐了下来,爷颤颤地伸出手,在他脸上抚摸了一阵,爷的手很粗,摸上去涩拉拉的,爷说:“李乡长,当官就是不一样哇,看这脸也润展了。”李金魁说:“爷,别这么说了,人家笑话。”老捆说:“真真白白的,笑话啥?”李金魁叹口气说:“这一年多了,我没往家拿过一分钱……”老捆说:“啥钱不钱的,你给爷长脸了!这比啥都强哇。像铜锤家,老表亲,十多年都不走动了,头前会儿上又来了,提两匣点心!你娘要给你留着,我说咱李乡长还缺这一口?!……”接着,老捆又说:“你还记不记得,你上学走时,一家伙给爷买了两盘肉包,两碗胡辣汤,把爷撑的呀!……”说着,老捆很幸福地笑了。

听爷这么一说,李金魁掉了两眼泪。到了这时候,李金魁才撕心裂肺地体会到,生活是一种关系呀!活在什么样的关系层里面,你就有什么样的人生。爷的话让他觉得遥远,甚至觉得可笑。可爷的感受是真切的,真切得让人心痛!他觉得他跟爷的距离越来越远了,已远到了无话可说的地步……爷当然不会知道,他的乡长是怎么当上的。

那也是一场战斗啊!

严格地说,吴乡长几乎是被挤走的。两人最早的较量是在酒场上。“斗酒”是吴乡长最乐意干的。在坟台乡,都知道吴乡长酒量大,他也好斗。只要一上酒场,他非要喝倒一个不行,这是他的嗜好,也是他的毛病。那时候,乡干部的威望大多是在酒场上立起来的,有很多事也是在酒场上定的。常常是喝到七八分的时候,乡长说,那事就这样定了啊?众人就说,定了!所以,在乡里干事,假如你不会喝酒,就等于不会工作。李金魁初当副乡长的时候,每逢酒场,吴乡长总喜欢开他的玩笑,说金那个啥,你不会喝可不行啊!来,来,喝一盅,好好练练。于是,李金魁就替他喝了一盅又一盅,而后就说,我不行了,真不行了。吴乡长乜斜着眼说,投降了?李金魁就说,投、投降了。吴乡长就说,举双手投降!于是,李金魁就站起来,举起

双手说，我投降了。吴乡长就哈哈大笑说，好！算了，投降就算了。以后，每逢酒场，吴乡长就故伎重演，一次次地戏耍他。到了第四次，李金魁一上来就抢先说，吴、吴乡长、你、你是老同志，我得跟你好好学学。吴乡长乐了，说年轻人有长进！可有一样，我是搭手十盘！这时，妇联主任王翠花忙拦住他说，大兄弟，少来两盘吧，他是想灌你哪！十个你也不是他的对手。输得多了我替你。吴乡长立马说：那可不行！你俩要是一家，我就让你替。王翠花就“啐”道：老吴，又说臊话哩！李金魁就说，大姐，不要紧，我谁也不让替，我跟吴乡长学学。接着他又说，吴乡长，我也知道我不是你的对手，有一样，你得让我喝水。我不喝水可不行。吴乡长很大气地说，行，搭手吧。于是一上手就来了十盘，一盘是十满盅，一斤酒就下去了。坟台乡的规矩是酒干亮瓷器（亮酒盅），李金魁是输一个“嗞”一个，喝了酒之后，还要把酒盅高高扬起来，让众人看看。吴乡长喝得痛快，是输十个一块儿“嗞”，瓷器也亮得痛快！众人都替李金魁捏一把汗，怕他喝倒了。可李金魁是喝一口酒再喝一口水，倒也从容。这样，喝到第二瓶时，吴乡长就有些红头涨脸了，他大着舌头说，今儿手背，不划拳了，老虎杠子！李金魁就跟着他来“老虎杠子”……等第二瓶喝干时，吴乡长的脸就有些发紫，可他仍然说：我没事，我一点事也没有！金、金魁……你呢？李金魁说，我是不行了，可我得舍命陪君子，今儿我得跟吴乡长好好学学。再往下，吴乡长又要“押指头”，于是李金魁就跟他比画指头，到第三瓶完了的时候，李金魁仍挺挺地坐在那里，不时地喝上一口水。吴乡长竟溜到桌子底下去了……当天晚上，醉如烂泥的吴乡长竟对着乡政府的大门尿了一泡！而后他就躺在乡政府大院里，又哭又骂的，谁去拉他也不起来，他哭喊着说：我在乡里干了十八年哪！

从此以后，吴乡长就再也不跟李金魁“斗酒”了（可他永远不会知道，李金魁喝的酒有一半都吐到茶杯里去了）。

第二是“讲话”。李金魁没当副乡长时，是没有讲话权力的；当了副乡长之后，讲话的机会就渐渐多了。他很快就发现，讲话是一门艺术啊！讲话是占领会场，征服人心的最好方法。讲话可以说是体现领导水平的活广告，话讲好了，实在是可以当钱使的！它不仅可以当钱使，那其实也就是一种权力的表达方式。语言在这里成了一种空间，一次次地占有空间，也就等于占有了乡政府的发言权。乡下人说，这人说话“占地方”不就是这个意思么？李金魁开初讲话时，还不是很适应，有时不免磕巴，在会场上也让人笑过。他发现吴乡长的讲话方法就很不一般，吴乡长讲话也没什么技巧，就是嗓门大些，带着一股霸气，他往那儿一站，就没人敢说话了，会场上总是很静。但他讲话带着一股训人的口吻，气派很大，不时带一些“啊、啊、操、操”的土语，却没什么东西，往下也就是文件上的一些内容了。李金魁一旦明白过来之后，就下死劲去练。只要一有讲话的机会，他就精心地做好准备。于是，每一次讲话，对他来说都是一次机遇，他决不放过任何讲话的机会。初时，他讲话时总是拿上几页纸，先是磕磕巴巴地念上两行，故意念得声音低一些，让人听不大清，也让人轻视他。可他念出了一种诚恳,念出了一种态度,会让人觉得这人是实心实意的。接着,当人们开始注意他时,他就把那两页纸折起来,突然把声音提高,这样会使人们吃上一惊,就会很注意地听他讲了,往下他就说得生动了。他把声音当成磁石来使用,他要紧紧地吸住人们,该带手势他就带上手势;声音该低下来的时候,他就把声音低下来;该骂的时候,他就放开喉咙骂上两句,接着又会引用两句唐诗什么的,逗上一两个笑话;有时候,他会用本乡本土的粗话俚语先讲上一阵,接着又忽而变成高层面的话语,甚至把美国、日本也拉来大讲一通,讲得人们似懂非懂的时候,再把话头拉回来,落到一些很浅白的事体上……讲着讲着,就有笑声逗出来了;接着是引来了掌声,再往后逢他一讲话,就是掌声不断了。有时候,他不讲,就有人主动要求说,让李乡长也讲讲噢!

此后,在一段时间内,他的讲话成了对吴乡长的一种无形的压迫。当乡长总要讲话的,吴乡长的讲话机会更多。但一次一次的,在众人面前,吴乡长总没他讲得好,吴乡长心里就很憋气。过去没有这种比较也就罢了,现在人家一讲话就有掌声,吴乡长怎能不生气呢?吴乡长心里生气却又没法说,你总不能因为人家比你讲得好你就批评人家吧?于是,作为坟台乡第一行政长官的吴乡长总是感到很压抑。很压抑呀!本来吴乡长的文化水平就不高,他也想讲得好一点,可他已经吼惯了,改不过来了,有时想说得生动些,可他又常常记不清要说的那个词儿,就时常挠着头说:"那个、那个、啊?那个什么呀?啊、这个、这个啊……"这么"啊"来"啊"去的,就越发显得没有水平了。在一些会议上,一般都是由乡长最后作总结的,可吴乡长听李金魁讲得那么好,就气得什么也不想说了,剩下的只有两个气嘟嘟的字:散会!

就这样,渐渐地,吴乡长不大爱讲话了。他几乎把公开讲话的空间让了出来,有时候他常常是一个人关在屋子里喝闷酒,心情很坏。

至于人缘,那就更不用说了。在坟台乡三年不到的时间里,乡政府的干部们都已多多少少地欠了李金魁的人情。那些事说起来似乎很小,可搁在个人身上就是大事了。他们一个个都是想回报他的,可他从不给他们回报的机会。于是,总有干部找到李金魁说,李乡长,有事没有?李金魁就说,没事。而后是那些村长支书们,坟台乡一共有三十五个行政村,每个村都会有大大小小的求人事,只要是找到李金魁,他都是满口承当,从不搪塞推诿。这样,时间一长,那些村长们也都先后一个个地欠了他的情分。这些事情都是在心里记着的,各人心里都有一本账。他们再见李金魁的时候,就不由得更热情一些,说:李乡长缺啥不缺?你要缺啥就言一声。李金魁就说:不缺,啥都不缺。

久了,李金魁说话就越来越"占地方"了。

吴乡长感到事情严重了。有一天,他把李金魁叫过去,乜斜着眼看了他一会儿,说:"李乡长,我小看你了。"李金魁马上说:"吴乡长,我……我……我是你带出来的。有啥不对的地方,你多批评。"吴乡长背过身去,挠着头默默地说:"我真是轻看你了。”李金魁说：“我可是你培养的……”吴乡长叹口气说：“看来我是该走了。”李金魁说：“吴乡长，你千万可不敢这么说。这话言重了，我怎么能跟吴乡长比呢？”吴乡长说：“咱打开窗户说亮话吧，一山不存二虎啊！不是你走就是我走……”李金魁沉默了一会儿，说：“吴乡长，你这是让我走呢，要走也是我走。”吴乡长很久不说一句话，过了一会儿，他挠了挠头说：“你走什么，还是我走。”

话虽这样说了，可两人都没有动。夏天的时候，坟台乡出了一件事。有八个村的村民把乡政府围了！那是因为乡里弄来的玉米种子不出苗。这件事是吴乡长的一个亲戚承办的，亲戚跑了，于是，事就落到了吴乡长的头上。那时候，八个村的村民乱哄哄地围在乡政府的门前，一个个骂声不绝，要求赔偿损失。吴乡长没有办法了，只好躲在屋里不出来。就在这时，李金魁出面了。他把八个村的支书叫到一起，说：“吴乡长在咱乡干了十八年，给咱乡办过不少好事，没有功劳也有苦劳吧？他现在遇到难事了，咱咋也得帮他一把。听我一句话，你们做做工作，把人撤回去，余下的事我来办。”支书们都是欠过情的，碍于脸面，也就不好再说什么了。有一个支书问：“这萝卜不小啊！秋苗不等人。李乡长，你咋办呢？”李金魁说：“还有七八天的时间，现在补苗还来得及。种子由我亲自解决，我去省农科所找人弄最好的种子！钱由你们村里凑……”说完这话，李金魁的脸就黑下来了，他再也不说一个字，就那么绷紧脸望着那些支书们，支书们你看看我，我看看你，终于，有人说：“李乡长从来没让我们办过事，这事哪，难是难，我们认了！”李金魁说：“好。你们算给我个脸面，我记下了。办去吧！”

事情就这样化解了。

事后，李金魁却仍像往常一样，并没有再给吴乡长说什么。可全乡的干部们都知道，是李金魁给吴乡长擦的“屁股”。乡妇联主任王翠花更是逢人就说他的好话。这样一来，吴乡长觉得他实在是没法再待下去了，于是，就到上边活动了一番，很快挪动到县里去了。老吴这么一挪，李金魁自然就“正”了。走时，李金魁又亲自去送他，一直把他送到县城。两人临分手，老吴感慨地说：“金魁，你是个慢毒药呀！”李金魁面不改色地笑笑说：“还得学习，我还得向老领导学习呢。”

就在那次送老吴上任的路上，李金魁突然发现了一个熟悉的身影。

十

李金魁怎么也想不到，他会再见到李红叶。

当他再次跟李红叶重逢的时候，已是五年以后的事了。在这五年时间里，李金魁先是不显山不露水地把自己挪动到了县里，当了一任副县长，而后又调到了市里。当他进市之后，已是市长的候选人了。那时，虽然县、市是平级的，可市长毕竟是市长啊！

李金魁是在“人大”开会期间偶然巧遇李红叶的。那是在一次联欢会上，联欢会是在一个豪华舞厅里举办的。作为市长，李金魁自然要去看望一下，分别跟人握握手，说说话，以示他对代表们的尊重。就在他要离开那个舞厅时，李金魁不小心碰碎了一只茶杯，那里的服务小姐并不知道他是谁，就说先生，这是要赔偿的。李金魁马上说，好好，多少钱，我赔。于是，那服务小姐很有礼貌地说，先生请你到这边来吧。当那小姐把他领到吧台时，只觉眼前一亮，一个鲜艳无比的女子从吧台后边走了出来，这女人亭亭玉立，浓妆艳抹，粗一看就像外国女人，可他细一看，李金魁简直不敢相信自己的眼睛，这个女子竟然就是李红叶！李金魁怔怔地望着她……这时，那服务小姐刚说了一句，只见那女子的嘴唇微微地动了一下，示意说：“你去吧。”之后，李红叶说：“欢迎市长大人光临。”李金魁有点吃惊地问：“你、你怎么在这里？”李红叶反问道：“我怎么不能在这里？”李金魁语无伦次地说：“你、你、好吗？”李红叶冷冷一笑说：“还行吧。这家舞厅就是我开的。”往下，李金魁不知道该说什么好了，他站在那里，有点不好意思地回头望了望，李红叶马上说：“要不忙的话，上去坐坐？”李金魁迟疑了一下，说：“好吧。”

上得楼来，李红叶把他领到一个带有套间的办公室里。办公室布置得十分雅致，房间里洋溢着一股粉红色的温馨。李金魁坐在那圈橘黄色的皮沙发上，四下打量了一番，笑着说：“不错么。”李红叶把一杯滚烫的热咖啡放在他的面前，说：“人呢？”李金魁随口说：“不错不错，人也不错。”李红叶身子靠在桌上，双手一抱，问：“仅仅是不错？”李金魁赶忙说：“简直是太漂亮了，漂亮得我都不敢认了。”

她望着他，他也望着她，两人久久不说一句话。

短暂的沉默之后，李红叶问：“成家了吧？”李金魁很勉强地点了点头，说：“成家了。”她又问：“你那位好么？”李金魁含含糊糊地说：“还、凑合吧。”接着，他说：“你呢？”李红叶用戏谑的口吻说：“我么，也就那样，过过一段不是人的日子。结了两次婚，离了两次；又结了一次……你也许认识，是你们大李庄的，叫李二狗，做生意的。”李金魁想了想说：“好像是三队的吧？听说发了大财？”李红叶说：“也就那样。我们两个是谁也不干涉谁。”李金魁望着李红叶说：“你变化不小哇。”李红叶说：“是么？人都是会变的。你不也在变么，市长都当上了。”李金魁笑了笑，说：“我还欠着你呢。”李红叶说：“你欠我么？你还记得你欠我？”李金魁说：“那时候……”李红叶说：“你不止欠我一次吧？五年前，你刚当乡长时，咱们见过一面，还记得不？”李金魁抬起头说：“噢，当时你坐在一辆伏尔加里，一晃过去了，那就是你呀?!”李红叶又说：“三年前，你任副县长时，我的前任丈夫是地委组织部的；现在你当市长了，你知道又是谁替你说了话么？”李金魁说：“这是组织上安排的。”李红叶说：“是，你的事我都知道。这些年来，我一直注意着你呢……我知道你一直想超过我父亲，那时候，你眼里就有一句话，你要超过我父亲，现在你终于实现你的愿望了。”李金魁双手捧着头，说："我明白了，我欠你很多。"李红叶点上一支烟，先是吐了一口烟圈，然后说："是么？"李金魁有点惊讶地望着她，李红叶接着说："你是不是觉得我放荡了？"李金魁笑了笑，什么也没有说。过了一会儿，李红叶目光直视着他："说吧，有一个字你还没说呢？"李金魁抬起头，问："什么？"李红叶说："你最喜欢说的那个字。"李金魁说："哪个字？"李红叶愤愤地说："就那个字，那个毁掉我整个青春的字！我等着你说那个字呢。"李金魁的心"怦"了一下，他像被枪打中了似的！是呀，他想起来了，是那个字。可他只是呆呆地望着她，她实在是太漂亮了，这么多年没见，她竟然变得那么漂亮！她的嘴，她的眼，她的眉，她的服饰……都让他心猿意马！可是，那个字，他却说不出口了。就在这时，李红叶伸出她那抹了亮指甲油的纤纤玉手，一把把他从沙发上拽了起来，她把他拉进了内室，媚媚地望着他："你说吧。"可李金魁再也吐不出那个字了。他说："你……"李红叶马上说："你也变了。"而后她十分干脆地说："脱吧，脱！"此刻，李金魁倒像是傻了一样，木木地站着，他怎么也想不到，那个字会从李红叶的嘴里说出来！那个字，在他的童年里，那个字就诱惑过他，在他的梦境中，那个字又一次次地出现过，那个铿锵有力的字啊！现在却出现在女人的嘴里，他是多么羞愧呀！在这一刹那间，他简直是无地自容！李红叶就站在他的面前，她开始给他解扣子了，她一边解他衣服上的扣子一边说："你不就等着这一天么?!"一丝自尊突然十分顽强地从李金魁的心底冒出来，他咬咬牙，推开李红叶的手，默默地走了出去。

回到市政府的小招待所里，李金魁躺在浴盆里好好地泡了一个澡。水很热，热浪一波一波地环绕着他，这时他想，我变了么？是我变了还是她变了？不然，我为什么吐不出那个字了呢？真奇怪！那个字实在是应该他说的，可他竟然说不出口了。女人哪，女人一旦变起来，可真不得了啊！……

躺在床上，李金魁默默地对自己说，你不能再见她了。

十一

在市政府大院里，走路也是一门学问哪。

李金魁到任不久，最先发现的就是走路问题。他平时大步走惯了，进了市里之后，他才知道，在这里，作为一市之长，他不能走得太快了。你是一把手啊，你一走快，就显得你急，人毛躁，火烧屁股似的，缺乏一把手应有的稳重和大气。这话当然没有人会告诉他，这是他从众人眼里看出来的，别看他是市长，但人们的目光照样会把你剥光。走路不能快，但也不能太慢。太慢了显得疲沓，显得暮气，也显得人软弱。这也是大忌！这样一来，人们就会发现，你交办的事情是可以拖一拖的，时间长了，你的话就没人听了。那又该怎么走呢？头当然要抬起来，你不能低着头走路，低着头走，人显得犹豫，胆怯；你也不能扬着脸走，太扬脸就傲气了，就目中无人了；目光要平视，可以稍稍上扬，扬到一定的程度最好，这样既扬出了尊严，也保持了平易，这是要火候的。走路时，身子既不能太硬，也不能太软，硬了，显得你有架子、人霸道；软了，显得人松气、窝囊；更不能扭，一扭人就女气了，女人带态是千娇百媚；男人一女气，人就贱了。看来，每一块土地上都生长着各种不同的官气，那官气是百姓、土壤、气候共同养出来的，这也是一种综合效应啊。要是你学得不像，那你是坐不住的。从这个角度说，走路实在是一种官气的体现，走好了，人就有了三分威。

说话方式就更有学问了。

在政府院里，按惯常说，市长的话就是第一声音。但第一声音也是要人们逐渐认可的，不能因为你当了市长，就成了第一声音了。那你就大错特错了。职位是很重要，但职位仅是一个硬条件，这还需要许多软条件来配合。在这里，首要的，是你要学会说假话。这种假话不是一般意义上的假话，这种假话是一门艺术，是一种在不同场合的表述方式。比如说，你个人的好恶，在这里是不能真实体现的，你也不能因为你个人喜欢什么就说什么好。你应该把个人好恶隐藏起来，对什么都一视同仁。哪个女打字员很漂亮，你不能一看见她就眉开眼笑，问长问短；哪个主任长着一张倭瓜脸，你不能一看见他就板起面孔，训斥一顿，对不对？你要说一些你不想说的话，你要说一些跟你的本意彻底相违背的话，在特殊的场合，你还要说一些狗扯连环的话。你一个人不可能把所有的事情都干了，你要用人，就得会容人，包括那些你根本看不上的人，你也得用，还得不断地表扬他们，有时候明明不合你的意，明明是扯淡，可你该表扬还得表扬。你要在你的周围形成一个“场”，这个场以你为核心来运作他们，你的表述就是你调动他们的最重要的方法，你要把假话使用到极致，使他们运动起来，以你为磁场旋转……这些对你来说都是必要的。但运用这门“艺术”时，你也要掌握好分寸，也要四六开，说假话也是要讲比例的，假的成分不能太多，太多了就成了彻头彻尾的假话了，假话里必须含有真的成分，就像是裹着糖衣的药丸一样，好让他舒舒服服地吃下去。环境就是这样一个环境，你要在这样的环境里逐渐培养出一种氛围，氛围养好了，核心也就形成了。到了那时候，这第一声音才能真正成为第一声音。

李金魁把这些都想明白了。可明白是一回事，做起来又是一回事。上任一个月来，他的工作却遇到了重重的阻力。市里不是县、乡，县里的干部大多是土生土长的，而且文化程度偏低，好对付；而市里的人事关系要复杂得多，文化水准也高得多。那关系是一层一层的，那势力也是一股一股的，那些个人物一个个都是通天的。如果细究，就连市府大院看大门的老头都是有来头的。在这里，小小的给予几乎不起任何作用。他觉得他一下子就陷进去了。首先，政府办公室的那个倭瓜脸主任就不那么听话，在倭瓜脸的语汇里，总是出现这样一个概念，“西院”如何如何，

"西院"是怎么说的……西院是市委,东院是政府,那就是说,他的声音是归"西院"支配的。当然,他的话很婉转,哪怕是很小一件事,他也会说,是不是给"西院"通通气?这话让李金魁心里很不舒服,甚至有些恼火,可他又不能说什么。他时时感到有一种压迫,那压迫又是看不见摸不着的,就像是空气一样,使你根本无法下手。在常委会上,李金魁也是孤单的。干什么事情人家都一个个画圈了,他也只好跟着画圈……他心里有气,他不想就这么跟着画圈,他总想找机会爆发一下。可他一时又没有机会。

他只有等待。

人在没有兴奋点的时候是很寂寞的。他很孤独!有时候,他就忍不住想去见李红叶。可他又知道他是不应该去的。当他实在忍不住的时候,他还是去了。他每次都是直接上楼,尽量不引起人们的注意。在李红叶那里,他也从不谈市里的事情,他只说,我来看看你。她会给他倒上红酒,再摆上几个小菜,两人就那么喝着说着,总是李红叶说得多,她不停地给他说一些生意上的事,他只是听着。

有次,李红叶问他:"当市长的感觉如何?"

李金魁说:"不好。"

李红叶说:"总系着那么一条领带,你不嫌勒么?"

李金魁说:"勒。"

李红叶说:"你其实不是系领带的人,你别系领带。"

李金魁说:"你是说我不像城里人吧?"

李红叶说:"不。我是觉得你活得越来越像城里人了。"

李金魁说:"是么?"

李红叶说:"你是越来越好了。"

李金魁说:"你呢?"

李红叶说:"我早就坏了,我是被你那个字最先弄坏的。那些个日子,我不想再说了……"

李金魁笑笑说:"我怎么就好了?"

李红叶说:"你这种好是做出来的,是刻意的好。你是想的不说,说的不想。你身上有贼性。"

李金魁说:"这我知道。"

李红叶说:"所以你更坏。"

李金魁说:"你是要我坏还是要我好?"

李红叶"忒儿"地笑了……

十二

入秋的一天，李金魁突然接到了一个电话，那电话是李红叶打来的。李红叶在电话里说，她这里出事了，是急事，让他务必去一趟。

李金魁心里“咯噔”一下，对着话筒沉默了很久，可他还是去了。他是晚上去的，上楼之后，他发现李红叶独自一人在窗口立着，脸色阴郁，手里夹着一支燃了一半的香烟。她看了他一眼，说：“坐吧。”

李金魁坐下后，问：“出什么事了？”

李红叶说：“他被抓了。”

李金魁问，“谁？”

李红叶低下头说：“我丈夫。”

李金魁看了她一眼：“……”

李红叶沉默了一会儿，说：“他的公司破产了……”

往下，两人都不吭声了，沉默了很久之后，李红叶说：“我写了一封信，你看看吧，你一看就明白了。”

李金魁低头一看，茶几上果然放着一封信。他把那封信拿起来，看着、看着，就那么盯住不动了。然后，他伸出手来，掏烟来吸，这是他思考问题时的下意识动作，烟掏出来了，在手上夹着，他却没有吸……这是一封揭发信。信里还包着一个蓝皮记事本，旧的，是经常喝酒的人兜里揣的那种小本本，上边有很浓的烟味和淡淡的酒香。就在这个蓝皮记事本里，清清楚楚地记着市委某主要领导人受贿索贿的记录，总金额高达五十七万八千元之多！其中有个受贿记录是：茅台酒三十六瓶，彩电、照相机各一部！

真有此事？

不会吧？

假如真有此事，那就太、太……李金魁把烟点着，默默地吸了一口。

片刻，李金魁抬起头来，说：“他被抓之后，没有交代么？”

李红叶摇摇头，说：“他说，他死也不说。”

李金魁问：“为啥？”

李红叶说：“他还抱着一线希望，他，怕报复……”

李金魁又一次仔仔细细地看了揭发信。渐渐，他有点冲动了，这冲动使他口渴。他抓起茶几上的凉茶喝了一气，而后背着双手在屋子里踱起步来。踱着、踱着，他的牙咬起来了，一腔热血在胸腔里激荡着……接着，他的步子慢慢地缓了下来，越走越慢……机会来了！

且慢，证人呢？没有证人。索贿、受贿都是单独进行的，一对一，没有第三者在场。这些人也太精明了！但从记事本上墨水的颜色和记录时间来看，又不像是伪造的。

然而，没有证人。

李金魁回身望了李红叶一眼，说："你没有参与？"

李红叶摇了摇头。

李金魁再次问道："你真的没有参与么？"

李红叶冷冷地说："你是怕我连累你吧？"

片刻，李红叶又说："如果我参与了，我就会直接站出来告他们，那就用不着找你了。虽然我跟他……可他有恩于我。在这种时候，我不能不管。"说着，她掉泪了。

李金魁想，这是一件棘手的事，他不能轻易表态。可他却明显地感觉到了李红叶那求救的目光，那目光像芒刺儿一样扎在他的背上！终于，李金魁说，"你让我想想。"

回到招待所的房间里，李金魁一连吸了三支烟……

这算什么呢？你怎么跟下边说呢？就这么直接批下去？一封匿名信。批下去之后呢，这不等于直接交给他们了么？

假如把这个蓝皮记事本交给法院，那么，很快就会有人对在押的李二狗施加压力。这是完全可以办到的。在强大的压力下，李二狗会一口咬定没有这回事，他会这样的。那样，这就是诬告。李二狗如果不承认，光凭这个小本本，又能说明什么呢？到了这一步，事情就会慢慢拖下来，拖也是战术。拖久了，事情就会发生变化，……那时，有人会反咬一口，说他跟李红叶有关系，说他作风不正派，这样一来，各种谣言会满天飞！很快就会传到地委、省委，把他搞得臭不可闻！使他无法在这里工作。这个蓝本本已经交出去了，他纵有一千张嘴也说不清楚。他完了，一切还可以照旧。

这是一场注定要失败的战斗。他在脑海里的预演中看到了自己的下场。从此以后，无论他走到哪里，舆论就会跟到哪里，假话重复一千遍就是真理。一个连自己都保不住的人还能改变社会吗？香烟烧到了他的手指头，他哆嗦了一下，又续上一支……

假如，他把这封揭发信和那个蓝本复印一份存底，然后再交给中纪委，让他们派调查组来。他们也许来，也许会让省里出面。如果让省里来人，风声也会透出去的。那么，在省里来人之前，该做的手脚都可以做得干干净净，所有受贿、索贿的东西可以"吐"出来，悄悄地吐出来。这等于打了一个平手，不分胜负。从原则上讲，他做得光明正大，无懈可击；可又查无实据，顶多是"借"了又还了，仅此而已。面上会笑笑，私下里就有你好看的。

假如，他亲自去找那在押的犯人谈次话，给他进一步交代政策，让他看看这个蓝皮本，让他知道李红叶已经揭发了，进一步打消他的顾虑和幻想。他会交代么？如果他能交代，再专门组织班子去一笔笔地清查账目、现金的支出情况，逐项和李二狗对质。这可行吗？这需要冒怎样的风险？他必须做最坏的准备，准备丢掉一切。他能做到么？

此刻，李金魁像决战的将军一样在屋子里踱来踱去。他觉得这是一次机会，也等于有了一个改变市府现状的突破口，可他一次一次地变换各种不同的打法，思索各种不同的棋路。越思索，就觉得成功的把握越小……

金魁，你想放弃这次机会？

谁说放弃了？

那你就干！把这个本子送到地委去，让地委派人来查。

地委也不是铁板一块。

找报社记者。记者会有办法。

记者怎么干都行，干完拍拍屁股走了。可你还要在这里生活。你还怎么工作下去？你的日子好过么？

那你就听之任之了？

这时，电话铃响了。李金魁看了看表，已是午夜时分了。他知道这个电话是李红叶打来的，可他没有去接，他不知道该给她说什么……

电话铃一直不停地响着……

凌晨四点，李金魁已经在烟灰缸里插上了第三十九个烟蒂。他的嘴吸得很干很苦，但他还是把最后一支烟也点上，吸了两口之后，又烦躁不安地摁进了烟灰缸。此刻，他从兜里掏出了一枚硬币，在掌心里抛了抛，放在桌上。片刻，他又把那枚硬币拿起来，接连几次后，他默默地说：好吧，假如这枚硬币抛下去。如果“国徽”朝上，我就干！假如是“麦穗”朝上，就随他们好了。

于是，在凌晨四时三十六分，光荣诞生在大李庄村的本市市长李金魁把一枚硬币从手心里抛了出去！随着“当啷”一声脆响，一道银光闪过，那枚负有重大使命的硬币从桌上滚落到地上去了……

李佩甫

1953年出生，河南许昌人。历任许昌市文化局创作员，《莽原》杂志编辑、副主编。1988年加入中国作家协会。现为河南省文联副主席，河南省作家协会主席。

1978年开始发表作品。出版有中短篇小说集《无边无际的早晨》《李佩甫作品选》《铜婚》，长篇小说《李氏家族》《城市白皮书》《金屋》《羊的门》《城的灯》《等等灵魂》《生命册》等。中篇小说《红蚂蚱，绿蚂蚱》获1985～1986年《莽原》文学奖，《无边无际的早晨》

获1990～1991年《中篇小说选刊》优秀中篇小说奖，《画匠王》获《上海文学》1990年年度小说奖。《豌豆偷树》获《中篇小说选刊》1993年全国庄重文文学奖。部分作品曾翻译到美国、日本、韩国等。

未完成的夏天

钟求是

一

王红旗十岁的时候，被父母打发到一间单独的屋子里睡觉。睡屋不大，四周板壁贴满了报纸。一天他半夜醒来，发现板壁上有一个淡淡的亮点，卧在那里久久不动。迷糊中他想了想，没猜透这个亮点的来路。第二天起床后，他把脑袋凑到板壁前，再没找到那个亮点。他只看见大大小小的黑字在板壁上挤来挤去，像是在看一场露天电影。大一点的字是标题，写着“我们走在大路上”，还写着“深挖洞，广积粮”。在深挖洞的“洞”字下边，显着一小块凹痕。轻轻一戳，报纸破了，露出一个小洞。王红旗想，原来是这样。

小洞有拇指甲那么大。往小洞里看过去，是大真小真的房间。这一天是星期日，可以拖觉的，但大真小真已经起床，穿着花布汗衫和裤衩，站在衣橱镜子前互相扎辫子。她们一前一后，后一位的双手攥着前一位的头发忙来忙去，一边忙着还一边说话，说话轻轻的，却引出脆脆的笑声。笑声中她们一人捅了另一人的腰眼，另一人便乱了身子左右躲闪，手中未完成的辫子被拽得笔直。

这样嬉闹着，辫子很快扎完，然后一个身子走出屋子，跟着另一个身子也走出屋子。她们向门口移动时手脚是轻的，像是悄悄向王红旗走来。王红旗身子一缩，让脑袋离开洞口。他怕她们瞧见自己的眼睛。但她们很快走了过去，谁也不去留神旁边小小的洞孔。

对王红旗来说，大真小真是一道费脑子的作业题，因为她们长得太相像了。在宅院里，住着十多户人家，每天晃来晃去的有几十张脸，但王红旗心里自有条理。很小的时候，他经常蹲在院子大门口，遇到一个人就响亮地叫上一声，从来没有喊乱。唯一例外的是大真小真，每次瞧见她们，王红旗都闭上嘴，只用眼睛看过来又看过去。他眼睛里不仅装着惊奇，还有些恼怒……他恼怒的是她们老让自己犯糊涂，像一个不聪明的孩子。后来长大一些，他才明白她们是孪生姐妹。允许长得一模一样的。后来再长大一些，他开始练习在她们的身上寻找小的差异。只是这种寻找并不可靠，在许多时候，他会吃上一惊，然后知道自己又出错了。王红旗觉得，识别她们就像识别两只燕子或者两个鸡蛋一样吃力。

在这个夏日的早上，王红旗仍然没能认出谁是大真谁是小真，不过这次跟往常不一样，他心里冒出一些快意。他对自己说，我把她们偷偷瞧了，可她们什么也不知道。这种异样的感觉一直保留到吃完早饭。随后，太阳蹿高了，屋子里闷热起来。王红旗甩着拖鞋走出家门，来到宅堂上。今天不是上班日子，宅堂上坐着一群人在纳凉闲话。

王红旗坐到旁边角落里，这才发现闲话的全是女人，其中有大真小真。女人们手里做着零活儿，嘴里东一搭西一搭地说话。说到要紧处，就勾出一批笑声。笑声有时浓有时淡，起起落落的。王红旗还发现，大真小真坐在她们中间，织着一截毛衣，不多说话，只是随着大家笑。王红旗想，她俩笑起来也是一模一样呢。王红旗又想，让她俩猜八遍也猜不到早上的事哩。

正分着神，一个女人留意到了王红旗。女人说："王红旗，你支着个耳朵想听什么呢?"王红旗说："我什么也不要听，我不理你们。"女人说："你不理我们我们得理你，你过来!"王红旗不情愿地站起身，走到女人们跟前。女人说："你看看，我们都挺忙的，你两只手却闲着，你得帮我们干点儿什么。"王红旗摇摇头说："我不喜欢做女人家的活儿。"女人说："嘿，他说他不喜欢做女人家的活儿哩。"大家咯咯笑起来。笑声中有人说："王红旗，这么说你是男人喽?"王红旗瞪着眼不说话。那人又说："是男人都要喜欢女人的。你倒说说看，你喜欢我们当中的哪一个?"马上有人搭腔说："男人嘛都爱吃嫩的，王红旗一定只喜欢大姑娘。"另一个人说："正好大真小真是大姑娘，你们俩让王红旗挑一个吧。"大真小真抿了嘴，望着王红旗吃吃地笑。王红旗见大真小真不仅不脸红，还看着自己笑，就有些生气。有人又说："王红旗，跟大真小真一起睡觉，同搂着你妈睡觉不一样哩。"王红旗说："呸！我现在一个人睡觉。"王红旗又对大真小真说："你们不要脸就找别的男人睡去!"

周围静了一下。大真小真脸上的笑定住，僵在了那里。这时一个声音说："这小子这么小就学坏了，得整治整治他。"有人把嘴巴一噘，冲着天井里的水缸说："把他丢进去泡个澡。"那只水缸是防火用的，常年盛着雨水，雨水里还游着些蝌蚪什么的。大家哄地笑了，都把眼光递给大真小真。大真小真就真的站起身，一甩辫子，四只手拾起王红旗的四肢，乱着脚步往天井里走。王红旗嘴里嚷着，身子在空中扭来扭去。到了水缸边，大真小真一用劲，将王红旗甩上缸口。王红旗身体一下子挣直，脑袋脖子和脚脖子卡在缸沿上，屁股悬在空中不肯落下。大真小真也不着急，按住王红旗的双手在旁边等着。等了一会儿，王红旗的屁股坚持不住，一点点向水面贴近。很快，王红旗便感到屁股上的冰凉，这种冰凉又慢慢向四周扩大，爬上他的裤衩和背心。这当儿，王红旗愤怒地看到，大真小真抖动着肩膀，眼睛笑成了一条缝。

王红旗没有想到，上午的事一下子窜到了晚上。

吃过晚饭，王红旗来到后院的玉兰树下，同邻家伙伴们凑在一起，听阿福布置游戏。阿福是他们的头儿，脸长得又黑又糙。因为这张脸，原先他的地位并不扎实，大家对他的态度有些犹豫。后来电影院上映越南电影《阿福》，影片里阿福偷走美国鬼子的衣服，让大家特别痛快。伙伴们就整天阿福阿福地叫唤着，把电影下的阿福叫唤成了说话算数的人物。

现在，阿福站在树下，一只脚支着，另一只脚在地上划来划去，眼睛虚望着周围。这种懒洋洋的样子让大家多了几分期待。大家看着阿福，忍住了不说话。过一会儿，阿福把涣散的目光收回眼中，说："知道最近电影院在放什么片子吗？"一听他说这个，大家释了一口气，有的说知道有的说不知道。知道的人说："是一部越南电影。"阿福说："对，又是一部越南电影，叫《森林之火》。"知道的人又说："《森林之火》好看，是一部打仗的电影。"阿福点点头说："电影里最有趣的是游击队员在山上跑，几个敌人在后边追，当追累了趴在地上喘气的时候，游击队员故意喊话了。游击队员喊没有子弹啦没有子弹啦。敌人一听子弹没有啦，满脸高兴，傻乎乎地往上爬，结果被游击队员一枪一个花了脑袋。"阿福顿一顿说："今天我们玩的就是这个。"

天开始暗下来，暮色中大家纷纷挺直了身子。看得出来，大家都不愿意扮演敌人的角色，白白让自己的脑袋开花。阿福眯着眼睛，左右扫了一遍。他先在一张猴脸上停住，说："你算一个。"猴脸一下子矮了身子。阿福眼光慢慢移过来，搁在王红旗脸上，说："你也算一个。"王红旗跳一下脚说："为什么？"阿福淡淡地说："今天你屁股在水缸里蘸了水，裤裆都湿了。"大家嘻嘻笑了，纷纷说屁股蘸水了当敌人最合适。

这个晚上，王红旗当了一回敌人。他握着一条木棍做步枪，和猴脸一块儿弓着腰往前走。先走得畏畏缩缩的，像一个胆小鬼，后来听到"没有子弹啦没有子弹啦"便加快脚步。然后"枪声"响起，他身子摇晃几下，一头栽在地上。由于用力过猛，他的手都摔疼了。

第二天，王红旗要去看电影《森林之火》。他首先想到废品收购站。为了看电影，每次他都要卖掉一些东西。上次，他卖掉了废瓶子。上上次，他卖掉了废牙膏。更早的时候，他还卖掉了废铜丝。现在，可卖的东西越来越少了。他在房间里转了一圈，又转了一圈，脑袋上冒出许多汗珠，可什么也没找到。

本来王红旗可以向父母讨钱的。问题是有一回，他见父亲的长裤趴在椅子上没人管，就自作主张从裤兜里摸出一张钱票来。那天他不仅看了电影，还买了一堆零食边看边吃，把一个晚上弄得挺自在。下一天，父亲发现自己少了钱，就去问母亲,母亲赶紧摇头。又去问王红旗,王红旗也摇头,但摇得慢了些,被看出破绽来。父亲怒眼吼一声,王红旗便招了。结果他得到一记耳光,并失去讨要零钱的权利。

满头是汗的王红旗在一张竹椅上坐下,手里举着一把扇子往脑袋上扇。凉风中,他的脑袋似乎开了窍。他想,我不能跟父母要钱,但可以向别人借钱呢。这个念头一起,他随即在脑子里找人。他先找到一个人,马上放了过去。再找到一个人,又放了过去。然后,他找到了邻居五一爷。五一爷跟别人有些不一样,他是个搬尸工,常年与死人们打交道。因为这个,宅院里的人不太愿意接近他。王红旗有时出于好奇同他搭几句话,他便高兴。有时向他借点钱,他也没有不高兴。

王红旗起身出门,穿过天井走到五一爷家门前,叫了几声。屋内没人应声,再一细看,门扣上挂着锁。王红旗知道自己着急了。他反身坐在五一爷家门前的石阶上,眼睛远远盯着宅院大门。

宅院大门进进出出一些人。有人见王红旗坐在那里,就打一声招呼。王红旗嗯嗯应着,声音和表情都有些淡。他想,别以为我闲着,我心里装着事呢。

不知过了多久,大门口出现一只弯驼的身影,沉着脚慢慢移过来。王红旗等那身影挨近了,站起身唤一声五一爷。五一爷抬起脑袋说:"原来我家门口待着一只兔崽子。"王红旗说:"五一爷,我在等你呢,我已经等了好久。"五一爷说:"我得猜猜,兔崽子等着我要干什么。"王红旗说:"你猜吧。"五一爷说:"兔崽子要让我讲一个死人的故事。"王红旗摇摇头。五一爷说:"兔崽子想看看我兜里掏出什么好吃的东西。"王红旗又摇摇头。五一爷瞪着眼说:"反正兔崽子想占我一点什么便宜。"王红旗点点头说:"五一爷,我想跟你借点钱。"五一爷乐一下脸说:"小子,上次你跟我借的钱还没还呢。"王红旗说:"我有一个打算,下次一块儿还上。"五一爷说:"你这个打算是只屎!"王红旗伸出手指说:"我们可以拉钩。"五一爷说:"拉钩有个屁用!"王红旗想一想说:"我借钱也不是白借的,我可以让你看一件稀奇东西。"五一爷说:"什么东西?你拿出来瞧瞧。"王红旗说:"不能拿出来的,你得上我家去看。"五一爷说:"我可不会上兔崽子的当。"王红旗跺着脚说:"我要是骗人你一枪花了我脑袋。"五一爷说:"这话说得挺狠的。你爸妈在家吗?"王红旗说:"还没回来呢。"王红旗父母在一家远郊化肥厂上班,每天回家比别人晚一些。五一爷说:"我还没进屋,就让兔崽子拽了去,这说得过去吗?"王红旗使劲点头说:"说得过去的。"

五一爷玩心被勾起,转过身随王红旗往家里走。天还明亮着,进了屋子,眼里有些暗。王红旗招招手,将五一爷引入自己的睡屋。五一爷说:"兔崽子的破东西在哪里?"王红旗指着板壁上的报纸说:"在这里。"五一爷凑近身子说:"这上面全是字儿,兔崽子唬我呢。"王红旗说:"你细看看,字里还有东西。"五一爷定定神,果然看到一样东西。五一爷说:"这是一个小洞。"王红旗说:"洞里还有东西。"五一爷歪了脑袋,把眼睛贴上去。

在这时,五一爷才知道自己遇上了重要事情。他看到小洞里有一间屋子,屋子正中搁着一只挺大的浴盆，浴盆里立着一只白的身子，白的身子上跳着两只翘的奶子，翘的奶子上颤着红的圆点。

五一爷喉咙很响地咕了一声，身体定在那里，一时没了动静。他的怪异神情让王红旗暗暗高兴。王红旗想，这一下你该掏钱了吧。

二

在许多人眼里，五一爷无疑有些神秘，因为谁也弄不明白他的来历。大家只知道他是从五一河上游漂下来的。

五一河是当地的一条主河，贯在镇子中间。河不算宽，却挺舒展。往上看，它伸向很远的地方；往下看，它也伸向很远的地方。那时候，河里的水据说比现在要猛。每年春季，暴雨甚欢，河水便趁机骚动起来，气势汹汹的。这时一些闲人便手握绑着铁钩的竹竿在岸边巡走，一边走一边盯着河里的各种异物。如果运气好，他们能捞到一截木头、一张旧椅或者一只锅盖什么的。这些东西可能属于上游的某个镇子，也可能属于更上游的某个村子。在打捞过程中，自然是谁最早发现河里的目标，谁就获得抢先下手的机会。所以岸边的人们一次次相互超越，将拦截的地点挪到比别人更上游的位置。最后，在镇子的郊外远处，也晃悠着手持竹竿的人影。

一天，一位打捞者在城外游走，忽然见河中央浮着一件怪异的东西。那东西黑乎乎的，模样粗壮，有点像敞口的大箱子。打捞者心中大喜，无奈城外的河段宽大，竹竿太短，又无小船，一时无法得手。眼看那东西随着水流向下移去，打捞者急了，撒开腿跑起来，跑了一会儿，遇上另一个打捞者。另一个打捞者也弄不懂河中东西，只是心中不舍，就跟着跑起来。很快，又遇上第三个打捞者，他没有多想，低了头便跑，跑得比其他人还快。不多时，河岸上跌跌撞撞跑着一群手握竹竿的人，不知道的人还以为看到了械斗的场面。

河道拐进镇子，水面瘦了些。一个打捞者眼尖，突然喊道那是一只棺材。一句话让大家缓了脚步。棺材是不祥东西，搁在家里不好，却可以换钱的。这样一想，大家的脚步又快了。

那口棺材漂到镇子西门时，终于被一只小船截住。站在小船上的两位打捞者刚把竹竿伸出，猛地停住了。他们看见棺材里躺着一个老头儿，像是已经死掉。慌乱中他们收起竹竿，要把小船划开。想想不妥，只好把棺材推向岸边。

岸边已站着许多人。看着棺材里的内容，大家静了身子，都不吭声。有个胆大者走下台阶，伸长脖子往棺材里端详，端详一会儿，大声说："是个活人！"大家赶紧凑近脑袋细看。他们看到棺材里的老头儿弓着身子，眼睛不弹开却拼命嚅着嘴巴，周边的须髯被带得一动一动的——果然是个活人。

这个有点驼背的老头儿后来被人们唤做五一爷。

五一爷被人送到医院，挂了一瓶盐水，吃过几顿饱饭，就缓过劲来。那两天里，他对医院留下了好的印象——有床睡，身上还盖着白净的被子；有饭吃，到三餐的点儿护士会把饭菜送来。五一爷想不出还有比这儿更好的地方。后来医院让他走人，他很不乐意。医院说，这两天的钱都掏不出来，你还想住下去？五一爷说，我出了你家的门就没地方可去，最后还会饿死，饿死了别人还会把我送到这儿来。医院说，我们真是倒霉，遇上你这么个说话的人。五一爷说，你们行行好，给我一个活儿干，我做什么都行。医院考虑一下，刚好太平间里缺人，便把他留了下来。

从此，五一爷把许多时间花在太平间里。在这儿，他见到了各种各样的死人，也学会了听各种各样的哭声。一阵亢亮的哭声传来，那是下辈在哭一位上岁数的老人。一阵揪心的哭声传来，那是一个女人在哭自己的男人。还有一种哭声，被剪成一段一段，不能一气到底的，那兴许是一个小孩死掉了。每回外面哭声响起后，很快会送进一具尸体搁在水泥台子上，由他稍加收拾，譬如擦一把脸、换件衣衫什么的。这些尸体待不了太久，便会被亲人取走，放在家里吹打热闹一番，然后被送到更合适的地方长眠。也有的尸体一时不领走，静静地躺着与他为伴。这时五一爷便会坐在凳子上，取一支烟点上，让烟雾在幽凉的屋子里蹿来蹿去。在烟雾中，五一爷有时会想起些远远近近的事儿，有时什么也不想。

后来，外面闹起了运动，动静越来越大，死人的事也越来越多。五一爷不能老待在尸房里了，他得拉着板车出去捡尸。他捡过被揍死的，捡过自杀的，还捡过被枪毙的，这样他就见过许多不一样的脸。被揍死的脸一般扭来扭去的，身子还缩得很小，不容易抻开。被枪毙的脸色大多白灰灰的，看上去平静一些。有一次他遇到一具被枪毙的身体，腰部裂开一道长口，说是被掏了。肾子和肝子，但他脸上仍是平静的。不平静的总是那些自寻短见的脸。他见过一具投河的，捞上来时身体已经发绿，肚子鼓鼓的，使劲一戳，口中竟蹿出很重的臭气。嘴巴周围的肉呢，使劲扭来扭去，眼皮还撑着不肯松落。还有一回，他遇到一具吊脖子的，说是刚参加了一个批判会，跪在地上，人们排着队往他脑袋上吐口水。他脑袋被剃光了，容易打滑，口水就淌到眼睛和嘴巴里。回家后他把脑袋挂在绳套里，还好几天不让别人发现，结果让老鼠捡了便宜，它们顺着绳子爬下来，在脑袋上咬出七道八坑来。等到五一爷去收尸时，那张脸已像揉成一团的破布。

五一爷干活的时候，少不了跟女尸打交道，也见过许多光身子的。他搬弄她们，收拾她们，有时也擦擦洗洗的，但从没什么念想。女人断了气，再好的身子也变成腐肉。这时真敢有什么念想，那是把自己往畜生堆里推。

如此一年一年地过着，五一爷习惯了一个人独处，也习惯了别人异样的眼光。别人碰见他，有的会远远躲开他，有的会淡淡招呼一声。每回遇到这种情形，他就想用不了多久，你们会来找我的。果然不久，他们中的一个会哭丧着脸跑来求他帮忙，塞给他香烟，还塞给他红纸包。这时五一爷不多说什么，把该收的收了，把该干的干了。

五一爷知道这样的日子会追赶着往下走，直到自己彻底老去。他从没想到自己也能摊上一件意外的事儿。所以当他随王红旗走进屋子，把眼睛搁在洞孔里时，他真的吃了一惊，脑子也变得忙乱。他想，原来我眼神儿没有老掉呢。他又想，我有多少年没见过女人的活身子了？这么想着，他心里有些慌了。

接下来的几天，五一爷常常走神儿。他在尸房里听到外面的哭声，以为死了一个丈夫，结果抬进来的是个老太太。下一次听见哭声，料定是一位老人，不想送进来的是个年轻后生。哭声散去后，尸房里静了，他就坐下来抽烟。烟雾中，会出现一只白嫩的身子。那身子轻轻扭动，溅出许多水珠。

下班回到宅院小屋，五一爷自己给自己做饭。饭是简单的，一碗米线或者一碗杂菜泡饭，只要烧得烂一些，放在胃里舒服就行了。吃过饭，他脱了衣裳剩一条裤衩，自己给自己擦澡。擦澡的时候，他又记起那白嫩的身子。他沉默一会儿，叹口气，对自己说：你就是想作点孽呢！

五一爷想再见见那身子。

下一天五一爷傍晚回家，在院子里堵住王红旗。五一爷说："兔崽子，想再看电影吗？"王红旗弄不清底细，就说："没这个打算呢。"五一爷说："我给兔崽子钱，兔崽子去看。"王红旗盯着五一爷，不吭声。五一爷说："兔崽子拿了钱，还可以买零食吃，让眼睛嘴巴一起高兴。"王红旗仍不吭声。五一爷说："然后我上兔崽子家，跟上回一样。"王红旗嘻嘻一笑，心里踏实了，引着五一爷往家里走。

进到王红旗的睡屋，五一爷驼背的身子往前一蹿，一下子粘在板壁上。王红旗想，他的动作真快。又想，他的身体趴在墙上，有点像鞠躬呢。

这时外屋响起"吱"的推门声，王红旗没有听见。接着响起叫唤的声音，王红旗也没听见。随后，睡屋的门被轻轻推开。王红旗扭头一看，父母同时站在门口，身子钉子一般，脸上堆着迷乱的神情。

三

五一爷回到自家屋子，闩上门，准备做饭。他用的是煤油炉子，刚要点火，发现火柴盒是空的。转身另找一盒，却想不起去哪里找。他知道自己脑子有点乱。这时门外响起邻居们的说话声，相互搭着腔，越聚越多。随后响起一阵敲门声。五一爷稳住身子不动。门上的声音很快加重了，变成擂击声。五一爷迟疑着手脚，前去拉开门闩。门外扑进来一阵风,还没看清什么,五一爷脸上已挨了一巴掌。那巴掌还要再打,被旁人拿住,劝出了门外。

打人者是大真小真的父亲。他瞪着眼,气喘吁吁地说不出话。劝他的人说:“你不能老打他,多打几下,他瘫在地上,你就不知道接下来怎么弄好了。”旁边有人说:“不打人了,那你说说接下来怎么弄好。”劝架的人说:“这我得想想。”旁边的人说:“你想吧,你再想也想不到这老头儿如此混蛋。”又有人说:“这件事不能便宜了他,得让他出钱。”有声音跟上来说:“这叫罚钱。”一个女人声音说:“罚钱是小事,要紧的是大真小真以后怎么做人呀。”另一个女人说:“这老头儿八成摸准了大真小真的洗澡时间。姑娘家爱干净,一下班就要洗澡。他自己整天在死人堆里钻来钻去,倒可以不洗澡的。”

劝架的人说:“你们先不要说这些。我觉得五一爷应该站凳子批斗,这种缺德事不批斗,咱们院子成什么样子了。”大家静了一下,纷纷说好。劝架的人说:“咱们得让他站三天,一天两天累不着他。”大家点着头说:“三天里除了吃饭睡觉,不能让他歇着。”

有人取了一张四方板凳放在天井里,又有人去叫五一爷出来。五一爷还没做好饭,不愿意出来。大家说:“你先站吧,站完了再吃饭。”五一爷还想说什么,被几个人架出门,扶上板凳。五一爷站在高处,有点不知所措。他看见那么多邻居站在那儿,一边说话一边看着自己。一些人手里还端着饭碗,扒一口饭抬一下头。随后,他看见一个邻居手里拿着一块纸板,走到自己跟前踮一踮脚,高喊了一声。另一个高个子邻居应声从人群里出来,接过纸板一抬手,挂在自己脖子上。五一爷不识字,低头瞧了瞧,认得纸板上有三个字。

天暗下来,邻居们散去大半,剩下的多是孩子。孩子们在天井里晃来荡去,舍不得就这么离开。那个叫猴脸的孩子走到板凳前,仰起头说:“五一爷,知道这上面是什么字吗?”五一爷摇摇头。猴脸响亮地说:“我认识,是‘耍流氓’。上次考试我把耍写成了要。”大家嘻嘻笑起来。笑声中有口哨响起,那是阿福嘴里吹出来的。阿福说:“知道耍流氓是什么意思吗?”大家不吭声,有些兴奋地瞧着阿福。阿福说:“你们别他妈的瞧我呀,我又没耍过流氓。”大家又嘻嘻笑了。

五一爷站到天色黑透,才下凳子回屋。第二天上午,五一爷又被人叫出来站凳子。他先站在一个阴凉的地方,后来太阳慢慢移过来,罩住他的身子。日光中,他脑袋上渗出许多汗珠,顺着身体往下爬,还没爬到凳子上,已被晒干。他有些口渴,想下来喝口水,看看宅堂上几个女人,忍住了。那几个女人是闲人,坐在那里做着针线活儿,眼光不时瞟过来。

过去大半个上午,宅院大门突然跑进一个人,见到五一爷,哭丧着脸说:“五一爷,那边出人命了,你得赶紧过去!”五一爷摇摇头说:“现在我走不开呢。”那个人说:“死的人是我弟弟,我弟弟死了。”五一爷说:“现在我真的不能离开。”那个人说:

“我弟弟是昨天死的，身体已经往外淌臭水了。”五一爷指指宅堂，说：“你得跟她们说去。”那个人就到宅堂上去说。五一爷看见那几个女人先是使劲摆头，后来不摆了，凑了脑袋说话。说了一会儿，女人们站起身，领着那个人走过来。女人们说：“五一爷，你先跟着他去吧，他弟弟身上冒臭水了。”女人们说：“五一爷，你下午不用站了，明天也不用站了。”女人们又说：“不用站了只好罚钱，这是没办法的事。罚来的钱不会乱花的，我们商量了，准备用来唱一场鼓词。”

过了两天，宅院里来了一位瞎子词师，据说唱功不错。吃过晚饭，大家在宅堂摆上一张方桌，又引来一盏电灯挂在高处。词师被人扶上桌子坐下，手捏木筷在牛筋琴和扁鼓上来回一敲，又抖开嗓子一试，果然了得。不一会儿，宅堂上和天井里已坐紧了听客，大门口还不断走进闻声而来的人。大家手摇扇子，远远近近地打着招呼。孩子们扎成一堆儿，嘻嘻嘿嘿地说话。

词师唱的是《林冲逼上梁山》。他唱过高衙内调戏林冲娘子，又唱过林冲误入白虎堂，忽然止了。原来已是场中休息。一些人起身走动，顺便上一趟茅厕。一些人继续坐着，扯些闲话。闲话从林冲娘子出发，很快来到大真小真身上。一个宅院外的人说：“光听说大真小真，还不认识。你们指给我瞧瞧。”一个宅堂内的人说：“刚才我看了一圈，没见着五一爷，也没见着大真小真。”宅院外的人说：“我这个人好奇心强，挺想知道眼下他们在干什么。”旁边几个声音说：“你这个想法我们也有。”宅院内的人就勾勾手，招来几个孩子，在他们耳边说几句什么。

几个孩子跑开去，不久又跑回来。一个孩子说：“五一爷开着窗户，可不开灯，八成躲在屋里听唱词呢。”另一个孩子说：“大真小真的灯倒亮着，我贴着耳朵听了半天，里边什么动静也没有。”还有一个孩子说：“我还看了王红旗，他被他爸关在屋子里，不准随便出来玩呢。”大家脸上的光就有些淡。宅院外的人说：“我这个人好奇心强，我还想知道五一爷看到的究竟是大真还是小真。”旁边几个声音说：“你这个想法我们也有。”宅院内的人摇摇头说：“谁知道呢，一笔糊涂账哩。”

鼓词唱得热闹的时候，大真小真确实待在屋子里。

不大的屋子，门窗都关严实了，但外面的声音一阵阵渗进来，使空气更热。一架电风扇呼呼吹着，冲得板壁上的挂衣一摇一晃。挂衣的旁边，那个惹事的小洞已被堵上。

她俩一个坐在椅子上，一个倚在床头，静着身子不愿意说话。因为不说话，耳朵就更虚空了。门外的唱声一会儿高一会儿低，把她俩的心揪得一会儿紧一会儿松。

这几天，她们过得昏暗。她们知道，自己遇上了以前从没遇到过的日子。

出事那天晚上，姐妹俩都哭了。她们料不到这种事会沾在自己身上。一想起有一双眼睛盯着自己脱衣裳、打肥皂、抚摸揩洗，她们的脸不禁一阵白一阵烫。在冷冷热热中，她们恨起了人。她们恨王红旗，恨五一爷，也恨父亲。父亲的脑子真是不够用，本来这种事可大可小的，但他没有把事情收住，反而一路滑出去。现在，她们在宅院里的人眼中，只怕跟以前有些不一样了。

事情不仅仅这样。过了一些时间，两个人心里悄悄发生变化，长出了枝枝杈杈。大真知道，自己身子没有被偷看，被偷看的是小真的身子。大真在一家小印刷厂上班，按件计酬的，所以她每天都要多做一些，下班比较晚。即使回家不晚，她也不会马上洗澡，一般依着习惯让小真先洗的。出事闹将起来的时候，她刚踏进家门不一会儿呢。对于这一点，她心里有数。她想小真心里也有数。

大真的心境得到了改观。早上起来，两个人照常相互扎辫子。大真站在后面望着镜子里的小真，几乎能从她的脸上看出虚慌来。大真试着跟往常一样，捅一下小真的腰眼，小真不笑。她又捅一下，小真仍然不笑。大真就轻轻摸一下小真的脑袋。这一摸意味深长，有安慰的意思，也有不说出真相的暗示。

大真想好了，她情愿让别人猜来猜去，也不会把谜底抖开。小真已经够难受了，这时再说什么，等于使力把她往水坑里推。要对付那么多的眼光，两个人总比一个人好。

当然，有一个人大真不能让他蒙在鼓里。这个人就是许上树。她得赶紧告诉许上树，自己什么事也没有。

四

许上树属于脸上老禁不了青春疙瘩的那类人，长得有些壮高。大真和他认识是在电影院里。大真记得那是一部阿尔巴尼亚电影，托人只买到一张票，便独自去看了。电影刚开始，大真就觉得不痛快，因为她前排竖着一颗硕大的脑袋，而且左右晃动。大真不能从这颗脑袋上方越过去，便侧着脖子看。侧了一会儿，那颗脑袋歪过来，挡住她的视线。大真只好避向另一侧，不想那颗脑袋很快跟着移回来。大真拍一下前面肩膀，示意不要乱动。那颗脑袋扭后瞧她一眼，听话地静住了。静了片刻，突然又扭过头说："咱们换个座吧。"大真没有这个意思，却见那人已站起走出排座，停在走道上。大真只好起身走出来，在黑暗中与那人一交身，走向他腾出来的座位。接下来的时间，大真能感到背后一双目光在自己的头发和脖子耳朵上来回摩挲。大真眼睛盯着银幕，心里已漏了神儿。

电影放完，灯亮了。大真顺着人流往外挪步，挪到走道上，与那人挤在一起。两个人的腰部差不多贴住了。大真紧着身子，眼睛不敢乱动。很快人群松了，他俩的身子脱开，大真突然抬一下眼，她看见那张脸上有许多青春疙瘩。

第二天下班，大真出了厂门，见不远处停着一辆自行车，自行车上跨着那位青春疙瘩。大真心里一跳，低了头赶紧朝前走。走出一些路，后边追上来那辆自行车，冲到前面猛地刹住。大真不说话，绕过车子继续往前走。走了一会儿，那辆车又赶上来超过她，远远停在前方。大真抿住嘴唇，一口气收在胸间，双腿迈动得有些硬。她知道，自己正一步一步走向那个叫爱情的地方。

大真和许上树认识后，日子突然不一样了。先前下了班，她与小真基本上待在一起，形影不离。现在她把晚饭后的许多时间交给了许上树和他的自行车。许上树的自行车是新的，骑起来一片亮光，很是招眼。大真第一次坐上车子后座时，心里慌慌的。她还不习惯把自己与许上树一起亮在街上，她怕被别人看见。不过没骑多久，她便放松了，因为她瞧见路上看过来的都是羡慕的眼光。下南门坡街时，车子跑得飞快，一颠一跳的。大真的头发被风扬起，一只手紧紧箍住许上树的腰，脸上溅出了快乐。

这天晚上，许上树把大真带到五一河边，与一群朋友见面。这些朋友每人都占着一辆自行车，有的身边也站着一位女友。他们见了大真，没压住惊奇。他们说："这不是双生女吗？是大的还是小的？"大真说是大的。他们说："许上树，我们搞不清楚没关系，你可不能弄混了。"许上树嘿嘿地笑，他一笑，大家也跟着笑了。

等人聚齐，大家沿着河岸往前猛骑，一边骑一边把车铃按得脆响。在镇子上，自行车还算是稀罕物，现在好几辆伴在一起哗啦啦骑过，就造出了气势。大真坐在后座，把腿跷起，伸长了脖子问许上树："你的朋友怎么都有车子？"铃声中许上树大声说话，他说这些朋友本来就是因为车子凑一块儿的，一星期玩一两次。

不跟朋友们在一起时，许上树就教大真学骑车。许上树把住车子后座，护着大真摇摇晃晃往前骑。摇晃倒了，许上树一使力把车子连同大真一起扳正。这样学了两天，大真便嚷着要许上树松手。又过两天，大真把上下车也学会了。月光下的空地上，大真骑了一圈又一圈，快活得停不住。晚上回家，大真把学车的成绩一说，羡慕得小真使劲地眨眼睛。

下一天晚上，许上树把大真带到坡街，让她往下骑。大真不敢。许上树说："坡街不敢骑，就不算学会。"大真大了胆子说："那你得在旁边跟着跑。"许上树说那当然呀。这天大真穿着碎花裙子，她一展腿优美地上了车，双手攥紧车把往下骑。坡街很长，路面不平，坐在车上一路弹跳着真是又紧张又痛快。骑到一半，许上树已被甩在后面。就在这时，大真的裙子忽然被风吹起，卷在胸前，下边露出粉红裤衩。大真慌了神，一只手丢开车把去按裙子，还没按下，车子踉踉跄跄地要摔出去，她的手赶紧又扑回车把上。眼下她仅用一只手根本把持不住车子。

在慌乱中，大真的车子冲下坡街，穿过许多行人的眼睛，终于收住轮子。车子停下，她的裙子才落下来。许上树喷着粗气追上来，吼道："你为什么不刹车？你为什么不让车子慢下来？"大真发着怔说："我没想到刹车，我真的忘了。"这样说着，她的眼睛已经湿了。

大真卷露裙子的事很快传到许上树朋友中间。下一次聚会时，他们见了他俩都不说话，脸上怪怪的。等大真走开，他们就对着许上树嘻嘻哈哈，一句话抢着一句话。大真知道他们会说些什么，心里很难受，像被车子碾过一般。

与裙子的事一比，这次洗澡的遭遇显然更重更大。大真起先想在许上树跟前压下此事，这种话题说起来多么多么没意思。但宅院里琴鼓一响，大真知道掩不住了，有关她们姐妹俩的消息会像风中的落叶越飘越远。

这天傍晚，大真决意向许上树说清自己。她来到许上树家的时候，许上树穿着裤衩，站在院子内水井边冲澡。大真唤了一声，许上树不回应，径自往身上和脸上涂抹肥皂。沉默中，他的身体很快被白花花的泡沫所占领。

许上树的态度让大真明白了什么。她也不说话，站在旁边看着许上树把水桶丢进水井，又拉上来，举到头上哗哗浇下。井水冲开泡沫，刷出一块块很饱的肌肉。那很饱的肌肉像是会动，挪来挪去的。大真想，做一个男人真好，站在哪儿都可以冲澡。

过了好一会儿，许上树仍在打水浇水，似乎不准备停下来。水珠在他身体上弹跳着，溅得很远，有几颗还落到了大真的脸上。大真觉得自己应该说话了。大真说："许上树，我知道你为什么不吭声。你一定是听到了跟我有关的什么传言，这传言有水有肉的，让你很难过。你难过了还不能说话，只能憋在心里腌着，这就更不好受了。可是现在我告诉你，那些传言与我没有关系。"大真说："你最清楚我每天下班挺晚，比你要晚，比隔壁的王红旗父母也要晚。知道王红旗是谁吗？就是领着老混蛋干缺德事的小混蛋。他们干这种坏事，自然是趁着家里没人。王红旗父母一回家，事情就败露了，而王红旗父母嚷嚷起来的时候，我刚刚下班到家，还在仰脖子喝凉茶呢。"大真说："许上树，我这些话从没有跟别人提起，现在说给你，就算是水落石出了。水落石出了你就不准再难过了，不难过了你也不许把我的话捅出去，因为那样对小真不好……"

大真的话没说完，许上树已止住浇水，用毛巾把身子擦干，拎着水桶头也不回奔家里去了。不一会儿，他从屋里推自行车出来，向大真勾勾手，大真走过去坐上后座。许上树推几步，身子一挺跃到车垫上。大真想，他脸上已经亮了呢。大真又想，他肯定要吹口哨了。果然没骑多远，许上树嘴里飞出一串哨声，又脆又飘，在空气中扭作一团。大真说："许上树，你别光吹口哨了，你还没跟我说话呢。"许上树收住哨声，说："你要我说什么？"大真说："说说你刚才的嘴脸。"许上树说："刚才我的脸怎么啦？"大真说："像阿尔巴尼亚的一只木瓜。"许上树有些不明白，说："木瓜也罢，为什么要扯上阿尔巴尼亚？"大真说："中国木瓜的皮上不长疙瘩，阿尔巴尼亚的木瓜兴许会长的。"许上树哈哈笑了："大真，你损我没关系，你这是给社会主义兄弟脸上抹黑呢。"大真说:"人家的脸够不着,我倒想在你的脸上拧一把解解气。"许上树笑着一转脸说:"你来你来。"大真赶紧把他脑袋拨回去:"呀呀,你先拿眼睛瞧路吧。"

到了河边,车友们已聚了大半,正说得喧闹,见他俩来了,把话静下。许上树说:"说什么呢,好像要阴谋诡计似的。"大家脸上的肉挪来挪去,一时找不到话。一个人就说:"我们正说胡兵呢,每次就数他来得最晚。"几个声音跟上来说:"是呀是呀,这小子准让傻胖给黏住了。"胡兵是个鼻眼端正的人,脑子也算得上灵活,不知怎么却有一个憨傻的胖弟弟。弟弟说傻也不傻,知道跟着哥哥玩得好,一得机会就追随他。这样说着,大家便伸长脖子朝路边看,仿佛真的很想见到胡兵似的。

不多时,远处暗色中出现一个影子,很快近了,是一辆自行车,驮着胡兵和他的傻胖弟弟。大家乐了,说胡兵你真带弟弟来呀。胡兵说这小子不知从哪儿弄来一条链子锁住我的车子,不带上他就不开锁。大家咂着嘴说,傻胖越来越聪明了。傻胖得了夸奖,脸上浮着喜色,转动脑袋看别人。他巡过几张脸,在大真脸上停住,说:"我认识你。"大真笑着说:"你说说我是谁。"傻胖说:"你不是大真就是小真,你们的脸是一样的。"大真说:"你知道的事儿还真不少。"傻胖说:"我还知道你们被男人看了。"大家一下子怔住。傻胖又说:"你们不穿衣裳,光着身子让男人看了。"大真挣一下身子说:"你胡说!"傻胖说:"我没有胡说,我都听到好几回了。"许上树一步跨过来,说:"傻胖,你再说说你听到什么啦。"傻胖说:"她们光着身子洗澡,被人……"还没说完,许上树一记耳光掴在傻胖脸上。傻胖转半圈身子,愣了愣,哇地哭了。

胡兵抢上一步,将傻胖拨在旁边,说:"别把力气用在一个孩子身上!"许上树说:"我听到一遍就打一遍!"胡兵说:"他是听别人说的,你怎么不去打别人呀?"许上树说:"不会是听你说的吧?"胡兵摸一摸脸说:"怎么着?也想朝我脸上来一下子?"许上树说:"那得等你嘴里放出什么屁话来。"胡兵说:"屁话我不会说,我只在脑子里想。我在想呀,五一爷真有福气,我要是缩成一团,变成五一爷的一只眼睛就好了。"

许上树一扬手,被胡兵两只手架住。许上树跟着甩出另一只手,打在胡兵脸上。胡兵叫了一声,举起一只拳头砸出去。大家围上来,要把两人拆开,一时却不得力,只随着两人拥来拥去。进退中,一辆自行车翻身倒下,拍出一声脆响。人堆里立即跳出一个人,嘴里嚷着我的车我的车。

混乱的旁边,大真呆立着。她紧紧抿着嘴巴,嘴巴一抿上,鼻息便粗了,呼呼响着,带得胸脯一起一伏的。

五

大真回到家里，对小真说："许上树和朋友打架了，先是他给朋友一巴掌，朋友马上回他一拳头，其他朋友围上来拉架，拉了半天没拉开。后来拉开了，那个朋友半张脸肿成了球，许上树嘴角多出一个口子。"大真说："回家路上，许上树沉着脸，不吹口哨，也不说一句话。到了咱宅院门口，他一调车头便走了。往常他是看着我进了屋关上门才走的。"大真又说："看着许上树这样，我心里很难过。他是为我打架，其实也是为你去打架的。"小真说："许上树怎么会为我去打架？我又没跟他谈恋爱。"大真说："你没跟他谈恋爱，但你的事让他憋屈。再这样下去，他还会打第二架第三架的。"小真说："你跟我说这些什么意思？你好像要我去做什么。"大真说："你得找许上树说说清楚。"小真说："这种事怎么说得清楚，要说你说去。"大真说："我跟他说过，他信了我，可打架以后只怕又不信了。这时候你的话比我的话管用。"小真说："我把你说清白了，等于把自己说脏了。你怎么能让我这样做！"大真说："咱们就跟许上树一个人说。"小真说："一个人也不行！这种话我说不出口。"大真说："小真，你得替我想想……"小真说："再说被看的也不一定是我。"大真说："怎么不是你？那天出事的时候我刚刚下班回到家。"小真说："可是那老头儿看了两次。第一次看的一定是我吗？"大真说："小真你得摸着良心说话！"小真说："我没说一定是你，但也不一定是我。"大真说："你不跟许上树说清楚倒也罢了，怎么在我面前也想耍花招！"小真说："我没耍花招。这事儿我想了许多遍了，我真的拿不准头一天是不是自己洗的澡。你说你能拿得准吗？"

这天夜里大真没有睡好。本来在这件事上，不管外面怎么传言，她心里总归是踏实的，能够在许上树面前撑着劲儿。现在经小真一点，她的自信打上了问号。细究起来，她下班常常迟归，但不是每天都迟归的。她洗澡一般在小真之后，但也不是每天铁定的。日子太平常了，她做不到把每天的细节都记在脑里。这样想着，她心里有些乱。先前看上去明摆着的事，竟一下子有了疑点。

第二天一早，大真踏进五一爷屋里。五一爷正在吃稀饭，见大真进来，身子站起来，手臂垂下来。大真说："知道我来干什么吗？"五一爷说："不知道。"大真说："我想听听你那伤天害理的事儿。"五一爷说："我已经交代好几遍了。"大真说："你还得再说一遍！"五一爷说："那我就再说一遍。那天王红旗这兔崽子想跟我要钱，就说家里有稀罕东西。既是稀罕东西，我就去看看。我不知道这稀罕东西是一个小洞，洞里装着你们……"大真说："不是你们！你们是两个人以上，可你看到的是一个人。"五一爷说："的确是一个人。"大真说："那个人是谁？"五一爷说："不是你吗?”大真说:“不是!如果是我,我会大清早的跑来听你说这种事?”五一爷想一想说:“你是大真还是小真?”大真说:“我是大真。”五一爷说:“你要是大真,这么说来我看到的该是小真了。”大真说:“我当然就是大真。我跟小真有许多不一样的地方,我耳朵后面有一颗黑痣,我说话声音没她的脆,我的头发比她长了一寸,我傍晚下班比她迟一个小时……”五一爷说:“你说的这些我一下子记不住。”大真说:“你记住我每天下班很晚就行了。”五一爷说:“我记住这个有什么用?”大真说:“记住了就跟许上树说去。许上树是我的男朋友,你得跟他说,你干坏事干了两次,后一次被人发现了,发现的时候我正拿着杯子喝茶。前一次你没被发现,那时候我正在回家的路上,嘴里渴得要命。”五一爷说:“为什么要说你在回家的路上,嘴里还渴得要命?”大真说:“我每天回家都很晚,凭什么要在这一天早早回家?凭什么呀?”

晚上,大真照常去见许上树。许上树嘴角肿起一块儿,用红汞一抹,像在脸上盖了一个圆印。大真说:“痛吗?”许上树不吭声。大真说:“嘴巴不太好动对吗?”许上树仍不说话。大真说:“嘴巴不好动就静着。你光听我说话,我会说些有趣的事儿。”

大真说:“你还记得吗?第一次在电影院里,咱们还不认识,你就让我吃了个亏。那部电影,我只看进去片头儿。我记得一个游击队员去偷敌人的什么东西,正在街上搬着,一个警察过来了,怀疑地盯着游击队员。游击队员就拿手枪在裤兜里使劲顶出去,把警察吓住了。往下什么内容,我一点儿没有记住。那一个多小时呀,我眼睛里全是慌乱。散了场走在路上,我心里好一阵后悔。我想花了钱却没看成电影,还不如去吃一碗点心呢。”大真说:“说起点心,我脑子里跑出另一件事儿。有一回你请我吃面条,走了几家店不肯进去,说都是难吃东西,得另找风味儿。然后你驮着我骑了一小时,骑到五一河上头的一个镇子,咱们每人吃了一碗,嫌不够,又合吃了一碗。你说这镇子的面条就是别有风味。我说什么别有风味呀,是这一小时把我们熬饿了。”大真说:“这不算你最重要的傻事儿。你最重要的傻事儿是有一次带我去看枪毙。刑车在前边跑,咱们骑车在后面追。刑车上的犯人临死了还要乐一把,仰着脑袋吹口哨,你也跟着吹口哨,两个人比着谁吹得更响。这样吹了一路,你没吹过那杀人犯。你说这小子吹得真好……”

这时许上树突然说话了。许上树说:“一个晚上,你絮絮叨叨说那么多,我一点儿不觉得有趣。”大真说:“许上树,你别这样。”大真又说:“许上树,其实我只想说一句话,你明天得跟我去见一个人。”

第二天是个燥热的日子,大真吃过中饭,打伞去找许上树。许上树也在一家工厂上班,被大真叫出来,不说什么,骑上车就走。大真坐在后面指指点点,很快指到了医院。许上树以为是探望哪个病人,刚要迈进病楼,被大真引到楼后面去。许上树明白了，说："你是带我去见那个五一爷？"大真点点头："他会跟你说些话的。"许上树说："不就是那些话吗？你已经说过了。"大真说："我就要让他说！我知道他说了才好。"

到了太平间，大真有些怕，让许上树先进去。许上树进去又出来，说他不在。大真就左右抓人打听，很快打听到了：北门埠头有人投河，五一爷收尸去了。许上树说："天这么热，还接着跑吗？"大真说："当然了，我请了假出来的。"

两人骑着车往北门走。恰是正午时分，太阳罩下来，地上起了一层热雾。大真举着布伞，很快感到伞柄的烫手。街上明显地空疏，不多几个行人，早躲在两旁的阴影里了。只有一些瓜果和茶水摊儿敢扎在明朗地方。

抵达北门埠头，远远望见那里围了一圈厚厚的人。两人下了车，挤入围观的人群，只见埠头石台上一个女人散了头发在嘤嘤地哭，声音很干。旁边立着几个穿的确良衬衫的男人，一边比画着手，一边七嘴八舌去指挥五一爷。五一爷立在水中，手里抓着一只大的包袱，一步步往台阶上走。走出水面，包袱变成了尸身，并且显得很沉。五一爷抱住尸身，挣力走几步，滑落在台阶上，女人的哭声高了一下，马上被一个男人止住。五一爷攥住尸身的手臂往上拖，尸身的脚上没有鞋，脚后跟在石阶上一磕一跳。女人刹住哭声，奔过去双手护着脚后跟。

尸身上了石台，被五一爷搁在板车里。围观的人群蠕动一下，闪开一条道让板车出去。板车一出去，人群便慢慢散了。

五一爷拉着板车在街上走，后面随着那个女人和穿的确良衬衫的男人们。走了一段路，板车旁侧突然超过一辆自行车，在五一爷跟前停住。大真跳下车对五一爷说："你过来。"就引着许上树和五一爷往旁边走了十多米站定。三个人挨得很近，但大真手中的伞只遮住许上树和自己。大真说："你跟他说说。"五一爷说："我说什么？"大真说："说你干的坏事呀。"五一爷说："这个我不敢说。"大真说："我让你说你就说。"五一爷说："那我再交代一遍。事情是从王红旗这兔崽子开始的，他想跟我要钱，就说家里有稀罕东西。既是稀罕东西，我就去看看。我不知道这稀罕东西是一个小洞，小洞里装着你们……"大真怒道："不是你们！你看到的是一个人！"五一爷说："的确是一个人。"大真说："那个人是谁？"五一爷说："你是大真还是小真？"大真说："我是大真。"五一爷想一下说："你耳朵后面有一颗黑痣吗？"大真说有，随即转过脑袋，亮出耳朵后面的黑痣。五一爷说："你有一颗黑痣，那你就是大真了。"

许上树突然伸手搭在五一爷肩上，一用劲，差点把他提起来。五一爷说："你的力气真大。"许上树说："你的眼力更好，连一颗黑痣都能远远瞧见。"大真脑子嗡了一下，说："不是……不是这样的，我的黑痣他不是那时候瞧见的。"五一爷点着头说："她的黑痣我今天是第一次瞧见。"许上树说："老东西连说谎都不会！刚才你是第一次瞧见，可第一次瞧见之前就知道有一颗黑痣，还知道长在哪儿。你以为在跟一个傻子说话呀?!”大真说:“这颗黑痣是昨天我让他知道的。”许上树说:“昨天?你特地抽出时间让老东西看你的黑痣? 大真,你说乱了。”大真说:“我没有乱,是你的脾气先乱了。”许上树说:“我他妈的脾气好着呢!”

这时那几个穿的确良衬衫的男人走了过来,脸上透着不满。一个男人说:“你们打着伞,没完没了地说话,却让我们晒着。”另一个男人说:“不仅让我们晒着,还让尸体晒着,尸体晒久了会发臭的。”一个声音跟上来说:“他的思想臭了,可以让我们批判。他的身子臭了,只能让人恶心。”他们还想说下去,忽然静了。一个矮胖的人走前几步,瞅着大真说:“这不是双生女吗?”大真不吱声。矮胖的人说:“你们在说些什么? 我也想听一听。”其他人跟着说:“我们也想听一听。”大真说:“这跟你们有什么关系? 你们走开!”有人指着矮胖男人说:“怎么跟我们没关系,他是我们厂里的队长。”许上树说:“他是你们的队长,对我们是个屁。”矮胖男人上下打量许上树说:“你这么说我不生气,因为你正在难受。”矮胖男人回过头说:“你们说对吗?”其他男人嘿嘿笑了,点着头说对。矮胖男人说:“遇上这种事谁都要难受,心里会堵得慌。”大真说:“你们滚开! 你们回到死人那儿去!”矮胖男人回过头说:“她让我们滚开,她还让我们回到死人那儿去。”其他人又嘿嘿笑起来。笑声中有人说:“双生女这一位算是见过了,另一位还没见到。”另一个人说:“你真是百分之百的傻子!双生女的脸是不是一样的?”前一个人说:“是。”另一个人说:“双生女的手、双生女的脚是不是也一样的?”前一个人说:“是。”另一个人说:“那么,双生女的其他地方是不是也一样的?”前一个人说:“你的意思是看了一个人等于看了两个人?”另一个人摸摸自己嬉笑的脸,说:“这个你最好问五一爷去。”

他们这样说着,许上树已沉下脸走开,迈向那边的板车。他握住车把一掀,尸体滑出去,在地上打个滚儿。旁边的女人吃了一惊,把哭声升上去。

许上树低着脑袋走回自行车,跳上去一蹬脚,头也不回地去了。那些男人相互望望,收了兴致,回到板车旁边。五一爷犹豫一下,也弓着身子走回去,将尸体搬回车内。一帮人跟随板车,说着杂话走了。

剩下的只有大真。她看着许上树的车子越骑越远,一拐不见了。接着板车和那帮人出现在她视线里,慢慢向远处移去,一拐,也不见了。然后大真自己向前边走去。走了一会儿,她手脚有些用不上劲,头上像着了一把火。大真看看自己的手,手已垂下来,手里的布伞早没了。她回一下头,身后的砖道凹凸不平,在太阳里闪着水波似的白光。她想,伞子是什么时候丢的? 她又想,伞子丢了,我该躲着阳光的。

大真往街边阴影里走,走了几步,身子一软,矮在地上。她挣一下,身子没站起,眼皮倒盖下来。近旁有人瞧见她,叫了一声。叫声招来几个人,他们站在大真跟前,一边打量一边说话。他们说:“她的脸色真白,像一张纸。”他们说:“她不仅白,还冒着虚汗。”他们又说:“她一定是中暑了。”

这样一说，马上有人去叫人了。不一刻，其他人被拨开，进来一位皮肤焦黄的男人。他看一眼大真，捡起她的手细瞄指甲。大真弹开眼睛，见是一张男人的脸，一缩手说："别碰我！"大家说："这是放痧师傅。"大真说："不不，你们别碰我！"

六

大真被人送回家里，在床上昏睡了两天。院子里的人都知道大真病了，在太阳里中了暑。

两天过后，大真起床了。她脸上的苍白还没有褪去，一看就知道泄掉一些气神儿。但院子里的人都知道，大真的病好了。

大真照常上班、加班、下班。下班的时候，她会在厂门口注意地看一圈。然后淡了眼光，慢慢走回家去。她不再主动去找许上树，也不再伴着自行车在镇子的夜色里乱窜。

晚上不出去，大真的时间就放在了房间里。先前她挺喜欢与小真搭话，你来一句，我往一句，再掺进一些笑，便造出了气氛。现在她没兴致说话，又不便独自发呆，就取了一本书打掩护，目光放在文字里，心思早已滑到别处。那小真本也是需要安慰的，见大真这样，先舍下自己，拿些贴近的话去活络她。大真却不回应，脸静着，嘴也静着，那神色里不只是郁闷，分明还存了对立的冷漠。弄懂这一点，小真心里长出一堆杂乱的草。

到了睡觉时间，本来两个人是躺一头的，合眼前还要吱吱喳喳说一会儿话。现在大真把枕头搬到另一头，身子卷到一边，一副马上要睡的样子。其实她睡不着，她的脑子总是从某个细节出发，一下一下地往前跳，有时跳到一处茫然的地方，刚要歇息一下，脑子里又闪出另一个细节，催着她往别处跳。不用说，跳跃是累人的，仿佛一只篮球，满场子蹦弹着，却久久找不到要去的篮筐。在这种辛苦中，她终于越过清醒和蒙眬的界限，掉入睡眠里。在睡眠里她轻松多了，跳跃也改成散步。她一路走去，时常遇见熟悉或不熟悉的面孔。这些面孔喜欢停下来站在路边，等着她上去打招呼，跟他们说话。

大真在如此纷乱中睡了一夜。

第二天醒来，大真见小真挺坐在床上，拿眼睛守着自己。大真说："你这是干吗？我有什么可看的?"小真说："昨晚上你说梦话了。"大真说："我睡觉不说梦话，说我说梦话才是梦话呢。"小真说："你以前不说梦话，可昨晚上你说了！你好像在跟许多人说话，你说群众的眼睛是雪亮的，你说镇子里的人全瞎了眼，你说自己最不喜欢在别人眼前光身子洗澡，你还说在别人眼前光身子洗澡的一定是我……这种话你怎么敢说！"大真说："你说我跟许多人说话，那些人都是谁?"小真说："我怎么知道,只有你自己知道。”大真说:“我也不知道。”小真说:“不知道是谁就到处乱说,你怎么这样!”大真说:“我乱说了吗?我觉着我说得对呢。”小真说:“你说得不对!你说你不喜欢在别人眼前洗澡,难道我喜欢啦?”大真说:“别老提洗澡这两个字,那件事我想都不愿意去想了。”小真说:“可你在梦中不光想了,还说了。”大真说:“我说了也是在梦中,又不在梦外,你急什么!”小真说:“那我晚上也做一个梦,我也向许多人说去。”大真说:“你会说什么?”小真说:“我把你的话说一遍。”大真说:“我知道你要干什么,你总想把事情搅浑。”小真说:“我也知道你心里想的什么,你总想打盆水把自己洗干净,然后把洗下来的脏水往我身上泼。”大真说:“你又往水呀洗呀这些字上靠!”小真说:“难道我说错了吗?”大真说:“我倒想打盆水来,但我能洗干净自己吗?我他妈的能洗干净自己吗?”

两个人吵过,各自去上班。晚上回家,彼此不再说话,把屋子弄得很静。这静中分明有内容,只是这内容像空气中的热,能感觉到却捉不住。两个人撑着劲儿,把眼睛和身体都躲开对方。小真靠在窗户上,一边看窗外一边织着毛衣。因为小真织着毛衣,大真便要不一样,又不能老拿着书做样子,就取了一张彩纸坐在桌前剪花样。沉默中,一只蛾子从窗外飞进,在屋内扑来扑去。大真看一眼蛾子,不动身子。小真瞥一眼蛾子,也不动身子。

大真剪完一张图案,轻叹一口气,丢下剪刀去睡觉。小真坚持一会儿,也收起东西上了床。床不算宽,两只身子卧在上面,中间竟分出一条道来。想着上午的话头儿,两个人都留了神儿,不轻易睡着。黑暗里那只蛾子仍不肯出去,不时在墙上撞出声音来。两个人就静了耳朵等那声音,等一会儿,啪的一声,再等一会儿,又啪的一声。终于有一次,她们什么也没等到。

两人在无声的相持中有了睡意。小真因为要捉拿大真的梦活,硬拦住自己不睡。不久,她的努力得到回应。她先听到轻微的鼻息声,接着听到一阵磨牙声。小真翻一下身,细细听着。但大真只是吧嗒几下嘴,没有一点要说的意思,似乎要与她耗着。小真想,一定是上午说了她,她在梦里也拿着警惕。

小真困意越来越重,正要睡去,大真却有了动静。她突然坐起来,拉亮电灯,起身下床。小真以为她要小解,不想她在屋子里转一圈,走到衣柜前拉开抽屉找东西。很快她找到一张红纸,举到灯下细看一遍,然后坐在桌前拿起剪刀开始做事。小真不明白,又不愿意与她搭话,就眯眼瞧着。她看见大真的脸挺闲的,手里的剪刀也不慌不忙,仿佛正在打发一段空余的时间。小真心里一缩,有些害怕了。

大真把手中的纸剪好,撂在桌上,没事似的回到床上躺下。她忘了关灯。过一会儿,小真起身把灯拉灭,茫然着睡去。

第二天起来,两人仍不说话。小真暗瞧着大真,大真收拾桌子时发了呆,然后把目光往小真身上溜。小真想,她以为是我剪了那红纸呢。一边想一边朝桌上瞧,桌上那张红纸剪出的是一辆自行车。

因为惦着这件事，小真一整天过得不踏实，吃过晚饭进到睡屋，心里便稳不下来。到了睡觉时间，两个人一前一后上了床。黑暗中小真竟紧张起来，摸摸胸口，跳得有些快。她想用手捅一下大真，再说几句话。她把要说的话想好了，手却伸不出去。在这个时候突然开口，又说一些不明不白的话，恐怕只会添大真的怒气。小真沉住气候着，身上慢慢渗出一层细汗。

过不多久，大真果真又起床了。她拉亮灯，先在屋子里踱步，踱了几个来回，在衣柜前停住，然后拉开抽屉找纸，然后坐在桌前剪起来。这情景等于把前一天的纪录片又放一遍。小真侧着身子，眼睛瞪得大大的，手脚不敢动弹。她知道大真是在梦中，一旦被惊醒，准会吓坏的。

大真不知道自己夜里做了什么，但知道自己白天很不高兴。在家里不高兴，在外面也不高兴。说到底，她没做错一点什么，可所有人似乎都要跟她过不去。没有一个人对她好。

现在她怕走在街上，街上好像总有人在指指点点。她怕待在厂里，厂里好像总有人在交头接耳。她也不愿意在院子里走动，在院子里走动总会遇到堵心的事儿。

这天傍晚大真下班回来，刚进院子，见天井里围了一圈孩子。他们凑在那只大水缸边，一边扭着身子一边使劲叫喊。阿福还把一只手伸到水缸里动来动去。

大真走过去探头一看，原来水缸里游着一只黄毛小狗。它明显有些害怕，前腿搭住缸沿要爬出来，被阿福一掌推下去。推下去的小狗一边挣扎一边哀叫。小狗一叫，众孩子也跟着叫。他们叫的是："母狗洗澡！光身子洗澡！母狗洗澡！光身子洗澡！"

大真猛叫一声。这一声又尖又亮，盖过了众孩子的声音。他们扭过头来，看见大真白着脸，嘴唇很快地抖动。接着，他们看见大真转过身奔到墙根下搬起一块石头。这块石头不小，差不多有他们的脑袋那么大。一个孩子慌慌喊了一句，大家抱着头四下散开。大真没有追谁，她一步一步走到水缸边站定，举起石头砸向水缸腹部。咣当一声，水缸破开，水流蹿出来溅了大真一身。那只小狗甩在地上打着旋儿。

这天晚上，大真没有剪纸。她占住小真原先的位置，倚在窗边。

窗外是菜园子，一片暗色。没什么可看的。不过天上有不少星星，星星之间还挂着一只大半圆的月亮。大真对着大半圆的月亮久久不动。她的头发没有扎住，散在耳边有点乱。小真从背后瞧着大真，心里虚虚的，仿佛一团卷紧的毛线在慢慢松开。

当晚两人照常上床睡觉。半夜时分，大真又起床了。小真浅睡着，大真一动，她便醒了。她看见大真不再拉开抽屉，也不坐到桌前，而是出了屋子。小真想，这

《未完成的夏天》 钟求是

回她是真的小解了。

小解的去处是外屋的马桶间，但大真没有在马桶间停步，她拉开外屋门闩，走了出去。外面静悄悄的，整个院子都睡着了。她走过宅堂，来到天井场子上。场子空荡荡的，那只大水缸不见了。大真开始在场子上踱步，脚步轻轻的，走过去又走回来。伴着她走动的是地上一只淡淡的影子。后来她停住了，地上的影子也跟着停住。她抬头看一眼天空，上边有一只未圆熟的月亮。那月亮很白，向下洒着柔柔的银光，像水一般。大真忽然有一种要洗浴的欲望。她的手伸向汗衫衣摆，往上一卷，卷出了脑袋，然后她把花布裤衩向下轻轻一褪，丢在地上。

现在，大真用光溜溜的身子迎住月光。水一般的月光泻在她身上，让她有一种湿淋淋的感觉。她朝上张开手掌，似乎要接一捧月光。

就在这时，小真出现了。她弹跳着奔到大真跟前，朝那双张开的手掌使劲打下去。大真身子晃了晃，眼前飘过一阵雾，雾去之后，她瞧见了小真。小真正慌着手脚，把汗衫往她身上套。大真瞥一眼自己，脑子嗡的一声，眼睛瞪在那里，许久不眨。小真颤着声音说："你快穿上呀。"大真顺着小真的手穿上衣服，说："这是在哪儿?"小真说："你自己看。"大真望望周围，松一松心说："是在梦中呢。"小真呜地哭了，说："不是在梦中不是在梦中!"大真赶紧一拧自己的腿，收到一阵痛。大真呆了呆，突然一伸脖子，欲发出一声叫喊，但这叫喊似乎太尖锐了，只挤出一股气流，声音卡在了嗓眼里。

七

大真怕了自己，也怕了睡觉。

与小真倒开始说话，但到了此时，似乎又没什么话可说。夜来了，大真仍坐在桌前剪纸，只是剪着剪着会突然停住，双手与脸一起发呆。睡觉已乱了次序，小真先打着哈欠躺下，大真再拖一些时间才上床。上床后她用一根绳子捆住自己的脚腕，另一头拴在床挡上，这样一起身，就能把自己弄醒。又怕在梦中自己解开绳子，她把绳结系得很死。

灯熄了，大真仍不踏实，就让自己睁着眼睛。眼睛在黑暗中待久了，会看出白色的虚影。这些虚影晃来晃去，使人很不舒服，大真只好把眼睛闭上。眼睛一闭上，脑子马上活了，像一条小狗撒着欢儿跑起来。它跑到一片极大的野地里，东嗅一下，西吠一声，还在地上打几个滚儿。然后，小狗遇到一个黑色的洞口，犹豫一下，钻了进去。黑洞似乎很深，空荡荡的，小狗先是小心着走几步，然后提着劲儿跑。不知跑了多久，前方终于出现一个亮点。这亮点越来越大，变成一个出口。

出口的亮点是晨光。夏日天亮得快，大真不费很大劲儿就把早上等来了。这一夜，大真其实没有睡着。

失眠来了之后便不容易赶走。第二天晚上，她又没睡着。第三天晚上，她把绳子解开，松了手脚睡，仍睡不进去。几个夜晚下来，大真眼里爬出血丝，脸上像撒了一层灰。小真见她这样，害怕起来，说："你别去厂里了，白天在家补点觉吧。"大真木着脸摇摇头。她要去上班。

这天上班路上，大真正走着，旁边一串铃响，驶过一辆自行车。大真想这不是许上树吗？就追几步跃上后座。骑自行车的吓一跳，扭了几下翻身倒下。骑车的人说着骂话爬出来，一看身后是个女的，便奇怪地瞧她。大真恍惚着扮一个笑脸，转身走了。到了厂里，脸还在虚虚地笑。

过了几天，厂里一个人送大真下班，对家里人说："大真很不对劲儿，这样没法在厂里做事的。"又说："先别让她上班，歇几天再说吧。"大真父母又慌又急，却想不出好办法，只让小真盯着大真。小真对大真说："我早说过的，你得在家歇着。"大真说："我好好的，也没感冒也没中暑，你们干吗不让我上班？"小真说："你得睡觉你知道吗？"

但大真认为白天不是用来睡觉的，她宁愿干一些其他事情。她先把这些天积攒的剪纸拿出来，一张张翻过，竟发现每一张都不顺眼，每一张都不好看，就拿起剪刀一一剪碎。剪乱的纸片被她捧到窗口，用嘴一吹，脱离手心飘到窗外去。然后她的眼睛左右一扫，停留在小真未织完的毛衣上。这件毛衣只有一只袖子，看上去多么别扭。大真拾起剪刀，对着那只袖子用劲铰下去。接着，大真想起另一样东西。她让身子贴着板壁移过去，很快在上面找到一块方形纸板，使使力把纸板揭下，出现一个小洞，小洞的那边是钉实的木板。大真用手摸摸洞孔，笑了一下。她想谁也不能拿这个小洞耍什么花招了。

这天下午，大真还做了一件事。她站在镜子前看自己，看一会儿，突然转身又找来剪刀，把辫子扔到胸前拦腰剪断。头发散开来掩住她的脸，使她看上去马上有些不一样。

傍晚小真回家见了她，吃一惊说："你怎么把头发剪了？"大真说："剪了好，剪了我就不是小真了。"小真说："你本来就不是我，你是大真。"大真说："本来我是大真，可许多人说我不是我。"小真说："大真，你说什么呀！"大真说："如果我不是我，就会是小真，可小真明明是你。"大真说："你是小真，我不是你，那我应该还是大真。"大真又说："现在我剪了头发，脱掉衣服也跟你不一样，就是五一爷都不会看错了。"

大真的神情把小真吓住了。小真走出睡屋，半哭着对父母说："看来大真真的病了。"父亲跺着脚说："你们是一样的人儿，为什么你就没事儿，她偏想不开？"小真说："大真跟我不一样。"父亲说："有什么不一样？"小真说："她比我多了一个许上树。"父亲叹口气说："得把许上树找来，兴许他能治大真的病，让她缓过劲来。"小真说："许上树不会来咱们这院子了。大真这个样子，来了也会把他吓跑的。"父亲说：

“这个大真，硬把我的脸给丢尽了！”

事情没有到此刹住。天黑下来后，大真溜出屋子来到五一爷家。五一爷正坐在竹椅上打盹儿，听到声响弹开眼睛，脸上惊了一下。大真说：“五一爷，我让你看看我的头发。”五一爷站起身，弓着腰看地上。大真说：“你看我的头发怎么样？”五一爷说：“好。”大真说：“现在你知道我是谁了吧？”五一爷想一想说：“你是大真。”大真高兴了，说：“你最好给我开一张证明。”五一爷说：“什么证明？”大真说：“认定我是大真的证明。我拿到厂里一印，见到谁都发一份。”五一爷糊涂着脸说：“这……这个证明我不会。”大真说：“不会没关系，你看看就学会了。”五一爷说：“我看什么东西？”大真说：“你门上有小洞吗？”五一爷说：“没有。”大真说：“那也没关系。现在你出去，站到门外去，我把门关上，留一条细缝，你从门缝里看我是大真还是小真。”五一爷缩缩身子说：“不用不用，你是大真我知道了。”大真说：“光这样知道还不算，我脱掉衣服你也得把我认出来。记住了，我现在头发比小真短，光着身子头发也比小真短。”一阵惊慌从五一爷脸上掠过，他知道大真在调理自己，便垂下眼睛不再说话。

但大真是认真的，她把五一爷推出屋外，掩上门，裂开一条门缝。昏暗的灯下，大真仰头想了想，进入洗浴的状态。她把布衫往上一掀，两只奶子跳出来，然后布衫离开脑袋落在地上……

五一爷站在门外瞪着眼，一口气憋在胸口，半天出不来。他在原地转了一圈，终于找到方向。他沉着脚步朝大真家奔去，不长的路，见到大真父亲已气喘吁吁。

小真和父亲随五一爷跑回屋子。大家推开门又退出来。父亲对小真挥挥手说：“你进去。”小真就进去了。大真父亲和五一爷僵在门口，低了头不说话。沉默中，大真父亲突然一跳身子，向五一爷甩出一记耳光。

大真他们走后，五一爷坐在灯下，因为驼着身子，脑袋的影子到了膝盖上。他双手摸一会儿膝盖，站起身走到一个旧柜子前，打开柜门，里边挤着一堆脏乱的瓶子。他伸手摸几下，摸出一只剩着半截白酒的瓶子。他站在柜子边喝一口，走回椅子坐下来，马上又喝了一口。胃里蹿上来一股气，让他打出一个响嗝。

五一爷垂下眼睛，对着膝盖上的脑袋说：“一个好端端的姑娘，没花多少日子，就把自己的脑子弄坏了。这个孽造得真大呀！”停了停，他又说：“她多大了？到二十了吧？二十岁可是个好年龄啊！你比她多活了四十多年，你的背已经驼了，你身上哪儿都是皱纹，你都活成这个样子了，可你的眼神儿为啥还那么好呀！”五一爷说：“老天爷，是我做错了事，你该惩罚我才对。我老了，扔到哪里都是一堆不值钱的肉。”

五一爷捧起酒瓶，又往嘴里灌了一口。由于灌得太猛，酒从嘴角溢出来。他拿手擦一下，擦到一阵疼痛。疼痛来自大真父亲的巴掌，巴掌来自大真父亲的愤怒。

五一爷想，他愤怒得对，换了我，也会扇你嘴巴的。你这个老东西，打你一次打不够。五一爷又想，我应该自己扇自己嘴巴，一次两次三次，我至少得扇自己三次呢。

这么想着，五一爷马上举起巴掌，拍在自己脸上。五一爷说："这第一个巴掌是打你经不起哄弄，见了小洞就往上凑。"五一爷摸一下脸，又抬手重重打下去，说："第二个巴掌打得狠了些，这是打你起了坏念头，歪着心思还往王红旗家里跑。"顿一顿，五一爷再次在自己脸上拍出声响，说："这第三个巴掌打的是今天晚上，今天晚上你缺了心眼，没挡住大真脱衣裳。"五一爷最后说："本来还要打你第四第五个巴掌的，只是你这张老脸，就是打一百回也不能把事情打回去了。"

经过晚上的折腾，这一夜五一爷没睡好。第二天起床，身子有些乏。吃过早饭，拖着手脚慢慢往医院走。走到街上，一辆自行车从远处飘过来，在他跟前猛地刹住。五一爷收住步，抬头一看是许上树。许上树说："五一爷，我在等你呢，远远的我一眼认出了你。"五一爷说："我也认出了你，你是大真的那个……"许上树说："你的眼神真好！"五一爷说："你找我……有什么事吗？"许上树说："昨天晚上……我待在井台上，浇了一夜的水儿。"五一爷明白了，说："昨晚上不是我的错。"许上树说："我身上那个热呀老浇不凉，我把井水都用浅了。"五一爷说："昨晚上我真的什么也没做。"许上树说："后来我上床睡觉，脑子里尽是梦。我梦见自己骑着车子，后座明明是空的，大真的说话声却跟着车子走。"许上树停一下，长吸一口气说："她的声音弄得我心里很痛。真的很痛！"五一爷说："你打我吧，你往我的脸上扇巴掌。"

许上树一只手搭住五一爷肩膀，另一只手攥着车把往前走了几步，说："我不打你，我在这儿等你是告诉你一声儿，我想跟你聊聊话。"五一爷俯着头不吭声。许上树又说："不过现在我不跟你多聊，晚上吧，晚上我上你家去。"

吃过晚饭，五一爷坐在竹椅上摇着蒲扇等许上树。屋外院子有人在乘凉，说些轻细的闲话。五一爷听不清那些闲话，就自己想些事儿。想着想着，他睡着了，蒲扇掉在地上。

不知过去多久，五一爷醒来，屋外已没了说话声。五一爷起身看一下闹钟，嘟囔着说，他今天不来了。正要上床躺着，门"吱"的一声。五一爷想，刚才我说得不对。

许上树闪进身子，眼睛盯着五一爷，背后的手将门闩上。五一爷说："来啦？"许上树说："我好像来晚了。"五一爷说："你再不来。我就上床睡觉了。"许上树说："我没办法，来早了会碰上院子里的人，我懒得跟他们打招呼。"五一爷点点头说："你来早了会碰上乘凉的人。"许上树说："你怎么不出去乘凉？外面比屋里肯定舒服。"五一爷说："我不太怕热，我用用蒲扇就行了。"许上树看看地上，地上有一把蒲扇。他捡起来递到五一爷手里，说："听说太平间挺凉快的。"五一爷说："不光凉快，跟死人待在一起，心里还踏实。"许上树嘿嘿笑了，说："别人见到死人怕都怕死了，你还说踏实。”五一爷说：“不过干活的时候有些累。我老了，死身子又那么沉。”许上树说：“可你的眼神儿不错。”五一爷说：“眼神不是力气，我的力气不够用了。”许上树说：“五一爷，我有一个办法可以让你好好休息，不再说累了。”五一爷睁大眼睛瞧着许上树。许上树从裤兜里掏出一枚钉子，又掏出一把榔头，说：“这是一枚钉子和一把榔头。我的办法很简单，用榔头把钉子钉进你的眼睛。”

五一爷的脸扭了一下硬住，瞪大的眼睛干干的，久久不动。半晌，他慢慢松了身子，嘴里说：“我知道会这样的，我知道的。”

许上树跨前一步，掐住五一爷的脖子，又迈几步将手中的脖子顶在板壁上。许上树说：“不许乱动，你说过你的力气不够用了。”五一爷喘着气说：“钉别的地方行吗？不要钉我的眼睛！”许上树说：“你的眼睛留着还有什么用？你他妈的还想看女人的奶子吗？”五一爷闭上眼睛不说话了，眼眶周围一颤一动的，有几粒汗星儿渗出来。

许上树把钉子扔到嘴里，舌头一卷，钉子从双唇间长出来。五一爷弹开眼睛，突然说：“你松手，这事儿我自己来做。”许上树狠着脸不吭声。五一爷说：“你钉了我，要吃罪的。别让我再害人了。”许上树松开了手。

五一爷胸膛起伏几下，把气稳住，轻轻地说：“让我再看点儿什么。”许上树说：“你看吧。”五一爷慢慢转着身子，把屋子看了一遍，然后抬头望望窗外。窗外的视角不大，只有一小块天空，上面有几颗零落的星星。

许上树说：“你还想看什么？”五一爷说：“不看了，你把钉子给我。”许上树把钉子递给他。五一爷掂一下钉子说：“一颗钉子不够，我得再找一颗。”说着拉开桌子抽屉，翻了翻，没找到。再拉开一只抽屉，找到了。

五一爷缓缓走几步，让两只手搭在板壁上。两枚钉子从手指间钻出，对准了他的眼睛。五一爷回头看一眼许上树，叹口气，转头用眼睛瞄准钉子，脑袋使劲向前磕去。许上树紧着脸站在那儿，嘴巴动了动，说：“五一爷，我对不住你！”顿一顿，又说：“五一爷，你不该看大真的！”

八

五一爷坏掉眼睛后，便不去医院做事了。不长的时间里，他学会了做饭擦澡和洗衣裳。邻居们的脸色已看不见，但他们愿意给他捎点菜什么的。而且眼睛一瞎，其他触觉倒清明了。譬如没有太阳影子，照样能拿准一天的时辰到了哪里。又譬如晚上追着鸣声，能一连拍死好几只蚊子。现在五一爷知道，整天待在黑暗里也能把日子过下去。

医院的活儿已被人替下，可外头出了死人的事，有人还会想到他。隔几天，就会有脚步声和呼叫声闯进他屋子，引着他去“见”尸体。尸体的旁边，总站着许多有力气的人，但他们不准备把力气花在死人身上，甚至碰碰死人的手脚都不乐意。他们只舍得费些口舌，指点他如何翻身搬运，指点他如何把尸体搁在板车上。在搬弄过程中，他能听到周围害怕的喘息声，这提示着死人的样子很难看。但现在对他来说，眼不见心不烦，再丑再脏的尸体也难不住他了。

办完尸体的事，五一爷就默默拉着板车回家。每次出门总有人领着，回来时别人便顾不上他了。好在镇子的路在他脑子里没有乱，偶尔乱了也能从行人嘴里问回来。只是快到宅院时经常会遇到一些捣蛋，先听到一阵想压又压不住的笑声——那是阿福们作乱前的信号，然后板车一下一下重了。当重得拉不动时，五一爷就停住脚步，转身将车一掀，几只身子骨碌碌滚下车子，嬉骂着散开。五一爷心里一乐，也不说话，没事似的继续走路。这时他会记起王红旗。他静着耳朵，没能从旁边嬉闹里拣出王红旗的声音。他想，好久不见王红旗这兔崽子了。

一天下午，院子里很静，五一爷正要打个瞌睡，忽然觉得门外有点声响，细听一下，又似乎没有。他走过去拉开门，在门边站一会儿，说：“是王红旗这只兔崽子吧？”门前石阶上站起一个人，说：“咦，你怎么知道是我？”五一爷笑了说：“你那兔子味儿我还能闻不出来？”王红旗说：“我在这里已经坐了好一会儿。”五一爷说：“你找我什么事？”王红旗说：“我不找你，我只是坐一会儿。”五一爷说：“坐在石阶上不如坐到屋子里呢。”王红旗说：“我不进你的屋子，我爸我妈不让我跟你说话。”五一爷说：“可现在你已经跟我说话了。”王红旗说：“这不算，是你先跟我说话的。”五一爷说：“好久没听到你的声音了，最近在做些什么？”王红旗说：“老在家里待着呢。阿福他们不喜欢跟我玩，他们说我……”王红旗把话刹住，不说了。五一爷想一想说：“你先回去吧，不然你爸妈又该说你了。”王红旗似乎迟疑了一下，慢慢把脚步声带走。

过了两天，五一爷的门被轻轻推开，一只小小的身子停在门缝间。五一爷用耳朵听了听，说：“又是你这只兔崽子。”王红旗走进屋子说：“我爸妈说了，你现在是瞎子，可以跟你说说话的。”五一爷说：“一定是兔崽子一个人在家里闷得慌，就跑我这儿来散心。”王红旗说：“不对，我找你是问些事情的。”五一爷说：“问事情得找老师去，老师的学问大。”又说：“小孩子应该上学的，你为什么不去上学？”王红旗说：“假期还没完呢。这个暑假太长了，长得像一泡尿。”五一爷嘿嘿一笑，说：“一泡尿能有多长？这个比方打得不好。”王红旗说：“那么像一条路，弯弯曲曲的路。”五一爷说：“这个比方打得好，听上去有学问。”王红旗说：“五一爷，你眼睛坏了，怎么还可以在外面走来走去呢？”五一爷说：“你来就是问这事儿？”王红旗说：“也算是吧。”五一爷说：“我眼睛是坏了，可我还有耳朵鼻子，特别是还有脑子。”王红旗说：“我不明白。”五一爷说：“人的脑子能装许多东西，这路呀房子呀都可以放进去。我在街上一走，那些房子道路就跳到我跟前，这个时候呀，我的脑子像在放一部电影。”王红旗嘻嘻笑了:“眼睛瞎了还能放电影,我是第一回听到呢。”五一爷说:“脑子也是眼睛,脑子坏了才是真瞎子。”王红旗说:“五一爷,大真的脑子算不算坏了?”五一爷说:“坏了。”王红旗说:“那她是个瞎子啦。”五一爷点点头说:“她眼睛还在,可她瞎了。”

两个人不再说话。五一爷坐在竹椅上,能感觉到王红旗跳上桌子,坐在那儿把双腿甩来甩去。过一会儿,他听见王红旗说:“五一爷,我,知道你心里很难过。”五一爷说:“我这把年纪,好看的不好看的都看过了,我看够了。”王红旗说:“好东西是看不够的。”五一爷说:“我眼睛不坏,整天看的会是死人的脸。”王红旗说:“可你也看过许多好东西呀,你说你最爱看的是什么?”五一爷想了想,没有吭声。王红旗说:“你怎么不说话?”五一爷说:“我眼睛坏掉前,最后瞧了一眼天空,上面几颗星星挺好。”王红旗说:“那是你看到的最美的东西?”五一爷说:“算是吧。”王红旗静一下说:“你说的东西一点儿也不稀奇。”

王红旗的出现给五一爷的日子添了些活气,隔上一两天,王红旗就会敲开五一爷的门。屋子里的东西乱了,他帮着摆好。五一爷要买点什么,他拿着钱跑出去,又满头大汗跑回来。更多的时候,他们是坐着闲话。王红旗问什么,五一爷就答什么,顺便还说些奇趣故事。五一爷说完了,也让王红旗讲点什么。王红旗便说些院子里的近闻。五一爷废了眼睛,不是什么事都知道的。

一天晚上,院子内响起一阵嘈杂声。两三个人从院门外进来,被更多的人围住,密密地说些话,许久才散开。不一会儿,王红旗溜进屋子拉开灯,说:“五一爷,是大真的事哩。”五一爷说:“大真怎么啦?”王红旗说:“她在电影院里找人,被人送回来了。”五一爷嗯了一声。王红旗说:“已经放电影了,她满场子晃来晃去,还到处瞧别人的后脑勺。”五一爷又嗯了一声。王红旗说:“大家开始以为她在找座位,后来才知道不是。知道不是就生气了,就把她轰出来了。”五一爷说:“这个大真啊!”王红旗说:“五一爷,她干吗要看人家的后脑勺?”五一爷想了想,没想出来,说:“我也不知道。”

没过两天,院子里又响起嘈杂声。先是几个声音相互缠着,然后一只声音跳出来,哭诉着什么。五一爷料想又是大真的事,就等着王红旗来递话。果然,王红旗来了,说:“小真打了大真呢。”五一爷吃一惊说:“她干吗要打大真?”王红旗说:“小真不让大真出去,大真偏要出去,出去了还干些不着调子的事。”五一爷说:“大真管不住自己了。”王红旗说:“别人见大真这样,就起哄。起哄大真不要紧,下一次小真出去,别人也起哄。”五一爷说:“兔崽子,街上到处都是你们这些兔崽子。”王红旗说:“大家认不准大真小真呢,见了小真以为是大真,笑嘻嘻地凑上去摸她的头发摸她的脸。”五一爷甩甩头说:“作孽呀!”王红旗说:“小真回来就哭,还跟大真说你怎么不去死呀,你不去死我去死。”五一爷说:“大真说话了吗?”王红旗说:“大真说得有趣。她说死是大事,得跟许上树商量商量。她老惦记着许上树哩。”五一爷不说话了，但喉咙里慢慢渗出一种暗响。那是一声长叹。

下一天傍晚，天突然下起阵雨，空气里少了些闷热。五一爷听着雨声，一边打了个盹儿。等他恍然醒转，王红旗已坐在旁边。五一爷说："我猜呀，你又带来了大真的什么事。"王红旗没吭声。五一爷说："你为什么不说话？"王红旗说我点头了。五一爷说："你点头我看不见。"王红旗就把新的消息说了一遍。今天下午，大真去了许上树厂子。厂子门卫见是大真，赶紧拦住不让进。大真说我有要紧的事要跟许上树商量。门卫说你说说看是什么要紧事。大真说是生与死的事，你不懂的。门卫就不理她了。大真也不闹，想了一会儿，说要给许上树写信。门卫很想打发她走，给了一张纸一支笔，大真就在纸上写字。

五一爷说："她都写些什么呢？"王红旗说："她写了很多字，一张纸都满出来了，其实就是三个字，许上树许上树许上树。"五一爷说："随后许上树出来了吗？"王红旗说："他没出来。"五一爷说："那他得回信，至少也写张纸条出来。"王红旗说："大真脑子瞎了，许上树怎么回信呀。"五一爷说："可是大真心里，还是等着回信的。"王红旗嘻嘻笑了："大真什么也没等到，就是等着了一场雨。她被雨浇了。"五一爷说："大真应该躲雨的。"王红旗说："她不躲雨，别人拉她也不走。她说她在等人呢。"五一爷说："那么多人就看着她站在雨中？"王红旗说："听说有人看不过，就送一把雨伞给她，被她扔掉了。"五一爷身子一紧，说："她没……没把衣裳也扔掉吧？"王红旗说："那倒没有，不过她对送伞的人说了一句没头没脑的话。她说怪不得许上树爱往身上浇水，原来在水里待着挺舒服的。真的，她就是这么说的。"

这一夜，五一爷没睡踏实。第二天吃过早饭，五一爷拎着竹椅迈出屋子，走过天井，把椅子搁在院子大门边的墙根下。上午的太阳斜着，不算很热。五一爷坐在那儿，脸上淡淡的，耳朵却觉醒着。他要守住院门不让大真出去。不让大真出去就是不让大真吃亏。

上班出门的杂闹已经过去，但仍有人走出走进。走进的脚步省去不管，走出的脚步得一一捉住。有时，其中的一个脚步声会停下，说："五一爷，你坐这儿干吗？夏天还没过去，你就急着晒冬啦？"五一爷嘿嘿一笑，不说话。过一会儿，又有一个脚步收住，说："五一爷，你坐的地方现在背阴，待会儿太阳一高就晒到了，你还是坐到宅堂上比较凉快。"五一爷又嘿嘿一笑，不吭声。这样说了几回，就没有人再为他停步了。

一个上午，五一爷没有等到要等的脚步声。午饭时，回来的人渐渐多了，五一爷拎着竹椅子走回屋子。中午过去，院子里静下来，五一爷又和椅子一起来到大门边，坐到墙外边的阴影里。此时的阴影还窄，坐在那儿仍沾着很猛的热气，好在现在五一爷手里比上午多了一把蒲扇。他摇着扇子，静下心候着。候了一会儿，他摇扇的手停住，脑子迷迷糊糊的要睡。还没睡着，耳朵里响起一阵轻软的脚步声。五一爷跳起来，朝脚步声追几步，嘴里喊站住站住。脚步声站住了，说："五一爷，你什么事呀？"这是一个姑娘的声音，但不是大真。五一爷缩缩脸，说没事没事，低头退了回去。接下去的时间，五一爷提了神儿，不敢再把脚步声弄错。

下一日，五一爷仍把上午和下午打发在院子的大门边。不过这一天他留了个意，把进出的脚步声攒起来。临近傍晚时，他攒了八十多次。八十多次由许多邻居凑成，但没有大真的份儿。五一爷对自己说，我得高兴才是呢。想了想，他又说，反正我有的是时间。

五一爷没有想到，自己的守候只能持续两天。

这天晚上，院子里再次出现纷乱。一个声音从大门外一路响进来，点燃了一群声音，然后一阵乱步向大门外奔去。五一爷站在窗边，使劲支着耳朵，一边等着王红旗来报告。不一刻，门猛地甩开，进来一个人，却不是王红旗。那个人说："五一爷，出事啦。"五一爷慌一下说："谁出事了？"那个人说："大真呀，她投河了。"五一爷说："她……她投河干什么？"那个人说："寻死呀，不寻死我找你干吗？！"五一爷喘一口气，眼睛睁了睁，像是要看什么。那个人说："你还愣着干啥？她家里人都去了，我得领着你去。"五一爷说："板车吗？"那个人说："板车板车。"

五一爷拉着板车随那个人走。到了街上，伴行的脚步慢慢多起来。这时候五一爷拉着板车去干什么大家都知道，知道了就喜欢跟着走，板车停下的地方正是他们可以看热闹的地方。众人的跟随显然让那个人感到自己的重要，他不停地向五一爷说话。那个人说："大真去河边是找许上树的。她找他好几回，这回找到了。她不光找到了许上树，还找到了其他人，他们都有一辆自行车。"那个人说："大真见到许上树的自行车就往后座上坐，许上树不让坐，推着车子要走。大真说你别走，我找你是商量事情的。有人说商量什么事情呀。大真说：给我一句话，我要不要去死呢？很多人就哈哈大笑。许上树对着哈哈大笑的人吼了一声，跳上车子走了。他一走，其他人也一阵风似的走了，把大真一个人丢在那儿，然后大真就把自己扔进了河里。"那个人又说："这个大真呀，说她明白吧，已经不会说像样的话了，说她不明白吧，还懂得活着已没啥意思。"

到了五一河边，跟来的人群散开与原地的人群围在一起。有人说来了来了，众人让开一个口子让五一爷的板车进去。进去了才知道尸体还在水中。一个声音急急向五一爷说明情况：这段河岸较高，离水面有二三米。尸体仰在水里，已被竹竿戳住，不至于漂走。现在有几束手电灯光在尸体上晃来晃去，但没有一个人愿意下去，下去了一时也没办法把尸体弄上来。这个声音说："如果是上游漂下来的好东西，早捞上来了。可要对付死人，只有你有办法。"

五一爷不说话，探探手摸到板车把子，接着摸到拴在把子上的一束绳子。他把绳子取下，系在自己腰上，然后把另一头交给旁边的人。旁边的人立即明白了，好几只手攥住绳子，把他一点点往河水里放。有人还帮着叫："看手电看手电！"他忘了五一爷现在是个瞎子。

五一爷刚沾到水，便伸出手去。他触到了一只身子——身子还柔着，但已有些冷。五一爷吸一口气，探手去摸浮着的头发，顺着头发又去摸那张脸，顺着脸又摸及耳朵。在耳朵后面，他摸到一颗小小的黑痣。五一爷的手微微抖起来。

岸上催叫声响起。五一爷解下绳子，绕在大真的腰上。绳子往上一起，将大真脱离水面，她的头发垂下来，撩过五一爷的脸。绳子再往上一起，大真便上到岸上。一阵哭声掉下来，浮在水面上。五一爷用手搭住水边石头，默着脸，水中的身子像是不动，却一点点在蜷缩，差不多缩成了一团球。他突然想：我蠢呀，我守了两天没有守住，我以为晚上会有人看着的。

过了片刻，岸上的人记起五一爷，忙放下绳子把他提上来。五一爷松松手脚，呆站着听别人吩咐。别人递给他一块毛巾，说擦擦脸吧，他便擦擦脸。别人说搬上去吧，他弯腰揽住大真身子搁在板车上。别人说走吧，他握住车把慢慢往前走。他一走，把一大群人牵动起来。

走了一会儿，跟随的人群竟不减少。杂乱脚步声中，一个声音突然叫道："瞧五一爷，五一爷脸上有泪水呢。"另一个声音接上去说："不光有泪水，他的嘴唇一直在抖动哩。"

他们这么一说，五一爷便知道了自己脸上的动静，但他不准备制止自己。他甚至顾不上用手背擦一下脸。现在，他只留神脑子里慢慢浮出的一个场景，那是王红旗仰着头在提问题。王红旗说："五一爷，你看到的最美的东西是什么？"那天，他说是天上的星星。他骗了他。下次这兔崽子再问起时，他得告诉他：在他家小洞里瞧见的身子，才是自己这辈子看到的最美的东西。

选自《当代》2005 年第 4 期

钟求是

1964 年出生。毕业于中央民族大学经济系和鲁迅文学院第三届高级研讨班。中国作家协会会员。发表中短篇小说多篇，部分作品被转载，多次入选年度选本。主要作品有《谢雨的大学》《你的影子无处不在》《秦手挺瘦》《诗人匈牙利之死》《雪是最白的纸片》等。

我们的路

罗伟章

我刚走出售票厅，春妹就迫不及待地迎上来问："我们的座位在一起吗？"

我摇了摇头，怯怯地看了她几眼才说："春妹，怎么办呢，只剩最后一张票了。"

春妹一听，泪水滋滋地冒出来，使她又深又弯的睫毛亮闪闪的。

"大宝哥，你拿着车票回家吧，"她说，"我回不去就算了。"

春妹的哭和她乞求的目光让我很恼火，我想她不应该哭，也不应该乞求，她出来才一年多，而我整整五年没回过家了；我家里有妻子，还有女儿，老实说，我已经忘记了她们的模样！女儿自不必说，我出门的时候她不到三个月大，可是妻子的长相我也忘了，晚上想她的时候，一会儿她是这个样子，一会儿又变成那个样子，飘飘忽忽的，老也固定不下来。我想我无论如何也该回去一趟了，再不回去我就把家给丢了。

可我手里只捏着一张票！眼下离除夕不到一天半，错过这趟列车，就只有买年后的。最早也是正月初一。然而真到了那时候，我就舍不得回去了，我干活的那家建筑工地，说好正月初五开工。从广东回到我四川东北部的老家，说什么也要两天，我总不能回家屁股也没坐热，又颠颠扑扑地往路上赶。

我把春妹让我帮她买车票的钱还给她。

春妹猛地收住哭声。她是绝望了。她刚过十六岁，绝望起来却像个大人似的，眼里装满了内容，又仿佛什么也没装，冷静得让人可怕。

她说："大宝哥你慢走啊，大宝哥你回去后不要对我爸妈说啥啊……"

"你相信大宝哥，我不会说的。我就当啥也不知道。"

春妹又哭了，无声地哭，眼泪一潮一潮的，把一张稚嫩的脸弄得花里胡哨。春妹哭得无声，她背上的孩子却哭出了声。那孩子是她一个半月前生下的，是个男孩，瘦小得像只老鼠，哭起来也像只老鼠，吱吱吱叫。春妹隔着背裙搂住孩子的屁股，一边轻轻地抖，一边别过头，嘴里喔喔喔的："我的宝宝饿了，我的宝宝要吃奶奶了，妈妈知道，妈妈等会儿就给我的宝宝喂。”

这期间，她的泪水来得更勤，从黄皮寡瘦的两腮汇聚到尖尖的下巴上，在下巴形成一根水柱子，不断线地往下滴，把前胸湿了好大一片。

那真是眼泪湿的，而不是乳汁，虽然刚生了孩子，春妹的胸脯却还是那么不起眼，两根背带从中间勒过，也没鼓出一点内容来。人心都是肉长的，这情景轮到谁见了也会心软，我一把抓过她手里的钱，将车票塞给她，迅速转身穿过人山人海的广场，坐车回工地去了。

我劳动的工地在广州正西的佛山境内。铁皮工棚里搭的是地铺，住了四十二个人，现在有一大半被盖叠得规规矩矩，它们的主人都回了家；剩下的一小半，除了我，也都到别的工地找老乡去了。在整个佛山，我只有一个老乡，就是春妹，可是她再等三个小时就该上车；在东莞和顺德还有老乡，但相距太远，再说我也不知道他们是否回家过年。

该是吃午饭的时间了，可我没有心情吃饭，鞋子一脱就钻进被窝，把头蒙得死死的。我再一次想起我的妻子和女儿。二十天前，我给家里发过一封信，说我今年春节前一定回去，具体哪一天到家，我没说，也没法说，这就意味着可能是昨天，也可能是前天，我妻子就会带着女儿去村口的大石盆上等我了。她们会从早上一直等到天黑。那块石盆光秃秃的，前后左右都是大片大片的青冈树林，这时节，青冈树剩不了几片叶子，寒风可以自由自在地穿林而过，人站在石盆上，会被吹成冰棍的。妻子是有风湿病的人，哪经得住这样吹呢……我的妻子和女儿盼啊等啊，结果把春妹等回去了，春妹会告诉她们，说大宝哥今年又不回家过年了！

这成什么事呢，难道我郑大宝为了挣钱，连家也不要了吗？

每年春节前，天晴也好，天阴也罢，都阻挡不了空气里浮荡着的节日气氛。这气氛到了我的眼里，全都变成了寂寞。尤其是今天，我本来决意回家，而且有机会回去，结果我把机会让给了春妹。

想到这里，我无法不怨恨春妹。她真不该哭。来广东不过一年多，年龄刚满十六岁，就生了一个孩子，这实在太不像话，她有什么资格哭呢！……

我把被子敞开的时候，天已黑透。遥远处发出尖厉的哨音。那是城里孩子在提前施放礼花。工地离城区还有一段距离，哨音传过来的时候，只尖厉那么一下，就把世界丢进死灭一般的沉寂里。铁皮棚外是凌乱的工地，除了一个守材料的保安，恐怕见不到第二个人了。我觉得自己再这么待下去，就会变成孤魂野鬼。

正这么想，屋外就起了阴风。那风长了手指，钻进我的被窝，掐我臭不可闻的脚丫。我想这会不会是贺兵回来了？会不会是贺兵在以这种亲热得无以复加的方式，来消除我新年前的孤独？

贺兵是陕西籍民工，跟我关系最好，可他去年从脚手架上掉下来摔死了。出事的前一个钟头,他跟老板吵了一架,因为老板扣了我们三个月工资,贺兵说:“你怎么能扣我们的工资呢,中央不是说不准扣农民工的工资吗?”老板是个大汉子,站在瘦瘦小小的贺兵面前就像一堵山墙,他很看不起贺兵的样子,吐着烟圈,眯着眼说:“中央还不准官员腐败呢!”贺兵说:“那是另一码事,我们管不着官员腐败,我们只要自己的工资。”老板“呸”的一声把烟屁股吐在地上:“你小子闹个球啊,我又不是不发,我只是暂时扣下来买材料,你要是不想干,滚蛋好了。”贺兵就不敢开腔了,现在的农民工这么多,有的在外面干了一二十年,他们的儿女都成长为民工了,城里的民工都已经是两代人了,真的从工地上滚蛋,他可能就再也找不到事做,在城里流浪一些日子,就灰头土脑地回到他的黄土地上,愁愁地看着生他养他的地界,把眼睛都看绿了,黄土还是黄土,黄土里生不出钱。贺兵不声不响的,又攀上了脚手架。谁知他就摔下来了呢!头在地上制造出的声音,像煤气罐爆炸。他就这样简简单单地死掉了。老板给他前来料理后事的父亲付了一万块钱,他年迈的父亲就用褡裢背着冰冷的骨灰盒回了老家。怕在路上被偷被抢,老人家把钱也塞进了骨灰盒里,还埋在了最底层。

把我的脚丫子掐了一会儿,贺兵就不见了。他来跟朋友道一道别,就要赶回家乡和父母团聚。工棚里又只剩下我一个人。我不仅寂寞,还感到恐惧。

还是回去吧,我对自己说。我已经五年没回去过了。我把妻子和女儿的样子都忘了。我的父母早已过世,在家里,妻子和女儿是我现在仅存的两个亲人,我实在应该回去跟她们团圆,跟她们同过这个春节。

但问题是,我还有两个月的工钱在老板手里呢,老板把包括我在内的十二个人的工钱扣押了两个月,说春节过后,我们按时回来上班就补上。他的意思很明确,没按时回来的,那一千多块他就不给了,我们的冬月和腊月就算白干了。老板这样做是想留人。现在就有这么怪,一方面是民工找不到事做,一方面是老板找不到民工,天地亮堂堂的,不知道双方在哪一点上错过了。其实不是老板找不到民工,老板永远都是主动的,车站旁,树荫下,到处都蹲着从外地来的农民,老板只要舍得出去一趟,不需一个钟头,民工就会牲口似的跟在他们屁股后面。老板是怕找不到像我这样老实巴交的民工。

四周黑乎乎的,我觉得自己像躺在棺材里。但是我饿了,这证明我还活着。饥饿抓扯着我的五脏六腑,再不吃点东西,这一夜就没法熬。

我爬起来,走出工棚到了三百米外的街上。在几家饭店前徘徊了许久,我最终也没敢进去,索性花三块钱买了一包方便面回来。

工棚里的灯由看材料的保安掌控,他是老板的舅子。我去找到他,让他把灯打开,他问里面有多少人,我说就我一个。

他说:“一个人还开什么灯呢?你出门打了几年工,都打出老板的派头了。但你不是老板,你还是民工呢!”

“……那就不开灯算了。”

“开不开灯是我说了算，又不是你说了算，我想开就开，不想开就不开，你说不开灯算了，我偏要开。”

说罢他走到墙角，只听“啪”的一声，那边铁皮棚里就亮了一下。

只亮了一下，因为他很快又把灯关掉了。

我本来想问他要点开水冲方便面的，现在看来那是自讨没趣，就朝黑暗的深处走去。

他在后面吹口哨。我想象得出他吹口哨的样子，他吹口哨的时候一定盯着我的后背。可是我计较这些干什么呢，现在我饿了，饿得肚皮像一片破布，风一吹就荡来荡去的。

我摸到工棚外的自来水龙头边，把纸做的碗加得满满当当。几分钟之后，我吃着用自来水泡的方便面，心里奇异地充满了感激。我也不知道感激谁，反正骨头里热乎乎的。

当我喝“汤”的时候，我突然想起春妹。我不知道春妹是否有钱用，她拿给我去买车票的钱，都是零零碎碎凑起来的，每一张钱上都写了许多数字，那可能是春妹平时没事的时候在上面计算她的收入，事实表明她根本没什么收入，她只是收入了一个身份不明的孩子，然后栖栖惶惶地往家赶。我真不该把她的车票钱抓过来，我至少应该给她留一些，让她在路上花。

我买方便面用的就是春妹写上数字的钱，把那钱递给店主的时候，我心里就像被割了一刀……

到后半夜，同伴们还没回来。看来他们今晚上不会回来了。我也没睡。我想着我的妻子和女儿，想着那满山遍野的青冈树。虽然我呼吸着异乡的空气，吃着用异乡的自来水泡软的方便面，但我跟那遥远地域的联系要紧密得多。

那是一种连血带骨的联系。

可是，如果我再不回去，我就把那地方丢掉了！

直到把铺盖卷打成捆，我还不明白自己做了些什么，当汹涌如潮的激动从脚板心蹿上来，我才问自己：“这是要回家了吗？”

是的，我这是要回家了。我要趁这夜深人静的时候，背着包裹逃出这个地方。其实没有谁拦着我，我铁了心走，不要说老板的舅子，老板本人也拦不住我。

真正能拦住我的，是那两个月工钱。那两个月工钱像两只有力的大手，对我强拉硬拽。我说：“你们放开我，我要回家了。”

可是它们不放，它们说：“傻瓜，你现在去买票，只能买到初二或初三的，路上再耽搁几天，你初五之前肯定赶不回来，初五之前回不来，我们就不是你的了，我们就是别人的了！”

这的确让我伤心，对民工来说，一个子儿也是亲人，我怎么能把自己的亲人扔给别人呢，何况是扔给那个总是穿着吊带裤像个外国绅士一样的老板。那个老板有的是亲人，我把自己的亲人给他，他不会当数的，他会在烟雾缭绕的赌桌上轻轻松松又交给别人，或者以杀手一样冷酷的神情，摔到某位刚陪他玩过的小姐的脸上。

这么一想，我真是舍不得。连腿也软了。我坐在铺盖卷上，大口大口地呼吸着干燥的冷空气。

我的那两位亲人又进一步来说服我："你要是初五赶不回来，不仅把我们丢掉了，还会丢掉更多的亲人，因为你很难再找到一家愿意收留你的工地了。你不要看城市大得比天空还宽，城市里的工地到处都是，但城市不是你的，工地也不是你的，人家不要你，你就寸步难行。你的四周都是铜墙铁壁，你看不见光，也看不见路，你什么也不是，只不过是一条来城市里讨生活的可怜虫！"

最后这句话让我伤透了心。不过也没什么了不起的，我在城里是可怜虫，回到老家去还不行吗？老家不会嫌弃我，在那片贫瘠的土地上，我不是可怜虫，而是一个真正的人！既然如此，我还等什么呢？走吧，走吧，回家去吧，那两个月工钱就不要了，那两个亲人我就白送给老板了，让他去打牌吧，让他去玩小姐吧，那是他的自由。

我也有我的自由。我的自由就是不要那两个月工钱，提着东西回家去！

我老家的村子位于大巴山脉南段的老君山腹部，名叫鞍子寺。许多年以前，这里有一座寺庙，由于山高路陡，前来祈福的香客并不多，到20世纪中期，一场大火把庙宇烧成了灰烬，两个一老一少的僧人，从此云游四方去了。几年以后，村里在寺庙原址修了一所小学兼幼儿园，就叫鞍子寺小学，周围几个村的孩子，都来这里念书。我们居住的村落在学校东边，依地势高低，摆放着三层大院。我的家在中间院子。

我是初四清早爬上村口的。

雾气大得仿佛把那个石盆都浮起来了。前几天肯定下过大雪，石盆上是东一块西一块的雪垛。沿一条蛇形小路走出林子，田野就呈现在眼前。四周很静，一切都还在沉睡之中，只有捂在雪被下的麦苗在偷偷地生长。

快到西边院落时，我生怕自己的脚步声引来一声狗叫。只要有狗叫，证明有陌生人进来了，村里再贪床的人也会起来看一看的，而我不想让村里人知道我回来了。我坐了那么长时间的火车，又脏又累，脸上胡子拉碴的，肩上的帆布包也磨出了好几个洞，破了面子的被盖从那些洞里挤出来，露出又老又旧的棉絮。这就是我出门五年的样子。我不愿意让村里人看出我的窘迫。

这是一个方面，另一方面，是我不愿意见到春妹的父母。

越担心的事情越是撞上门来，我刚刚走到西院底下的黄桷树旁，一条狗就从云中降落了。那正是春妹家的狗。春妹家砌了很高的堡坎，堡坎上是没有栏杆的虚楼，这条养了不下八年的老狗，就卧在虚楼上。老狗体形硕大，全身灰白，凶悍无比。它飞身跃下，差点就砸到了我的头上。幸好我早有准备，手里拿着一根斑竹棍，一棍向它弓着的身体打去，它以迅雷不及掩耳之势隐藏到浓雾之中，但汪汪汪的吠声却把清晨的空气震得发抖。

一个像蒙了几层纱布的声音在上面问："是大宝啊？"

我一听就知道是春妹的父亲陈老奎。雾气那么稠，两米之外也只见白糊糊的空洞，他怎么知道是我？这说明村里人还听得出我的脚步声。

我又亲切又紧张地应了："是我，老奎叔这么早就起来了？"

没有回答，只有他教训狗的声音："背时老公你找死呀，你连大宝也认不出来了呀！"

之后是一阵惊天动地的咳嗽。

趁这当口，我加快脚步离开了。像是逃跑。

家近在眼前。穿过一片慈竹林，再下二十来步石梯，就是我家的前门。但我没走前门，而是从竹林的斜刺里下去，到了后门外。前门与大院里别的人家隔门相望，后门则是独立的，左面是喂猪牛的偏厦，右边是一个粪坑。偏厦是父亲在世的时候立起来的，距今有三十多年了，梁柱被虫蚀得千疮百孔，轻轻一摇就要断裂似的。偏厦顶上覆盖的茅草，被风扯走了好大一部分，剩下的被雪长久地捂着，发出一股霉烂的气味。牛圈空着。我出门的时候牛圈就空着，当时我对妻子金花说："我争取到广东打一年工，就寄钱回来把牛买上。"金花听到这话，不住地点头，仿佛生活从此得到了保障。这也难怪，牛是农人的半个粮仓，在我们这山岭连着山岭的偏远地区，没有牛帮忙，更是寸步难行。结果我前两年根本没挣到钱，五年来，只寄回了三千一百块，现在牛贵，用这点钱买头成牛是不够的，买头蛋子牛儿该没问题，但牛圈还是空着，跟我离家时一模一样。猪圈里倒是传出咕噜咕噜的叫声，是一条需要戴上眼镜才能看到的小猪。

路途中的兴奋已消失大半。

后门上了闩，我只得拍门。屋子里老半天没有动静。我加大力度，把黑迹斑斑的门板拍得啪啪直响。不一会儿，里面响起器物碰撞的声音，紧接着门被拉开了。

我的妻子金花，蓬松着头站在我的面前。

她变得苍老了，与我记忆中的差距很大。她比我小两岁，现在只有二十六，但看上去怎么说也是四十岁的人了，额头和眼睑上的皱纹，一条一条的，又深又黑，触目惊心。我多么想拥抱她。那一刻，我多么想拥抱她，就像那些城里人一样。

我情不自禁地张开两臂，但金花并没有扑上来，她依然把着门，带着疑虑的目光望着我。我觉得很失落，张开的两臂无处放，便撑住门框。

"我以为你不回来了呢。"金花说。

"敲了那么久的门，为啥不开？"我带着隐约的恼怒这么回了一句，就挤进门去。

金花没回话，摸摸索索地把灯打开。一尊巨大的土灶，占据了差不多半间伙房，猪食桶、饭碗、筲箕和筷子，都堆积在土灶上面；灶沿黑乎乎的，是长年烟熏火燎的结果，黑中偶尔露出一条白，是米汤，也可能是鸡屎。

我心里涌起一阵厌恶。其实我没有理由厌恶，我出门之前就是这样子的，鞍子寺村的所有人家，差不多都是这样子的。

"银花呢？"我问。

银花是我们的女儿。

"睡呢。"金花说。她蹲到灶孔前，划火柴为我烧洗脸水。柴旮旯儿里放着一捆松毛，松毛枝上还有没完全化掉的雪痕，证明是昨天下午甚至昨天晚上她才从山上弄回来的。老君山上不缺柴烧，青冈树就是很好的烧柴，火性硬，又经熬，但需要劳力去砍，青冈树的质材比它的火性还硬，要是弯刀磨得不快，哪怕是壮男人，一刀下去，把手震得发麻，也只能抖落几片叶子。在这大山里，尽管女人跟男人一样受累，但砍柴的活，犁田耙地的活，历来都是男人做的，家里没有男人，女人就只能把骨髓里的气力抠出来，起早贪黑地忙，也不一定能盘活几多日子……

金花就是这样苍老下去的。

再说她还有风湿病呢！

她不是不想我，她是被生活逼得只知道怎样把日子一天一天地熬过去。

此刻，她蹲在灶孔前，划了无数根火柴，松毛却没有点燃，屋子里涌动着黄色的烟雾，又潮湿又呛人；烟雾裹住她的头，她眯着眼睛，继续划火柴。我站起身，想去帮她一把，脚底却发出"咯——"的一声长鸣。是两只鸡，它们不知什么时候从门角的鸡窝里出来了，静静地偎在我的脚边。

鸡一叫，火像被吓住了，自动燃了起来。

屋子里的烟雾陆续走出家门，飞到田野上，和晨雾抱成一团。

我进卧室看女儿去了。

对当父亲的感觉我是陌生的。我还没有学会当父亲就离开了家。眼下，女儿已经五岁，她会叫我爸爸吗？

卧室跟伙房一样凌乱，墙角堆着土豆、红苕和锄头，墙上挂着蓑衣、斗笠乃至犁铧。这样的布局，使放在角落里的那张木床显得特别怪异。床上笼着蚊帐——这时候不是挡蚊子，而是挡风。屋子里无处不漏风。我又激动又胆怯地撩起蚊帐，看见女儿平卧在靠里的位置。她的脸那么小，又那么漂亮，就跟她母亲留在我记忆中的一模一样。

"银花，银花。"

我这么叫了两声，没把女儿叫醒，妻子却在外面招呼了："让她多睡一会儿，她感冒了七八天，一直没好。"

我把手掌合在一处，不停地搓，搓得都生电了，才放到女儿的额头上去。热乎乎的，并没怎么发烧。我又凑近她耳边悄悄喊："银花，银花。"

银花到底醒了，两只手揉着眼睛，然后又紧张又好奇地瞅着我。我一把将她提起来，揽在怀里。银花"嗞"的一声，抽了口冷气。

原来，我的衣服和头发都被雾气湿透了。

我正准备给她穿衣服，她却挣脱我的胳膊，又钻进了被窝，带着哭腔叫："妈——"

金花跑了进来，脸上红通通的，目光在我和女儿之间游移，之后半嗔半恼地看着女儿说："傻女子，他是你爸呀！"

话音未落，两行泪水涌出来，在金花的鼻翼间浸润。

见妈妈哭了，女儿很懂事地翻身起来，自己穿衣服。

我一把将妻子抱住，坐到床边上，又将女儿抱住。

一家三口，就这么一言不发。回家的感觉，这时候才在我身上彻底复苏。

五年来，我都是一棵无根的草，现在我终于找到根了。我能清晰地听到自己吮吸的声音，发芽的声音，五年打工生活的辛酸，像潮水一样往后退。

疲倦袭上来，我感到自己的骨头松散了，软成了一摊泥。金花站起身，叫还没穿好衣服的女儿赶快下床。"让爸爸就在这里睡一会儿。"她对女儿说。

那边屋里还有一架床，但这架床是女儿睡暖和了的，再说那边床上也没挂蚊帐挡风。

女儿跳下去，光着脚丫子，提着衣裤就去了伙房。

"睡一会儿吧，"妻子对我说，"你浑身都湿了，脸也是肿的，车上怕是没眨过眼。"

接着，她把我的头抱在她的双乳间，麻利地从蚊帐架上扯下一件破衣服，在我头上擦，之后又为我脱掉湿衣湿裤和鞋袜，将我往床上一横，盖好被子，才出去了。

她刚把门一关，我的泪水便汹涌而出。

这是蓄了几年的……

去广东的时候，我首先进了一家水泥厂当搬运工，有一天我往车上扛包装袋的时候，不小心绊了一跤，袋子破了，水泥撒了出来，老板就找这个岔子将我赶出了厂门。进厂之前，我是交了一百元押金的；每个进厂的农民工都要交押金，无偿地干两个月，才计算工资，也才将押金退还，而我在这家厂里只干了四十多天，现在被赶出来，意味着我不仅领不到工钱，连那一百元押金也扔到水里去了。

之后我流浪了好几个月，才去了一家位于城郊的磨石厂。我的工作是干水磨。里面有二十多个工人，其中还有女人，一天十六个小时，站在污水遍地的地板上，腰深深地弯着，双手握住一只手臂似的电刷为石料抛光。电刷的声音尖厉刺耳，再加上旁边石磨房的电锯声，整个简易的牛毛毡房里鬼哭狼嚎。抛光之前，需给锯成各种形状的石料上胶，那是树胶，有毒，电刷一挥，白色的有毒粉末扑得我们满脸满身，最多干上十分钟，头发全都变成了白色，就连手臂上的汗毛也像结了霜。但我们谁也没戴口罩，我们是农民工，怎么能那么娇贵呢？一天干下来，衣服当然早就湿透了，即便在胸前围一块塑料布，四处飞溅的水点子也会积少成多，把衣服淋湿；连内衣内裤也湿了，不过那是汗湿的。我们一边拼命，一边想着花花绿绿的钞票，心里充满了美好的向往。可是老板一直没给我们发工资，拖了四个月也没发。

有一天，放在台面上的一张石料鬼使神差地掉到地上，当即碎成几段。

老板恰好站在那石料旁边，当即破口大骂："猪，你们全都是猪，连放一块石料也放不稳！"

他跳上那断裂的碎片，又踩又踏，上了树胶的石料打滑，他双脚一溜就坐了下去，肥大的屁股刚好硌在断裂处，痛得他龇牙咧嘴。

我们马上跑过去拉他，可他不要我们动，接着骂："他妈的，一群猪，不要把老子碰脏了！"

他自己爬了起来，一手摸屁股，一手像画圈那么一挥，厉声喝道："跪下！"

我们都怔住了，像没听懂他的话，迷惑地望着他。他口齿清晰地说："谁不跪下，就别想领那四个月工资！"

他甚至说："谁不跪下，老子就放他一条腿！"

有人跪了下去。那是一个四十五岁左右的女人，她跪在自己身旁的水槽边，湿漉漉的头发耷拉着，遮住了黄黑色的脸，但嘴角的一串白沫却触目惊心；这女人身体瘦弱，每天劳动八个来小时，嘴角就挂着白沫。

女人跪下之后，陆陆续续地有人跟着跪了下去。

只剩我了。老板的目光慢慢移到了我的脸上。他的目光带着锥子，直往我的心脏里扎。

我也跪了下去。

我不怕他放我一条腿，但我怕他不给我工资，我出来不就是挣钱的吗？家里房子那么仄逼，人跟畜生差不多挤住一块，地气潮湿，让妻子的病总也不见好转，我要挣钱回家修新房，要为妻子治病，还要存一些钱为女儿将来读书。我出来要是挣不到钱，不要说下跪，死了也活该。

在湿地上跪了整整半个钟头，老板才让我们起来。

那一次经历使我明白，人可以给天地跪，给父母跪，给自己尊敬的人跪，但是决不能给老板下跪。跪了一次，你的脊梁就再也直不起来了，你就只能趴着走路了，你就真的不是人了。

后来我们又给老板跪过几次，原因都是放在台面上的石料掉下地摔碎了。

从第二次开始，我们就知道那是老板故意把石料掀下来整治我们的，但我们不敢点穿。据说城里许多老板都用故意损坏东西的方法来整治农民工——故意损坏东西，再惩罚做工的人。他们认为这是管理农民工最行之有效的方法……

老板让我们跪了，出门的时候，还要委屈地咕哝：“他妈的，我为什么这么倒霉，养了一群白痴，一群猪！”

他说的“养”，是因为他老婆在给我们做饭，我们吃饭不交现钱，以每顿五元计，将来在工资中扣除。

我们站着干活，跪着做人，就是为了看到钱。可是老板依然不给我们发钱。一直拖到那年的腊月二十六，老板早上进来说：“货就只有土坝上那点了，你们必须在今天之内全部做出来，只要按时按质地完成任务，后天就发工资！”

我听到自己身上的血液轰的一声响。我看不到自己的脸，但我知道自己的脸一定红透了。那个嘴角挂着白沫的女人，没被树胶粉罩住的耳壳，红得快要浸出血来。

平时凶神恶煞的老板，这天显得特别亲切，他没骂我们白痴，更没骂我们是猪，他还笑着说：“大家领了工资，回家好好过个春节啊。”

我们身上像长了八只手，下午三点钟，就把所有石料全都打磨出来了。老板派人验了货，就一车一车往外拉。拉到黄昏时分，土坝就腾空了。

吃晚饭的时候，老板说：“后天我就去银行提款给大家结账，明天大家休息，你们可以去找找老乡，也可以去外面玩，广东好玩的地方多呢，大家伙安安心心地去走走吧，谁说农民工就不能玩呢，农民工同样是可以玩的嘛。”

这话听得我们心里暖洋洋的，这话表明他把我们也是当人看的。当然，我们身上分文不名，不可能去外面玩。也没有人去找老乡。大家都等着领钱呢，哪有心情去找老乡。

第二天的天气出奇得好，太阳毫无遮拦地照耀着。厂房附近有一条废弃的铁轨，铁轨两旁荒草丛生，我们吃了早饭，便相约去铁轨边坐坐。一起干了大半年活儿，彼此间却没怎么说过话，我们都以为自己不会说话了，可坐到铁轨旁边的草丛里，话却那么多，说的都是自己守在家里的亲人。

那个皮肤黑黄的女人，第一次没在嘴角挂上白沫，她说她是陕西人，叫邹明玉，十年前就离了婚，但离婚的事她只是一笔带过，紧接着就幸福地说起她的儿子（她说话时，一句一喘，由此我们才知道她出来干水磨干了好些年，早就得上了硅肺）。她儿子正读高中，成绩好得不得了，她出来打工，就是给儿子挣书学费，供他将来读完大学。

“儿子读了大学，就可以去城里上班了，就能堂堂正正地当一个城里人了，就没有人叫他下跪了。”邹明玉说到这里，红了眼圈，抬头望天。

天空上万里无云，一群自由自在的鸟，在阳光下悠闲地飞翔。

邹明玉的话引起我无限的惆怅。在场的人都不知道，我当年的成绩同样优秀，还以不低的分数考上了大学，收到了西南师范大学中文系的录取通知书，只是因为家里穷得叮当响，没有资格跨进那道越来越高的门槛。我的失学让得了多年肝病的父亲病情急剧加重，没过多久就饮痛含恨地死去。父亲去世不久，母亲就得了一种怪病，浑身的骨头像水泡后的面条，软得提也提不起来。母亲在床上躺了三年，也去世了。母亲死后睁着眼睛，想尽各种办法也没能让她的眼睛闭上。

吃午饭的时候，我们回了厂。

食堂的门敞开着，但里面冷目瞅眼，空无一人。

连做饭的大铁锅也不见了！

我脑子里发出尖厉的声音。所有人的脑子里都发出尖厉的声音。

那一声响过，我们终于明白：老板跑了，他扔下一个破厂房，扔下我们这群傻瓜，跑了！

几乎在同一时刻，我们捂住肚子，蹲了下去。不是肚子疼，而是碎了心。

我们就那么蹲成一排，像举行某种仪式……

次日，我们去报了案。平时只听说老板姓黄，叫黄发金，四十来岁，操粤语，但他住哪里不清楚。派出所把资料提取出来。在那一地区共有八个人叫黄发金，一个是女人，五个是年过六旬的老人，还有两个是小孩。

在派出所门外，我们一直等到除夕，却一无所获。民警叫我们不要等，留下了我们的家庭住址，说有结果就通知。

迄今四年过去，金花根本就不知道有那回事，可见那案子早就不了了之。

我们除夕分手的时候，没有一句道别的话，也没有一句祝福的话，只是阴一个阳一个走向了另一片陌生的土地。

邹明玉上路的时候，胸腔和喉咙里发出沉闷的喘息声，鼻孔嘴巴张得像待宰的牛。

她身体里的吼声与新年的炮仗交相辉映……

在那个新年里，我在异乡城镇的大街小巷流浪，过着乞讨的生活。又经历很长时间，才找到现在的建筑老板。建筑老板虽然也克扣了我的工钱，但他没让我下跪，他是难得的好人，大大的好人。我实在不该对他有更高的奢望。

两只冰凉的手在我的脸上游走，迷蒙中，看到妻子和女儿站在我的床头边。

女儿见我睁开眼睛，立即把手缩了回去，眉宇间出现一丝羞赧。

妻子怜惜地看着我说："你怎么哭了？"

我还没完全从噩梦中醒来，但我知道这是在自己家里，巨大的安全感使我心里踏实。可我不想让妻子知道我的另一种生活，那种生活对当事人而言，因为别无选择而必须熬过去，但对牵挂你的人，却是一种折磨。以前那些打工回来的人，无论男女，说的都是城里人怎样对他们客气，自己在城里又是如何的风光，为了印证，有的男人还穿上西装，女人则在耳朵上挂一个花三五块钱买来的铜圈（她们把这叫耳环），我以前把那当成虚荣，现在我不这样看，那绝不仅仅是虚荣，也不仅仅是把梦想当成真实的自欺欺人，这是给守在家里的亲人一颗踏实的心。

我抓住妻子和女儿的手说："我没有哭啊，我睡得很沉，哪里哭了呢？"

女儿说："爸爸你哭了，你的脸上还有眼泪水。"

因为叫了声爸爸，女儿的耳根都红了。

幸福的暖流在我身体里淌过。我朝女儿做了个鬼脸："银花，爸爸这不是眼泪水，是汗水。"

伙房里发出噗的一声响。是鸡飞到灶台上去了。金花叫打着抿笑的女儿出去把鸡赶走。

女儿刚翻过卧室半人高的门槛，金花就凑到我的额头上说："你真的哭了，哭得呜呜呜的。"

她的鼻息里散发出一股热热的气息，带着某种草香。我一把抱住她的脖子，在她脸上又舔又啃。她一边轻轻推我一边说："孩子还在外面呢，晚上吧，晚上……"

这时候，她的目光那么亮，像把空气都烧起来了。

我放了她，她再一次问我为什么哭，我说："是想你和银花想哭的。"

爸爸回来了，女儿得了七八天的感冒像突然就康复了。她要好好表现一下，站到大板凳上去，从高高的壁橱里取了碗筷，把饭盛好，才叫爸爸妈妈出去吃。

金花心疼地说："那孩子，你睡觉的时候她把几层大院都跑遍了，见人就说我的爸爸回来了。"

我鼻子发酸，但不想表露，下床穿鞋的时候，问是否有人来找过我。

金花说："老奎叔来过。"

我心里一沉。睡了这一觉，我已经不怕遇见别人，就怕见春妹的爹妈。春妹去广东之前，老奎叔特意给我写过一封信，让我照顾她，她到佛山，首先也是去工地上找的我，是我带着她去寻了工作，可谁又料到会发生后面的事情呢？我该怎样向老奎叔他们交代呢？

金花看出我在皱眉头，小心翼翼地说："春妹生那个孩子是咋回事？"

我没回答，故意将话题岔开："出去打工的人，今年回来了多少？"

"只有你和春妹回来了。"

金花还想问春妹的事，银花却在大声武气地叫我们吃饭，听那口气，像在教训她爹妈似的。

早饭是汤圆。这是老君山新年里最珍贵的食品之一。女儿银花自己不怎么吃，只偷偷地看我吃。我装着不明白她在看我，一口一个，吃得特别狠，也特别香。我的碗快空了，她马上用漏瓢给我添来几个。

金花嫉妒地说："养女儿都是向着爹的，我一把屎一把尿把她拉扯到五岁，她可从来没给我添过饭。"

银花闻言，立刻又去给妈妈舀了几个。金花笑起来，笑得眼泪花子直转。

可是我的心里却充满了忧伤。当我独自在外经受劳累和屈辱的时候，守在家里的人并不比我好过。尤其是孩子。他们生命中残缺的部分，大人可能永远也不会知道。

吃罢饭，金花说她要去点洋芋。依照老君山的气候，点种洋芋应该在年前，自从年轻人接二连三从村里消失，什么农活都拖后了，这样，错过季节造成粮食减产的事情时有发生。由于缺劳力，大年初一也有人上坡干活，鞍子寺过年就没有一点过年的气象了。

金花去偏厦里用粪水和了一大背篼柴灰，对银花说："你就在家里陪爸爸，妈妈把桑树田那两分地点了就回来。"

和了粪水的柴灰很沉，金花跪下去背，背篼没撑起来，额头上的汗就出来了。金花的风湿主要在腿上，将这一背篼柴灰爬坡上坎地背到地里去，她不知要歇多少趟气，要经受多少痛苦。

金花走后，我一把将女儿抱在怀里。

银花嘴一咧，哭了，哭得特别伤心。

我懂得她为什么哭，她幼时看到过我，可那时候她还不会认人，她等于从来没有看到过自己的爸爸。

我没说话，只是紧紧地搂着她。她的小身体在我怀里颤抖着，寒风中的树叶一样。她是还没长成的树叶，我，还有她的母亲，是她的枝桠，我是否能牢牢地抓住她，是否能为她供给足够的营养，我没有把握……

过了一会儿，院子里有小朋友在叫她，她迅速擦干泪水，却没有回答，也没从我怀里下去。她擦泪水的动作让我心酸。她只有五岁，却学会遮掩情感了。

她的小朋友又在喊，可她依然默然无声。我说："叫你呢，你该答应一声才对。"

她很不情愿地离开了我的怀抱。

我从帆布包里捧出一把糖果，说："这是爸爸给你买的，爸爸还没来得及拿给你吃呢，你要是愿意，就给小朋友分两颗。"

她牵开小小的荷包，我给她装进去，她就去门外和小朋友交涉。

不到两分钟，她又回来了。

我说："银花，你跟小朋友在家里玩，爸爸要上山砍柴去。"

她很惊恐地望着我，然后一本正经地说："妈妈不是让我陪你玩吗？你去砍柴，我也跟你一块儿去。"

屋外早已起了风，一进入冬季，北风就翻越秦岭和大巴山，雷阵似的往这面山体里灌，起雾的时候万物是静止的，雾一撤退，风就挥动着割人的鞭子，把雾驱赶到山的那一边，将雪后的土地吹得又干又硬。银花还在流鼻涕，感冒毕竟没完全好，去野地里吹几个小时是不成的。

我说："宝贝，你放心，爸爸不出门打工了，爸爸从今天起一直跟你在一起！"

她不相信地望着我。我俯下身，捧着她的小脸说："爸爸说的是真话。"

我心里还在说："爸爸就算穷死，也要穷死在家乡，我再也不愿意离开这个村子了！"

银花将信将疑地问我："真的？"

"真的，爸爸跟你拉钩。"

我们俩拉了钩，她才放心大胆地找小朋友去了。

我依然是从后门出去的。那片慈竹林里藏着一条从山上流下来的水沟，我可以沿着这条水沟爬到我家的柴山附近。风已把浓雾赶出很远，扇面形的老君山呈现出它清晰的轮廓，可是风自己却累得在林子里呜呜叫唤。太阳并没有出，灰白的天空压得很低，好像天空全靠远处的那几棵松树支撑似的。我放下背荚和弯刀，站在柴山的边缘向远处张望。

村落的影子依稀可见，黑乎乎的瓦脊上，残存着正在消融的白雪。田野忧郁地静默着，因为缺人手，很多田地都抛荒了，田地里长着齐人高的茅草和干枯的野蒿；星星点点劳作的人们，无声无息地蹲在瘦瘠的土地上。他们都是老人，或者身心交瘁的妇女，也有十来岁的孩子。他们的动作都很迟缓，仿佛土地上活着的伤疤。这就是我的故乡。

可以想象，老君山之外的农村图景，也大致相当。

最近一些年来，就是这些留守的老人、妇女和孩子，坚韧地支撑着庞大的农业。

为了生活，壮者走诸他乡。

要是村里不幸过世一位老人，找遍邻近几个村子，也凑不齐能够抬丧的年轻男人。

然而，最大的苦累和伤感不是来自土地，也不是来自老人，而是来自孩子。有些家庭，两口子刚结婚就一起出门打工，在外面怀了胎，胎儿都坠到小腹底下了，女人才急急慌慌地赶回老家把孩子生下来，最多挨到满月，女人又离开，将孩子扔给老人。

有些老人本已是风烛残年，又要为田地忙，为猪牛忙，无法随时跟在孩子身后，悲剧就由此常常发生。

在我出门之前，村里就死掉了三个孩子，两个掉进水塘，一个摔下近十丈深的悬崖。听金花说，前不久，东边院子张大娘的孙女又淹死了。是掉进粪坑淹死的。把孩子捞起来后，张大娘猛地扑了下去，喝粪坑里的水，旁人拉她起来，抓烂她的衣服也拉不动，只有扯头发的扯头发，抬脚的抬脚，强行把她弄回了家……

我拿着弯刀走进林子。大山里的冬天，每向上一步都会加深一重寒冷，塄坎下田土里的雪已像零星散失的棉球，这林子里的雪团，却如大鸟歇在松垛上。金黄色的青冈叶在地上铺得很厚，被雪水泡过，被山风吹过，踩上去又湿润又绵软。

树林刚刚把我与外界隔绝，我情不自禁的，膝盖一弯就跪了下去。在外地给老板下跪，我被打断了脊梁，现在下跪，是要塑造我的脊梁。在庄严的静寂中，我听到了故乡的天籁。这是一种能够开花结果的声音，丰饶甜美，充满乳汁的芳香。世界上最坚硬的事物，都是水造就的，故乡就是我的水乳大地，她这么忧郁，却又能奇迹般地给予我尊严和自由。

（我又一次想起那个叫邹明玉的陕西女人，我不知道她是否也回到了她的故乡？）

人啊，总得想办法活下去。远方的世界不愿意公平地待你，回到世代祖居的村落还不行吗？

我站起来，举起弯刀就朝一棵粗壮的青冈树砍去。

树屑飞扬，树上的雪尘和水珠也一起飞扬。砍掉这些老树，等到农历的二、三月份，鹅黄的新枝就会把大山点染得春意盎然，新气勃发。

春妹是什么时候到我身边来的，我一点也没警觉。当我的手臂累得麻木之后，就停下来，坐在地上的枯枝败叶堆里，准备抽支烟。

我就是这时候看到了春妹。

她用背条把孩子绾在背上，外面罩了一层棉披风，孩子的头上还搭了条滤帕样的东西。看来他是睡着了。春妹这样子虽然不像在广州火车站那样让我觉得扎眼，也足够使我难过——她自己也还是个孩子！她的脸很瘦，皮很薄，额头周围布满了淡淡的静脉血管。不知是因为寒冷，还是因为紧张，她不停地抽着鼻子。

“大宝哥。”

她这么叫了一声，就无话了。

我说：“春妹，路上还顺利吧？”

“顺利，大宝你咋又想起年后回来了？”

我点上烟，若有所思地说：“我不想干了。”

她走近了些，帮把我头发里的几片枯叶拈去，又陷入无语之中。

我从身边翻出一些相对干燥的叶片，让她坐下。

“我不能坐的，”她说，“一坐他就醒了，醒了就哭，哭起来就收不住。”

停顿片刻，她问我：“爸爸早晨去找你……”

我打断她说：“那时候我在睡觉，没碰见他，你爸没告诉你？”

她像松了一口气：“爸回家没作声。他像有些怀疑。”

“你是怎样给你爹妈说的？”

春妹翻开疲惫的眼皮看着我。她的眼睛长得美极了，双眼皮又宽又深，要不是这几个月来瘦得厉害，她的脸也长得很美，是那种柔婉而迷茫的美。

此刻，她目光里的迷茫让石头看了也会揪心。

她说：“我说我在外面嫁了人，是个很有钱的男人。”

“你爹妈相信?”

“咋不信呢,反正我们这山上的人结婚又没人办过手续。”

“我不是指这个,我的意思是,要真是那样,你嫁人的时候只有十五岁。”

“他们才不管呢!”

沉吟片刻,我问:“你爹妈听后咋说?”

“高兴啦!”春妹的嘴角浮起一丝嘲讽的笑意,“我这么小就出去打工,不就是挣钱供他们儿子读书的吗,嫁了个有钱的男人,除了高兴,他们还会说啥呢?”

春妹有一个姐姐一个哥哥,姐姐春梅已经嫁人,哥哥春义最大,论读书,春妹成绩最好,春义最差,春妹不仅在班上常常是第一名,在全镇也名列前茅。而春义从一开始就垫底,小学到高中,他不知留了多少个级,不算今年即将参加的高考,他已经参加六次了,也就是说,单是高三,他就读了六年!可是,老奎叔觉得儿子才是他的正宗根苗,一心一意地栽培他,也坚信他定能考上大学;至于女儿,读一点书,将来出门认得男女厕所,也就够了,春妹的姐姐只读满了小学,春妹本人初中二年级上了半学期,老奎叔就让她辍学了,她在家做了一年农活,就被父亲紧催慢逼地赶到广东挣钱。

老奎叔自己是石匠,方圆几十里的山体上,哪里有活他就往哪里奔,可他毕竟是五十多岁的人了,腰杆累断也挣不了几个钱,现在的书学费就像汛期来临的河水,只涨不消,他实在无力支撑儿子的巨大开支,只有寄希望于还没嫁人的春妹……

春妹透过一丛我没砍掉的糖刺铃望向远处。

远处是另一面山,比老君山更加崔嵬和沉寂,嶙峋的石崖壁立云天。

“可是,他们只高兴了一会儿。”春妹说,像是说给远山上忽聚忽散的白雾,“当他们明白我没带回一分钱的时候,脸马上就垮下来了,我爸本来叫我哥给我做汤圆的,说我为了他,在外面辛苦了,听说我没带钱回来,立即又让我哥去复习功课了。但我哥没听他的话,还是去给我做了汤圆。我哥是爱我的,看见我背着个孩子回来,他脸上的肉不停地跳,像抽风一样。我爸走到我哥面前,大声训他,说还有几个月你又要高考了,火都烙到脚脖子了,还不知道急?我哥把手中的汤圆面往地上一扔,直勾勾地看着爸说:‘我不读书还不行吗?我不考试还不行吗?’爸当即就在他肩膀上敲了一烟斗。”

停顿了一下,春妹又说:“这几天,我们家就像老坟场,死气沉沉的。”

我很想问问她在火车上是否有钱买饭,买水,但我没敢把这话问出来。

春妹又沉默了。好一阵过去,她说:“爸妈开始以为是我嫁的那个男人不愿意给钱,后来就有些怀疑了,怀疑我是不是真的嫁了人。”

我不知道该怎样安慰她,只好老调重弹:“春妹,你在美容店干得好好的,为啥偏偏要跟了那个不要天良的家伙?他身边的女人不止一个,在你之前就有两个啊!

你分明清楚，为啥要同意呢？……既然在你生孩子前他就不要你，你为啥又要把孩子生下来？”

春妹垂下眼帘，左手捏拿着右手的指头：“大宝哥你不要说了……我在那美容店里……也是做那种生意的……不然，我一个月挣四百块，又要租房又要吃饭，哪有钱寄回家呀。我早就不是人了。我想与其让那么多男人糟蹋，不如跟一个的好，我哪知道他是那种人呢……他去那家美容店一共去了三次，三次都是找的我，最后一次他就让我跟他走，说只让我陪他玩，每月给我两千块工资……我就跟他去了，结果他要了我大半年，只给我买了两套衣服，一分钱也没给过。我买车票的钱，还是自己以前存下的……我本来没脸回来，可是，不回来看一眼爹娘，看一眼哥哥跟姐姐，我就活不下去了！再说，我带着个孩子，漂在外面咋办呢，回到这里来，至少有个家吧，至少有碗饭吃吧……”

我长长地叹息了一声，说：“春妹，前面的事我就不说了，你都是为了家里在牺牲，为你哥哥在牺牲，你千不该万不该，就是把孩子生下来。”

春妹突然蹲下身，双手捂住眼睛，指头钢筋铁骨似的抓扯自己的脸皮：“大宝哥你不知道，有好多次我都想掐死他，把他掐死算了！掐死！掐死！……”

背上的小家伙，仿佛听出了自己的危险，没有一点预兆就啼哭起来。

春妹把手放下来，她的眼珠血红，却没有一滴泪水。

那孩子继续哭，哭声是那样奇异，像不是出于本能，也不是一般的不舒服，而是哭得很悲伤，很动容。

春妹站起身，凄然地对我笑笑说：“大宝哥你忙吧，我要回去喂他了，山上风大，我不敢把他解下来。”

说罢，她走了。

即便身上捆着一个孩子，她的背影也像影子似的单薄。

春妹走出很远，我也能听到她“喔喔喔”地诓抚孩子的声音。

那个白天，老奎叔并没来找我，倒是其他人来找我的特别多，吃过午饭，家里就没断过人。都是老人、女人和还不会下地走路的婴儿。他们来是过问自己亲人的情况。在他们的心目中，整个世界只有两个地方：老君山和老君山之外。他们的亲人散布全国，有的在浙江，有的在福建，有的在新疆，有的在北京……但无一例外的，都问我是否去他们亲人那里看过。当我如实相告之后，一群人深深的失望溢于言表。

他们的心思我理解，如果我去看过，我的身上就带上了他们亲人的气息，他们也就觉得自己和亲人近了一步。但我实在不能满足这一愿望。我只是提醒自己：千万不要泄露自己在外面的遭遇。那将是一枚毒针，击中的不仅是我的妻子和女儿，还是在场的每一个人。

我让他们失望，却也保持了他们的骄傲，他们说，从我们鞍子寺出去的，没一个孬种，你们看那羊角村的(比鞍子寺更高的一个村子)，有的造假证，有的偷电缆，女人就卖×，真不像话！既然让你去城里赚钱，你就老老实实地干活嘛，搞那些没名堂的事害谁呢。接着，他们就说到自己的亲人了，都是很自豪的口气，有的说儿子受到了老板的重视，被提拔为包工头，有的说女儿或孙女正被厂里派去学电脑……这些事都是有可能的，并不是所有外出打工的人都像我这么倒霉。但作为亲历者，我知道每一个农民工都必须忍受家里人无法感知的痛楚。这是跟故乡割裂的痛楚……

谈了自己的亲人，话题就绕来绕去的，但不管怎样绕，都朝着同一个方向。

我早就听出来了，这个方向就是春妹。

他们问我："大宝，春妹打工跟你是一个地方吧？"

我说："大地方是一个，其实也隔得很远。"

"你没到她那里去过？"

我摇了摇头。

有人终于说："这村子里要算春妹最有福气了，出门一年就找了个有钱的男人。"

可立即就遭到了反对。反对的人把话说得很小声："她嫁了个有钱的男人，那男人在哪里？我把春妹翻过来翻过去地看，就是看不出她找了个有钱男人的样子！"

从情形上看，大家都是这么怀疑的，因为他们全都变得有些诡秘了，声音也一律放低了："我也是这么想呢，你看她怀里那娃娃，比一把挂面还小！有钱的男人，财大气粗的，哪会下那么不起眼的种？"

大家笑得前仰后合。

我砍回的青冈棒架在火堂里，一闪一闪地吐出蓝色的火苗。这时候，火苗好像也在跟着笑，嚯嚯嚯的。我家的屋顶本来就很低矮，很压抑，这么一笑，空气里便弥漫着沉闷的欢乐。

又有人说："你看春妹穿那一身，还有那娃娃穿那一身，都是表面光，其实是很孬的料子，那天我看到春妹给娃娃垫屁股，用的还是苟月珍(春妹的母亲)的一件破衫子。"

另外的人接腔道："再说那陈老奎和苟月珍，平时是最爱凑热闹的，今天都是正月初四了，你们见那两口子出来耍过？那两口子就像冬天缩进洞去的蛇，逗都逗不出来！"

接下来，他们就进行着大胆的猜测，说春妹可能是被人强奸了，外面的男人，说多坏就有多坏，反正身上有的是钱用(在他们的观念中，凡是城里人，无一例外都有用不完的钱)，成天没事做，就打女人的主意，遇到单身女子从巷道里或者少车少人的桥下过，用麻袋往女人的头上一笼，拉着就跑，跑进阴暗角落或者不远处的租房里干坏事;即使被逮住,给点钱就把问题办了。“老祖先说有钱能使鬼推磨,有钱还能使磨推鬼,这话一点不假!”他们感叹说。

银花和五六个孩子果然在那里玩雪。

几个孩子当中,除了我女儿现在父母都在家里,其余的都跟着爷爷奶奶生活。

银花看到我,张开冻得又红又肿的双手,踢踏着雪花飞奔过来,迎着风大声说:“爸爸,我在帮他们做爸爸妈妈。”

做爸爸妈妈?我过去一看,孩子们堆出了十余个雪人,这就是他们的爸爸妈妈!

银花说:“爸爸你看,耗子做他爸爸的时候做错了,他爸爸分明只有一只手,他却做了两只手。”

那个名叫耗子的男孩,比银花大几岁。三年前,他爸爸在新疆一家煤矿遭遇瓦斯爆炸,被炸断了左臂,伤口刚愈合,他又跟妻子去了武汉,妻子进了木材厂,他则在汉口江滩一带拾荒。

我看着耗子的“爸爸”,发现他把爸爸的左臂塑得又大又长。

泪水情不自禁地涌上来,在我眼眶边打转。

我把耗子抱起来,说:“耗子你是对的,你没有做错。”

耗子一言不发,那过分的成熟和坚定,我几乎不敢面对。

我放下他,对孩子们说:“你们想念爸爸妈妈,爸爸妈妈也想念你们,只要你们在家里好好念书,你们的爸爸妈妈就会高兴。”

一个比银花稍大一点、名叫京京的女孩问道:“大宝叔叔,爸爸妈妈看不见我,他们咋知道高兴呢?”

女孩缺着一颗门牙,不知是冷得太厉害,还是牙齿关不住风,语音模糊不清,加上挂着的那两串清鼻涕,看上去可怜极了。

我蹲下去,对她说:“你爸爸妈妈看得见你,自从他们把你生下来,不管走多远,他们都看得见你。”

京京说:“那我怎么看不见爸爸妈妈?”

“你也看得见,只不过那时候你睡着了,他们是在你睡着的时候来陪你的。”

京京蹦跳着说:“那我今天晚上就不睡觉了。”

我说:“那可不行,你不睡觉他们会不高兴的,他们不高兴就不来陪你了。”

京京眼睛里的光芒黯淡下去,显得既无助又忧伤。

一个五岁的小孩忧伤起来,让人刻骨铭心。

黄昏早已在风雪中降临,我和孩子们扯了些茅草盖住那些“爸爸妈妈”,就领着他们下山了。

银花要我背,但我没有满足她。我不能用这种方式去刺伤另外几个孩子的心

灵。

我以为老奎叔晚上会来找我的，我都想好了怎样回答他可能提出的问题了，但他还是没来。

春妹去柴山跟我说话，她父母是否知道？春妹回去之后，家里又发生了些什么？老实说，我真想摆脱这些事情，但总是摆脱不开。

由于玩得太疯，也由于太兴奋，银花吃罢晚饭就睡了，金花把她弄上床。回到伙房就烧了一大锅水。之后，她不声不响地搬出一个泡澡用的大黄桶。她把这些事做得庄严而又神圣，而真正等到肌肤相触，她却变得那么羞涩。风湿带来的骨节酸痛，使她的手和腿都不是那么灵便，然而它们是健壮的，短暂的羞涩和试探之后，它们就变得那么强烈，那么迫切，那么有力。我的身体之下涌动着黄褐色的波浪，那是一片带着痛楚的麦田。麦田在分裂，在下陷，整片大地都在分裂，在下陷。我和她都感到了危机，因此死死地搂抱着，不要命地搂抱着，在战栗和攫取中沉入深深的绝望。

这种绝望的感觉是多么好哇！毁灭的感觉是多么好哇！它们是在重新打造我的骨头。我的骨头在异地他乡被人折断了，现在，我的麦田在为我重新打造。我闻到了麦子的香味，稻谷的香味，蛙鸣的香味，还有阳光和轻风的香味，这些香味就是我的骨头，是我唯一的黄金……

金花汗湿的头发凌乱地铺撒在我的胸膛上，灵与肉的飞翔，使她的身体变得轻盈起来，温暖而清澈地贴着我。

这时候，哪怕只是肩头相触，哪怕只是指甲相碰，也能奇异地消除我的孤独。

喘息稍定，她问我："想我吗？"

"想你，想死你。"

"五年了，你在广东是咋熬的？"

"想得不行的时候，我就自己解决。"

金花赤裸的手臂从她的头发中伸上来，捏着我的鼻子："真可怜。"

又说："没犯过错？"

"犯过。"我说。

金花仰起头，眼睛在发丝后面幽幽闪光。沉默了好一阵，她说："我不怪你，五年，实在不短。"

我一把摁下她的头，让她凉丝丝的鼻梁顶在我的胸膛上，再抚摸着她小小的脑袋说："你想到哪里去了，我犯的错不是你想的那种错。我去街头看过内衣秀。"

金花不懂什么叫内衣秀。

我为她解释："城里人很怪，他们找一些又年轻又漂亮的女人在大街上穿着胸罩和内裤，摆出各种姿势让人看。"

"只穿胸罩和内裤？"

“是的，他们的目的就是推销女人穿戴的东西。”

“真不要脸，”金花说，只是语调里带着一种奇异的神往，“你去看了？”

“看了。”

“好看吗？”

金花的声音听上去酸溜溜的。

“好……看，那天搞内衣秀的地方离我们工地不远，我的那些工友全都跑去看了，围的人太多，有个叫贺兵的还爬到树上去看。”

金花垂下眼帘，仿佛在想象当时的情景，之后问道：“只犯过这一次错？”

“不，还有一次。那次是去看一幅宣传画，是在一家夜总会门前，那天夜总会里有几个女人去表演，据说是跳脱衣舞，外面橱窗里的宣传画都是半裸，我们半夜十二点下了工，就偷偷去看那幅画，橱窗里太黑，看不清楚，有个工友就捡起一块砖头砸玻璃，结果被巡警发现，逮住他们罚了款，我跑得快，没被罚。”

金花嘻嘻嘻笑起来，弄得我痒酥酥的，然后她叹息一声：“真可怜……再没犯过错了？”

“没有了。”

“你的那些工友都没有？”

“有的有。他们去路灯下找女人，二十块钱一次。”

“你没找过？”

“没有。”

“是怕花钱吧？”

“也是，也不是。主要还是不想对不起你。”

我说的是内心话。金花嫁给我之前长得真是好看，很嫩，很秀气，乳房小，却结实，胳膊腿儿也很饱满。她是嫁给我之后才迅速变得老起来的。当时，她除了年纪轻轻就得了风湿病，别的真没什么说的，她完全可以嫁一个家境殷实些的男人，但她不顾家人的反对，选择了我这个无父无娘的穷光蛋。她说我郑大宝有文化，她说一个能考上大学的人肯定有文化。她就冲着这一点成了我的女人……

不知出于什么心思，金花再让我讲我的工友去路灯下找女人的故事，但我不想讲，讲那些事让我难受。这是有原因的。去年八月的一天夜里，我的两个工友又去找女人，结果在街头的阴影里碰上一个犯了毒瘾的女子，那女子最多不过十八九岁，瓜子脸，大眼睛，漂亮得没法说，穿得也很时髦，可她毒瘾犯了，身上却没钱，我的两个工友跟她交涉后，把她架到一个圈起来还没开发的地界，那里有面墙破了个洞，他们就架着那女子从洞口钻进去。事后，一人扔给了她十块钱。几天后，两个工友得意扬扬地讲起这事，我当时就呕吐了。

金花见我不愿意讲，也不逼我，滑溜溜的身子往上耸了两下，挽住我的脖子说：“守在家里的人，也一样……我不是说我，我一辈子也不会干那种事的，我是说西院那文香，她跟羊角村的成明在柴山里做那事，被人看见了。”

文香的男人在浙江打工，也是整三年没有回来。

我情不自已地把金花抱紧了些，提醒她：“乡里跟城里不一样，城里门对门住多年互相也叫不出名字，乡里十里八村都是熟人，你不要乱说人家，免得传出去。”

“我没乱说，我只对你说。”

我的指头在她背上弹了几下，问她：“你想我吗？”

“我不会天天想，”她说，“有时候一月两月都不想，但一想起来就像蚂蚁叮，恨不得把自己抓烂。”

“那你咋办呢？”

“跟你一样，自己解决，但我不是你那种解决法，我是把一碗绿豆倒在地上，一颗一颗地捡，捡完了还不行，又倒在地上，再捡。”

“真可怜。”我说。

她死死地掐我，掐得我痛。

两人静默下来后，我才听到屋脊上的沙沙声。那不是落雨，是落雪。

雨声张扬，雪声却带着沉思。

金花掖了掖被角，突然以很不齿的口气说：“那西院怕是风水不好，尽出文香那种女人。”

“除了文香，还有别人那么干吗？”

“别人……春妹到底是咋生了儿的？”

这时候，她实在不该提到春妹，更不该以这样的口气提到春妹。整个下午她都没说过春妹一句坏话，但她从骨子里明显瞧不起那个自己还是孩子却生了个孩子的女人。

我冷冷地说：“金花，记住，就算春妹做下了不合情理的事情，她也是为那个家受累，值不值是一回事，但她的确是在为那个家受累。她爸让她去广东，她不能不去。她没有选择的余地。去了广东，她没有别的办法挣到更多的钱……今后，你不准嚼她的舌头。”

金花没想到我会突然变了脸，怔了一下，委屈得差点流下眼泪。

雪声更紧，我穿好衣裤，出门去摇竹林里的雪。不摇一摇，这么下一整夜，积在枝叶上的雪垛会把竹子压断的。

我刚走进那片竹林，就听到西院里传来一抽一抽的嘤嘤的哭泣。

第二天一早，凡是碰面的人，都在谈论昨晚的哭声，看来很多人都被那哭泣声缠醒了；那哭泣声本来很小，可它却像不动声色地游到身边来的蛇，一旦捕捉到，就惊天动地。

大家都听出来了，那是春妹在哭。

金花做早饭的时候，我想去东院张大娘家看看，她的孙女不久前淹死了，在家的村里人都去安慰过她，而我回来一天，还没去走动过。

出门之后，我却没去张大娘家。我临时改变了主意。老奎叔不来找我，我应该去找他。我决心把春妹的实际情况告诉他。隐瞒一时可以，长时间隐瞒下去是不行的。

因为有那个孩子。

西院的院坝里依然不见一个人影，小孩们还没起床，大人都躲在家里。看来大家都在回避，生怕碰上春妹家的人不好说话。我正穿过积雪很深的石坝往春妹家走，猛然看见文香斜着腰身站在她自家门口，用眼睛给我打招呼。这层院落北面是空的，没有房屋，其余三面都板壁连板壁地住着人家。文香和春妹家在同一个方向，只是中间还隔着一户人。

文香是一个身材高挑的女人，长年累月的肩挑背磨一点也没损坏她的体形，她斜着腰身的站姿，慵困多情，散发出一种不可思议的美。

我朝她走过去。她没请我进屋，只是睃着眼说："听说大宝是昨天回来的?"我说是。她用手理了一下披散的头发，颇为伤感地说："我们屋里那个还是没回来。"

"可能活多吧，"我说，"有些地方春节的活比平时还多，那家伙说不定现在已经爬上脚手架了，为了把你们家盘成金山银山，他像牛马一样，春节也不过了。"

我这话里含沙射影的意思，似乎太明显了，文香咧了咧嘴，怯怯地低声说："到底是兄弟，你才这么关心他，才知道他的苦处。"

可能是烟熏的缘故，她黑白分明的眸子里布满红筋，现在更红了，泪光烁烁的。我想，这个女人实在不是不爱她的男人，她实在是守不住了，她还不到二十五岁，身体那么好，又有那么一股子潜藏着的浪劲。要不如此，她决不会跟羊角村的成明干那事的，成明有二十七八岁年纪，是个杀猪匠，长得五大三粗的，又不爱干净，浑身充斥着一股猪屎味和猪皮味；成明的优势仅仅是年轻。而今，守在老君山的年轻男人已经很难找了。

文香叫我过来，是希望我为她提供一些她男人的信息，可她男人在浙江，我在广东，我无法为她提供任何信息。说了两句无关痛痒的宽心话，我离开了。

春妹家的门开着。她家的格局是进门后有一条四五米长的巷子，走过巷子才是伙房。

此时，伙房里只有春义一个人。

我刚迈进门槛，春义就在灶台那边发现了我。

"大宝哥……爸，大宝哥来了。"

过了几分钟，老奎叔从床上起来了，一边从卧室出来，一边发出憋不过气来的咳嗽声。做了几十年石匠，他的嗓子眼和肺里不知吸进了多少石屑。他披着一件绽出黑棉絮的棉袄走到我面前，还在咳，脖子上绷出黑筋。

好不容易停下来了，他朝火儿石上吐了一口痰，才说："大宝早啊。"然后叫春义给我递烟。

春义把烟递给我，就进了里屋，大概复习功课去了；每天安排给他的家务活最多就是早上把火生起来，其余时间都是复习功课。

即将面临的谈话给我心里造成极大的负担，可是拐弯抹角会更糟糕，于是我单刀直入地问："春妹呢？"

老奎叔看了我一眼，很快把目光移开，说春妹跟她妈进菜园子倒夜壶去了。

我把烟点上，狠狠地吸了两口，说："老奎叔，我在那边没照顾好春妹，很对不起。"

他又咳起来了，但不是真咳，之后强作平静地说："她的事情我都知道了，直到昨天晚上，她才老老实实地告诉我们的。"

我拿不准春妹到底说出了多少真相，不敢贸然启齿，只是再次道歉。

"那不怪你，"老奎叔说，"咋能怪你呢，只怪我们自己的人不争气。"

他的眼睛红了，从灶孔前拖出半人长的大烟杆来裹旱烟。他的手指很粗，很黑，上面创口累累。裹好了烟，他把烟嘴含进口里，便仰着脖子，将烟斗掏进火堂里去点。

刚点燃，他突然把烟嘴吐出来，暴起一声："羞人啦！"

他的声音本是那么沙哑，这时候却锋利如刀。

"大宝，羞人啦！"他说，"就算穷得舔脚板，也不该去给人家当小老婆！"

他吸了一口烟，又以那种怪怪的腔调说："当小老婆还当不成呢，还被人家赶出来了呢！"

说到这里，他近乎无助地看我一眼，突然咳咳咳地痛哭失声。

春义一脸泪痕地从里屋跑出来，为他爸捶背。

老奎叔双手用力一挥："滚开！你这个狗日的！"

春义一个趔趄摔倒在地。

老奎叔怒火中烧，站起身要用大烟杆打春义。烟斗是铁做的，打在身上骨头也能敲断。

我急忙把他抱住。

老奎叔双脚在地上跺，指着春义骂："你个狗日的，你个杂种！要不是为了你，你二妹会落到今天这一步？"

春义扑在地上哭。他不是被摔哭的，也不是吓哭的，他实在是想哭。

正这时，春妹和她母亲回来了，一人手里提着一把夜壶，夜壶已经倒空，但陈屎的气味还是从那干鱼似的壶嘴里浓烈地飘出来。

母女俩的眼睛都肿成一条线。

春妹没背孩子，看来孩子还在睡觉。解下了背裙，穿得又很少，她显得更单薄了，仿佛随便一阵风就能把她吹得无影无踪。

看见屋子里发生的事情，苟大娘两眼轮着丈夫，胸脯一鼓一鼓的，大声对我说：“大宝你不要抱住他，让他打人，他是条疯狗，见人就想咬！你不要管他，让他把我们都打死算了！我们脏他眼睛，我们死了他就干净了！”

老奎叔在我的臂弯里瘫软下来，且低沉地呻吟着，退回到凳子上坐下。

与此同时，春义也从地上起来，跑进了里屋。

我实在找不到什么话好说，就起身告辞。

老奎叔一把拉住我：“大宝，说啥你也要吃了饭才走。”

我说不了，金花已经煮上了。

“金花煮是金花的事，我煮是我的事，”他几乎乞求地说，“你不能这样看不起你老奎叔。”

话已经很重了，可在这样的时候，我哪有心情留在他家等饭吃？我只好撒了个谎，说我家里来客人了。

“是这样啊，”老奎叔嗫嚅着说，“那你走吧……”

然后，他低声道：“大宝，我求你个事。”

“老奎叔你说。”

老奎叔用手抹了一把皱纹密布的脸：“我们家的丑事，你不要告诉别人，老奎叔求你了。”

我没回话，走了。

刚走到当门的黄桷树下，春妹就追了出来。走到我近前，她才紧张兮兮地问：“大宝哥，你没给爸说我在美容店那些事吧。”

“没有。”

“那就好，”她长长地松了口气，“要是爸妈知道那些事，他们一定会搭根绳子吊颈的。”

我沉吟着说：“春妹，我一直想给你出个主意……”

春妹等待着。

“你为什么不去告他？事情是他做出来的，他应该负责，至少应该给你经济赔偿。”

春妹听后，黯然神伤。“不行的，”她说，“我在广东就知道有个人跟我的情况一样，后来她去告，结果没把人家告倒，自己还赔了诉讼费，听说还被打了，打得那个狠，都缺脚跛手了；那是人家的地盘，哪有你说话的。”

她的话让我哑口无言。我自己的经历使我明白一个古老的道理，那就是人在屋檐下，不得不低头。许多时候，仅凭一腔义愤是不够的。远远不够。

今早没有雾，因此比往天冷得多。大雪在天亮前就停了，四野是一片寂静的银白。那种白本身就是冷气，是凝固的冷气。

我看春妹穿那么少，说："春妹你回去吧，谨防感冒了。"

春妹却没动步，盯着脚下晃眼的白雪，呓语似的说："大宝哥，我真不该说这种话，我本来就不要脸了，说出来就更不要脸……我爱他，你知道吗，我爱他……就算我能打赢这场官司，我也不会去告他的……我还在美容店的时候，他就对我很好，他三次来都对我很好，没有像别人那样只把我当成工具，我跟了他以后，有段时间他对我真是好极了……我爱他……再说他也不容易啊，前段时间他的生意做得很不顺，有两家公司都垮了……谁都以为他是成功的，可是成功的人背后，也一样有世态炎凉……"

一串晶莹的泪珠无声地洒在雪地上。雪地被烫出两个触目惊心的窟窿。

我转过身，大踏步地朝前走去。

一路上我都听到自己血液的呼啸声。

春妹说出了"世态炎凉"这个词。这个词她不是用在自己身上，而是来感受别人的处境。

这个人一直欺骗她，几个月前才狠心地抛弃了她……

走到自家后门口，我听到刚起床的银花在问爸爸哪儿去了。

金花没回答女儿。昨夜里我说了她几句，很是伤了她的心。

这时候，我不想进屋，我害怕自己控制不住情绪，三两句话不对路，就可能跟金花争执起来。事实上，金花对别人的隐私感兴趣，喜欢在背地里往别人的伤口上撒盐，只是沿袭了乡村自古有之的传统。这是贫穷的乡村人消除寂寞最好的办法。她并没犯多大的错，我没理由把气发在她的头上。

趁这时间，干脆去东院张大娘家看看吧。

从后门左侧下去，有一个水凼，就是竹林里那条小沟汇聚成的。水凼不大，夏季却很热闹，有前来喝水的牛，有洗衣服的女人，还有在里面游来游去的孩子。眼下，水凼里结着冰，冰面灰暗，透着一种很有硬度和质感的黑，证明冰层很厚。水凼旁边是一条小路，这条路直通东院。路边巴掌大的田地里有刚刚生起来的油菜苗，天越冷，油菜苗越是鲜嫩，青亮得逼眼。不仅田地里，路上也有菜秧，东一簇西一朵的。那是农人不小心把菜种撒在路上长出的。几只麻雀在路中间觅食，它们沉默着，蹦跳着，灰灰的羽毛和灵巧的身子在雪地里格外醒目。

穿过几间猪牛圈，东院的晒坝就呈现在眼前。几层院落比较起来，东院最大，人户最多，晒坝也最宽敞，可是院坝里同样没有一个人，而且每家每户都关门插锁。张大娘的房屋旁边，立着一根草树，树上的枯稻草已被扯下大半，家门前就散布着那些稻草，被雨雪浸湿，又被鸡爪刨来刨去，看上去显得特别乱，特别脏。

这景象我在西院的文香家也看到过。文香是一个很爱干净的女人，但家里没有男人，她只好把稻草当柴烧，抱草进屋时，免不了掉落一些在地上，她也无心打扫。以前，山里人都是把稻草存下来喂牛的，枯草里有积存的土地味，太阳味，有没散失干净的养料，牛嚼着这些味道和养料，依靠回忆度过整个冬天，现在，人烧掉了一部分，留给牛的就不多了；养料本来就少，再加上吃不饱，当春草萌发牛们跨出圈栏的时候，全都瘦成了皮包骨头，即使在平地行走，也四条腿打战。

我突然不想去张大娘家了。我去干什么呢，去表达我的同情？同情是水，不是骨头，同情永远也无法帮助别人支撑起生活。我完全能够想象得出去她家后的情景：那是一间严重倾斜的土坯屋，里面黑洞洞的。我进屋后，张大娘会在柴旮旯儿里拖出一根凳子让我坐，然后给我讲她孙女是怎样掉进粪坑的——刚把孙女的名字说出来，她就一把鼻涕一把泪，哽咽着说不下去。这之后，她就后悔，她孙女是去别人家夹火种时出事的，她真不该让孙女去夹火种，那天下过雨雪，路那么滑，再说路上要经过两个粪坑，不要说六七岁的小孩，大人稍不留心也会掉进去。她一定会说："我这老不死的呀，咋就那么昏呢，为啥让她去夹火呢……"又是一阵痛哭。这简单的叙述，至少花上个把时辰。然后我就该走了，可是她不让我走，非要给我做汤圆……

情形就会是这样，也只能是这样，我去什么也不能帮她，只会再一次挑开她的伤口。

那么我还去干什么呢？

尽管很不情愿，但我必须承认：只不过短短的一天多时间，故乡就在我心目中失色了。因为见识了外面的世界，故乡的芜杂和贫困就像大江大河中峭立于水面的石头，又突兀又扎眼，还潜藏着某种危机。故乡的人，在我的印象中是那样纯朴，可现在看来，他们无不处于防御和进攻的双重态势，而且防御和进攻没有前和后的区分，它们交叠在一起，无法分辨。无论处于哪种态势，伤害的都是别人，同时也是自己。对那些不幸的人，他们在骨髓里是同情的，因为他们从中看到了自己的命运。遗憾的是，出于保护自己的目的，他们总是习惯于对不幸的人施放冷箭，使不幸者遭受更大的不幸。他们误以为这样做就能够突显自己的优越，从而远离不幸……

这可怕的人性泥沼，当然不仅仅属于乡里人，但由于乡村的贫困和卑微造成的褊狭与自私，加上祖祖辈辈抱成一团开疆拓土、因而彼此知根知底的特殊背景，他们要对一个不幸的人施加压力，就自然而然地形成了一种不可动摇的集体力量。

像张大娘这样的人，她要最终获得拯救，只能依靠时间。

可是春妹就不行了。对她而言，时间是魔鬼。她怀里的那个孩子在一天天长大，不需要多久，他就会叫爸爸妈妈了，然而他没有爸爸可叫！我的女儿银花会叫爸爸而看不到爸爸的时候，她母亲会告诉她："你爸爸在广东打工，你爸爸爱你，等你爸爸挣了钱，他就回来看你。"然而春妹将如何向她的儿子交代？她能够对她儿子说："你爸爸有很多钱，可是我怀上你的时候，他的生意走下坡路了，他嫌我们是拖累，不想养我们，就把你和妈妈赶走了，你没有爸爸了！”——春妹能这样说吗？

在鞍子寺村，人们虽然怀疑她儿子不是走正门生出来的，但最真实最具体的情况并不清楚，许多人还在观望她是不是真的嫁了个有钱的男人，即便那男人并不有钱，也想看看他究竟长得什么模样，是个什么身份——结果闹到头，那孩子不过是个野种！

真到了那一天，等待春妹的会是什么后果，她太清楚了。

还有她的家人。唯一从心底里爱她的，就是她的家人，可是，她在家里多待一天，带给家人的耻辱也就往深处扎一寸。

她不愿意这样。

何况她哥读书还需要钱呢！那家里不靠春妹，就没有人能供春义继续读书。

鉴于这种种原因，春妹默默地走了。

她本来是想回到故乡疗伤的……

我没看到她走。那天我带着妻女去三十里外的岳父母家了。

据说春妹走得很平静，那天她去乡场后回来，把哇哇啼哭的孩子(那孩子只要没睡觉，好像永远都在啼哭)背在背上，就跟父母和哥哥道别(听说她姐姐春梅正月初三回来过，看见妹妹抱着一个不明不白瘦小得像干柴棒的孩子喂奶，饭也没吃就走了)。她对哥哥说：“哥哥你安心读书，钱的事你不用担心，我这次不去广东，我去福建，我今天打听到我的一个初中同学在福建一家制衣厂打工，她爸爸给了我地址，我去找她，她一定会帮忙让我进厂的。”

春妹走了，村里又议论了她两天，再次归于沉寂。

我想很少有人在乎她到了另一个陌生的地方，带着孩子将怎样生活；更少人在乎的是，她之所以不去广东，究竟是害怕自己再次受伤，还是别有隐情……

正月初八，对老君山来说是一个特殊的日子。

这一天是牛的生日。

不知为什么，老君山人固执地认为，世间的第一头牛，是农历正月初八这天降生的，因此他们把正月初八定为天底下所有牛的生日。

清早，老君山的男女老少，只要拿得动镰刀的，下得了床的，都走出院落，走到村子底下或者爬到村子上面的山林，为牛割草。四野一片枯黄，要找到一把青草很不容易，通常是那些叶片如利刃的马儿蕊草，或者生长在崖垛之巅的紫芫草，靠近草梢的部分才呈现出青绿色。但要割下这些草非常困难，稍不留心，马儿蕊就会划破手指，不是一般的破皮，而是一拉到底，现出雪白的骨头；紫芫草虽然摸上去如绸缎般柔软，但谁也不敢轻易爬到数丈高的崖垛动它们一下，何况冬天的崖垛上随时都可能藏着暗冰。

尽管艰难，老君山人却无论如何也要让牛在这天尝到青草的气味，哪怕只有一点点儿。把草割回来后，一家人便围在牛棚旁边，由家庭成员中年岁最大的人将草放进牛槽，招呼卧着反刍的牲口起来享用；以前，放草之前，家里的长者还要带头给牛下跪，表达对这种数千年来为人类做出巨大牺牲的生灵的感激和敬意，现在没有这规矩了，但虔敬的心思并没减退。

说来奇怪，正月初八这天，老君山的牛仿佛也知道这个日子非同寻常，一律显得格外安静，既不撞圈栏，也不鸣叫，当人们把草放进木槽时，它们表现得是那样羞涩，用湿漉漉的、清亮如水的眼睛对人们说话，那意思好像是："谢谢你们，我做的那点事，只不过是我的本分，没啥了不起的。"

这一个正月初八，天还没亮明白，鞍子寺村后面的山岭上就起了歌声："清早起来嘛去割草哦，烟子蓬蓬呢割不到哦；烟子烟子你快快散呢，咕噜噜噜扯——我家的牛儿过生朝（生日）哦……"

这是祖先传下来的歌谣，"烟子"指的是雾，但今天没有雾，今天是化雪的日子，屋檐底下响起时轻时重的声音，那是雪水融化的声音，有时候，一团雪块没来得及化掉，就顺着瓦沟摔下来，在地上溅起耀眼的光芒，我家后门外的竹林里，发出淙淙的声响；这响声无处不在，站在石板铺成的院坝里，也能听到它的鸣唱。

天地之间存在着一个神秘的琴师，它在每一个角落弹拨出季候的主要音律。

要是以往，最早起来的人唱了第一句歌词，满山满坡都有应和，但今天不是这样，应和的有，却极其稀微。

我和金花隐隐约约地听到西院文香在跟人说话，那人问文香为什么不唱歌，因为她是鞍子寺村歌声最美的，文香说："唱啥呀唱，我家牛也没有，懒得唱！"

她的话说到了我和金花的痛处。

金花的脸色忧忧戚戚的，对我说："管他有没有牛，你也吼两句吧，那是个吉庆。"

我没有听她的话，吼那么两声，实在看不出吉庆在哪里；而且，一个没有牛的人唱歌，我这面子上挂不住。

金花没作声。当我打开后门抱柴回屋，她不见了。一个多钟头后，我把饭做好，才见她割了半背篼青葱的紫芫草回来。那么滑的路，她不仅裤腿和前襟上洒满泥点子，连头发也被泥点子染黄了。她将草一把一把地打散，一把一把地丢进牛槽。

她做着这些事，脸上没有悲伤，只有对未来生活的祈福。

然而，我却看不下去了，我把那些草全都抓了出来，扔进了旁边的粪坑！

金花愣愣地看着我，直到我用长把粪瓢将草全都捅进粪渣里，她才抑制不住流下泪来。

"马上就开春了。"她说。

她的意思我懂，春水一发，就要牛犁田，没有牛的人家，就只有向别人借牛，而春水田是抢出来的，只有那么短短的两三天，融化的雪水才能把田涨满，过了那几天好日子，田虽然也能够翻耕，却检验不出是否扎漏，如果田不扎漏，到了五黄六月稻谷抽穗的时候缺水，严重的减产就势所必然。等别人忙过，你再借牛来使，很可能就错过了最佳时机，而且，牛那么宝贝，关系再好的人家也不愿意随便借人；老君山人把犁春水田叫“打老荒”，听听这说法，就知对人对牛，那都是极其艰苦的活，一趟老荒打下来，再强壮的牛也要瘦它几十斤。这无法不让主人心痛。

我家已经六年没牛了，以前有一头老白牛，结婚的时候卖掉办了酒席，从那以后就再没喂牛，这就是说，我离开的这几年，金花每年都要向别人借牛，去人家门槛前下话的尴尬，她已经受够了。

除了尴尬，还要累死累活地抢那最后一趟春水。那些挣了钱的人家，即使暂时没买上牛，也可以把牛借来后拿钱请人犁田。文香就是这样做的。犁铧沉重，如果不熟悉牛的习性，随时都可能被它拖得扑倒在水田里，甚至扑到铧刃上，割得身上鲜血直流。以前干这活，都是年轻男人的事，自从年轻男人走出村子，就轮到缺力气但有经验的老头子了。请老头子犁一亩田，给十块钱。很少有女人干这活，可金花是自己干。她舍不得钱。她的娘家人也不能帮她，她有个弟弟，打工去了，同样是几年不回，岳父的身体也吃不消了，更重要的是，岳父家也买不起牛，也要等着别人空下来了，才披星戴月地去田里忙乎（今年过春节，也是他儿子寄回两百块钱，才割了些肉，打了些酒，勉强把年关度过了，他哪有钱买牛）。金花只能靠她自己，每次犁完田，她的腰和腿就像有人在用扁担砍一样……

虽然如此，你这么割回一背篼牛草，别人家的牛就会跑到你圈里来吗？

我心里窝囊透了。

两人进了屋，金花见女儿不在家，泪水就流得越发的汹涌。

我让她坐在条凳上，自己也挨着她坐下来，我说：“对不起，刚才是我一时发昏。”

她不回应，只管流泪。

我犹豫了片刻说：“金花，我寄回的三千一百块钱，都派了啥用场？”

前两天我就想跟她算算这笔账，我不是不相信她，仅仅是想了解一下钱都花到哪里去了。

她擤了一把鼻涕，又用粗糙的手掌抹了泪水，才很平静地对我说：“每年买肥料就要四百多块，我们还算买得少的，有些家庭一买就是六百多块，现在那土，吃肥料吃惯了，肥给少了就不出好庄稼；再说我们没喂牛，又没啥粪肥帮补。还有就是交义务劳工费，这笔费用是你走后才交的，每年给每个成年劳力算十个义务工，也不让你真去哪里做义务活，只是让你交钱，每人每天二十块，这样算下来，我们家一年要交四百。第三就是银花的书学费，她四岁进幼儿班的，读了两年了，每学期的学杂费一百八，一年就要三百六。其他的就是一些零星的花销，我记不起来了。”

我默算了一下，光是金花说出的这三笔大数目，几年下来至少也要五千，而我寄回的只有三千一百块。我感到很羞愧，我实在不该向她提这么愚蠢的问题。就算我不知道有义务劳工费，也应该知道三千一百块钱远远不够五年的开支。

“还有两千来块钱的缺口，你是从哪里找来填补的？”我抓住金花的手，这样问她。

“找我弟弟借了一千五，”她说，“另外就是卖谷子。”

她低下头，又说：“你看我们仓里的谷子很少，不是你女人不能干，是肥料不够，庄稼产量本来就不高，又卖了那么多。我本来还想把你爸妈的坟修一修的，可实在抽不出钱。你看村里有些人家，从县城请来专门的匠人，用石条把祖坟修得那么漂亮，还錾了碑。只有你爸妈的坟还是两个土包子。你是读书人，虽然没念成大学，可你是这村里最大的读书人，你真该给你爸妈写上几句话，錾在碑上，立在坟前。”

我不希望她提这些事情，一提起来我心里就毛躁。虽然我并不像村里某些人那样，以花大钱修葺祖坟的方式来显示自己的孝心，或者以此向外人摆阔，但父母的坟像狗啃似的龇牙咧嘴，毕竟也不是体面的事情。

金花又说：“你昨天给我的两百多块钱，按道理该去买头小猪的，一头猪在圈里，再好的饮食它吃起来也懒心无肠，猪要成对才抢食，抢食才肯长。现在看来又买不成了，过了正月十五，银花就开学，他们老师过两天就会提前来收书学费，到底涨没涨价，还不知道呢。”

“你不要说了，”我说，“金花你不要说了。”

金花站起身，默默无言地去端碗舀饭。

吃罢早饭，我跟金花带着女儿抓紧时间去油菜田里扯杂草。雪没来得及完全融化，田地还较为干爽，要是再挨几个钟头，雪完全化开了，就没法进田。

到处都是亮闪闪的，太阳早早地升上了天空，村里大大小小的狗在阳光下追逐，春妹家那条大灰狗，是当然的头领，它往哪里跑，别的狗就会朝哪里聚集。后山上的松垛和青冈林里，融雪声此起彼伏，没过多久，白茫茫的林莽再一次变得清朗起来。

这样的景象，却无法激起我对春天的向往。金花的一席话，让我无地自容，也让我对即将到来的春天怀着沉甸甸的忧虑。

银花在塄坎底下掏深藏于土地中的虫子，金花撅着屁股，在一心一意地劳作，我的心里却像猫抓一样难受。我想该怎么办呢，如果我留在家里，又凭什么挣钱呢？这片土地能够提供的最大资源，也就是让我们不再挨饿，要谈到别的，比如修一修房屋，供孩子读书，那简直是不可能的。何况还有欠账呢。金花在娘家时虽然也穷，可从没欠过账，金花是嫁给我之后才尝到欠账的滋味的。她冲着我“有文化”才冲破层层阻力成了我的女人，而我脑袋里的所谓文化，到底给她带来了什么样的光荣？我又为她的现实与未来提供了什么样的保证？

我左顾右盼，前思后想，觉得唯一的出路，就是再次离开这片亲切而又贫瘠的土地。

漂泊异乡的孤独感立即潮水一般淹没了我……

银花的老师来收书学费的时候，我和金花正在吵架。

我们是为针尖那么大一点事吵起来的。金花扫地的时候，我把一只背篼反扣过来，坐在灶房边上，满脑子都是“怎么办”，摆在我面前的分明只有一条路，而这条路我实在不想走，可不走行吗？

正在我焦躁万分的时候，金花扫到我面前来了，金花说：“把脚抬一下。”

我把脚抬起来了。

金花扫了我的脚底，又说：“有凳子不坐，坐在背篼上，坐坏了咋办？”

我的气猛然间就蹿起来了，一把将背篼从后门扔了出去。背篼翻几个跟头，掉到了岩畔之下。

金花弯腰愣了片刻，出门去捡了回来。

她进屋的时候，我本是有些后悔的，谁知她在流眼泪。她这时候真不该流眼泪。她的眼泪让我感到生活的无望。

我说：“他娘的不就是一只背篼吗，有啥了不起的！”

跟金花结婚以来，两人并不是没有过争吵，但我们的争吵是有理有节的，我从没在她面前骂过粗话，我们村的有些男人跟老婆吵架，骂的话连狗也嫌脏，连牛也踩不烂，不仅如此，还动不动就打女人，像文香那么漂亮的女人，也常常被丈夫毒打，有一次她丈夫一把将她推倒在石坝上，又狠狠地踢她的屁股和腰身，踢得文香在地上翻来倒去，之后翻不动了，就狗一样蜷着身子，向丈夫求饶。这样的事情，鞍子寺村经常发生，可是我不仅没打过金花，重话也没说过。对此，金花铭记于心，还向人夸耀，说这就是她选择我的好处，说有文化的人就是不同。

然而现在，我却对她骂粗话了。

金花像不认识我一样，两眼直勾勾地盯着我。

我说：“盯着我干啥？你是不是嫌我胀眼睛？”

这话是很伤人的，这话的意思是说：你觉得我在家里是多余人，你巴不得我赶快滚蛋！

金花的嘴唇抖索着。她的嘴唇薄，抖起来像两张纸。她这神情我以前从没看到过。

我知道她受了伤，但我就是想伤她，我还嫌伤得不够！

于是我说：“我明白你是咋想的，你不是羡慕文香吗，你不是想有文香那样的好事吗！”

金花的嘴唇不抖了,她变得冷静了,她说:"大宝,你啥时候变得这么无聊的?"

"我无聊吗?……我是无聊吗?你以为你平时不开腔不出气,我就看不出你的心思吗?"

她摇着头。缓慢而凄哀地摇着头。

"如果这就是我找的人……"她没把话说完,再一次摇头。

我说:"你本来就找错了,凭你天仙一样的容貌,最坏也该找个镇长的,却鬼迷心窍找了我这个穷光蛋!"

金花的胸脯大起大伏,随后是一声炸雷般的吼叫:"郑大宝,你要这么说,我就真是找错了!我找不了镇长,但是找个比你有出息的人,对我冉金花还算不了啥大事!就是现在,我冉金花也还有人要!别以为离了你郑大宝,我就只有吊颈的份儿了,只有跳岩的份儿了!"

到此,我已经没有力量找出更有杀伤力的话来反击她。我早就为自己设置了一个陷阱。我是自食其果。但是,我烦透了,我实在需要发泄!

我把灶上的铁锅高高举起。

正要往地上砸的时候,门口响起了又谨慎又快乐的声音:"金花嫂在家吗?"

在那一刻,金花的表情发生着急剧的变化,当她把脸转一个半圆朝向门口的时候,已把绝望丢在了后边。

她说:"是贺老师啊,进屋坐。"

我把手里的铁锅慢慢放回到灶眼上。

听金花叫贺老师,我就知道他是教银花的了。

这是一个不足二十岁的小伙子,长得圆头圆脑,是西北贺家坳村人,我并不认识他,听金花说,他只读过半季初中,之所以能来鞍子寺小学教书,还当校长,每月领三百多块钱工资,全靠他舅舅;他舅舅是镇中心校的校长,有安排村小教师的权力。

小伙子说话响快,看上去也很聪明。进屋后,他望着我说:"这是大宝哥吧?"金花说是,他就马上给我递烟。我说:"贺老师,咋能抽你的烟呢。"他把烟硬塞到我手里,"叫啥贺老师哟,"他说,"大宝哥你才是老师,你当年要是家庭条件好点,不要说鞍子寺小学,就是县中学你还不一定看得上眼呢。"

如果前些年有人提这事,我会很伤感,现在我不会伤感了。那都是多少年前的事啊。正拥有的生活,才是自己应该得到的生活,这个道理我虽然不愿意接受,但我早就懂了。正因为懂了这个道理,我才心烦,才跟金花吵架。

我说:"贺老师坐吧。"他坐下后,金花问他:"这学期多少钱?"

"还是一百八,今年好多学校都涨了,对面山上有所学校,都涨到二百七了,我们鞍子寺小学不涨!"

我问:"学校收费,镇上没定个统一标准?"

贺老师说："没有，这是根据各个学校的具体情况定价，然后上报镇上批准就是了，学生越少收费越高，因为我们的工资不是国家发，是从学生的书学费里面抽成，学生少了，价又收不上来，我们就不如回家种地了。"

"学生少是学龄儿童本来就少，还是失学的太多？"

"当然是失学的多啊，"贺老师看着我说，"穷啊，很多家庭读不起书啊，像大宝哥你们那时候，比现在穷到哪里去了吧，可再穷的人家也能上小学和中学，大宝哥你要是早生几年，说不定就能读上大学了，现在表面上大家都挣了钱，可是送孩子读完小学都困难，也是怪事。"

接着他说："目前的情况是，越穷的地方收费越高，收费越高就越没人读书，再这么搞几年，很多村小都要办垮。"

我问他："你舅舅知不知道这些事？"

"知道哇，我给他反映过，还有很多村小教师都给他反映过，我看他也拿不出个主意。"

这期间，金花进里屋把钱拿出来递给贺老师，他收下了，在一张皱皱巴巴的名单上画了个钩，就很认真很严肃地对我说："大宝哥，银花是非常聪明的孩子，你要好好培养她哟。按她的智力，只要顺顺当当地发展下去，将来考个大学肯定没问题，我没多少文化，但为了不误人子弟，也不给我舅舅丢脸，我在努力自学，别的不行，要说看一个人的发展，错也错不到哪里去。大宝哥你是没上过大学的大学生，银花又是你女儿，你比我更清楚她的情况，等她将来考上了大学，你要拿得出钱来，千万不能让她走你的老路哦。这做大人的，辛苦点就辛苦点，有啥办法呢。"

开始听金花说贺老师是凭他舅舅的关系才来学校教书的，我心里还对他有成见，事实证明我错了。听了他的话，我像小学生一样不停地点头，我说："谢谢你贺老师，你的话我记住了。"

他起身告辞，到别的人家收书学费去了。

金花不声不响的，又拿起扫把扫地。地还没扫完呢。

我在伙房站了片刻，就进了卧室，衣服也不脱，就躺到床上去了。

一群接一群陌生的人从我面前走过，带着腥味的冷风把他们的说话声吹得时浓时淡。在很远的地方，出现了一个似曾相识的身影，我想那是谁呢，正准备扬手招呼，那人就不见了。他刚刚消失，我就想起来了，那不是贺兵吗！可是不对呀，贺兵不是已经死掉了么？难道那个从脚手架上摔下来的不是他？难道那个来领走一个骨灰盒的老头子，也不是他父亲？正在疑惑，我又发现一个熟悉的人，这是个满脸憔悴的女人，我一下子就认出来了，她是邹明玉，我大声呼喊，先叫邹姐，她不理我，我又叫邹明玉，她还是不理我。很快，她就与贺兵一样，被如潮的人海所吞没。黄昏眨眼间就与大地上的暮色相拥，我想再也不可能遇见熟人了。我感到孤单，提着包裹朝前走去。不知走了多少条大街，走得夜沉了，腿酸了，街上的人影车辆都已稀稀落落的了,我就在一个挡风的角落蹲下来。那里早就蹲着一个人,黑乎乎的,看不见那人的脸,但我听到了啼哭声。是一个孩子的啼哭,吱吱吱的,像老鼠叫。这哭声我是那么熟悉,禁不住朝蹲着的人多望了两眼。天啦,这不是春妹吗?春妹也认出了我,她说:“大宝哥,你也来了?”我说:“是呀,你不是去了福建么,咋在广东看到你?”春妹低声说:“我想见他一面。”我问她:“见到了吗?”春妹说:“见到了,他从公司出来上车的时候,我看到他了。”我急乎乎地问她:“你没去找他?”春妹忧伤地摇着头。我朝她吼起来:“你是傻瓜,是天底下最大的傻瓜!”这时候,春妹突然不见了,我的脑子里出现了一个巨大的黑洞。

“睡觉为啥衣服也不脱? 被子也不盖?”金花把我摇醒,心疼地嗔怪我。

我翻身起来,心里涌起大祸临头之前的空虚感。

事实上没什么大事,门外阳光照耀着,屋脊上的亮瓦投下浮动的光影。

只是梦中的清寒和孤单挥之不去。

金花像是忘记了我们吵架的事。我也忘记了。那件事就像梦中的景象一样虚幻。

我说:“银花呢?”

“到东院玩去了,”金花说。“想睡你就再睡一会儿吧。”

我说不睡了,大白天的,哪里是睡觉的时候。

“反正田地里又没啥事,柴也是砍好的。”金花说。

正是这“没事”让我感到空虚。没事就意味着挣不到钱。如果喂了牛就好了,农闲时节,恰恰是猪牛让农人闲不下来。农人是不能闲的,一闲就空虚,就为将来担惊受怕。

我说:“手头还剩了多少钱?”

金花不回答我,只是说:“想睡就睡一会儿吧,不管有没有钱用,反正天塌不下来!”

她说得那么坚定,让我多多少少恢复了一些元气。

我试探地说:“要不你也来睡?”

我以为她会反对的。哪怕风湿病犯得最厉害的时候,她也没在白天上过床。

谁知她不声不响地就脱了外套。

屋外传来小猪的咕噜声,母鸡被公鸡侵犯时不满的抗议声,还有孩子们的欢笑声。当这些声音过去,就只剩下似有若无的天籁了。我静静地搂着金花,望着头顶上方的亮瓦。

要是生活没有那么紧,要是心里没有那么多负担,这日子该有多好!……

我再一次问金花:“还剩下多少钱?”

她动了动身子,面向我:“六十多块。”

我喃喃自语:“六十多……还不够。要出门,我首先还是选择广东,那边的机会到底多一些，再说，我还梦想以前的那个建筑老板会收留我。我相信只要给出合理的解释，他会收留我的。当然，被他扣押的那两个月工钱，就不要去想了。”

这时候我才发现，其实我内心早就在计划再次出门的事了。

从没出过门的时候，总以为外面的钱容易挣，真的走出去，又想家，觉得家乡才是世界上最美的地方，最让人踏实的地方，觉得金窝银窝都比不上自己的狗窝，可是一回到家里，马上又感到不是这么回事了。你在城市找不到尊严和自由，家乡就能够给予你吗？连耕牛也买不上，连付孩子读小学的费用也感到吃力，还有什么尊严和自由可言？

金花在战栗，我明显感觉到了，她说：“你又要走了？你不是对银花说你不再出门了吗？”

我继续望着亮瓦：“我当然不想出门，可是……不出门怎么过日子呢？”

金花抱住我的脖子，不说一句话。

沉默了许久，我说：“别看那个贺老师年纪轻轻的，他真是教育了我。”

金花往我的怀里拱了一下：“你不生我的气了？”

“我本来就没生你的气，是我首先不对。”

她像少女一样撒着娇说：“本来就是你不对嘛，你为啥说那么绝情的话呢？”

“我是说绝情的话，你是做绝情的事，你不是要找个比我有出息的人吗？”

“那是气话！”她着急地分辩，“你把我说得那么不要脸，把我气糊涂了，其实你知道的，我哪里是那样的人啦，不要说你走五年，就是十五年，我的那碗绿豆也不会丢的！”

我把她抱紧了些，说：“我心里难受。”

她说：“我知道你心里难受，从你回来的第二天我就知道你心里难受，但是你该明白，我的心里一点也不比你好过，我自己的男人在外面受了五年累，回来后家里还是老样子，看不到一点儿希望，我这心里不难受吗？”

我问她：“你想不想让我再出门？”

她猛地伏到我的身上来，“当然不想，”她急促地说，“这还用问吗，当然不想！”

她流下泪来，双肘支在我的胸膛上，两只手抓着自己的头发，又说：“做女人的，哪个想丈夫三年五载地出远门呢，那都是没办法的事啊……”

我把她放下来，静静地搂抱着她。

这时候，我们都不愿意谈及我出门的话题，但出门已成定局，这也是我俩心里都清楚的。

过了好一阵，金花说：“今天我们要感谢贺老师，要不是他，我们的架就吵大了。”

“是呀，不过架吵得再大，你也是我老婆，我也是你男人。”

她轻柔地捻着我的耳垂说：“我就喜欢听你这样说话。”接着她嘻嘻笑着说，“要是我当时手里拿着镜子就好了。”

“为啥?”

“你不知道你把铁锅往灶眼上放的时候,那动作多么可笑,不,不是可笑,是可怜,生怕让外人看出我们在吵架,又生怕把铁锅碰坏了,那样子真是可怜,可怜得让我的心都痛了。”

我也笑起来,“你不知道你把脸转向门口给贺老师打招呼的时候,那表情经过了多么复杂的变化,像这样,这样……”

我还没把动作做完,她就一手抱住我的头,一手在我身上不停地捶打。

我抓住她的手,认真地说:“金花,相信我,没啥大不了的,什么难处都是可以熬过去的。”

她说:“是,我相信你,你也要相信我。”

我把出门的日子定在正月十二。

不能再晚了,只要过了正月十五,也就是老君山人所说的“大年”,去外面就很难找到事情做。

十一这天下午,金花带着女儿回她娘家去了。我的路费还差几十,她去找她爹妈借。她弟弟寄回的两百块钱,据说还剩了一点。

母女俩刚出门,我就去了松林弯。我想去看看那些用雪做出的“爸爸妈妈”。

那些“爸爸妈妈”早就化掉了,地上是化雪时留下的黯淡印迹,曾经覆盖它们头顶的茅草,被雪浸泡,再被太阳晒干,就像人走向衰老,失去水分,显得特别的没有生机。

我发现,就在前一两天,肯定有人到这里来过,而且站了很长时间。我想可能是耗子吧,因为他那个被太阳晒掉的爸爸,水印两侧放着两根木棒,就像两只手臂,而且左边的要比右边的粗壮。

明年的这时节,我的女儿银花,也会跟她的小朋友们一起来做她的爸爸了。因为我绝不可能出门一年就回来的,这面山上,几乎没有一个人每年都回来过春节。火车票那么贵,春节期间还要涨价,谁也舍不得把血汗钱往铁轨上扔。

问题是,银花还不知道她爸爸明天就走。我和金花都说了,先不告诉她,明天让她跟她母亲一起把我送到石盆上就是了。

金花母女天黑尽才回来,那时候我已把行囊准备好了。吃罢晚饭,我就把女儿抱在怀里。那时候,我最害怕的是别人来串门,或者银花的小朋友来把她叫走。外面的月光很明亮,往天,只要有月光,银花的那些小朋友都在晚饭后把她叫到院坝里,玩得筋疲力尽才回屋睡觉。

好像全村人都知道我马上就要离妻别女似的,既没有大人来串门,也没有小孩来喊银花。这样,我就有机会一直抱着女儿,直到她在我怀里香香甜甜地睡去。

我和金花都没睡觉,我们躺在床上,做了我们自己的事情,就把女儿抱过来放在中间，两人说了一整夜的话。

那一时刻终于来了，我把鼓鼓囊囊的帆布包提出来，带着夸张的兴奋对女儿说："银花，你跟妈妈去为爸爸送行吧。"

女儿识别不出帆布包的意义，她不知道这东西是农民工离乡背井的特殊标记，也不知道"送行"是什么意思，只是听说爸爸妈妈要带她一块儿出门，就高兴起来。

走到西院外的那棵黄桷树下时，春妹家那条卧在虚楼上的狗发现了我，汪汪汪叫了声。它不是威胁我，更不是想咬我，而是以它的语言向我打招呼。

可这一下就坏事了。听到狗叫，老奎叔和苟大娘站到虚楼上来了，他们说："大宝又要出门啦？"

我紧张地看着女儿。她跟她母亲走在前面，正叽叽喳喳地说话，并没听清他们的问话。

金花也转过头看我，我给她递眼色，让她牵着女儿快走。她们加快了脚步。几米之外，就是一堵春妹家作堡坎用的石墙，只要被石墙挡住，她们就不大能听清上面传来的说话声了。

我站下来，等母女走远了一些，才压抑着声音说："是呀，留在家里咋办呢，老奎叔你们吃饭没有？"

"还没有呢，"老奎叔说，"你这次是到哪里呀？"

我怕勾起他们的伤心事，没说去广东，而是说："我还没想清楚呢，到了火车站再说吧。"

苟大娘说："大宝，你就去福建嘛，听说那边也好找事，春妹说她要去上班的那个厂叫红光制衣厂，你去帮我看看嘛。"

我含糊地应了一声，问春妹有没有消息。

"才去那么几天，有啥消息呢。"苟大娘忧戚地说。

这时候，老奎叔在抹泪水，我看得明明白白！他的泪水让我想起自己做的那个梦。春妹是不是真的去了福建？她会不会真的去广东看那个人？她回了一趟老家，再次背井离乡之后，她会以什么样的眼光和心情看待外面的世界？会以什么样的姿态去面对未来的人生？……

院坝边又出现了一个人。是文香。她依然斜着腰身，依然慵困多情，但她眼里却有着别样的期待。我知道她是想问我去不去浙江。但她并没问出声，只是低下头，小声而伤感地说："今年只回来一个春妹，一个大宝，结果不到十天，春妹走了，大宝也走了……"

我不想再多说一句话。我觉得我的决心在流失。

于是我随便挥了挥手，快步追妻子和女儿去了。

到了石盆，我放下肩上的包裹，先拥抱了一下妻子，再把女儿抱了起来。

把女儿抱上身，我才发现妻子泪流满面。

女儿看见妈妈哭，格外诧异，她说："妈妈……"

我摸着女儿的小脸，我说："银花，爸爸又要出门打工了。"

我无法描述女儿听到这句话时的表情。她眼睛里的光芒直往后退，呈现出极度的惊恐。但她没哭，她只是颤抖着说："你骗我。"

"爸爸没骗你。"

"你告诉过我，你不再出门了，我们还拉了钩的。"

我说："是，但是爸爸没办法。"

"不……"她说。她好像这时候才明白是怎么回事，声音里带着哭腔，两只小手紧紧地箍住我的脖子。

金花来抱她，金花说："宝贝，让爸爸走，爸爸再耽搁，就赶不上车了。"

女儿往我怀里一纵，把我箍得更死，箍得我喘不过气来。"我要爸爸，"她大叫着说，"我不要爸爸走，我不要爸爸走……"

此前，我对自己说过，千万不能流泪，然而，眼泪却不由我控制，哗哗地往下淌。

金花来掰女儿的手，女儿哭叫着，哭得那么绝望！而且她的劲那么大，刚掰开她的一根小指头，那根指头又像钢钳一样合上了。

这样的场面再不能维持下去了。这对她太残忍，太不公平。我把女儿的身子送到金花怀里，再抓住她的两只手，使劲一扯就扯开了。

女儿的两只手臂翅膀一样张开，嘴大张着，却没有声音。冷风呜呜呜响，灌进她的嘴里。

我就看着女儿的这个姿态，提着包裹，钻进了青冈林。

走了很长一段路，我才听到了女儿的哭声。

哭吧孩子。哭是你的权利。等你长大了，你就会理解，在历史上的某一个时期，城市和乡村是如此对峙又如此交融，我，你母亲，还有你，包括像你春妹小姑这样的所有乡里人，都无一例外又无可挽回地被抛进了这对峙和交融的浪潮之中。

为此，我们都只能承受。

必须承受。

（原载《长城》2005 年第 3 期）

罗伟章

1967 年出生于四川省宣汉县。1989 年重庆师范大学中文系毕业。曾在达竹矿务局子弟中学教书，后在达州广播电视报社从事编辑、记者等工作。2000 年辞职专事写作。2006 年至 2008 年就读于上海首届作家研究生班。现为四川达州市创作办公室专业作家，四川省巴金文学院签约作家。

20 世纪 90 年代开始发表文学作品。出版有中篇小说集《我们的成长》《奸细》，长篇小说《饥饿百年》《寻找桑妮》《妻子与情人》《不必惊讶》《磨尖掐尖》等。

豆选事件

曹征路

一

灯，瓦数低很了，昏黄着，像是骨粉不足的软壳蛋，悬在穿堂风里，悠悠的晃，晃得人心烦。灯底下，是一颗青皮锃亮的脑壳，垂着，喝闷酒。喝着，眼就直了，直勾勾地盯住了地下的影子。那影子淡淡的，扁扁的，在脚下蠕动着，像只乌龟。那乌龟的脑袋一伸一缩，还回过头来对他笑，猛然觉着那脑袋上竟然长着一张自己的脸，吓了他一跳。觉着，这乌龟快要钻进地下去了。地是新抹的水泥，全部用500号水泥，磨得发蓝、发亮，像水又不是水。是水就好了，是水就能钻进去了！他想。

屋里还有一股子新石灰的刺鼻的芬芳，灰墙还不是很干，干了就更白了。多好！他嗅着，鼻也酸了，眼也热了。屋子搞这么好做么事？多吃多少苦，少困多少觉，究竟图什么呢？他有点怀疑起来。从前他不怀疑的，做过多少梦，发过多少狠，都是关于做屋的。好像人来到这个世界，就是为了给自家做一间屋。讨个老婆住在自家的屋里，能挡风能避雨了，才叫做人做成功了，没有白来世上走一回。现在，他有一点点怀疑了，真的，他有一点点怀疑！

菊子进屋，屁股头一拱就把两扇门带上了，腰胯扭得跟那些明星一模一样。她手上端着两只大碗，热腾腾的，浑圆的胳膊在眼边前一闪，他忽然觉得喉结里咕噜一下，好像不敢看似的，头垂得更低了。

要死了，菜没上就喝啊？菊子喊起来，伸手就把酒杯夺下来，手镯子在碗沿上碰得叮的一声响，然后手就落下来在围裙上揩。他看见这手已经叫石灰水烧肿了，褪皮了，红红的不很好看。

不看他也晓得。从前他一天看一百遍也不嫌够，泡泡的嫩嫩的，小馒头一样，还有两个肉窝窝。现在，他真的很怕看。

吃啵，还想什么心思啊？菊子笑着说，我现在心满意足很了，屁心思也不想，就想困觉。他端起杯子，哼哼着想不出半句话来，于是眼皮子更不肯抬了。

又不晓哪根筋扯住了。菊子嘟囔一句，站起来。想想，又过去把窗帘拉上，站在他面前，两只粗糙的手捧起他的脸。这女人也学洋乎了，跟电视机子学的。

继仁子猛地覃开了，把酒倒下肚。恶厉厉地吼，又是鸡蛋？天天鸡屎臭闻不够啊？菊子一怔，不高兴了，将就点啵，老爷。我忙得磨不开身子，眦不见啊？继仁子把杯子一顿，走开了。大门摔得哐当一声。

来到后院鸡舍，还听见菊子在抽抽。夜间的饲料拌匀过了，骨粉也磨出来了。缸里水满了，地下粪扫过了。连扫帚丝子也洗干净了。哪块哪块地都不用他烦神了。还有什么事不快活哩？屋是新翻的，里旧外新。窗是大窗，四对开的。朱漆大门也是对开的。屋前檐角飞上去，像个公鸡头，翘上了天。洋乎，个个见了都把大拇指一翘，狗日的继仁子是晓得洋乎哦！

晓得。继仁子也是方家嘴子的后代，也跑过码头见过世面，没吃过猪肉，当真没见过猪跑么？不但屋洋乎，摆设也要洋乎。沙发、电视机，墙角还站一台大电扇。乡里布置下来的，如今是新农村了，参观访问的也多了，要专业户们带头摆设呢。特别是，他如今是个代表，新补上的代表，事事就更不好将就了。

将就？他继仁子百事好将就，万事好将就，就这事，没法子将就嘛。

蜂子叮在心口上了，鼓胀胀地痛，咽不下，吐不出。一包烟揉烂了，摔得像炮弹。颈子勾起来了，把一颗光脑袋也掖在裤裆里了。

菊子好像洗了，梳了，光鲜多了。一个人坐床边上，眼神也散了。

他偷偷望着，心里猛然一酸。有多少回了，她都这样躲在山口路边一块大山石后头等着他。见他来了，就往起一跳：小他哎！他也假码十七地捂着胸口喊，妈妈哎骇死我了！然后她就哧哧地笑，笑到他脸红颈子粗。菊子是六岁那年牵着他瞎眼老娘的褂襟子进山的，老娘是看她可怜，也没想到牵回来是水灵灵的一枝花。人家都在背地里讲，继仁子娘眼睛瞎心不瞎，这丫头靠住是城里哪家偷养的私巴子，你看那眼媚的，你看那皮嫩的，噫稀！

那时他隔三岔五就从矿上朝家赶，讲是讲想看看瞎眼老娘过得怎么样，其实是看哪个呢？难讲得很。菊子进山时六岁，转眼就十九了，十九岁的大姑娘就不能不让他有点想法。他也不晓得想的是什么，反正觉得怪对心思，听她叫一声小他哎，一天的云都散了，一身的汗都干了。小他哎，好听。老娘虽讲眼睛看不见，心里清清朗朗，临死把两个人的手一牵，他们就困到一个被窝里了。

菊子见他回来，讷讷地讲一声：困吧。说着顺手就把灯扯过了，便要出去。继仁子一把逮住她手颈子，慢慢拉过来，就着月光，他看见菊子眼皮子一跳一跳的，蚕豆大的泪珠珠，噗噜噗噜朝下滚。他嗷的一声把她搂紧了，脸埋进她奶子里嘤嘤地哭。哭够了，已在被窝里了。他摸着菊子滑溜溜的身子，一口气叹到底：算了，不想了，想多了脑子痛，白想。

跟你讲一声，我有了。菊子冷冷地说。

蜂子又蜇他一口。像把刀子在剐他的肉，一丝一丝地剐。有……了？

嗯哪。有了。

喘息粗重了，牙齿打架了，他冷。他腾地坐起来，又咚地倒下去，终于问：哪个的？

你的。菊子仍是冷冷地。

他冷笑。难讲，他想，难讲。

我晓得的。菊子说，这两个月我没吃药，也没去。

鬼，你这个鬼哎，他在心里喊。许多年了，你都不代老子生，害老子人前人后摊孬装孙子。这时候你倒有了！你要再生出个小眼睛子子来，你不是要老子死嘛？他恨死掉了。

菊子突然翻过身，伏在他胸上喊：真是你的，继仁子！好两个月我都没……没见那畜生了，真是你的，是我俩的。她捶他。

万一不是呢？他反冷静起来，这一刻。

万一……菊子呆住了。

万一不是，推又推不走，甩又甩不了，走到哪都晓得那是个杂种，他还跟在你后头要吃要喝要蒺藜狗子玩！他心想，老子不是活受吗？趁早给老子刮掉。想想，又说：刮掉！菊子张张嘴，哭不出，喊不出。她已明白他的坚决了。她抽搐起来，架子床也伤心地抖起来。

继仁子翻过身去，就再也不想讲话。一轮圆月咬住了山尖，窥头窥脑的。那月，大且黄，还有点红，像哭肿的眼睛泡。

二

下午，继武子又过来了，把他拖到山涝里，讲了整整一半天。

继武子是他家的叔伯兄弟，当过几年兵。退伍不到二年，他家就翻过来了，又会开汽车，是个能豆子，能得很。能你就发就是了，偏偏又不安生，还好管个闲事。也不晓得怎搞的就把村长国栋得罪下了，人家手掌心一翻，不晓得跟哪个把嘴一歪，就把他驾驶本子收走了。自此便结下了怨，白天黑晚动点子，要把国栋拱下台。眼下又要选举了，听讲是海选，他就更来劲了。

哥哎，听讲这回是试点，真正的豆选！豆选你晓得吧？就是一个候选人名字搁一个大碗，你高兴选哪个，就在他碗里丢一颗大扁豆，旁人都看不见，一水的是县里来人监票！这回不把这狗日的选下台，方家嘴子就再也没机会了。在他看来方家嘴子过了今年，明年就不过了。

哥哎，继武子动员他说，我不是为我一家子想哎。我自家开不开车都不要紧，我有旁的活路嘛。你想一下子，像方国栋这号人，干了多少坏事？祸害了多少家庭？还叫他当村长，地卖光完了，怕是连人都要吃光呢。

国栋是个吃人不吐卡的东西，他晓得。吃过了他还跟你两个笑眯眯，他也晓得。正因为晓得，他才不能跟继武子后头瞎哄。继武子还没成家，他肩膀头子还嫩得很。他心想机会不机会跟你都扯不上关系。这是你操心的事吗？喊不喊他当，卖不卖地，是上级领导的事。海选豆选那都是领导上讲究的方法。讲得好听，听的好过。最后选哪个还不是领导说了算。他讲大武子哎，国栋千不是万不是，他也是一方领导，是领导你就得服他管。你不服你就要吃亏，怕吃亏你就把你那屁股嘴夹紧一点点。

这话就不对了。继武子道，村长是大家选的，大家不拥护，他就不能当村长。

吃山水讲海话，大家是哪家？继仁子冷笑着，你还早得很噢，大武子，你还嫩得很噢，毛还没出齐噢，家去吃两年饭再来。他拍拍屁股要走了，没工夫跟他磨牙。

继武子急了，你听我讲嘛！硬是扯住他不放，掰手指头跟他讲。方国栋怎么怎么爬上去的，怎么怎么安插了亲信，怎么怎么勾结开发商，又怎么怎么把公家的当做自家的。一二三四五，从圆鼓（远古）到扁鼓（古），讲得脸也红了，汗也冒了，很是气得架不住的样子。

讲好了啵？没得讲了啵？继仁子冷冷地答，我能家去了啵？

继武子哎的一声叹口气，瘫倒了，两眼红通通地朝着天，看着又怪可怜。继仁子便安慰道：你年事还轻噢，大武子，不晓得厉害噢。这话你跟我讲过就算了，千万别在外头瞎讲，没得用噢！

怎么没用，这些都是假的么？大武子又要跳了。

真的又怎样？你把他鸟啃掉了？你就告到天王老子那块去，这也是个工作问题。

他不光是工作问题，他是人品问题！他贪污腐化欺男霸女……多了！大武子瞧瞧继仁子，又闭嘴不讲了。打人不打脸，他也懂。

日头偏西了，把大山的影子一点一点推过来，推过来。影子像块铁板，压在继仁子心上，把脸都压青了。他透不过气来。

哥哎，只要大家都站出来讲话……

没用噢。他吁了一口气，拍拍大武子，嗓子也哽住了：哪个听你讲理？哪个代你做主？青天大老爷还没出世呢。叹口气，又说：没用噢。

有用。大武子肯定地说：你不是人民代表吗？方家嘴子就你两个是代表，你讲话还是有分量，你站出来弹劾他。弹劾……就是揭发的意思。大家都出来揭发他，狗日的就混不下去了。要改选了，这回是豆选，多好的机会，你不能指望青天大老爷，你要靠自己……又讲了许许多多，从扁鼓讲回圆鼓。

没用噢。继仁只是连连摇头。

你这代表怎么当的？大武子火了，你还算个代表？拎起来一大挂，放下来一大摊，猪大肠，狗屎！

是的噢，他承认自家是猪大肠是狗屎，还不中么？人民代表？自家最清楚这代表帽子从哪块来的。绿茵茵的帽子噢。你自找的嘛，你还巴不得狗日的多来几回嘛，狗日的很能写条子嘛，木材也有了，红砖也有了，还都平价的。打掉牙齿往肚里咽啵，猪大肠哎。

哥哎，我晓得嫂子是个好人，她也是没法子。像她这样的，方家嘴子也不是一个两个了。我实在是没法子劝才这样讲的，嫂子对我有恩我永生永世不会忘记的，你千万不要往心里去！

打一巴掌揉三下，好听话都叫他一个人讲了。

继仁子摇摇晃晃站起身，踉踉跄跄朝家走。眼睛水却止不住小山泉一样朝下淌。这大武子真不晓得好歹，年轻气盛，专拣他刀疤子下盐。

方继仁！大武子还不放他过身，大声吼：你还算是个男人呐？没鸟用，就不要讨老婆！窝囊一辈子，你狗日的养儿都没屁眼！

他腿肚子转筋了，心里跟蜂子蜇的样。这大武子年事轻，火气爆，他也不怪。可也不能骂人嘛。要骂对耳朵根骂两句也就算了，还偏偏要对山里头吼。

不是男人……没鸟用……肉头……乌龟头！

那吼叫在山坳里传过来递过去，从山里荡到山外，打嘴巴子也没这么难过！他的头，就跟搁在搓板上，搓过来搭过去，活拉拉地揉大了，捻碎了。

眼睁睁地，三星偏西了。

三

这一晚，继武子也没闲着。他借了小学校的教室，给一帮子小青年开会呢。到年边了，那些在外念书的外出打工的也都陆陆续续家来了，小豁子小相子大明子，还有桂兰秋香冬妹子，有钱无钱，回家过年。在大武子看来这就是一个机会一股子力量。现在他要把这股力量组织起来，他吆喝道，把灯都开开，亮亮的，我们又不是开黑会。明打明放跟他狗日的干！

小学的女老师徐改霞是继武子的同学，对他有点又爱又怕的意思，但还是小声说，不好吧？八字没一撇就扯旗放炮的。

继武子说，怕什么怕？我就是让他们知道，护地队已经成立了，他想一手遮天办不到了。再说不是要改选了吗？改选以后他方国栋是村长还是劳改犯还不一定呢。一帮小青年也都起哄道，说的是啊，等继武子当上村长，徐老师你想跟他开黑会可不中，不能把你们惯出这个坏习惯，大家都想监督监督呢。于是哄堂一笑。

继武子皱着眉说，你们就知道扯闲篇，来正经的一句词都没有，长一张嘴就知道吃。有人顶他，你来呀！继武子说，来就来！

选民朋友们，叔伯婶娘们，兄弟姐妹们，你们好——

立马有嘘声，说不中不中，还撇个洋腔，你——们——好——要来实的。

继武子说，实的就是方家嘴子护地队成立以来，已经成功地阻止了村委会出卖我们的土地，保卫了我们的家园。现在村委会要改选了，我们要乘胜追击，彻底粉碎方国栋们的阴谋，把大权夺回来。我们的口号是——

保卫土地，保卫家园！
现在的形势是——
改选改选，彻底改选！
我们的口号是——
挨家挨户，扎根串连！
我们的目标是——
每家每户，自觉自愿！

很好，继武子摸着下巴，端起领导架子说，现在就差行动了，你们一定不要怕麻烦，要把道理说透说清，选举跟我们每个人都有关系，不能把自己看矮了。

有人嗤他说，道理哪个不懂？不痴不孬的哪个不晓得票子好？关键是害怕！方国栋是头好货吗？何况他后头还有国梁、国材、国宝，何况他四兄弟后头还有个老奸巨猾的点子叔。这句话算是敲到缝上了，吵吵嚷嚷一个大教室立马冷清下来。都觉得，人多势众并不见得真有力量。

方国栋的爹是麻子，外号就叫个点子叔，是上一辈领导。麻子点子多，好琢磨，在这一带是出了名的。方家嘴子从前穷得一屁股搭两胯，就是在他手上光景才好起来。那时他当支书，见315国道建了一个收费站，凡过路的汽车都得交十几二十块钱，心想公路从我村里地头上过，怎么他能收钱我就不能收呢？一琢磨，就领着全村也修路，沿公路扒了几百亩菜花地。这条小公路一头开在收费站的前面二百米，一头开在收费站后头二百米，路口插个小牌子：过路费五元。开头人家不懂，渐渐地那些过路的司机就知道是个窍门，能省五块是五块，能省十块是十块，这样肥水自然就流一部分到方家嘴子来了。年底一结账，净赚十几万，当年的三提五统就省了一大块。而且这是一份铁杆庄稼，人在地头上一坐，钱就自己往箱子里蹦。

这一带后来都学方家嘴子修起了小公路。只要有公家的收费站，这前后不远的地方肯定就有一条二公路，相沿成习，不服还真不行。点子叔退下来后，村委会就把小收费站交给他打理，每月给他开固定工资，把他养起来。一村人都觉着应该，喝水不忘掘井人，没有点子叔哪来的这份铁杆庄稼呢？

又过几年，点子叔老了，住在镇医院里突然就想到了死。他怕死后一大家子闹不团结，就喊人把村支书叫来，说我要立个遗嘱。遗嘱说：原来的政策不变，我死后承包人就是大儿子国栋，大儿子死后就传给大孙子。支书是他二儿子国梁，心想你不就是不放心我吗？就答应了。点子叔还是不踏实，又要求遗嘱进行司法公证，交给村党支部监督执行。后来这一带，凡有公产的村子，也都学点子叔，凡要传儿孙的，也都要进行司法公证。这事后来传到乡里，又传到县里，领导觉得太过分了，太不像话了。你把国家的变集体的也就罢了，你退休找个养老的地方也就罢了，怎么还要传子孙还要国家公证呢？就把国梁提拔起来当副乡长，把国栋提拔起来当村长，给个官当才把这条规矩废掉了。

但国栋这东西更不省心，当上村长后瞄上了二公路圈起来的那千儿百亩菜花地。方家嘴子本来就地少人多，他今天卖一块，明天卖一块，卖的钱又不明不白，眼睁睁看着公路边起小楼了，他家在县城买洋楼了，连小轿车都开上了，一村人这才醒过神来。照说方家嘴子是个大家族，几百年前还是一家子，不到急眼了哪个好意思出头讲？都闷个头不吭声。直到秋收了晚稻开镰了，传出来国栋正和城里的什么公司谈判，要整体开发菜花地了，一村人还蒙在鼓里。地是集体的，人人都有一份，不痴不孬地眼睁睁看着他活抢，活拉拉在自己身上割肉，哪个不喊疼呢？于是这才出了个愣头青的方继武，出了个打抱不平的护地队。

护地队虽说成立了，虽说乡政府也睁一眼闭一眼，但也没什么大作为，也就是开开会喊喊口号，因为人家开发商根本不跟你谈。人家都在城里谈，谈过了就进酒楼进休闲中心，想逮都逮不着。所以根本的问题，最重要的问题，还是改选村委会。但村委会的问题也就是国栋一家子的问题，这就更不简单了。国栋家除了国梁当副乡长，还有个国材在省里当处长，还有个国宝在美国读博士呢。

大武子说，害怕是正常的，怕吃亏怕报复，怕他家的大藏獒，你们怕我也怕，我老娘天天念叨出头椽子先烂呢。我知道他后头有人，有钱又有权，但是越怕越没出路。你怕他就不吃人了？现在只有大家团结起来，集体行动，统一行动，才能选掉他狗日的。大武子讲得斩钉截铁，气壮如牛，两只眼睛电灯泡样的一闪一闪。心想到了这一步，你后退也是个死，要死不如死个轰轰烈烈。他是豁出去了。

继武子从小就不怕死。当过几年兵就更不怕了。头年，他还在开汽车跑运输的时候，在城里帮过几个上访的村里人。人家的地被占了，人被打伤了，连讲话都不能讲吗？就为这个，他把国栋得罪下了，把驾驶执照也给收走了。没了执照，他索性就天天帮人家写材料递材料。上访多了，也就成了精。他发现，城郊的一些乡，上访户们都组织起来了，有的叫护地会，有的还叫护地党小组。这些人统一口径，集体行动，跟开发商谈判，还真有搞成功的。于是他也组织了一个护地队，想学人家跟国栋叫叫板。只不过他这个护地队也就十来家人，一帮子小年轻鼓大堆。人家根本没把你放在眼角里，你想玩人家都不带你玩。现在，国栋眼看就要整体开发了，千儿百亩菜花地眼看就变成人家的度假村了，一村人这才着急起来，拐弯抹角地跟他们套近乎,打探消息。他说,着急就参加护地队吧,又不敢了,都怕跟国栋撕破脸没好果子吃。继武子觉得自己比那个买稻种的梁生宝还难,难多了。

散会以后,徐改霞定定地瞅着他,说你真是想好了?想好了。想好我就不再讲什么了。你当几年兵还真是出息了。她的嘴好看地一撇,一看就知道学哪个明星。

继武子愣了半天说,走走吧。

虽是初冬,山风已经尖得能割人了。只有沙河上涌起的一团团雾气还能让人觉出一丝暖意。月光很亮,也很柔和,是适合谈情说爱的那种。很少的几颗星反倒有点孤单了,懒散散地落在天边。他俩沿河一直往上走,徐改霞缩在大衣里时不时地瞄大武子一眼,那感觉真是怪怪的。她知道他一脑门子官司,心思根本不在自己身上,所以也不敢多话。

他们一直来到叫花子坟,青砖砌成的一座大坟。进过天堂山的都晓得这是本地的一个景。相传一个老叫花子一辈子讨饭为生,却攒下一袋金银,留给子孙盖屋。临死时丢下一句话,说是活着没少讨人嫌,死了就让过路的一人砍他一砖头出出气。这话讲得感天动地,于是一人一砖头就砌成一座小山样的大坟。现如今清明祭祖鬼节烧香,人们还少不了敬他一炷。可见人活着是不论贵贱的,活的就是个想头。

徐改霞说,你打算一直走下去吗?大武子不吭,扭头又往回走。

徐改霞说,你怎么不讲话?你是讨厌我吗?大武子还是不吭,还是闷头走。

徐改霞火了,说你就那么想当村长啊?那么大怨气啊?不就为个破驾驶证吗?

大武子这才站住了,慢慢说,你错了。我才不稀罕这个村长呢,我也不是想出出气,想报复哪个,我就是想扳这个理。讲了你也不懂。完了就自顾回家去了。他心想,你不讨厌,但也不可爱,你怎么就不懂呢?

徐改霞在后头喊,你站住!他也不站住。

四

村里也在热闹,这几天就跟过年一样。新闻也多,谁谁也报名豆选了,谁谁又退出了,还有就是国栋家的见人就打招呼,让人到他家去。国栋放出话来,一张选票三百块,选过了就兑现,不过得先到他家去报个名。自然有人去报的,也有人讲是收买人心的,总之是乱套了,走马灯一样。

继仁子闷掉了,呆掉了,吃不下睡不着。几天过去,五大三粗一条汉子硬剩三根筋挑着一个头。国栋是亲自到他家来过的,也没有多话,就是拉拉家常。就这已经让继仁子发呆了。他不是怕豆选,他是怕国栋找事。

国栋是好惹的啊?他来拉家常是白拉的啊?他跟你讲话是白讲的啊?他的时

间就是金钱，效率就是生命！那些报名的，那些退出的，绝对不是无缘无故，那都是国栋下的一盘棋。大武子年事轻，他哪晓得深浅啊？可现在他已经不操心大武子了，他顾不上大武子了，他是怕连累自家。大武子跟他走得近，村里人都晓得，那是上辈子老人走得近，由不得自己嘛。大武子能信他话吗？他的话放屁不如。如今这二年，日子刚缓过来，跟国栋家的关系刚近一点，又要找事了！

菊子看着他，问又不敢问，劝又不好劝，只能偷偷地抹眼睛。

山里雾退得迟，头十点钟了，太阳光才懒懒地飘进沟里来，小风啾啾地吹着，刀样地刮脸。继仁子穿件大袄，昏头耷脑地蹲在门槛高头吸烟。

昏昏吵吵地，只见着一帮人担着竹床子走过去，急急慌慌的。又见着大武子姆妈趺趺撞撞地小跑着跟出来了，一面跑一面哭还一面骂，你个黑良心的，挨剪刀的，下手这么毒法子啊，大武子年事轻嘛，不懂事项嘛，你不得好死啊！

三姆妈哎，继仁子撵上去，怎搞的？

三姆妈只晓得鬼喊、跺脚，话都讲不清了。继仁子慌忙掏出一百块钱给她，闷闷地回家来。他不晓得为么事要掏票子，三姆妈也不晓得为么事要接票子，只是拿了钱慌里慌张去追赶担架去了。

菊子在鸡舍里伸出头来，黑眼珠子郁郁地望着他。讲，是大武子昨晚给人打伤了，为个什么豆子，打得半死。在沙河边躺了一夜，清早才找到。

继仁子心里格楞一下，枪打的样。又格楞一下，然后就怦怦跳个不停了。早就晓得嘛。他暗暗地喊，你小狗日的非吃亏不可嘛，你敢跟国栋斗啊？

你作嘛，作死嘛！三姆妈也在骂儿子了。哭声从老远飘过来，破碎得很，凄凉得很。两家人从前就走得近，都是孤儿寡母，同病相怜，互相搭帮过日子，继仁子继武子本来就跟亲兄弟一样啊。

继仁子哎，大武子头天找过你了啵？

嗯哪。

菊子过来了，眼圈黑黑地对着他，大武子跟你讲什么了啵？

嗯哪。

有话你别闷在肚里，讲出来就好了。噢？菊子两天没开口了。一开口话就格外呛人，格外顶真。讲什么事呢？啊？讲出来，我能架得住噢。

嗯哪嗯哪！烦死。

你不讲，我也晓得一点了。

晓得，你晓得虾子从哪头放屁？

是讲那畜生的事啵？菊子并不松口，冷静得古怪，古怪得清醒。那神情，也很古怪。她讲，迟早，会有这一天的，我晓得。

放屁的话！男人的事，你少插嘴。继仁子吼叫起来，声音也轰轰炸耳朵，响得自家也吓一跳。

菊子靠在篱笆上，肩头一抽一抽地哭了。哭了好一阵，忽然抬起头喊：二回那畜生来，你还躲走啊？然后捂个脸就撞进里屋去了。

继仁子嘴张得老大，脑袋慢慢地垂了下来，钻进裤裆里。

二回？是的。还有二回，三回，十回。一开了头，就封不住口了。人是不能伸手求人的，你一伸手，腰就弯了，腰就永远直不起来了。

可他又有什么法子呢？想要脸早就该要的，早就该一扁担把狗日的腰打断的。现在，讲什么都迟了。方家嘴子十有六七怕都晓得了。都晓得他方继仁是个肉头乌龟头了。十回八回，一百回也就这么回事了。

国栋的兄弟叫国梁，早先在村里当支书。他倒不贪财，性子憨憨的，人也还肯吃苦，就是有个毛病，好一口女人。哪家的媳妇好看，千方百计都要搞到手。搞不上手他就困不着觉，好像做人做亏掉了。他搞女人也不耍蛮横，还要讲点小情调，要你心甘情愿送上门。你要不情愿，他就慢慢等，慢慢给你下套子，叫你一家子都难受，猫捉老鼠先不下嘴，等老鼠骨头酥了，他才慢慢享用。他看上菊子不是一天两天事了，早先当支书时没让他得手，到乡里以后就觉得亏，有点急，每次回方家嘴子都从他家过。继仁子也晓得，心里有数防着他一点就是了。可你不能不过日子哎，你做屋要批地，你办鸡场也要批地，他不求人你不能不求人哎。直到有一天，看到人家都发了，做大屋了，他就忍不住了。他对菊子讲，二回他再来，你就多求求他，在人屋檐下不能不低头噢，膀子拗不过大腿噢……

后来，他就真躲出去了。躲出去，就像老鼠躲猫。他觉着，自己就是一只老鼠，被猫相中就没得跑。他早就被猫逮住了，骨头早就酥过了，不是一天两天，也不是昨天今天。他想，天堂山自古就作兴插花，自己在矿上，菊子要是跟人插花不也就插了？女人，也就那么回事。老婆还是你的，捞点现的也不亏。

可是，可是，可是日子还得过下去。但过下去就觉得不对劲了，真的不对劲了。办了鸡场也不对劲，做了屋也不对劲，当了代表就更不对劲，哪哪都不对劲。大武子讲得对，他就是属猪大肠的，拎起来一大挂，放下来一大摊，是肉头是狗屎！

可是这么一想，又觉着自己是没法子跟大武子比的。大武子他能闹腾，是个能豆子，他大不了拍拍屁股走人，你能走吗？你肚子里有几碗水自己不清楚吗？你不还在人家手心里捏着，你不还得在人家屁股底下讨饭吃？你是谁呀。

这么一想立马打了个冷战，觉得肚子也饿了，立马盛了一碗冷饭，开水泡泡，吃起来。吃着，猛然又倒吸一口气。国栋来跟你拉什么家常？人家忙得小汽车都来不及冒烟，人家晓得你跟大武子的关系，人家是招呼你呢，人家是给你面子呢，人家是要你表句态呢。

菊子，你出来，有话跟你讲。

菊子出来了，眼泡肿肿的。

你到乡里去一趟，跟方乡长讲一声，就讲大武子的事我不晓得，就讲我没答应大武子，就讲……随便你怎么讲，可晓得？

你还叫我去啊？菊子说，我真不能去了，继仁子，你做点好事。我一进乡政府，腿肚子都抖哎。

又不是头一回，抖什么抖啊？

我真不能再干了，继仁哎！

放屁的话，要抖上床去抖！他火爆爆地，要你去你反倒不去了，摆架子啊？他顺手抄起一杆秤，抽过去。啪的一声，秤断了。

菊子眼睁得多大，也不晓得痛了，半天才怯生生地讲：头一回，也是你喊我干的，你现在不认账了。我哪晓得啊，我真的不晓得嘛。这才一口气哭将出来。

一嘴巴子扇到自家脸上了，继仁子气不过，恶厉厉地拿碗就砍。一碗砍在胸口上，碗摔成两半个，菊子倒在地下哼。一群小鸡飞样地围过来，啄啄又看看她，啄啄又看看她。

菊子爬起来，抱住他的腿，跪在他面前，你打吧，打死我吧，打死活该啊。

继仁子眼珠子出血了，抄起门边竹丝子就对她背上抽，打，不打你是孬种，老子舍不得你啊？老子饶过你啊？老子不吭声，你还长脸了。老子也不是小妈妈养的，老子也是个男子汉啊。打着，自己倒反哭出声来。

竹丝散了一地。菊子不哭了，也不叫了，两只眼睛呆呆地散了神。

五

住了几天院，继武子一大早就赶回来了。头上缝了七八针，缠着一脑袋绷带，像个剥了皮的生洋芋。在村口，碰上国栋的小汽车要出门，两个人就迎面顶上了。继武子把膀子一抱，一点让的意思没有。国栋把车窗摇下来想招呼他，他却扭头跟别人大声嚷嚷说，没事没事，有好大事啊？头掉不过碗大的疤！

国栋犟不过他，只好把小车退回去。门一开，国栋下来了，对继武子笑笑说，大武子你怎么做，我都没法子计较，你才好大岁数啊？就好比你小时候，我把你抱在怀里，你劈脸给我一巴掌，我能跟你计较吗？你放心，打人的事我已经跟派出所报过案了，村里也不会饶过凶手的，很快就有结果的。

大武子说，你放心，打人的事我也不会计较的。我跟你是政治斗争，我不跟你玩那些小心眼，那都是地痞流氓黑社会干的事，我会为这点小事浪费时间吗？我的一分一秒都要合理使用呢。

国栋说好好好，你狠你狠。小汽车屁股一扭绕道走了。

一帮子小青年立马围上来，小豁子小相子大明子，大拇哥一翘，够种！继武子一笑，说豆选豆选，就是斗过了再选。你不敢斗就不要选。徐改霞在一旁撇嘴道，

现在又能了，谁在医院喊爹喊娘来？继武子不理她，自顾打听这两天村里的情况。然后一帮子人就拥着继武子上他家里来。然后就七嘴八舌地说起村里的变化。

其实也没什么大变化，就是国栋那三百元有点难为人。说是又有不少人去国栋家报名了，虽讲没拿到现钱，总算是露过脸了。刀切豆腐两面光，等着看下文呢。说是如果给现钱说不定就死心塌地选他了。但国栋那个人说话不算数是一贯的，所以多数人还是那个态度：不见真人不烧香。说到底是现在人心散了，爷死娘嫁人了，各人顾各人了。

继武子说，也不能那么看，三百块不算少，一家好几口就是上千。他要真给，你们都去拿，我支持你们拿。我估摸到时候他急眼了会真给的，不拿白不拿。他的钱也是人民的币，那本来就是大家的钱。我相信良心，是个人他都有良心晓得是非，是个人都有脑子晓得算账，当真哪头大哪头小他算不清啊？

小豁子说，话虽这么讲，可人心隔肚皮啊，谁不知道打个小九九？都巴不得别人出头自己落好呢。你这一挨打，孬子都晓得发抖，是什么意思都清楚。徐改霞哼哼道，这就叫一手硬一手软，胡萝卜加大棒，还是人家厉害！

继武子笑了，说当然是人家厉害，人家在台上，又有权又有钱，又有领导经验，当然是他厉害。我们跟他斗，是因为我们厉害吗？是因为我们有理。

有理管屁用！哪个跟你讲理啊？这年头不讲里，讲外！

大武子说，这两天住院，我也在问自己，我当真是想当这个村长吗？不是啊。我是为赌气吗？为个驾驶执照跟他寻报复？好像也不是啊。我们究竟为个什么呢？这样做究竟值不值？你们刚才讲现在人心散了各人顾各人了，我们成立护地队为什么家家就拥护呢？可见人人心里都有一本账，各人顾各人是因为没人来顾他。人心究竟是怎么散的？谁希望人心散，你们想过吗？照说方家嘴子最应该讲集体了，最不应该散，我们自古就是一家，三百年前还在一口锅里抢大勺呢。

这一说都蒙了，你看着我，我看着你，哈出的白汽像一锅蒸笼。人人脸上都冷着，硬着，跟戴上鬼脸壳子一样。个个目光都跟刀子一样，一眼就劈到心里去了，能劈死人。他们好像都明白了一点什么，又好像一时还说不大清楚那一点是什么。

那你说说，究竟是怎么散的？

我要能说清楚就好了。我要能说清我就真能当村长了。

大武子把目光远远地投出去，穿过大田，穿过沙河，一直上了白头岭。白头岭已经蒙了霜，头真的白了，白得像一个老怪，颤颤悠悠，沧沧桑桑，慈慈祥祥，深深沉沉，望着他的子孙们。

六

点子叔近来爱到继仁子的鸡场里闲坐，一个人遛弯就遛到鸡场来。他说，还是你这架棚子好，背风，向阳，又靠马路。

继仁子说，那都是国梁帮的忙，批的地好。

点子叔一撇嘴，他晓得做么事？能的。

继仁子对点子叔向来是又敬又怕，虽说是同辈分，却并不敢多话的。所以点子叔常来反倒让他不自在，又要做事情又要招呼他，生怕冷落了老人。倒是点子叔心宽，不在意这些，说是你忙你的不用管我，然后就一个人坐玻璃窗底下晒太阳。有时也跟继仁子讲讲古，都是有一句没一句的，不晓得是么子意思。

你晓得这地方为么事叫个方家嘴子？你不晓得，你爸爸晓得，你爷爷更晓得，你们这一辈人都不晓得了。人啊，都是属猪的，嘴朝前拱眼朝下看。

其实他是晓得的。点子叔讲他不晓得，他就不能讲晓得，只好把头点得跟啄豆子样。是啊是啊。

这一片天是哪个开出来的？是姓方的两兄弟开出的。两兄弟都是叫花子，讨饭讨伤心了，就靠山搭个窝棚，合伙讨一个老婆，养了一十三个儿。人哎，是属巴根草的，有土的地方就有它的命。人就要像巴根草一样地活，千人踏不死万人踩不灭，你就放把火烧，它的根还死不绝，来年它还能拱出头。

是啊，是啊。

人活着为么事？也就是为了一张嘴，嘴是人一生一世的全部内容。整个村子也是一张大嘴，吃不够填不满，个个饿死鬼投胎。方家嘴子穷得一屁股搭两胯子为么事能人丁兴旺？就是会讨饭。从祖上到现在，哪家没讨过饭？哪个不会唱花鼓打竹板？家家一到农闲，大门一带腰篮一挎就走了。顺沙河出天堂，沿长江下湖广，口粮少就留给劳力，口粮多就卖了换钱。钱存多了就做屋，屋做成了就讨老婆。讨了老婆就一个一个往下生。他们不晓得享福啊？是他们认为日子就该这么过。活人活人，吃了就能活，活了就能生养啊。这狗都不拉屎的地方从前硬是没人要啊，是省政府大笔一挥才归的天堂乡。

是啊，是啊。

么时候风气才变的？是你家爷爷在台上的时候。你家爷爷就是方大勤。方大勤就是你爷爷，你都不记得了。都是一帮不肖子孙哎。

是啊，是啊。

你家爷年轻时候也是个能吃会做的主，六尺高的一条汉子，跟你现在差不好多，一顿能吃三四斤米。他上公社里开会，帮食堂杀猪，大师傅拿他寻开心说，大勤子大勤子，都讲你是饿死鬼投胎，你到底能吃好多？方大勤看看那只猪，口水咽了半天，讲不晓得。大师傅讲你是猪啊，你自己吃好多自己不晓得吗？方大勤讲我真是不晓得，反正来开会没吃饱过。那时大师傅也有点小权，挥手就割一条肥膘肉丢到他面前说，五斤米饭五斤红烧肉，你要一顿吃光了，我围公社院墙爬三圈。从前干部都愿意开会，天天吃会议伙食，天天都跟过年一样，都跟在后头起哄看把戏。你家爷爷，方大勤方支书，这才吃一顿饱饭，当众过了一把嘴瘾，吃完还拍拍肚子讲，你又没酒，搞点酒来我还能喝一碗猪油！

是啊，是啊。这故事继仁子听过不晓得多少遍了。

就这么个人，能吃会做的方大勤，1960 年饿死在你家的门槛上！你家爷死的样子那才叫惨，他是上半个身子在门里，下半身子在门外，两条腿上棉裤磨烂了，膝盖骨都露出来了。那时你家离大队种粮库才几十步路。就在这几十步的路上他留下一条长长的印子。开春了，逃荒的人都家来了，见到僵在大门上的方大勤，个个都跟过了电一样啊。孬子也晓得，在最后的那一刻刻，你家爷是怎么在那几十步路上来回爬啊。他饿啊，他不想死啊，他来回地挣扎啊，可是那把能让他活下去的钥匙就在自己腰里别着啊，他伸手就能把种子粮塞到嘴里头啊。可怜他硬是饿死了。开犁了，播种了，方家嘴子风气这才变了。都讲，再不外出讨饭了，要对得起大勤爷！方家嘴子么时候才讲集体的？就是那时候。你们哪晓得集体啊？爷死娘嫁人，各人顾各人！你们都是狼心狗肺，忘本了，都忘本了！

是啊，是啊。

点子叔讲得气也喘了，泪也流了，这才心满意足回家去。

继仁子也叫他讲得心灰灰的，做什么事都提不起精神来。心想老人好念旧呢，陈年烂芝麻，有一搭没一搭。可又仔细一想，好像又不是讲古，倒像是说今呢。

继仁子心想，点子叔下回再来讲古，一定记住要表个态：方家嘴子么时候富起来的？就是点子叔你在台上的时候啊。这怎么能忘呢，就是把自家爷爷忘了也不敢把你老人家忘记啊。

七

膀子拗不过大腿，菊子到底犟不过男人。菊子天不怕地不怕，就怕继仁子不搭话，继仁子不讲话有好几天了。早起，她牙一咬，便上乡里来。

大田里空荡荡的，没几个人。菊子心里也空荡荡的，既不苦，也不甜，这也不是头一回了。可又明明觉得这跟以往不一样，究竟么事不一样呢？不晓得。

哥哇你是空心的菜，良心卖光你才家来！

悠悠地，微微地，时断时续地，在耳边唱。哪个在唱？这么熟，这么怨，这么对心思？

不，她不怪继仁子，怪只怪自家命苦。只怪那畜生永不放她过身。从她十几岁起，那畜生就在动她点子了，她晓得的。但那时，她敢咬，敢踢，敢抓。那时，她哪个也不怕。晓得害怕是这几年的事。她怕继仁子想不开。

妹妮你呀真是个呆，姆妈在家你不敢来！

她不呆，她早就没得姆妈了。继仁子的瞎眼姆妈就是她的亲娘。她六岁那年就牵着继仁子娘的褂襟子进了天堂山。从此她就注定要给继仁子当老婆的。继仁子就是她的天，她早就欢喜了继仁子。

蕨菜荠菜七七菜，清水咸盐也是个爱！

继仁子也确实待她好。相中哪件衣，欢喜哪个镯，继仁子过多少天都不忘，下井扒煤进城卖炭想方设法都要代她买。那时她天天都想笑，笑也笑不够。

可是笑久了，人也会累的，心也会烦的。没得法子了，只剩这一条路了，继仁子讲，只要方乡长一句话哎，什么什么都有了。于是她只有去求了，她晓得这一步是跨不得的。为了继仁子，她必须跨。后来，日子果然缓过来了，继仁子果然快活了。看他快活，她也快活。可快活中又有多少不快活。

顶伤心的是不敢要伢子。做梦都想要伢子。可她不得不拿眼睛水过药吃。这一向，起屋了，上梁了，继仁子眉心舒展开了。她想着，往后总该顺汤顺水了。于是她决心不吃药了。可怀上了，还是留不得。

她天不怕，地不怕，苦不怕，累不怕，就怕继仁子不信她的话。她晓得迟早会到这一步的，晓得了还是要一步一步朝泥坑里走。这就是命哎，你犟不掉，摆不脱，死活都要按它的路数走！

方乡长哎。她趴窗台上喊。

那畜生怔一下，出来了。哪个喊你来的？开会哩嘛。看不见啊？他脸黑得赛锅底，一脸的官司。

菊子慌忙做出笑来，看看你嘛。不中啊？

讲的跟唱的样。他蹲下了，并不带她进屋，以往都喊她进屋等的。

你有事，我家去了。她讲，腿却不动。

家去跟你继仁子讲，别跟人家后头瞎哄。他埋头抽烟，看也不看她。哄狠了，没好果子吃。

讲么话嘛，没头没脑的。

讲么话？方家嘴子闹事你哪不晓得啊？

一丝一毫不晓得，真正不晓得。菊子说，继仁子也不晓得。这两天忙转向了，天一黑就困觉。

唔。他讲，不晓得也好。你放心，鸡场是我抓的点，我不会不管的。批麦麸啊？他掏出本子来了。一样的麦麸两样价，就看他条子怎么划。

是噢，就是想批麦麸噢。

条子塞过来，又嘻嘻笑了：说以后有事叫继仁子来，你不要来。

菊子还不走，索性问，到底出么事了？

屁事没得。他告诉她，几个村有人想造反。以为真要变天了，想捞一票。

一路上她都在想，这狗日的还不该造反吗？地随便他卖，女人随便他睡，他一家子要多少人供养？皇帝三宫六院七十二妃也是有数字的，他连个数字都不要了。

有人要造狗日的反了！她回家来说，胸脯子一挺一挺，很激动。

继仁子吼她，他造他的反，你做你的事。

她把嘴张着，跟枪打的样，胸门口隐隐地疼。本来有许多话要讲的，转眼就找不见了。于是只有闷头做事，连想也不敢再想了。

八

这一天，一群老汉靠村口墙根上讲古晒太阳，一个戴眼镜的干部进村了。

老人家，他客客气气，请问方继仁家在哪儿？

村东头，新盖的大瓦屋。于是干部就来到大瓦屋里了。有人吗？

人来了，是继仁子。是年书记唦？

你认识我啊？年书记笑了，拉住了继仁子的手，慢慢地摇。

继仁子窘着，半天才说：坐，坐吧。喝了茶，看了鸡场，又扯了扯闲篇，才转入正题。年书记原来是想了解方国梁方国栋的有关情况的。原来大武子真的告到县里去了，县里又转来一批人民来信。信里头谈到方继仁家的事。乡里马上要开人代会了，方继仁是本届的人民代表，而方国梁的问题又关系到乡政府的领导班子问题，怎么讲呢？由于等等等等的原因，年书记想听听方代表的意见。

继仁子头上冒汗，两手在褂襟上直搓。我没意见，我真的一毫意见也没得。

年书记开导他说，不要紧的，如今提倡和谐社会，和谐就是化解矛盾的意思，你是人民代表，还有什么话要保留呢？

我不保留哟！我保留做么事嘛？

听讲你爱人好像有点意见？年书记压低了声音，我随便问问，讲错了你也别往心里去啊。

瞎讲。她个妇道人家能有什么意见？没得，屁意见没得。

方国梁对你爱人是不是有不尊重的地方呢？他问。

继仁子脸却涨紫了，受了好大屈似的：这是哪个出馊的瞎编的？害人不是这么害法子嘛！他连半毫意见也没得了。

于是年书记便也不好再问了，安慰他几句便去找方继武同志了。

年书记是新一届的书记。他原本在县委工作，是个研究生，理论水平很高的。头年就写过一篇报道《昔日讨饭嘴，今天新农村》，省报一登，县委也震动了。因此，他对方家嘴子是很有感情的。如今他已是第三梯队的队员了，下基层主要是锻炼锻炼。如今的形势怎么讲呢，就是要建设社会主义新农村，他去韩国看过新村运动了，去美国考察过农业合作社了，有着很多很多的先进思想。头一个先进思想，就是要在天堂乡搞豆选试点。不干就不干，要干就干出点爆炸性来，他就是这么想的。县委也很支持他，钱书记亲自对他讲，你办事我放心，你试点我支持，你能翻好大跟头，我就给你铺好大毯子。于是他就发现了方继武同志。

此刻方继武正领着小豁子小相子几个在探讨集体主义。怎么讲呢，现如今都各人顾各人了，集体是个老皇历了。可要把方国栋选下台，没点集体主义还真不中。你费了多少劲，喉咙哑了吐沫干了，人家还是半信半疑，人家只跟你来现的。方国栋小拇指动动，掏点钱许点愿，比你什么大口号都管用。这一点让他眼睛子都出血了，妒忌得要死。他晓得组织起来很重要，可两手空空拿什么去组织呢？

继武子挥一把锄头在稻场边上猛刨，身后跟着一帮小年轻把颈子伸多长地看。他吊着一只膀子，绷带除去了，头毛剃去一大块，打了个十字疤，阳光下刺眼得很。他一边挖一边讲，我非要把这个蚂蚁窝找出来。他讲蚂蚁是最讲集体主义的，有组织有分工，最有牺牲精神的。他想让全村人都明白，蚂蚁凭什么能做到这一点。蚂蚁能做到的，人偏偏做不到？人还不如蚂蚁么？这个想法让他很兴奋，头上冒着热气，一锄头一锄头挖得恶狠狠。

现在他越来越好钻牛角尖了，有点走火入魔的意思，硬是把一条蚂蚁通道找出来。一帮子小年轻跟在后头喊：那边，那边！他们嘻嘻哈哈拿他开涮，说大武子不光能当政治家，还能当科学家呢。人家非要发扬蚂蚁精神，把泰山脚啃掉。

蚂蚁窝终于被他找到了，可找到的蚂蚁窝又让他心里很懊恼。这么多的蚂蚁，这么有组织有纪律的蚂蚁，竟然是为了供养白白胖胖的一只蚁后！这怎么能称得上集体主义？这简直太野蛮太低级了，太不那个了。

稻场边上是个废碌碡。继武子想想就站到了碌碡上，他清清嗓子喊，乡亲们，父老兄弟们……

应该喊女士先生才带劲。一个小年轻说。

去。继武子又喊：姐妹们，现在我请你们选我当村长，以后还选我当代表，我能代表你们的利益，我晓得你们的利益在哪，我也晓得怎么才能维护你们的利益。我叫方继武，现年……

年书记过来了，拍着巴掌。竞选呐？开开洋荤？他笑。

青年们闪开了，不笑了，都望着大武子。

大武子早瞟到了，却并不理睬，继续大声说：要解决我们村的土地问题，只能靠我们自己，不要指望哪个青天大老爷。你们选我做村长，我负责反映你们的意见。

方继武同志我就是来听你的意见的。年书记招呼道，来来，我俩聊聊。

对不起，我现在没有时间。他继续演讲，乡亲们，父老兄弟们，姐妹们……

年书记脸有点黄了，可还忍着：你以为你这样就能当村长了吗？方继武同志？

请你文明一点，不要打断别人说话。大武子一本正经，当不当村长，你只有一票的权利，你也是个选民，不要忘了，年大安同志！

年大安同志不笑了，脸红了，黑了，青了。方继武同志！有意见可以提嘛，我们工作有不到的地方可以批评嘛，搞这一套干吗？

年大安同志！大武子嗓门比他还高，什么叫搞这一套？哪一套？

年书记叫他说愣了，好一阵口气才软下来，说继武子啊，我晓得你对我们有意见，上回你来找，也不是不接见你，实在是开会抽不开身。今天我就是专门来找你谈心的。

继武子犟劲上来了，年书记哎，我跟县政府都谈过了，还跟你谈什么？二两棉花的交易，不弹了。

我们这次豆选，就是要落实基层民主的，要不然怎么叫豆选呢？

是的哟，我们民，你们主。

现在是要建设和谐社会，你这样讲就不和谐了。

是的哟，我们和了，你们就谐了。

你还真好抬杠，这样下去是要犯错误的。年书记把头直摇。

书记哎，我再犯错误也犯不到哪块去了。你还能把我农民开除掉啊？

好好好，年书记手直摆，你狠你狠，你等着吧。

我等着。继武子叉腰站在碌碡上，一句也不让，半句也不让。继武子豁出去了。

年书记掉头就走了。走远了，青年们又围上来。

算了，算他狠。省得吃眼边亏。

就是，就是啊！

继武子脸色惨白，张着嘴，哈了半天气，才哇一声哭出来。他哭得好无奈好没出息，他坐在碌碡上，哆嗦着，手也没处撑了，亏得旁人把他架住。哭着，抽噎着，老也止不住。哭得边上两个姑娘也跟着抹眼泪了。

过来一只瘦架子猪，在碌碡上蹭痒痒，蹭得哧啦哧啦响。又过来一只大公鸡在蚂蚁窝边啄石子,啄啄,又丢开,啄啄,又丢开。然后挺着胸很傲慢地踱开去。

九

菊子在叫花子坟边站半天了,也望不见个人影。太阳眼睁睁地啃着山头滑下去,把菊子的身影长长地投到路边上。坟头上荒荒的,只有几根枯草在砖缝中摇曳。菊子冷得抱着肩跺着脚,瑟缩着,本来小巧的身子如今更单薄了,下颏更尖了,眼窝更深了。只是满满的胸脯在一天天地发胀,她实在舍不得刮掉这个伢。她晓得自己一天不去,继仁子就一天没得好脸色。

再这样下去,菊子真要疯了。

因此上,她要帮大武子一手,大武子要晓得什么她就告诉他什么。她已经把大武子当做救星了。只要那畜生下台了,继仁子就再用不着怕哪个了,继仁子还会欢喜她的,她觉得。那时,伢子也保住了。万一这个不行,她还能怀上的。她是个能生能养的女人,不比旁人差,这一点她从来不怀疑。最后一点阳光已从她瘦削的肩头退下去了,她竟然一点也没察觉,反倒觉着身后越来越灿烂了。

大武子哎!大武子过来了,后头跟了一大帮。菊子慌忙挑起稻箩迎上去。

有事啊?继武子停也不停,自顾走。

你……菊子不晓怎么开头:才家来啊?

有话就讲,我有事哩。继武子不很高兴的样。

菊子索性把挑子歇下来,拦在他前头:大武子,你那事搞得么样了?

继武子把膀子一甩,站下了:么事啊?

就是……把那畜生搞下台的事啊?

你讲话注意点好不好?继武子挣开她的手,我不是要把哪个搞下台,我是行使正当的民主权利。

是噢,就是讲这民主嘛权利嘛。菊子更慌了。

继武子十分警惕地把膀子抱起来,等着。

是这么回事,菊子费劲地讲,那天你找你继仁子哥了啵?你想晓得么事情我跟你讲,我完完全全跟你讲。只要,只要能帮你一把。

可继武子却更加警惕了,眉心也锁起来。你要跟我讲么事情呢?

讲那畜生,方国梁,他把我……

继武子把手一劈,跳上岗子,我对你那些烂事一毫兴趣没得。你家去吧。碰上方国梁你告诉他,我跟他们是政治斗争。搞臭他用不着我。他们早就臭得不能闻了。

大兄弟,我是真心哎!菊子脸都灰了,伤心得很,大武子讲话也太毒了。

继武子挨了打，反倒把他打成英雄了，一乡十四村，他村村都去。到哪先把大牌子扛头里：我们是宣传选举法的！那些个村长明知他是跟方乡长作对，却也不敢怎么阻拦，谁知这样做对不对呢？天堂乡要豆选了，风气要变了。有个别对方乡长有意见的干部，递烟端茶不说，还提供场所呢。加上各村都有人做他的经济后盾，好烟好酒招待，气势就更壮了。每天，都有一班子不怕死的愣头小年轻跟在后头，挑明讲就是当他保镖的。继武子突然神气得很了，一塘水还真叫他搅浑了。下午还跑到乡政府大街上去讲了一气，弄得人心惶惶。

好吧，对你的真心我就表示感谢吧。继武子跳下坎子，拍拍屁股，走了。

菊子跟后头喊：大武子哎，晚黑出门要小心点噢。那畜生毒得很。

大武子站住了，头也不回，想讲什么，想想又不讲了。

讲嘛，有话你就讲嘛。我是真想帮你哎。

这话可当真？

当真。

当真就中。很简单，你把方国梁的事公开讲出来，到处去讲。你敢不敢？

菊子要哭出来了，这事怎么讲出口啊？

就是啊，你也晓得讲不出啊？讲不出你拿什么帮我呢？大武子突然凶巴巴地喊起来，嘴都扭歪了。喊着，眼角里还有泪光一闪一闪。一帮子小年轻也跟后头起哄：是啊是啊，讲不出你怎么做得出呢？

然后他们就跟雀子受惊样的一哄而去。走很远了大武子才突然回头喊：菊嫂子，刚才那些，算我放屁！

菊子并不觉得好受多少，心已经凉了。大武子已经不是从前的大武子了，好像变了一个人，变成一个干部了。讲话这么冲，这么毒，这么远。她想，大武子要是真当上村长，村里会是什么样呢？

继仁子找来了，喊，死到哪块去了？

我，挑不动了歇一番。菊子是挑稻出来碾米的。

挑不动讲得动！继仁子早就看到大武子了。

我，又没讲么事嘛。

还要讲么事？还嫌不够啊？还要害好些人啊？你怎么不死呢？死了好多了，省得害人。继仁子恶狠狠地夺过扁担，挑起就走，拽得菊子一踉跄。

是啊，怎么不死呢？死了好多了。菊子想。

这晚，小学校的徐老师突然来找她拉话，讲了许多关于继武子的话。那意思分明是欢喜大武子的，是要她帮忙讲好话的。她心里这才慢慢地被抹平了，心想自己还有一点点用。又想到这两个倒真是很般配的，就夸徐老师人长得好看，衣裳也好看，又有文化，脑子又活络，便主动要帮她讲。徐老师送给菊子一件衬衣，粉红的带绉纱花边的，菊子就笑，讲我要穿上这件衣出门人家都满地找牙了。

徐老师讲才不是呢，讲大武子就嫌我穿衣土，穿什么衣都土，讲菊嫂子就是命苦，不然人家穿上什么衣都好看。

这话又让菊子发了一夜呆，五雷轰顶一样，眼睛水也有了。

十

真的要豆选了。村口拉出了横幅：实现基层民主，确保试点成功！为了方家嘴子的美好明天，请您投上神圣的一票！

乡里年书记亲自来方家嘴子给大家作了动员报告。他说他去韩国考察过了，韩国农民喜欢讲合作。他也去美国考察过了，美国农民喜欢讲权利。我们建设社会主义新农村，既要讲合作也要讲权利。

他说为什么要在天堂乡试点呢？因为天堂乡条件最好，县委最支持。有人老欢喜讲农民文化程度低，不适合搞民主选举，其实早在四十年代的陕北，就搞过豆选。事实证明民主政治跟文化程度没有多大关系。金豆豆，银豆豆，豆豆不能随便投。选好人办好事，投在好人碗里头。当时的美国友人史沫特莱就说，这是比美国还要进步的普选。所以天堂乡的试点就是恢复革命根据地的老传统呢。总之意义很多，很伟大。

然后就是唱花鼓戏，说快板，派传单，晚上还放了一场电影。

电影放到一半，场子就有点乱。有些人悄悄溜出去，又有人悄悄钻回来。回来的都把手揣在兜里，喜滋滋的，还悄悄传个话，说分批去，别动静太大了。又讲，这回是真出血，一扎新，还连着号呢。

另一边，年书记也跟大武子谈了话。叫对话。年书记很欣赏这个年轻人，觉得他还有一点点思想，还能跟他对上话。年书记管他叫继武同志，继武同志你们成立护地组织，我是不是支持的？支持的。中国的民间组织不是太多而是太少，这是我的基本认识。你们宣传豆选，我是不是支持的？支持的。“三农”问题的实质是农民权利问题，这也是我的基本认识。顺便跟你透一句，这次豆选是怎么来的？是我争取来的。所以你不要有对立情绪。你一对立，我们就不好对话了。

大武子哼哼着，心想，那你不成我们的大救星了？可嘴巴却讲，我不对立噢，我对立做么事啊？我害怕还来不及。

于是年书记就笑了，一笑一口白牙，说这就对了，现在就是要讲理解讲合作。其实你不知道，乡政府也有乡政府的难处，真难，比你们难多了，你不知道！

大武子说，不就是没钱花吗？我知道。

年书记说，这话也对，就是难听一点。正确的表达是财政困难。你现在是个骨干了，这次豆选以后也许还能进班子，所以我也不把你当外人，希望你能发挥一点骨干作用，说话别老那么难听。

那我这个骨干能知道财政困难到什么程度吗？

具体我也不方便透露，反正是寅吃卯粮，亏空很大。我到基层来也是吓了一跳。前些日子镇小学都叫债主封掉了，你知道吧？那么多干部，那么多老师，都要吃饭，你来当乡长试试，上哪儿找钱去？现在农业税免了，可钱从哪来？到现在都没一个明确说法，怎么办？所以我的意思是，你们看问题要全面一点，各方面都要想一想。

你要我想什么呢？

护地要护，豆选要选，考虑问题要站得更高一点，看得更远一点。

更远是多远？

起码要等县乡的财政渠道问题解决了，有些事才有可能不发生。

大武子说，我明白了。

你明白什么了？

我明白国栋为什么胆子那么大了。有些人不光寅吃卯粮，连子孙后代都要吃呢。

你不明白。年书记突然又笑了，说你明白了就不会这样了。你以为把方国栋选下去问题就解决了？说全国人民都还没明白你就明白了？说你们那叫情绪叫仇恨，根本不叫政治要求。

这话说得大武子有点发愣，不服气地说，我一直强调我们是政治斗争。

年书记把他肩膀拍拍，把手伸出来，好好好，欢迎你常来聊聊，抬杠也行！

可当天夜里大武子就把护地队召集起来开会，说现在形势很好，年大安找我谈过话了，这回狗日的非下台不可，你们要有信心！

十一

第二天，继仁子突然对菊子笑了，那不是一种家常过日子的笑，那是一种公事公办的笑，笑到菊子有点害怕。继仁子说，下晚你去请继武子来家喝酒。

菊子想，继武子是自家兄弟，还要说请吗？他偏要说请。请了还不中，还要菊子到路上去等，拉也要把他拉家来。还讲，你不就欢喜等他吗？还讲，我两个喝酒，吵架，你要在旁边劝，要像个嫂子样子，别跟他桌子板凳一样高。

这话杵在菊子胸口就像一块冰，半天不得化。

菊子承认，自家是欢喜跟继武子讲话。特别是继武子当兵回来，长成高高大大一个男子汉了，见多识广讲话干脆，不像继仁子三棍子打不出一个屁。但她很清楚，两个人自小一块儿搭妈妈锅长大，一块儿斗老将，一块儿套鹿子捉知了，但那都是小伢子把戏,一毫没得旁的意思。从懂事起,她就把继仁子当成自家的男人了,代他缝补代他把家为他操心,这能是假的吗?可继仁子偏要这样杵她!

她晓得继仁子这一向心思多,脾气躁一点也正常,拿她出出气也算是正常。可菊子一肚子委屈又能跟哪个讲呢?她是有眼睛水没地方淌啊。

果不其然,两个人坐下没讲两句就抬起杠来,一个讲你是蛤蟆吃天没事找事,一个讲你是有板凳不坐偏坐树桩子,一个讲你把一塘水搅浑对哪个都没好处,一个讲凡事都有个理不讲理就是不中。

菊子有点急了,拿一瓶酒咔一口就把瓶盖咬下来,说:你们两兄弟有什么话不能慢慢讲啊,非要争个你高我低啊?我是个妇道人家,不晓得什么理不理的,讲良心就中,喝酒!两个人这才笑了,端杯子喝酒了。

喝到后来菊子才有点明白,原来是国栋要继仁子给继武子传话,只要继武子答应不捣乱,有什么条件随便他提。闹了半天他是替国栋讲话的,难怪他笑得那么古怪,他的话那么剜心,原来那都不是他自己的。这就对了,这才是国栋平日的嘴平日的脸,难怪她觉着有点熟悉,好像在哪见过。继仁子平常对她再狠也不是这副嘴脸。

继武子说,我的条件很简单,就是他下台,交代账目。

继仁子说,那你不是要他死吗?他不当村长能做么事?逼人不能逼得太狠。

继武子说,我没逼他,是他自己把自己逼到这一步。

继仁子说,你就那么想当村长啊?

继武子说,狗日的才想当村长呢,我不想当,我也当不上。

那你究竟想做么事哎?

继武子突然笑了,说哥哎,我跟你打个赌,赌哪个能选上村长。

哪个?

你。

我?继仁子跳了,讲你捣什么鬼哎?我有那个本事我能混成这样啊?

继武子也跳起来,这就讲对了,方家嘴子能人有的是,就缺个好人当村长。

你放屁噢继武子!讲你捣乱你还不服,讲你能耐你一脑门子狗屎。我不是人啊?我当村长就不贪了啊?有钱我也会花,有权我也能贪!

对呀,对呀,跟着朝下讲呀?

朝下讲?继仁子眼睛子直翻,我讲不好,我不讲了。

不讲我讲。刚才你问我究竟想做么事?前些日子我也在想,想得眼睛子生疼,狗日的讲假!现在我想通了,我就是想选一个好人不要选什么能人。人一能耐心就黑了。你不是讲好人也会贪吗?对了,你今天好不能保证你明天也好,这件事做得好不能保证那件事也能做好。这就要有个法子能把你搞下台去,这法子就是豆选。豆选就是都选,大家都来监督你,叫你坐不稳,叫你一天到晚提心吊胆生怕出错，汗毛凛凛地为大家办事，这就是我心目中的好村长！

继仁子闷掉了，半天想不出话来答。

倒是菊子有点奇怪，村长如果当得这么窝囊，哪个还愿意当呢？哪个当官不是为发财呢？如果大武子明知当不上村长，他这么干又是图什么呢？不过这话她没讲出来，她要讲出来继仁子又要骂她桌子板凳一样高不识相了。她觉得自己很难，又要像个嫂子样，又顾到继仁子的脸面，还不能伤到他兄弟和气，只好一遍遍地劝酒。

但继武子这番话她是服气的，如今的大武子已经不是从前那个鸡巴拖痰灰的脏伢子了，讲出话来丁是丁卯是卯，有板有眼。虽讲他那一套下辈子都实现不了，但话讲得在情在理。是人都有人的毛病，哪个当村长都不能十全十美，是要想个法子把人治住才中。

两个人都喝醉了。继仁子醉了就往床上一倒，大武子醉了就是不住地哭，眼睛水淌得跟自来水一样。菊子扶他回家还一路嗷嗷地嚎，像是受了好大的屈。菊子怕三姆妈骂人，就扶继武子在老白果树底下坐了一气。这白果树年头久了，枝枝桠桠地盖住了亩把地，像一把大伞撑在村中央。在方家嘴子，有头有脸的人家才能把屋盖在周围，为了占住这块风水宝地，也不知出过多少伤心事，人都想不开啊。她想。

我对不住你啊，嫂子！继武子突然放声喊起来，菊子吓了一跳。我对不住你啊……把你写进材料是没法子啊……凡事都有代价啊，总要有人牺牲啊……没法子啊。

菊子讲，你有么事对不住我的？别瞎讲。

大武子讲，真的，我真对不住你了，我先给你磕个头！

菊子慌忙拉住他，我就是帮不上你噢，能帮上你要我做什么都中。

大武子又跳起来讲，你能。

我？

算了，不讲了。他们一家那些丑事个个都晓得，家家都受害，就是没人敢讲。大武子伸出一根手指头：只要讲出来，他们全完蛋！

菊子不吭了。大武子的话她是听懂了，上回她就听懂了，听懂了心里就隐隐地疼。可这些事又跟哪个讲？这些事哪个来听你讲？

现在形势还难讲得很噢，我对不住你噢，我真的没得底噢……

菊子本想跟他提提徐老师的事，现在他醉成这样，还讲什么呢？她心想大武子是醉很了，已经不晓得轻重好歹了。

菊子慌忙把他生拉硬拽送回家了，回来心还怦怦跳。又跟虫子咬的样，一阵一阵地撕得疼。她一个妇道人家，就是当众把衣裳扒光了，又能帮你好大忙呢？

穿山风越刮越紧了，要捂雪了。满村的树都摇晃了，一地的月光都搅碎了。

十二

继仁子气得脸铁青，摔盆砸碗的。究竟气个谁，他也不晓得。早晨他去敲国栋的门，想把继武子的事再解释解释，他的意思是继武子年事轻瞎闹，其实并不想当村长，他已经问清楚了，想叫国栋放心。哪晓得国栋不放他进家，就把他堵在门外说话，一点礼数都不懂，这在方家嘴子就是打人家脸。讲起来国栋还比他小一辈呢，这样欺负人。

国栋冷冰冰地讲，反正我把话讲到了，听不听在你们，不要怪我不给你们机会。

这话什么意思？什么叫你们？头天他还低眉顺眼地讲我们呢，还说你跟继武子不是一路人，转脸就不认账了？难道继武子讲他能选上村长的话叫他听见了？就算听见又有好大个事啊？他不想当这个村长，他能当这个村长你国栋不就当省长了？这些话翻来覆去在心里头盘，弄得五心烦躁六神不安。但老生闷气也不是个事，下午跟上禽蛋公司的车，把门一带便上镇上来。菊子跟后头讲什么事，他也没听见。

胡经理大老远就招呼他：老方哎，你方家嘴子尽出新闻人物哎。

瞎讲，方家嘴子是个伤心的去处嘛。他还谦虚着，想找地方下货。

胡经理笑：今个儿是要伤心一阵子喽，公安局警察车子都来了嘛。

么话？继仁子呆住了。

你还不晓得啊？乡政府里都闹翻了，讲是来抓那个……那个叫么子的？搞豆选的？方继武？

哐当一下，蛋篓子掉下地了。继仁子噢的一声怪叫，大腿一拍，掉头就跑。蛋清淌了一地。

继仁子没命地朝家奔，也不晓得奔个什么。早晓得嘛，他想，早晓得小狗日的要倒霉的嘛！瞎闹操嘛，老虎嘴边抓虱子嘛。

他跑着，汗跑出来了，泪也跑出来了。事到如今，他才晓得，这些天心里鼓鼓躁躁都是放心不下。这些天一肚子闷气猫抓的样，其实是暗暗代大武子出力的，他心里其实是巴望大武子成功的。原先害怕的其实正是偷偷盼望着的，原先不敢承认的其实正是暗暗鼓劲的。自家怕死，人家出头，还要装出一副清白的样子来，什么鸟人嘛。泪流的，比汗还多。

一辆绿颜色的警察车迎面过来了，呜地一叫就过去了。继仁子张张嘴，一屁股就坐倒了，那车顶上有个小红灯，呜呜地叫，把继仁子头都叫大了。

原来，有关方面早就密切注视着大武子的动向了。各级机关早就做好准备，要保卫民主选举的顺利进行了。豆选是个新生事物，差额选就不是新生事物了？看问题要看到本质，要看领导权掌握在谁手里。就是新生事物也要有组织有领导地进行，怎么能由着一帮小青年牵着鼻子走呢？且不论结果怎么样，这个风气绝对不能开。

本来，年书记还想保护方继武这个人才的，他觉得他是个人才。年书记去找了县委。县委很慎重，一分析一研究，觉着问题大了。方国梁错误再多也不过是个经济问题，工作问题，还有个生活作风问题。经济问题也就是个吃喝问题，工作问题就难讲了，改革嘛，交学费是难免的嘛。生活作风问题就更难讲了，讲不清的，改造落后习俗是个长期的任务。但方继武的问题就不同了，是个政治问题。政治问题就不好开玩笑了。

钱书记把年书记好一顿批评：你怎么搞的？早就该采取措施了，拖到今天，影响这么大！

年书记委屈得很，掏出小本子翻着说：我找他谈话不下七八次了。

谈不下就采取措施嘛。

采取什么措施呢？总不能把他抓起来吧？

为什么不能抓？可以行政拘留嘛。钱书记分析说：他破坏选举就是扰乱社会治安，扰乱治安就可以拘留审查。你乡里不敢处理，县里来处理。

年书记哭丧个脸，说，那推迟一点总可以吧？我们再做做工作总可以吧？

怎么能因为个别人捣乱，人代会就推迟了呢？可见你们乡党委也太软弱了。豆选照选，人代会照开，我亲自去参加。我还就不信了，豆选能选出个流氓？开完会钱书记却把他肩膀一搂，又安慰他，说你还年轻着咧，将来机会多得很，舞台大得很，你着什么急呀。

一锤定音了。

警车呼呼叫着，在乡里游转，凡通公路的村子都游过了转过了才回县里去。

十三

方家嘴子死了，鸡子也不跳了，狗子也不叫了。

大老远就听见三姆妈在嚎：你个作孽的鬼啦，你叫老娘怎么活噢！……

菊子这两天都不大对劲，一点东西都吃不进，连苦胆都吐出来了。她跟继仁子讲几遍了，想去镇上看看，继仁子理都不理，嘴里还骂骂唧唧，气性不晓好大。下午她是听见有汽笛呜呜地叫，当时她正在吐，身上一毫力也没有。直到外头有人叹气讲，官府的交易，今天刮风明天下雨，你哪搞得清啊？一问，才晓得大武子出事了。讲是大武子还不服，还想挣扎，立马按倒在地上了背铐，门牙都磕掉了。

村里的小年轻一个都不见了，转眼就消失了。只有西墙根几个老汉在晒太阳。

见她来了，也立马不吭声了，连声咳嗽也不咳了。一堆妇女伢子围着三姆妈，见她来了，立马闭嘴了，也不劝了，眼睛子都怪怪地直起来。

三姆妈哎……菊子喊。

三姆妈两眼放出绿油油的光来，像一头母狼。两只手也朝她伸过来。你！你个畜生子哎，你个讨好卖乖的东西子哎……老娘跟你拼了，老娘不想活了。

菊子后退着，躲闪着，讲也讲不清了。

妇女们又拉又劝，三姆妈又一屁股坐下地了，大腿直拍，眼泪鼻涕淌了一身。

菊子只好木呆呆地转身，回家去。她搞不懂这些人是怎么了，见到自己怎么就跟见到鬼一样？

滚啵，三姆妈骂，有多远滚多远，卖了发财去啵，发财打棺材啵！

她心里一抖，晓得这是在骂自己了。可又觉得不太像，大武子出事明明才晓得，怎么扯跟自己也扯不上啊？但这明明又是冲自己来的。他们都以为是菊子害了大武子。菊子是个贱货是个婊子。菊子卖了发财了。菊子勾来了官府抓走了大武子。

卖去啵！卖了发财啵，发财打棺材啵！这骂声一阵一阵，近了，大了，三姆妈骂到门口来了。她吓得不敢开门，拿被子包住头，可那声音还是刀子一样直往心里钻，钻得人肝都裂了胆都碎了。

继仁子回来了，回来也是骂她。你自己做的事自己不晓得啊？你晓得她伤心还去撩她，你找死啊？你要我怎么出门啊？脸塞裤裆里啊？你想死不是这么想法子嘛，你死到外头去死嘛，沙河又没盖盖子，没哪个拉你！

继仁子两眼血红，跟吃过死尸一样，一口一个死。他浑身在发抖，站又站不住，坐又坐不住，只好躺在床上骂。骂一气又哭，哭过了再骂。三十几岁的一条汉子，跟三十几斤一样不识数了。

起风了，落雪了，雪子子打在老白果叶上啪啦啪啦响。菊子一个人站在树底下向呆，木木的傻傻的，碎雪子披了一身。她不晓得为么事站在这里等，也不晓得要等个谁，家是不能蹲了，从家里出来她就没想回去。也许是想等大武子家来。要是大武子能放回来，她也许就能醒了。大武子能证明，她不是害人的人，不是卖的人，更不是卖了发财的人。可大武子没家来。

她好像看见小时候，一帮伢子在树底下斗老将，耳朵里听见一帮伢子在鬼喊，赢了输了都叽里哇啦地欢呼，断一根又从鞋坑里再拔一根。老将就是杨树叶的把，要放在鞋底捂，捂熟了捂透了捂臭了才有筋道。每回大武子都性急，捂不透就拿出来斗，斗输了还哭。她顶见不得大武子哭了，一哭她就把自己的老将给了他，然后他拿着自己的老将又把自己打败。人家都讲，这丫头心慈得很，愿让人呢。大武子就跟她亲弟弟一样，她就是要让着他护着他，她很愿意被大武子打败。她天生就欢喜照顾人。大武子当兵去了，她给他缝了鞋垫。大武子退伍了，她又给大武子送了一盒糖。大武子已经六尺高了，胡须都变黑了，不晓得么意思。她讲你亲口讲的忘记了，成亲时要给你留满满一盒糖，要比人家多一倍！大武子这才记起来。大武子，大武子……

可大武子人呢？怎么还不家来呢？她记起来了，就在这棵树底下，大武子讲，对不住你啊……总要有人牺牲啊……没法子啊。当时还很不懂，现在忽然就懂了。懂了她就要去做，她不能让大武子蒙冤，不能让大武子坐牢，也不能让继仁子抬不起头，她要让政府晓得，真正的害人精，不是大武子，正是这畜生子。

她去继仁子姆妈坟上磕了头，捧了一把土，扫了一把灰。她从六岁进的天堂山，天堂山把她养育成人，她不能忘记大恩大德。她腰里还剩几十块钱，用手巾方子把它包好找块石头压在坟前，她晓得继仁子会到这来取。

最后那一刻，她又想到了继仁子，她不怨他了。没能为他留下一男半女，已经是她的罪过了。本来她是能做到的，可继仁子不要她做，他信不过她，这是没得法子的事。她也想到过肚里的伢，是个男的还是女的？像哪个？但这只是轻轻一闪，就像吹了一口气，转眼就消失了。

她为自己系的是一个双环扣，越拉越紧的那种扣，把自己挂在了国梁办公室的门框上。人家都讲，马善被人骑，人善被人欺，由小看到老，这丫头的命怕是不好噢。最后这一刻，她信了。

十四

大武子关了两天就放回来了。没讲他有错误，也没讲没错误。反正放他，他就家来了。如今是个法制社会，超过四十八小时就不能再关了，不能再关就要放人。所以他就家来了。那天，有人给他发过手机短信，叫他快走，他还没搞懂方向呢，警车就到了。这两天，他就在等待提审，他准备了一肚子的说辞，可还没审呢，又叫他回来了。去得稀里糊涂，回得莫名其妙，太没意思。

可是，一出看守所大门，眼泪就不争气地喷了出来。这就叫自由吗？他不知道。可他知道自己是完完全全失败了，莫名其妙就失败了。他觉着国栋他们在某个地方看着自己呢，他们一定笑死掉了，动动小指头，就把对手碾成了星星。

他走在大路上，两条腿只是在机械地移动，一切都是麻木的。他要上哪儿去？下一步干什么？他不知道，也不想知道。他觉着自己已经失去目标了。其实他本来就没什么目标，只是看着来气，就要跟国栋他们斗一斗。其实他对村长一毫兴趣都没有，他根本就不是当干部的料。可他还是卷进去了，也是莫名其妙。他有两个战友，开了运输公司，早就喊他去入伙。他还有个老领导，开了一家修配厂，也叫他去帮忙。他为什么要把时间浪费在这上头？方家嘴子在他眼里算个屁啊？灰都算不上。

他觉着又长大了不少，学到不少知识。究竟是为个什么事呢？他想。什么事也不为，一点事也没得。白白浪费了许多时间，还丢了一颗门牙，怪不划算。

太阳懒懒的，天空灰灰的，大路弯弯的，下了一场小雪，其他一切都是老样子，他觉着，怪没趣的。

远远地，望见一队人，抬着口棺材，踽踽地上山了。纸钱撒了一路，脚印歪歪斜斜踩了一路。新落的小雪已经化了，枯草上挂着泪珠。

他有点吃惊，一打听，才晓得菊子已经走了。

小学老师徐改霞三言两语就把事情讲清楚了，不像那些人就知道瞎吵吵。她说，乡里安排的，上午就要出殡，下午还要豆选，村里留个死人怕不喜庆。

大武子把嘴张了半天，一口气才喘过来，噢的一声就蹲下地了。他哭不出来，累得浑身直颤。徐改霞劝，你跟着走吧，到了山上再好好哭。这一说把他又说醒过来。他叫，不能走！不许走，不能就这么草草埋了！

众人都有点木木的，不知他是么意思，看看他，又回头去看继仁子。继仁子早就傻了，半点表示没有。

抬棺材的都是村里的年轻人，小豁子小相子大明子，还有桂兰秋香冬妹子，经过这件事，心也灰了气也短了。爱怎么搞怎么搞，反正天还是那个天地还是那个地，别人能过他们也能过，基本上没有主张。小豁子还讲，国栋已经开始变脸了，原来答应的三百元他都赖账了，今天早上盼琴家的去登记，愣被大藏獒给吼出来，现在说什么都晚了。

这话又让大武子打了个激灵，像是给抽了一鞭子。他趴在棺材前头讲，不能走，你们真不能走啊，我求求你们啊，不能走！你们别怪我狠心，事情到了这一步，只能狠下心来办！他说你们别那样看着我，我不是怪物，人情世故我懂！他说安排你上午出殡你就上午出殡啊？你们以为人家是随便说的吗？人家这是气势，人家这是用气势压你呢！他说死一个人就怕了？这是必要的牺牲，没有牺牲就没有胜利！然后把手一挥，回村！挨家挨户地走，慢慢走，叫全村人都看看，都想想。特别是要围着国栋家的大院走几圈，叫他们也看看，也想想！

大武子一喊，嗓子突然就哑了，声音嘶啦嘶啦响，凶得很。目光也很凶，红通通的，一滴泪都没有。他扶着棺材，说菊子菊子，你不能就这么不明不白地走啊，要走也要走得风风光光啊。

于是棺材又回头了，进村了，挨家挨户，走走停停。大武子不住地提醒大家，不忙不忙，急什么？每家每户都走到，到了就歇歇停停，慢慢喊，慢慢哭。

慢慢地，吹响器的也来了，唱花鼓的也来了。响器吹的那个叫响，花鼓唱的那个叫惨。慢慢地，年轻人眼睛里就有了泪，大武子眼里也有了泪。于是方家嘴子一村人都动起来了，来送一个年轻的媳妇上路了。这媳妇六岁牵着继仁子娘的褂襟子进的天堂山。自打来到方家嘴子，没吃过一口好茶饭，没困过一个安生觉，没养过一个伢，没留下一句话。走了。她本可以不走的，就为掀掉一扇磨，推倒一个影子，为证实一个人人皆知的事实，为给男人腾一片能伸腰的天，走了。没什么光彩，也没什么不光彩，自古乡下女人，都这样。

于是一村人都出动了，跟着棺材上山了，来送菊子上路了。

坑早就挖好了，就在继仁子姆妈坟旁。棺材落下去，一点响声也没有。男人脸都黑着，很没了光彩一样。女人悄悄抽泣，想起菊子的许多好处。

老人上来捧土了。菊子哎，你受屈了。菊子哎，你命苦噢。三姆妈拍着坟，喊：菊子哎，你心太急，心太实了，么事这么急嘛！

继仁子不哭也不喊，只跪在坟边，拍土，拍土。土堆得更高了，拍实了，他还是拍土，拍土。拍累了就伏在坟上，望着方家岭，眼都望直了。

刚止住声的又哭起来了。方家嘴子世世代代，不嫌穷也不怕富，不畏势也不避难，重的是个情分，讲的是个义气，敬的是个骨气。而今一村人都来了，都来哭了，来送菊子上路了。

风把哭声送远了，在山谷里盘旋。都上来捧土了都上来道别了，土越堆越高。哭声越来越响，越来越响，把群山也震动了。群山应和着，很是肃穆苍凉。白头岭耸立着，默默地，低头哀恸了。

纸钱点着了，旋起来了，飞上天了。

钱灰飘到野溪里。溪水淙淙流着。溪边站着个大武子，大武子冷冷的，像是看到什么，又像是想到了什么，心里怦然一动。他好像看见自己小时候，他拿着一颗糖到处去找菊子。菊子菊子，这是什么？是糖。是大白兔子糖，老师给我的。他看见菊子把嘴抿得铁紧，听见菊子喉咙里咕噜咕噜响。我俩一人一半，可好？好。那你让我香香嘴，可好？菊子想了半天，说好。然后他就把糖叼在嘴里，等着菊子来咬。然后他就等来一个大嘴巴，菊子哭了，掉头就跑。然后他就跟后头撵。撵啊，撵啊，怎么都撵不上。

他忽然想，菊子为么事要把自己挂在国梁的门框上？为么事要把绳子结成一个双环扣？他记起来了，双环扣是小时候套麂子常用的扣，这个扣看起来简单，其实越扯越紧。她是要大武子来认这个扣呢，旁人不懂，他大武子还能不懂吗？这个扣扯直了是一根绳，套住了就是一个圈，像个句号。小时候他们常说，我给你打个句号，你再坏就给你一句号！这话只有他能听懂，这是他两个人的秘密。

现在她终于给了自己一个句号，也是给他打了一个句号，还给所有的不平，所有的憋屈，所有的人所有的事统统打上了一个句号。这个扣，只有大武子能解。

可大武子怎么也想不通，为么事是菊子来打句号啊，为么事是这样啊，他本不想这样的啊。他要把国栋搞下台，是正当合法的，家家户户心里都是这么想的，只是没人敢出头罢了。他要的是一场政治斗争，是本当属于自己的权利。可结果偏偏是这样的不政治不光彩。为什么偏偏是菊子？他还有什么脸去见继仁子？不应该啊，真的不应该啊。

这天晚上，豆选进行得很平静。县里领导乡里领导都到场了，亲眼见证了方继仁当选村长。第一轮他的豆还不算多，第二轮人们把豆全都给了他。这个结果他们开头也没想到，但后来还是想到了，于是他们都拍了巴掌表示祝贺了。毕竟方继仁也还不错，没有太出格，县委钱书记作指示的时候还特别提到了老支书方大勤的名字。他希望继仁子能够像他家爷爷一样，一心为集体，带领大家共同奔小康奔和谐。钱书记当然不会想到，也不会理解，为什么结果会突然逆转。他当然更不懂，为什么一双乡下女人瘦格郎筋的手，能在这天晚上异常有力地卡住历史的脖子。

这一晚，天堂山落了一夜大雪。风却轻得很，一点声响都没得。雪花不急不慌的，一片一片朝下飘，跟纸钱一样。那雪花也出奇，有银杏叶子那么大，有小伢子手掌那么软。到天亮时，山路就封住了，白头岭就消失了，满世界都素净了。

十五

继仁子死掉了，跟枪打的样。枪打的还晓得痛，他连痛也不晓得了。腿也不是自己的了，手也不是自己的了，什么都不是自己的了。他死了一个老婆，换回一个村长。他不要这个村长，也不要这个家了，要家做么事呢？要做田，要做屋，还要辛辛苦苦想点子挣票子，图么事呢？还不如早先去讨饭，还不如在外跑码头，落个肚里快活两手闲。他是个讨饭的胚子嘛。他生成没本事嘛，就他这样还想讨老婆，讨个老婆连伢都不敢养！他想不通，实实在在想不通。他何必害人家菊子呢？

继仁子又慢慢地活过来了，心里苦巴巴的，想吼又没得个声，想哭又没得个泪。他抱个头，捂个耳朵，走开了。走远远的，越远越好。他出村了，上山了，下山了，自家不晓自家上哪儿去了。钱就是命，命就是狗屎，他得了结论了。

兴隆酒店里来了一班人，连哄带拖，把继仁子架将出来。

老板娘跟出来喊：继仁子哎，你当真赊账啊？

要钱没用噢，钱就是命，命就是狗屎！他比画着，开导她说：没用噢！

一班人都笑了。放心啵，方代表还能欠账不还吗？于是就往乡政府大院里来了。

钱书记亲自到乡里来了，敲锣打鼓放鞭炮了，人代会胜利召开了。继仁子当上村长了，不折不扣是豆选选上的。电视台的丫头介绍他是从前讨饭的苦孩子，今天的养鸡能手。因此是很有代表性的。

但他醉成那个样，大会主席团只好安排他睡觉了，开幕式无论如何是不好参加的。下晚县里乡里领导来看望大家时，他正鼾声如雷，因此也不好叫醒他的。他参加时，正是大会发言，有人喊，叫继仁子讲，他就懵懵懂懂地被人推上去了。

困了一大觉脑壳子还有点痛，人却精神多了。隐隐地，还记得点事，却又记不起许多，好像曾经有过许许多多的话，又好像一毫话也没得了。继仁子憨憨地笑着，很是不好意思，头皮抓了又抓，问："讲么事呢？"说完就要下去，却被前排的代表推回来了。

随便讲，放开讲。

继仁子回头望望，钱书记正笑眯眯地对着他。年书记也鼓励他说：拣要紧的，随便讲。

我叫花子出身，就讲叫花子话哎？继仁说。

很好嘛。钱书记笑着带头鼓掌了。

万万没想到，叫花子今天也当代表了。

哗——鼓掌。

叫花子三条苦：冷尿、饿屁、穷扯谎。没法子想哎。我今个不冷不饿也不穷，专门来点实的，讲假的不中。

哗——再次鼓掌。省里记者也来了，照相机直闪，录像机直转，录音机咔地一按。都觉着，这个农民太会讲了，太幽默了。

我姆妈在世时老讲，继仁子哎，二回长大做么事呢？做田嘛，还能做么事啊？做田不中噢，我姆妈讲，二回长大好歹要学门手艺。果不其然，我今个有门手艺了，养小鸡子了。

哗——又鼓掌了。效果真是太好了。

养鸡子那么好养啊！得有科学。有科学还不中，还要有窍门。窍门那么好找啊？他不讲了，端水喝，心里突然躁得很，干得很，嘴里又苦得很，苦得想哭一场才好。脑壳里，有个织布梭子在飞，一丝丝地，一片片地，一段段地，都连起来了。他谁也看不见了，眼前白花花的一片。么事要养鸡子哩？没得法子想哎，狗日的扯谎。

记起来了，他都记起来了。那是个大雪天，他跟个包工队讲妥了，做小工。菊子娶回家才十几天，他倒要走了。家里就一床被，留给菊子了。他快三十了，才有个菊子，舍不得。舍不得也不中，他卷半条破絮，上路了。到处是雪，地下白了，天倒下黑了。走到大路口菊子撵上来，扛着两支稻草把子。他哎，挑上把草吧，也能隔隔潮。她哭了，两眼像个红桃子。然后他就走了，头也不敢回。

讲啊，讲啊？有人在催。

讲么事呢？没得讲头噢。继仁子哽住了。

讲吧，讲吧。屋里静得很，就等他讲，专听他讲。忆苦才能思甜呢。

么事要养小鸡子哩？想都没想过嘛。起先搞副业就是兴丹皮嘛。哪晓得，丹皮兴了，狗日的收购站硬不收。一级非讲三级，菊子气不过，不卖了，结果烂掉许多，钱也没讨家来。后来又淘黄沙。沙河几十里长，都是淘沙的，独独跟我作对。白天黑晚干，腿都泡肿了，肩都挑破了。结果上来一伙人，拳打带脚踢，硬讲我偷他沙。乡政府讲搞不清，不管。可怜我几百吨沙，活拉拉叫人家霸去了，抢去了。

眼睁睁地躺了几天，屋顶上茅草都数清楚了。菊子推推他，说：我晓得了，这畜生还不死心嘛。许多年过去了还不死心。菊子跪在面前，哭得呜呜的：真是我拖累你了，继仁子哎。他搡开她，心跟铁一样的。他早就晓得，早就猜到了。他只想着，再走，去讨饭，去做小工，跑码头……祖上都是这条路，他想不到旁的路，最省心最现成也就这条路了。他收拾好了，不吱声要出门了，菊子一头把他撞倒在地，甩手就是一巴掌。你就这么大出息啊？三十岁一条汉子去讨饭啊？你姆妈白养你了。她浑身直抖，泪也没得了。

后来，就养小鸡子了。大武子代我出的点子，还代我垫钱买的鸡种。我心里话：惹不得我躲得吧？养小鸡子不出门不照面的，中了吧？也不中。狗日的逼你完税。我鸡蛋影子还没见一个，背一屁股债了，哪块有钱完税呢？后来饲料又涨价了，两三毛一斤，鸡蛋才卖好些钱呐？这鸡又不是泡泡子，能吹得大。后来大武子也跟狗日的搞翻了，帮不上忙了。一点法子都没得了，只剩一条路了。我跟菊子讲，去求他啵，怕求人不中噢。菊子，菊子……

菊子一声不吭，烧了，吃了，就上床了。半夜，一个人趴我姆妈坟上磕头，又哭了一气才回家。我都看见了，硬装不晓得。天黑就去了，清早才回家，两眼直直的，一声也不吭。我还装不晓得。一乡人都晓得，我不晓得。

会议室里有点乱了，椅子拖得哗哗响。

麦麸也有了，碎米糠也有了，砖也有了瓦也有了，什么都有了。我怎么富的？就这么富的。哪不亏心哪？继仁子喝水了，讲不下去了。牙齿磕在茶杯上，铮铮地响，发电报一样。一屋子人都听见了。一屋人心都拎起来。

猛然，坟墓一样的大会议室里，响起一声嘶哑的吼叫：他瞎讲，他诬蔑好人！

我不瞎讲噢，方乡长哎。我要讲半句瞎话，你割我舌条下酒！

主席团也乱了，钱书记跟年书记咬耳朵了。

钱书记哎，我不参加了，这叫代表会啊？国梁抗议了，甩袖子要走了。

继仁子猛然觉着，国梁原来并不可怕，原来他也怕着自己，继仁子嘿嘿地笑了。他简直想象不出，自家五大三粗一条汉子凭么子要怕这瘦精精的东西呢？这东西站没站相，坐没坐相，凭么事骑在自家头上屙屎撒尿呢？他完全想不通！他大声说：走吧，滚吧，你有多远滚多远！你喊老子当代表，老子今儿个就当一回真代表。哎，老子不选你了，老子要弹……弹你妈的了。哎。从前活矮了，今儿个老子站起来了，老子不比你矮！继仁子喊着，吼着，跳着，心里一热，眼睛水喷了一脸，他不擦，还喊，还吼，还跳……

乱了，全乱了，主席团宣布暂时休会了，继仁子还不能住嘴，他有一肚子话，一肚子心思，一肚子打算。他想着，该给姆妈的坟修一下了，该把鸡舍扩大了，该对菊子去讲一句实话，其实他想伢都想疯掉了。

十六

国梁调走了，调外乡当调研员去了。年书记调走了，打报告当教员去了。国栋全家都搬走了，搬到城里发财去了。继武子也走了，到城里打工去了。他跟徐改霞到底还是没搞成，他老拿她跟菊子比，徐改霞受不了。

只剩下一个继仁子走不掉，老老实实在家当村长。

清明那天，继仁子上山给姆妈和菊子烧纸，远远地望见了大武子。他看见大武子坐在坟头上抽烟，又把那烟一颗一颗插在泥土里。大武子脸冷冷的，眼睛阴阴的。瞟他一眼，他心里一抖，瞟他一眼，他心里又一抖。

他想，你瞟什么瞟，有话你就讲嘛。

可大武子什么也不讲，转身就走了。

他记起来，大武子是讲过的，他说不定什么时候豆选，他还要家来，还来捣乱，叫你坐不稳，叫你一天到晚提心吊胆，生怕出错，汗毛凛凛。

又一想，老子又没做错什么事啊？老子不贪不腐的，老子怕你个鸟啊。

（原载《上海文学》2007 年第 6 期）

曹征路

笔名肖潮。1949 年出生于上海，江苏阜宁人。插过队，当过兵，做过工人和机关干部。1979 年 10 月调入安徽省铜陵市文联，曾任市文联副主席兼秘书长，市作家协会主席。1987 年到鲁迅文学院学习。1988 年加入中国作家协会。1989 年调入安徽省艺术研究所任专业作家。1993 年调入深圳大学任教。现为深圳大学师范学院中文系教授。

1971 年开始发表文学作品。出版有小说集《开端》《山鬼》《只要你还在走》《曹征路中篇小说精选》《我的第二个父亲》《那儿》《霓虹》，长篇小说《贪污指南》《非典型黑马》《问苍茫》，长篇报告文学《伏魔记》及文学评论专著《新时期小说艺术流变》等。

土里的鱼

夏天敏

一

秋石家爹死了，死了也就死了。在望云村，死个人和生个娃，跟吃了洋芋放个闷屁样风一吹就过去了。多少日子都是这样漠漠地过去，村子默默的、日子淡淡的，寡淡的日子使人关心的是永远填不饱的肚皮。听到几声婴儿啼哭，有人就吵，狗日石柱婆娘下了。这是啥话？听着像说牲口，可村人就是这样说的。人死了，说老了，说过也就说过，村人该刨地的照去刨地，该找猪食的照找猪食，日子平静得像高原上的砾石滩，风吹来，动也不动一下的，没有草，圆溜溜的砾石咋动呢。

偏秋石家爹死了却闹下动静。死了嘛，挖个坑，装在早已准备好的薄木棺材里，全村人来吃一顿荞疙瘩饭，喝一塑料桶散酒，薄木棺材上肩，轻松得人想唱山歌，就桃红柳绿，哥呀妹呀唱一气，坑早已挖好，沙土，不费事的，两个汉子站两边，一支叶子烟没咂完，狗日两个已蹲在地下搓大胯上的垢条子了。再将棺材放进，又一次刨、挖、培土，完事。这个人就和他生前一样，漠漠地躺在这里了。

可秋石家爹却闹出死的名堂，也就一个死么，也就一个埋么，平日屁都不放一个的人，平时静静蹲在土墙下，从中午到晚上，连动都不动的一个人，都以为是堆在墙角下的一堆杂物，却偏弄出谁都想不到的名堂。他不埋在沙丘上，他要埋在自己的偏厦里，这话惊得老汉的几个儿子眼珠子瞪得像发情的狗卵子，半天回不过神，不知道老汉死都要死了，咋会日翘鬼怪，生出这种鬼都不晓得的怪念头来。

老汉就是不死。按正常的死法，老汉在昨天夜里就该死了。人早就被抬出来，停在堂屋的门板上，门板被卸了一块下来，风就朝屋里猛灌，停在门板上的老汉瘦得只剩一具骨头架，他的两颊早已塌陷下去，眼眶深凹一片青色，嘴唇塌陷只见一片空洞漆黑，一片青紫灰的死亡气弥漫在他全身，眼睛紧闭，见不到一点瞳仁，身体僵硬没有一丝热气。山区夜黑，煤油灯被风吹得忽悠忽悠闪烁，屋里就看得见白衣飘飘游荡的鬼魂。

三个儿子、两个媳妇围在老汉身边等他落气。他们长声短声地喊爹，指望着他回应。回应了，接上气了，这生与死的交接仪式也就完了。但老汉咬紧嘴唇，就是不回应。喊累了，他们有些沮丧，有些不满，也有些恼怒。秋石站累了，拉凳子来坐在他爹头边。他怕他爹就这样莫名其妙死去，连气也接不到是不划算的。他不时地将手指伸到他爹鼻前，看他爹有没有气。秋木看老大拉凳子坐下，心中日气，屎，老大偷奸耍滑，连站也不肯好好站，凭啥我要围着老爹站着，也就拖个草墩来坐下。只是草墩矮，他坐着头就和他爹的头挨在一起。他看见死亡的黑气把他和他爹缠绕在一起，这咋个要得，自己还有五个娃娃哩，有个三痛两病，哪个龟儿来给娃娃嘴里倒食？他就将背仰过去，头斜斜靠在土墙上，这样既看得见他爹的脸，又和那股已经闻得见气味的死亡之气隔开了距离。老三秋土在镇上读书，站木了腿，走了一天的山路，脚又麻又酸又疼，他见凳子和草墩没有了，心里日气，说爹怕死了吧，站着干受罪，明天我还要回学堂呢。秋石说你尽放屁，爹哪里就死了呢，你盼爹早死？秋石是副村长，在家里又是老大，话自然管用。老三秋土嘀咕一句，没吭声了。

老汉就是不死，这也是没法子的事。你总不能掐死他吧，那样倒省事，老汉瘦得脖子像草根，两个指头一掐，那细若游丝的命就断了。但谁愿这样做呢？天都快亮了，风刮得越来越急，煤油灯也早熄了，两个婆娘蜷缩在墙角死猪样睡去。秋石心中焦躁，听见她们像猪样的鼾声，他越发鬼火冒。起身来，朝她们的屁股上狠踢了几脚。秋石婆娘醒过来，急慌慌地说爹死啦？爹死啦？死你妈的×，你爹才死了。秋石婆娘认得男人脾气，揉揉眼爬起来，站到老汉身边。秋木婆娘被踢疼了，说凭啥踢我？我是你婆娘么？秋石说你不是我婆娘你是他婆娘，爹都要死了你还有心思睡？秋木见婆娘被踢心中日气，凭啥老大这样霸道，不就是个副村长么？秋木说要踢你踢你婆娘去，我的婆娘我会踢。秋石正要发作，听见爹的喉咙咕地响了一下，忙奔过去，扶住爹的头，大叫爹、爹、爹、爹，你讲呀，你有啥心事你讲呀，你有啥心事你讲呀。老汉费力地睁了一下眼，眼里空洞无物，连点混浊的光也见不到。他呓语似的讲了一句，去……去请七爷来。那声音小得蚊子叫似的，但大家最终是听到了。秋石让秋木扶着爹的头，说照拂好，我去。

七爷是望云村的七爷，七爷是众人的七爷。村里比他年纪小的老人都差不多死掉了，可七爷还是颤颤巍巍、流涎流水地活着。活着也是活着，但七爷活着却与别人不一样。他一个人住在村后一座孤零零的土屋里，村人看不见他做饭，看不见他出来走走，但他就活着。村里有什么大事需要有人拿捏，就去村后的土屋。七爷闭着眼坐在土夯的炕上，听你说。说完，他跑风漏气的嘴里就会扯线似的长一截、短一截、粗一截、细一截地说话。众人把脸都憋青了，不敢出气，生怕把七爷的半句话听漏掉，听完，赶紧将七爷的话拿去学说，村里许多大事都是这样了断的。

七爷是不出门的，他那屋里永远黑漆漆。七爷是不睡觉的，他永远寂寂无声地枯坐着。但秋石说要请七爷去他家，秋石说他爹要死了就是不死，要请七爷去才落气哩。七爷悠悠叹口气，说这娃娃咋就要死了呢，他不是吊着我的线褂子，要跟我下四川么？路又远，赶马人是这样好当的么？拿了两个鸡蛋给他才走哩，那鸡蛋是红壳的，你七奶奶用品红煮的，祛灾哩……秋石焦躁，又不敢得罪七爷，说七爷，我爹要死了，要请你去，你不去他不落气，我扶你老人家去。啥？要死了，好，好，死了好，死了好。你找我的拐棍来……

七爷几乎是秋石连背带拽地弄到家里的，也是日怪得很，早就浑身僵硬、气息全无硬挺挺地躺在门板上的老汉，才听到七爷轻飘飘的了无声音的脚步声，眼就睁开了。不光睁开了，还烁烁地亮了一下，仿佛飘忽的生命又落到了僵硬的躯体上。七爷尚未在凳子上坐稳，他就曲起手臂，想抬起自己的身子，这当然是徒劳的。秋石眼尖，忙走过去，从背后抬起他的身子。老汉张开空洞的嘴巴，嘴唇一张一合，发出了低哑的声音。七爷，求你做主，我不埋在沙丘，我要厝在偏厦里。七爷，你答应么？七爷垂下苍老、雪白的脑袋，两张垂暮的老脸对在一起。七爷说要得，这事怕没人知道了，你娃娃心重，还想到厝尸。你死，你死，我做主。七爷的话才落定，老汉眼一闭，手松弛下来，訇然倒在秋石怀里。屋里白色的鬼怪骤然不见，老汉相随着，悠悠去了。

一屋的人肃然，一时间竟讲不得话。片刻，秋石回过神来，说愣尿着干啥事，哭呀，还不哭？秋石说完，屋里的人就大放悲声了。哭得最响亮的，是从沉沉酣睡中被踢醒的两个媳妇，她们的哭，是合辙押韵的哭，长一声、短一声，越哭越没有悲哀的气氛，倒像在开民歌演唱会了。她们的哭有着太多太多的内容，有哭老汉的，有哭自己的，唯独没有哭生活的，生活太沉重太沉重了，生活太艰辛太艰辛了。生活已近麻木，哭也没啥意思了。

门口围了几个脸上糊满泥垢的娃娃，他们是听到哭声来看热闹的。他们听不懂哭的歌词，但他们还是听，村里是难得有响声的。

秋石把几个半大娃娃轰走，一家人围着七爷。秋石心里烦，说老爹咋个了，活着就吃，死了么就埋。村里哪个死了不是埋在沙丘上的，他倒好，活着死木温吞，死了还要玩新花样。秋石婆娘、秋木婆娘听老汉说死了要厝，心里发毛，生怕这厝要厝出许多名堂。日子过得这样紧巴，忙吃忙穿忙娃娃就把人的心操碎了，再一折腾，日子就没得指望了。秋石婆娘说七爷，我爹是糊涂了，人呢，其实早死过几回了，他是说昏话哩。秋木婆娘更是急巴巴地说，大嫂说的是，我爹是糊涂了，他儿孙满堂的，又没得啥丢不落的事，还是埋了吧。秋石说没得你们说话的份儿，这事听七爷的。老爹平时三言没得两语的，他说这话怕有由头。秋木不吭气，他翻眼看看秋石，不满秋石的骄横。但也就是翻了两眼，谁叫自己不是副村长呢。有本事你去弄个副村长当，哪个副村长不是这样讲话的呢。

七爷沉稳，七爷坐在条凳上闭着眼，他的眼眶陷得太深了，眼睛即使睁着，也是难得看到的。七爷长长地嘘口气，眼睛睁开了，仿佛游离的魂又附在他的身上。七爷睁开眼，那散淡无光枯涩干涸的眼睛里竟奇异地迸出几粒火星。七爷挺了挺佝偻的腰，脸上罩上了肃穆、庄重的神色。七爷说要说呢，厝棺其实是不该的，你爹是在受罪呀。人死就该埋，厝着，是违背天……天道的呀。七爷说着说着咳起来，七爷竟然还会激动，想来老汉这样做，确确实实不是一般的做法。七爷说厝起你爹来，他在阴曹地府要受罪，还不得轮回，变鸡变狗变猫都变不成，罪过，罪过。秋木急巴巴地说那就不厝了吧。秋土不吭声，他在镇上上中学，对这些事不感兴趣。秋石闭了一下眼睛，秋石毕竟当着副村长，脑袋就多了根弦。秋石说七爷，这厝到底有啥道理，您老人家给我们个明白。七爷停顿一下，拖着沙哑的声调说这厝么，这厝么……七爷似乎想不起来为啥要厝了。秋石心中焦急，嘴上说莫着急，我倒水来给您老人家喝，慢慢讲。七爷说我讲了，你们做得到么？秋木、秋土和两个婆娘睁大疑惑的眼睛，不知道要做啥子，事情重大，谁也不吭声。

秋石说哑啦，你们开口嘛，做得到的留在这里，做不到的出去。大家疑疑惑惑地稀稀拉拉地说做得到。七爷闭着的眼又张开，说村里没得几个人晓得啥厝了。这厝，就是在你家的偏房里挖个坑，将棺材放进去，再用土封起来。埋棺材时，要在坑底挖个洞，将一个土钵放在洞里，再放进清水，清水里放条小小的活鱼。一年以后，将封住棺材的土铲掉，抬起棺材，看鱼活不活。鱼死了，你爹在阴间受的罪就白受了，你们赶紧请人为他念经，度他超生。鱼活了……七爷突然不说了，七爷的脸色奇异地由青灰变得酡红，眼里的火星子竟然噼啪、噼啪地乱迸。秋石、秋木们看得目瞪口呆。秋石说鱼活了呢？七爷说话了，真的活了呢，你娃娃些就大富大贵了。秋木婆娘抢着问，七爷，鱼活了我家能搬到乡场上去？能住上新房子？秋石婆娘白了秋木婆娘一眼，咋就轮到你讲话了呢？秋石婆娘说七爷，富不富，搬到乡场里不搬到乡场里我倒不想，我只想问问秋石还能上个坎坎？这婆娘问得太突兀，秋石听了心里却是高兴的，毕竟婆娘还是向着自己的。秋木听了心头不舒服，哼，再上个坎坎，没上坎坎就这鸡巴样子，上个坎坎不晓得还会咋个。

七爷毕竟是七爷，七爷咋能像算命瞎子样巴着谱顺杆儿就上呢。七爷说这就看你们各人的造化了。心诚，心诚则灵。只是，只是不要忘了每月逢单日给狗剩上香，上斋饭，烧纸，刀头肉是不能少的，你爹苦呀，多烧点钱，他手头活泛点，也少遭点罪。

七爷说完脸上就青灰了，青幽幽地怕人。秋石婆娘心里还是咯噔一下，秋石虽然当着村干部，日子算是活泛一点，但这是望云村呀，别说逢单日要给老公公烧纸、上刀头肉，就是她家，也是十天半月才吃上一回肉，哪来这么多钱破费呢。秋木的婆娘更是吃惊不小，开头惊喜的心情一下就没了。天啦，这不是故意和穷人作对吗？就像送你一个又大又热的荞粑粑，看得见，摸不着，高高地挂在天上呢。

二

狗剩老汉果然就厝了。

厝的那天，望云村从来没有过的热闹了。山村人的寿命短，活到狗剩老汉这年纪的，也就是不多几个。别说年轻人不知道厝是啥回事，就是几个老汉也差不多记不得这样的事。这厝是一般人家做得的么？望云村的人差不多都不晓得啥叫厝，几个上了年纪的人也是听说过而已。倒是七爷跑过马帮，上云南、下四川，最远的听说到过广南，村里人莫说啥广南广北，连上过县城的人也就是秋石他爹。秋石他爹在镇上帮人厝过坟，是镇上开药材铺的孙掌柜，他出了力，吃过八大碗菜，成了村里最有见识的人。当然除了七爷。

秋石是下了决心要好好地办场招待的，秋石开始是隐隐约约觉得这事是重大的。等厝他爹这天，他觉出这件事的分量，就决定好好办场招待了。也不晓得咋的，秋石心里既是乱乱的，慌慌的，又是充满希望的。明年村里就要换届了，副村长已经当了两届，村主任的位置一直落不到他的头上。爹说过他当村里的副主任那年，他家的屋顶上确实冒过瑞气的，可惜那团瑞气罩在屋顶上时间并不久，也就是咂支叶子烟的工夫，就平白无故地散了。他爹说这话时一脸的怅然，一脸的无奈。以后的许多日子，爹在墙根角靠土墙蹲着，仰着头眼巴巴地瞅房顶，瞅得头发越来越白，瞅得目光越来越短，以至于枯涩的目光昏花起来，却再也见不到那团瑞气，老汉于是深深叹气，缓缓摇头，头耷拉在松弛的胯下，半天不见动静。

秋石决定好好办招待，招待全村人吃一天饭。这个决定不要说遭到全家人的反对，就是他自己说出来的时候也吓了一跳。望云村穷，一年有大半年都在下雪、下雾、下凌，松树长到一人高就打住了，像卖炊饼的武大郎永远的矮小着。荞子刚刚出叶，凌一下来，全糊了，天晴用手一捋，黑色的碎叶顺着指间碎碎淌下。全村人一年中的日子到底有多长时间饿肚子，谁也说不清。而要招待饥肠辘辘的全村人吃一天，那要多少嚼食？

秋木婆娘说大哥要办招待，我们是没得说的，只是你是晓得的，我家的瓦钵底都被十个指头抠成洞了。大哥说办，你是有办法的。秋石婆娘一双眼瞪得出血，望着秋石说你狠，你有本事，家里除了那几颗荞子，还有我，还有大娃、二娃，叫朱屠户来，支起大汤锅，把我家娘儿几个宰了，够你招待一村人的。说着就去扯满地乱跑的泥猪样的娃儿，今天我家娘儿几个交给你，你不宰你就是牛养马下的。秋石正在懊恼，被急红眼又不晓事理的婆娘一搅，血嗡地冲上脑顶，脸青得要杀人。他抬手就给婆娘一大嘴巴，把婆娘扇得转了个圈。嘴里说老子说办就要办，你驴日的插啥嘴。婆娘被扇得晕乎乎回不过神，木木地看着他，眼光空洞而茫然，半响不出声。

秋木觉得不对劲，正要去劝她，她突然一步跳起来，受了伤的母虎样一把抓住秋石的领口，放声地骂起来，一边骂一边抓秋石的脸。秋石面容被婆娘撕破，他伸手就给婆娘几拳几脚，正要甩开膀子大干，秋木、秋土围上来，紧紧拽住，才没出事。秋石被他们架着又蹦又跳，咆哮着，你们说爹不是大家的爹？你们该不该出？这阵势把大家吓住，说出，出就出，哪个狗日不出。反正我们只有那点嚼的，剩一颗粮食就不是爹日出来的。秋木婆娘还想讲啥，秋木一瞪，狗卵子，回家去，你再说一句老子撕烂你的×嘴。秋木婆娘瘪了一下嘴，再不敢吭声。

其实，就是把秋石、秋木家的粮食全刨出来，也不够望云村的人吃一顿的。秋石又后悔又懊恼，为他这个荒唐的决定矛盾着。但他朦胧中又觉得这丧事是要办体面些才是，万事开头是最重要的，有了轰轰烈烈的气氛，有了红红火火的场面，那似有若无的运气才会降临。但秋石又知道办这一天招待的代价。正是春荒时节，一村人眼巴巴地望着上面的救济粮，好些人家已经在熬平坝里连猪都不吃的洋贴根叶了，好些人家连撒点做药引子似的荞面都没有了。石柱家婆娘为了五个猪崽样的娃娃抢食吃打起来，气得把几个红耗儿似的娃娃打得一身痕摞痕，没得一块好肉。这顿饭一开，不晓得要耗掉好多粮食呢？

粮食其实还是有的，只是那粮食秋石不敢动。望云村东边是望云湖，说是湖其实是高原上的一泊水。高原上气候恶劣，连草也长不出来的，遍地的砾石，遍地的浮土，荒凉得人心疼。但望云村有湛蓝湛蓝的天，有湛蓝湛蓝冰凉的水。最日怪的还有黑颈鹤，这种村人叫饿老鹳的东西，不晓得咋就金贵起来，不叫饿老鹳叫黑颈鹤了。听说这东西稀奇得很，人是日千捣万，遍地都是，独独这玩意儿少得外国人眼睛都数蓝了，全世界也就是千把只。望云村因此多了个任务，保护黑颈鹤。上级按时拨粮食来投放，是金黄金黄的苞谷呀，牙齿一嚼嘎嘣脆，还来不及嚼碎就吞进肚子里去了。但这粮食谁敢动，动了犯错误就大了，也不晓得动了会咋处理。秋石心里毕竟不踏实，惴惴不安的。但屁已经放出，全村人从各个角落钻出来了，他家门口空阔的场院上，密密麻麻挤满了人，人们兴奋地叽叽喳喳，个个白里透青的脸上泛上红晕，对食物的渴望使他们兴奋不已。他们仿佛不是来参加丧事，倒像到县上参加庆功会、表彰会一样。

看着他们的样子，秋石心里又高兴、又难过、又气愤。日他妈你杂种些倒是空起肚儿来吃大户了，老子要担过呢，责任大得很呢。你杂种龟儿些吃完拍拍肚皮走人，老子还不晓得要受啥处分呢！他真想把那放出去的屁收回来吃了，按说这也是办得到的事。只是，只是，望着爹那黑漆漆的棺材，他眼热了。爹为了他一家的发达，连灵魂都卖给阴曹地府了，天天在阴曹地府忍受煎熬，他还舍不得啥呢？

村里节日般快乐。不用吩咐，望云村的男人抡起胳膊，挖的去挖墓坑，垒的去垒灶，婆娘更是积极，家家的碗筷家什都凑出来了，有的去挑水，有的拾掇院子，有的洗碗筷。石柱家婆娘抢先去淘洗苞谷。自苞谷从保管室拿出来的那一刻，她的眼睛就没有停止过对苞谷的追踪，苞谷的那种金黄色的光芒在她眼里一刻不停地闪烁。她挑着苞谷要去黑石箐淘洗，大家说就在这里淘嘛，你还怕供应不上水？她用城里人的口气说水少了咋淘洗得净呢？这是吃的东西呀。秋石知道她的心思，说让你去淘，只是你千万不要一边擤鼻子一边淘就是了。石柱婆娘的脸居然红了一下，她高兴地挑起苞谷就走，走出村里，她把苞谷捧了几捧埋在路边的沙土下，又捡了块石头做个标记。

厝坟的准备事项都做好了，坑挖得又深又好。使人惊奇的是望云村周围的地都是沙土，而这座偏厦里的土却是红艳艳、黏糊糊、湿润润、冒着热气的黏土。被请来坐镇指挥的七爷高高地坐在条凳上，七爷拈着花白而稀疏的山羊胡，一直没说话。当大家刨出外面一样的沙土时，七爷很矜持，瘦削塌陷的脸上沙土一样僵木。当挖出潮湿、黏实、红色的土时，七爷脸上的肌肉跳了一下，但还是矜持，及至土里冒出一缕缕乳白色的热气时，七爷才不再矜持。青灰的脸上像红土一样泛出潮湿的红光，眼里又嘎嘣嘎嘣地跳跃出火星。

一切那么顺利，一切那么出人意料，一切那么神奇。秋石从七爷脸上和眼里捕捉到了神秘的启示。秋石的心也跟着七爷眼里的火星燃烧起来，他被那神奇的启示搞得晕晕乎乎，心里涨起海潮般的浪，浪里泛着希望的帆。

唯独捉一条鲜活的鱼成了最大的问题。冰冷、荒瘠、干涸的高原上没有河，有河也养不住鱼。只有望云湖有鱼，但望云湖深，水冷，鱼少，又大多潜在湖底。望云村的人几乎没吃过鱼，这鱼是精灵呀，谁有本事捉得到？

捉不到也要捉，没有鱼，这坟还能厝么？厝了还有啥意思。当七爷问鱼呢？众人都面面相觑了。鱼呢？这时大家都感到问题的严重，大家都在忙一些习惯上的事情，谁也没有想到准备鱼。秋石的脸越来越难看，他冷冷地望着大家，眼里净是寒光，仿佛这事是大家的事。冷了一阵，秋石终于说了一句，扯尿鸡巴蛋。头也不回地走出偏厦。

大家也感到不过意，纷纷自责。是嘛，咋没想到鱼呢？秋石是丧主，有多少事等着他拿主意。再说，人家还要招待大家吃饭，能这样昧着良心吃饭么？有人说去乡场上买鱼怕还来得及，有人立马说乡场上也不一定有鱼，镇里又不是天天赶场，再说那里不是和这里一样冷么？既然一样冷，不如就在望云湖里捉鱼算了。

一帮人相约着去望云湖，他们一脸的庄重，一脸的神秘。去捉厝在棺材下的鱼，本身就是玄秘和使人激奋的事。只是他们从来没捉过鱼，一路上商量着怎样捉鱼。临出门，有人问七爷能不能捉到鱼？七爷闭着眼，说该捉得到就捉得到，该捉不到就捉不到。这等于没说的话反倒使大家更觉神秘。等到了望云湖边，大家看见秋石孤零零地站在湖边，他是在思忖着怎样才捉得到鱼。

刘大毛看见秋石手里提着一瓶酒，他是老远老远就看见的。刘大毛看见酒就和鱼鹰看见鱼、石柱婆娘看见苞谷一样眼睛发光，目光敏锐。刘大毛一下觉得呼吸急促热血沸腾,脚裂子般的小眼珠熠熠闪光。刘大毛啥都离得就是酒离不得,他匆匆走在前面,一到秋石身边,一把将秋石手里的酒夺过去,说村长你歇着,我来,我来。秋石疑惑地看着他,说你行么?刘大毛说咋不行,只要有酒垫着,我能在水底捉鱼哩。

刘大毛到底没把鱼捉上来,刘大毛能捉得到鱼么?他一生连脸也是懒得洗的,从来没有把水浇透全身。他是酒瘾发得狠了,没有酒的日子他难受得野狗样地绕着村子转圈。任何一次,救济粮一发到手里他就卖了换成酒,好久没发救济粮了,他就当了好久的野狗。他咕咕一气灌掉半瓶酒,剩下的无比珍惜地用手抹抹,无比陶醉地一头就朝水底扎去。他进入水底就像秋石他爹进入坟墓,下面又冷又黑又没空气,他本能地在水里又蹬又踢又捞又刨,但水里没有任何可以攀援的东西供他做救命稻草。水面上咕咕地冒起一串串气泡,被他搅乱的水漾起一圈一圈的波纹。秋石惊得目瞪口呆,秋石内心急得吐血,这是要出人命的事,刘大毛虽然只是个光棍是个酒鬼,但法律没说淹死光棍淹死酒鬼可以不负责任的。秋石急得嘴里冒出一串燎泡,他记不得脱衣服就要往水里跳,眼尖的人紧紧拽住他让他想死也死不成。按住秋石大家也干着急没有办法。

也是日怪,那泡冒了一阵就不冒了,水面平静了就没有纹路。大家都瞪着眼睛望着水面而心沉到湖底,大家都觉得刘大毛是死在湖里没有疑问的。沉寂,再沉寂,突然有人发出了尖叫,接着疯了样往湖的一个湾口跑,等大家跑拢才看见刘大毛睡在湖的浅湾里,他脸色不是寡白不是青灰而是酡红,眼睛当然是闭着的,但看得见鼻孔里喷出的热气,贼日的没死。这一发现把大家惊得三魂出窍,不会水的刘大毛没死是不正常的,死了才是正常的。把大家惊诧得魂魄出窍的是他不光没死,并且嘴里叼着一条食指长的鱼,右手还握着一条活蹦乱动尾巴扇得叭叭响的鱼。秋石看见鱼眼睛立即亮了起来,他的脑袋里嗡的一声,像被什么硬物撞击了一下,眼里出现一片金光闪闪的红鲤鱼,红鲤鱼在五彩祥瑞的金光中漫天翻涌,他的眼泪唰唰地流下来。鱼,这鱼是神奇的鱼啊。村人互相帮着把那尾中指长的红鲤鱼从刘大毛手里拿出来,放在一个盛水的木桶里。刘大毛嘴里叼着的那条鱼,被他死死咬住,已经不会动弹了。拿掉嘴里的鱼,刘大毛就开始喘气了,他的胸口起伏起来,眼睛也睁开了。等大家把他弄上干地,他已经会说话了。他说他一头扎在水里,水底又冰又凉,冷得透心透肺,水里黑咕隆咚,啥也看不见,他又不会游泳,嘴里、鼻里咕咕地灌进许多的水。他感到死到临头,就拼命地挣扎,越挣扎灌进的水越多,他开始朝外呕吐,这时他感到身边聚集了密密麻麻的鱼,头上、脸上、脖子上、手上到处有鱼在碰撞,鱼们是闻到酒味了。刘大毛兴奋地说这鱼怕是老子日出来的。那次和一个寡妇在湖边日弄,就闻到她身上的一股鱼腥味哩。鱼闻到酒味,全跑来了,他张着嘴想叫,却一口叼住一条鱼,那鱼想到他肚里去喝酒呢。他手脚乱蹬乱抓,一只手却抓住了一条鱼,他被嘴里的那条鱼憋得昏死过去,朦朦胧胧觉得背后有一条大鱼在拱他。刘大毛说这大鱼怕是那寡妇,这湖里的公鱼死了,剩下它好孤独好寂寞。它是感激他哩,不是那次狠狠地弄它,湖底会有这么多小鱼?众人听了哧哧笑起来,刘大毛,你狗日阎王门口走一遭了,你还有心肠想些日天狠汉的事,连鱼你都想日哩。秋石突然暴怒,笑,笑个屌。刘大毛,你狗日再胡说老子把你再丢进水里去。听好,以后不准哪个再讲刘大毛讲的胡话。秋石暴怒,想到这是放在爹棺材下的鱼,是胡说不得的。这狗日的刘大毛,把鱼说成他日出来的,肮不肮脏,晦不晦气?

那天的饭是望云村村民吃得最惬意、吃得最饱的一顿饭。饭是苞谷饭,连苞谷皮也没筛去。咋能筛掉呢?那也是粮食呀,苞谷皮和苞谷面搅和在一起。粗糙是粗糙点,吃在嘴里满嘴跑,还哽脖子,但又怎样呢,能经常吃到这样的饭,是望云村人天大的福气了。几口两人才围得住的大铁锅里坐着一人多高的甑子,甑子上冒着一缕缕热气,苞谷饭的香气撩得场院里的人口水直淌。石柱婆娘借看饭熟没有偷偷捏了一团饭,饭是烫手的,她一点也没觉得烫,偷偷溜到人少的地方拿给最小的小五子。其他几个娃娃见了,上来就抢。小五子自是不让,于是一群娃娃将他按在泥地上,他怕抢掉。就狠起劲一把含在嘴里,噎得眼睛直翻,脖子一哽一哽的。另一个娃子急傻眼,伸手去抠,正狼吞虎咽的小五子一嘴咬住他的手指,咬得他妈吔娘吔乱叫。那个娃子的妈跑来,伸手就给小五子一巴掌,打得小五子将那坨还没咽下去的饭团吐了出来。石柱婆娘是不饶人的货,嗷的叫了一声,冲过去挽住那婆娘的头发就开打,两个婆娘撕扯在一起,像泥母猪样在稀泥地下翻滚。大家费了好大劲,才把她俩扯开。秋石婆娘说吃、吃,撑死你们,撑得你们翻鳅打滚,屙血屙脓,看还吃不吃。众人听了这话心里不好受,脸上木木的,像被人打了耳光。秋石过来,叹口气,说愣着吃屎,吃饭,吃饭,吃了还有事干。

正吃饭,天气却突然变了,好好的太阳不见了,又涌来一层层乌云,接着风吹沙扬,下起了一阵阵白霜。老年人摇着花白的头,说天要收人,荞子、洋芋才出齐,成黑灰了。老年人一叹气,空气就沉寂了,大家扒拉着饭,再不说话。秋石狠狠地跺跺脚,铁青着脸也不说话。秋石心里说看爹厝得灵不灵。日他妈,这鬼地方不是人住的,等老子整到个副乡长、乡长,硬是要将家迁到乡场上去。

秋石跑去看鱼,那红尾鲤鱼活泼地游动,他心里踏实了些。秋石眼光从鱼身上收拢,看见秋木、秋土也蹲在木盘边看鱼,就有些气恼,说蹲着吃屎,赶紧撑去,撑完饭事还多哩。

三

秋石要到镇上开会去,会议要开三天,说是村干部培训。往次去开会秋石总是很高兴，望云村离乡政府四十来里，乡政府在大山的腰部。那里不平坦，气候却好得多。气候好出产自然也就好些。这都不说，乡政府通电，有商店，有邮电所、卫生所，还有放录像的。秋石在望云村呆木了就想到乡上去遛遛，跟书记、乡长套近乎，跟其他村的村长喝喝酒、斗斗嘴皮子，脑袋就活络了，心情也好了。

可这次秋石却不想去，这是爹死后的第一个头三。七爷说头三要做好，万事头为首，头三做不好以后就不利顺。秋石在乡场上读过初中，可秋石在望云村这个神秘的地方，从头到脚，从里到外都信服冥冥之中的力量，没有理由不信的。这不，爹才厝上不久，乡里就通知他去参加村干部培训了，谁都知道村干部培训就是培养村的主要领导。秋石心里熨帖而又矛盾。找个理由不去也就行了。可这机会是望云村的白霜，望云村的雾罩，说来就来了，说去就去了。要去呢，爹的头三是最重要的。为这，他已背着婆娘将这个月的村干部补贴全拿出来，早就让秋土去乡场上买祭奠的东西。秋土在那里读书，秋石不放心让秋木去，老二心机多，搞不好他会弄虚作假从中赚钱，老二信鬼神更信钱。东西买了一背篓，有一刀红白相间嫩闪闪的猪坐墩，有一个面目祥和、眼睛细眯、嘴角上翘、蔼然可亲的猪头，当然还有香烛纸蜡。当然，他还不知道老三秋土也会做手脚，老三想买本英汉对照的小词典想得发疯，老三费尽心思，精打细算，弄虚作假终于买了一本英汉小词典，这本英汉小词典帮了他的大忙也给他添了许多烦恼和内疚。

秋石睡不着，他为明天去不去乡上开会心烦。开头睡下去时婆娘还缠着他做那事，婆娘也就是三十来岁，正是馋那事的年纪。日子再贫穷，也断不了人们做那事的欲望，刘大毛穷得卵子叮当响还幻想着和鲤鱼精做事哩。秋石以前去开会总要和婆娘做回事，这次他却不想做。他看见煤油灯下的婆娘头发乱糟糟的，被柴火熏得红翻翻的眼睛老在流泪，脸上总是洗不干净的黑褐色尘垢，那是嵌在皮肤里永远也洗不干净的。她的身上还溢着一股酸臭味，望云村干旱，水要到五里外的黑石凹去挑，她是一年难得洗一次澡的，一洗净是成条成条的泥垢，盆里的水肥得可以压田，看着恶心。她的牙齿也是黑黄黑黄的，从来不兴刷牙哩。秋石心里有事，再加上看到这情景他就没兴趣了。他脑里闪了一下乡场上一个俊俏女子的身影，那是乡场上放录像的女子，和他初中同过学。想起那个姣好的女子他更不想做了，隐约间他觉得似乎有可能和那女子做了。是啥呢？他一时想不清楚。

他向厝住他爹的那间偏厦走去，他觉得应该和他爹多讲点什么。村子黑那屋更黑，黑得浓稠，黑得可以捧起来。自从他爹厝在偏厦后，娃娃些再不敢来这里玩了，这屋阴森、潮湿，散发着一种说不清、道不明的味道，这味道既不像潮湿的屋子发出的霉味，也不像望云村所有人家屋里的酸臭味，更多的是一种腐臭的味道，是人死后尸体腐烂的味道。他打开紧锁的门，被那股浓烈的腐臭味冲得退了一步，他退了一步心里更加发毛，屋里黑漆漆的看不见啥，但阴森森的气象却使人汗毛乍了起来，他说这是爹，就是腐烂了也是爹呀。心里一念叨，他就看见爹在黑雾里浮现

出来，他爹瘦骨伶仃，脸颊上几乎没有肉，剩下了黑洞洞的眼眶和黑洞洞的鼻孔，牙齿是森森的白。他看到爹被绳索拘押着，全身都是累累的伤痕，他知道爹是为他，为他一家受罪了。他扑通跪在地上，说爹，明天我不去了，我要好好为你做头三，使你少受点罪呀。谁知爹并没有高兴，他挟着一股阴森森的风冲出来，你走，你走，不准留在这儿。他听见铁链碰撞出的坚硬声，爹挟带的阴森的风使他打了个冷噤，爹倏地不见了，想必被拘他的小鬼硬拽回去了。他无言地流泪，坚定了去乡里开会的念头。

在乡里开会的日子是幸福的，每次开会乡长都要让食堂熬鸡蛋大的肥坨坨肉给他们吃，肥坨坨肉全是从猪膘上取下的，又煮得熟，咬在嘴里一嘴冒油，入嘴肉就化，还加上山地萝卜，那美味是没得说的。乡长边吃边说狗日些，使劲撑，敞开吃。只要干事好，肥坨坨肉保证你们有得吃。这些贫瘠高原上的汉子吃得满身大汗，一身舒泰。都说为了乡长的肥坨坨肉，我们跟你死干。乡长是胖子，乡长说你们想吃老子的肥肉呀，老子这膘舍不得让你们吃哩。众人哈哈大笑起来，气氛好得一家人团聚似的。

秋石也吃，秋石也笑，但秋石心里却不是味道，他吃肥坨坨肉倒真的像吃他爹的肉哩，他觉得他不应该在这里，爹为了你为了你一家，自觉自愿在阴间遭罪。在头三的日子里，无论如何是该留在爹的身边，给爹好好上些贡品，多多烧些纸钱。有了钱，爹就可以拿些给拘他的小鬼使用，钱能通鬼，他的日子就会好过点。其实，他的内心还有一份隐秘。打小他就知道，上供和烧纸钱，谁在，谁念叨，就等于钱和供品是自己拿出来的，就像到银行去寄钱，人家只认寄钱的人。不晓得那边世界的规矩是不是这样的。如果是这样，他就亏了，老二秋木头脑一点不木，秋木婆娘更是人精，他们一通乱念叨：爹，来领钱了，爹来吃饭了。这不是自己出钱，老二、老三得福么？爹会不会生气，死了的人脑袋是灌过迷魂汤的，他昏头昏脑地把厝坟的好处全给他们，这就是猫儿搬甑子，白帮狗做生了。

秋石头昏沉沉的，吃饭就没有胃口。刘家冲的秦仲元说秋石咋不吃，恁好的肥坨坨肉不吃，怕是昨晚吃你婆娘的肥坨坨吃饱了。秋石说我才吃你婆娘的肥坨坨，巴掌膘，白得晃眼睛。大家笑起来，笑得喷饭。

吃完晚饭，来培训的村干部相邀着去打双Q了，也不晓得这玩意咋会这样迷人，到处都在打双Q。秦仲元来约秋石，秋石说你们打，你们打，我到乡场上逛逛。秦仲元说秋石，你狗日怕是去会老相好，吃饭时你不吃肥坨坨肉，怕是去补课。秋石没心思和他开玩笑，说去去去，去打你的双Q，我真的是去逛逛，买点东西。

秋石走在去乡场的路上，全乡只有这里铺了一条两里长的水泥路，水泥路也叫得怪，上面把它叫成卫生路。走在卫生路上确实舒服，脚底板平展展的，走着一点不颠簸，书记和乡长走路爱背手，一背手就有领导的样子。可叫他们到望云村去背，一走一颠连身子都站不稳，不是成了旱地鸭子？乡场上的商店还开着，电灯明亮亮的,商店里的货物五颜六色直晃眼睛。其实那些货也是价廉的货,就像下等的鸡涂了厚厚的胭脂等着以低廉的价出售。但不管咋个说,方圆百里,就是这里有电灯,有电话,有水泥路,有商店。乡政府就是乡政府啊。再穷的乡,也有小车,虽然是越野型的吉普车,终究是车啊。书记、乡长各开着一辆,那车虽然蒙满灰尘,但威风得很哪。汽车喇叭一响,他们就会死劲赶回村里,就知道是书记或者乡长来了。书记和乡长的家都安在城里,他去年去送土特产时见过一次,是独立的楼,三层,从里到外铺满把眼晃得生疼的瓷砖。屋里的摆设就不消说了,秋石也说不完全,说不清楚。只是坐在沙发上有些晕眩,有种虚脱的感觉,连气也出不均匀。乡长婆娘出来了,穿着啥他都没敢看清楚,只是觉得像电视上的影星出场样炫目,只是人家冷淡得很,看了看他送的东西,用脚扒扒,再也不说话。

电灯把秋石的影子拉长,那影子在水泥路上飘忽不定,把他搞得神思恍惚,恍惚间他觉得自己变成了乡长,他的手也不晓得啥时背过去了,他走得很稳,当领导一定要稳,不能咋咋呼呼的。说话要慢,想好再说,多说研究研究、商量商量一类的话,多拍村长、副乡长们的肩。当然也要有威信,发脾气发一次就一次,能镇得住人,不能多发。到县上要勤走动,哪些领导多走动,哪些少走动,也有讲究哩,也是学问哩,也……突然,一块路上的石头硌了他的脚。他清醒过来,心里既失落又气愤,狠狠地把那石头踢了飞去,踢得脚尖生疼生疼。

一阵惆怅漫上秋石的心,这股没有抓挠的惆怅使他烦躁起来,他再也没心思看乡场的夜景。他突然觉得他应该立即回望云村去,今天是头三的第一天,一切还来得及,有的事情过去了再后悔就是白搭。譬如今天晚上,自己不去,恐怕以后会悔青肠子。

秋石返回乡政府,向正在打双Q的秦仲元借了一百元。秦仲元说秋石,你怕号下一个鸡了,是不是星语发廊那家?秋石发急,去你妈的,我号上你婆娘了,拿你的钱去嫖她。说完急忙奔出来,他怕秦仲元不饶他。

秋石悄悄溜出乡政府,他在食堂里跟炊事员老张借了个背篓,上街去买祭品。刚走到乡街上他就后悔了,乡场上他认识不少人,如果他去买祭品,岂不是引人注意?他是打算连夜去、连夜回的呀。想想,他加快步伐,向街上的录像厅赶去。录像厅的老板白菊是他初中的老同学,他和她一起在乡上的中学读了三年书,他一直暗恋着白菊却不敢说。不要说过去,那时秋石是个打着光脚,脚上的裂口不断渗出血丝丝,脚背黑得像烧过的木柴,身上挎着一个麻线编的网兜,里面装着几个洋芋的山区小伙子。就是现在,秋石当了望云村的副村长,脚上有了黄胶鞋,还穿了一套蓝咔叽的中山装,白菊对他也是爱答不理的。秋石心里既气愤又失落,每次到乡上又想见她又怕见她。但今晚他必须去找她,请她帮忙买祭品。

白菊见到他比以往多了些热情,白菊说来参加村长培训啦。秋石点点头。白菊说是个机会啰,听说参加的人都是当做村长候选人培训哩。秋石惊诧白菊信息的灵通,秋石说不一定哟,差不多的都来了。白菊说你管那么多干啥,你好好干就是了。秋石心里有了一丝温暖。秋石说了找她的意图,白菊说你自己买嘛,你没见我没闲着。说完,她又问谁不在了?秋石说我爹,我今晚上要赶回去祭奠他,这事你莫跟别人说,天亮我还要赶回来哩。白菊接过钱,去了。过一会儿,白菊买齐了东西,将背篓递过去,又将手里湿漉漉的钱交给秋石,秋石说咋能让你出力又出钱呢?白菊说这算我一点心意。秋石的心热了一下,忙匆匆走了。

从乡场上到望云村四十里路,四十里路啊,白天也够走的。乡场在大山的半腰,要走十几里路才翻得到山顶。翻到山顶,就全是平缓、冰凉、气温多变的高原顶部。高原贫瘠,但路还是好走,只是遍地的卵石硌脚,难就难在乡上到山的顶部这段路,山陡峭,路逼仄,还要翻过山顶,就到了高原的边缘了。他累得一屁股坐在地上,背篓里沉甸甸的东西压得他喘不过气,背篓带勒得他的手臂生疼。他想到爹,想到乡场,还想到开录像馆的白菊。白菊的影子在他眼前拂也拂不去,白菊递给他的钱他一直攥在手心里,他舍不得将钱放进口袋,那张挺括的百元大钞带着白菊的体温,在他手里温润无比。他张开另一只手,两只手合拢来,在那张钱上来回地摩挲。

谁知秋石却在平缓的高原上跌了一跤,这一跤还跌得不轻。秋石背着背篓走在寒风凛冽的高原上,他摩挲着那张有着白菊体温的钱,头脑里空空荡荡,恍恍惚惚的。谁想走过悬崖没摔跤,却摔在高原上了。那是一条干涸的沟,被洪水季节的暴雨冲刷成一条深深的沟。他想也没想就连人带东西摔进干涸的沟里去了,沟底净是大大小小的卵石,他跌在沟里半天没回过神。等他觉得手上、膝上疼得不行时,他才觉得手上、脚上是湿漉漉的了。他知道这是血,血使他一激灵站起来,他把手凑近鼻子,他闻到了浓浓的腥味。血的腥味倒使他激奋、昂扬起来,他摸索着找到那张钱,找齐东西,顾不得疼痛,快快地朝村里走去了。

他到村里时鸡已叫头遍,他没惊动任何人,连自己的屋也不进去。点燃了蜡烛,他看到偏厦里爹隆起的坟堆前,整整齐齐地摆着各种各样的供品,他拿钱去买的供品一样没少,甚至还多出了一堆白晃晃的东西,那是鸡蛋,是秋木屋里的鸡蛋。老二婆娘养了几只母鸡,平时一个鸡蛋也舍不得吃,全攒起来去乡场上卖了,买些煤油、盐巴,买点娃娃的作业本、铅笔。爹平时爱吃鸡蛋,但老二婆娘从来舍不得像像样样地拿几个鸡蛋给爹吃。今晚倒好,供品没有一点偷工减料,还像像样样拿出十个鸡蛋。秋石心里有些感慨也有些失落,他晓得秋木和他婆娘也是费了心机的,他们为了爹可能给的福分,割肉样把鸡蛋也割下来了。他想多亏自己赶回来了,否则,吃了迷魂汤糊里糊涂的老爹就分不清啥了。

秋石正在撤老二他们上的供品,这些供品在昏昏沉沉、摇曳不定的蜡烛里闪着幽晦的光,光里是幽幽的香气,连秋石都忍不住流下了一堵又一堵的清口水。在乡政府吃坨坨肉时他没心思,走了这么远的路,又跌了一大跤,他真是饥肠辘辘了,肠胃的痉挛使他真想痛痛快快吃点供品，但他却不能，望云村有奇怪的风俗，供品供给先人就是先人的了，供完再吃，就得罪先人了。秋石忍了饥饿去摆供品，突然觉得背后有沙沙的像猫一样滑动的声音，他的背脊一下就凉起来，莫非爹等不及来了？等他回过头时，看到一双又黑又脏的小手在拿他撤去的供品，那手急促地伸去急促地缩回，马上就听到急促的咀嚼声。这是小顺子，老二秋木的八岁的儿子。

小顺子闪烁着惊恐不定的贼溜溜的眼光，来不及多加思考，把一块腊猪头肉拼命地塞在嘴里，那块肉太大，撑得他眼睛鼓得死鱼眼睛一样突出，翻白，两个腮帮像塞了两个硬核桃，连搅动一下也不可能，憋得他几乎背过气。他过去给小顺子几巴掌，又帮他把嘴里的食物抠出来。几乎憋过去的小顺子才顺过气来，刚顺过气来他又去抢秋石手里的肉，他说大爹我饿。秋石将他嚼过的沾着唾液的食物还给他，说吃慢点，噎死你杂种。

小顺子猫一样悄无声息地消失在稠密的黑夜里。秋石透了口气，他看看被小顺子撕烂的腊猪头，有些高兴，狗日的，我看你供，供也白供。但他的肠子痉挛起来，肚里也疼起来，别说小顺子了，连他都想抱住那煮熟的腊猪头狗样地疯啃，但他毕竟不是小顺子，他忍住满口乱跑的清口水，忍住肠子的痉挛、疼痛。摆好供品后，他就恭恭敬敬地跪下去，在幽冥的蜡烛前，开始他的祈祷。他的祈祷是独特的，他不说话，听说只要心诚，人能通神，祈祷些什么，他知、爹知、神灵知。

天亮之前，秋石赶回了乡场。他在乡场后的小河里洗了脸，借着微曦，用手指梳理好头发，认认真真地蘸着水把身上的土拍干净。他不想回寝室，这时回去会被同室的人追着问这问那的，他想过一会儿直接去教室。他坐在河边的一块石头上，一坐下去就睡着了。他太累了，来回近百里的山路呵，真是要人的命。

四

半年多过去，秋石果然当了村长。

那天秋石起来撒尿，本来他家床头就有一只尿桶，尿桶里的尿积了半桶，一家人都在里面屙，山区寒冷，每家的土屋都不兴开窗子，那尿的骚臭气熏得人直呛脖子。好在大家都习惯了，千百年都这样过了，也没灾没病的，习惯就好了。可今天秋石却不想在尿桶里撒尿了，拿着那玩意朝尿桶里冲，声音哗哗响不说，还冲起浓稠黏绵的冲天臭气，那臭气在不通风的屋里半天散不出去的。秋石突然不愿撒了，他宁愿到屋外去撒，这些日子他过得很苦很累，但心里充实，总觉得前面悬着一个什么东西，这东西离他越来越近，似乎伸手就可以得到，但始终没有得到。他不懊恼，相反更有精神。

在墙根撒完尿，他回过头，厝爹的那间偏厦黑漆漆的，浓重的夜色使那里照样黑稠如汁，但偏厦的上面，依稀有了一抹亮色，像夜的伤口，血红血红的。只是瞬间的事，那一抹亮色就扩大了，红色像雨样纷纷扬扬散播。这是从来没有的事。望云村在寒冷的高原上，早晨经常被海罩(大雾)笼盖着，人与人隔两三步就看不清。今天咋会出现这奇异的亮色呢？那方向就在望云湖，他的心情立即好起来，他趿着鞋朝望云湖边走去。

望云湖边湿漉漉的，水藻将湖边的地气扯上来了，走在上面湿润、舒服，人就是要靠地气养着，望云村太干燥，养不住人啊。他奇异地看到湖里没有水藻，水面亮晶晶的像块擦拭得一尘不染的玻璃，望云湖上空那抹血红，依然还在，只是没有继续扩散的意思，那血红还是那样惊心动魄地血红着。一抹血红自然不能使望云湖燃烧起来，望云湖还是那样静谧而神秘地融入冥冥微黑中。但是，秋石却听到了鱼的跃动声，只是那跃动声是微弱的、沉闷的、持久而坚韧的。望云湖是太深太深了，望云湖是太冷太冷了，鱼的跃动是何等的艰难。听刘大毛说他曾看见望云湖的鱼跃出湖面的景象，那是他酒醉后在沙滩上睡了一夜后看到的，鱼们像一枚枚湖底抛出的白色石头，噼啪、噼啪抛出，噼啪、噼啪落下，场面壮观极了。刘大毛说狗日的一个也不跳到沙滩上来，跳上来就好拿去换酒喝了。刘大毛说说也就说说，没有人去跟他计较，大家都在为填满肚皮发愁，谁有心肠管你鱼跳不跳。

今天秋石倒是满怀信心地希望湖里的鱼跳，鱼跳是个好的兆头。由此他想到了厝在爹棺材下的那尾红鲤鱼，不晓得那尾在没有光线、没有空气、黑漆漆的棺材下的鱼还活没活着，这是一个至关重要的事。爹已经死了大半年，大半年不是个短日子啦，人要是在那样的环境里，一时半刻也活不了的，鱼就能活一年么？他不禁为那条鱼的命运担起心来。那是一条鱼么？其实这条鱼已经不是鱼，是他的命运，是他的未来，把命运系在一条鱼身上，是太悬乎了。如果那条龟死了呢？真的死了，他不知怎么面对这个残酷的事实，他的一生，他这个家族，还有奔头么？想到这里，他觉得一身虚飘飘的，没有一丝力气，风吹过来，穿越他的身体，他的身体似乎是空洞的，风竟然在他的肋骨和肺叶上吹奏出沙沙的声音，像风从草尖上吹过的声音。

还好，湖面上有了鱼跃的声音，他看不清有多少鱼在跳动，但他听得到鱼挣脱水的重压后跳出水面，又跌落在水面的叭叭声。这声音充满生命的激情和灵动，使他摆脱了刚才的沮丧和失落，他在这种声音的冲击下又感到充实和欢愉。

选举是在村里的空坝处进行的，属望云村管辖的几个自然村的村民都来了。他叫人从村小抬来一块龇牙咧嘴的黑板，像模像样地选出计票员和监票员。乡里的王副乡长做指导。出人意料，和另一个村长候选人相比，他的票数远远超过了那人。当王副乡长宣布选举结果时，他的眼里出现了早晨深厚的天空中出现的那抹血红的云，耳里尽是望云湖里鲤鱼跳动的叭叭声。

望云村没由来地下了一场冰雹，冰雹下得密集，冰雹大得像望云村的洋芋，个个有鸡蛋大。望云村的洋芋从来没超过鸡蛋大,鸡蛋大的洋芋在坝子里人是不吃的,只留着喂猪,但在望云村就珍贵得很了。鸡蛋大的冰雹在望云村其实不能算灾害,早在冰雹之前望云村的地里就没有收成了,白盐似的霜凌早将望云村的荞子和洋芋凌糊,地里是连叶片也捋不到的了。下冰雹是望云村少有的,望着密密麻麻的冰雹,新任村长秋石脸上挂霜,心里却高兴透了,这场罕见的冰雹帮了他的忙,他有机会向上面要钱要粮了。

秋石到乡上去的时候是骑马去的,村里只有七爷有马,七爷年轻时当过马锅头,对马情有独钟。这马从来没见七爷放养,也从来不见马圈,它到底是七爷原先那匹马的第几代,它在何处觅食村人一概不知,只知道七爷确实有马。秋石上路时见七爷门前突然卧着一匹马,秋石还在出神,七爷嘶哑的声音就从黑漆漆的屋里传来,骑上马,走得快些。话才说完那马就从地上跃起,来到秋石面前。秋石手里提了一包冰雹,他用帕子包着怕融化,骑上马他心里就踏实多了,用不着担心冰雹会在路上融化掉。

乡里领导知道情况后和秋石一样高兴,只是脸上比秋石肃穆、冷峻。乡长立即叫乡文化站的老陈随秋石下去,乡里只有老陈有照相机,乡长说你给我把灾情全照下来,地里的庄稼、砸坏的房子、受伤的人一样不能少,胶卷不够去买。老陈随同秋石回到望云村,老陈一路照下去,地里密密匝匝的冰雹一片狼藉,连洋芋棵子、荞子叶子也见不到一片。村里原先塌了顶的几间草房,被老陈全照进去了。刘大毛喝酒醉了卧在一条干沟里,头上、脸上、手上都被冰雹砸破了,刘大毛用些破布把自己缠得像台儿庄下来的伤兵。秋石见他跟着凑热闹,叫老陈为他拍照,刘大毛死活不干,说丢望云村的脸哩,他不愿用这样的照片影响望云村的形象。秋石说你那样子有鸡巴的形象,快来照,照了我有酒。刘大毛一听有酒,嘴里的哈喇子就淌出来了,屁颠屁颠地跟着照相。

望云村的灾情闹大了,县里的记者来望云村照相、写文章,连电视台也拍了镜头。他们发现那里瘦骨伶仃的草都被冰雹砸坏了,瘟头瘟脑地伏在地下,看得人心疼。电视一播,报纸一发,引起了县里领导和社会各界的关注。县里的领导都知道望云村是有名的穷村,十年十灾甚至十年二十灾、三十灾,但多是霜冻,历史上还没下过冰雹。这不同往常的灾情牵惹了上上下下的心,县里的领导责令有关部门拨出救灾专款、救灾粮,同时动员社会各界募捐。那些天县里正在召开个体私营代表会,个体私营的大小老板们看到了望云村灾情的电视报道,深为大山深处的贫穷和灾难忧心,加之政协要补充一部分个体、私营老板做委员,他们募捐的热情和积极性空前高涨。腰杆粗的底气足的老板不耐烦捐些叮叮当当的劳什子,他们摔现金,有人摔出三千就有人摔出五千,有人摔了五千叉着腰洋洋自得一脸豪迈状,这就激怒了另外的人,妈的,不就是五千吗,牛×啥,老子八千。这种攀比风使得做小买卖的小业主羞愧无比,他们黑着脸悄悄溜走,但他们又不能没有表示,于是他们清理仓库，把卖不出去的衣裳、裤子、鞋子、书包、挎包、公文包、剃须刀、三点式泳装、乳罩、护肤霜啥都清理出来，折合成人民币，以实物充抵，他们捐的数额也就很可观了。

救灾的粮食、物品包括现款，都由一位分管的副县长率队送来了，他们在乡政府吃了饭，就直接开到望云村。望云村的村长秋石在人群里显得格外打眼，吃饭时书记和乡长把他从另外一桌扯来，要他陪副县长和县上的客人喝酒。秋石局促着不肯过去，乡长说你鸟人，县长他们为你送钱物来了，你连酒都不肯敬一杯？秋石忐忑着挪过去，副县长还不等他敬酒，举杯说你是望云村的村长，我敬你一杯，你们受了灾，县委、政府、社会各界都关心着你们，你要多辛苦点，带领受灾群众自力更生，生产自救。秋石嗫嚅着说谢谢县长，我就是脱层皮也要把救灾的事做好。副县长说好、好……有这句话就够了。副县长对乡长说他我怎么没见过？乡长说才选上的村长。副县长说好，我看这村长人老实、诚恳，好好培养，好好培养。

副县长的话，使秋石受到震撼，他觉得心里哐啷一声巨响，脑里瞬间一黑，在黑沉沉中，他看到了厝爹的偏厦上空那抹血红，那抹血红酽酽的，红得人心慌、头晕；他还听到了望云湖沉沉黑幕中鱼的跳跃声。爹，你受苦了，这一切，不都是你的荫庇么？

副县长不经意的话被大家听到了，大家虽然想法不一，但都觉得秋石狗日的咋这样顺呢？遭了灾倒引起上面的重视，真是莫名其妙。尤其是副县长带领的车队经过乡街子，一个乡场都沸腾了。他们从来没看过这么多的花花绿绿装满东西的汽车，他们尾随着汽车拥进了乡政府大院，他们边看边羡慕，咂嘴舔舌，说穷有穷福，望云村屙屎不生蛆，却比我们得到的东西多。有人说老江，不怕你开商店，车上那些东西你怕连见都没见过。老江不服气说我没见过，我总比你有，你连买包洗衣粉都要被你婆娘吵三天。那人说你连赊包洗衣粉都不赊，害着我吵。有人说人家被冰雹砸了，你有本事让冰雹下到你家门口。

白菊也随了众人来看热闹，白菊不同于众人，她矜持，她远远地看，不声不响。白菊怎么能随乡场上的那些衣衫破烂、酸臭熏人的婆娘一起去看、去讲、去羡慕呢？她穿着素雅、整洁的衣服，她本来是不爱随了大伙看热闹的，但望云村得了这么多的东西、这么多的粮食也是她想不到的。听说还有现金呢。白菊心里就动了一下，这是望云村的呀，而望云村的村长不就是秋石么？如果是别人，她心也不会动，跟她有啥关系呢？

秋石出来的时候，被一大群人簇拥着，他们打着饱嗝，喷着酒气，兴奋地向秋石问这问那，眼里净是羡慕和尊敬的眼光。秋石仿佛不是那个遭了灾的望云村的村长，反而是什么救灾英雄、抢险模范似的。大家也不是不知道底细，但大家服的就是硬扎扎的钱，就是看得见、摸得着的东西，贫穷的山区人的眼光锥子样毒，一下就扎到问题的实质了。

白菊和秋石的眼光相遇了，白菊不说话，秋石更不好说话，但啥话都说了。秋石心里一股暖流汩汩而下，他的心和他的身体都有了微妙的变化，他明显地感到，拥有白菊是不远的事了。

秋土回望云村已经半年了，秋土在乡上的中学读书，乡场上的教育质量可以想象，他考不上高中和刘大毛讨不到婆娘一样合乎情理，考上了倒会使许多人瞠目结舌。秋石要让他上，秋石说你再读一年，我支撑着。秋土说不是支撑不支撑的事，我确实考不上了。秋石想说怕啥哩，咱还有爹哩，难道厝他白厝了？才这样想，他就赶紧打断自己的念头。秋石说不上就不上，那你回来干啥呢？秋土说村小不是没人么？小刘老师走了一年了，总不能让望云村的娃娃全是睁眼瞎吧。秋石想想也是，村里再没有谁合适的了，教教泥猴样的娃娃，混混日子吧。

秋土教书倒真的认真。望云村人从来没把读书当做一回事，能读出啥道理来么？就是读得像秋土，不也回来啃土疙瘩么？多少年过去了，日子荒荒的，漠漠的，好也好不了，坏也坏不了。人是经常饿着的，可也没饿死人，时候差不多了，肠子快贴着肋巴骨了，上面的救济粮也来了。你下地狠起命干是这样，你在墙根角捉虱子冲壳子打瞌睡，不也一样么？秋土不管不顾，秋土执拗得很，他一家一家上门去动员，实在不来的，他就让秋石去动员。秋石才不耐烦动员，秋石说大家听好，不送娃娃来读书的，一律不发救济粮。这话比皇帝颁圣旨、比上级发文件强，所有该读书的娃娃全来了。石柱家婆娘还问，是不是多来一个多发一份，我家小四、小五都想来哩。

也不晓得啥邪劲，秋土确实和望云村的娃娃较上劲了，他把自己的那点代课金全部买了课本和本子之类。他那点钱自然是死水经不住瓢舀，他就想尽一切办法搞好教学，本子不够他就让望云村的娃娃去外面写字。望云村没有本子有土地，全是沙地，每人占住一块地面，用棍子在上面写字。于是望云村出现了一幅这样的画面，空旷的光秃秃的地里几十个娃娃蹲在地上，以天为教室，以地为本子，别别扭扭、笨笨拙拙、认认真真写字。秋土在空旷的沙地上跑来跑去，帮这个讲解，帮那个纠正，累得气喘吁吁。

每次的祭奠秋土也去。但秋土觉得祭奠的次数太频繁了。这个决定是秋石定的，秋石自从当了村长以后对祭奠越来越执着，越来越痴迷，秋石觉得祭奠越勤，效果越好，就像一个人一个月发一次工资和一个星期发一次工资效果不一样。秋石还认为爹手里阔绰好办事，棺材下的那条鱼，那条维系希望和命运的鱼和爹手里的阔绰是有关的。

秋石擅自缩短祭奠的时间引起秋木的不满，秋木心里想你这不是要独占爹的阴福么？你是村长你有钱，而我呢，除了吊在下面的玩意儿随时都摸得到，其他就摸不到了。秋木的婆娘更是愤慨，这不是明摆欺负人么？原先祭奠是合在一起的，现在秋石提出各家祭各家的。合在一起还可以蒙蒙地下的死人，分开就难说了。

秋木婆娘是个吝啬的人,望云村的日子让她不得不这样。但秋木婆娘又是个倔强的人,说好听点是有骨气,说难听点是茅厕里的石头又臭又硬。秋石这样一做,倒使秋木婆娘已经渐渐淡下去的虚火提了起来。她把家里能用的都用上了,能卖的都卖了,还去娘家舍嘴失脸地要钱要东西。那天去坝里娘家回村来,经过七爷的土屋,天已黑了,七爷的土屋倚着土岩像座古墓。秋木婆娘历来有些怵七爷,她觉得这枯朽的人到底是人是鬼谁也说不清,神神怪怪的。她想快步走过土岩,那弥漫着阴气的土屋里突然传来声音。秋木家的,那鱼要应在你家大娃身上,切记,切记。秋木婆娘开头毛骨悚然,等听得明白了,心一下狂跳起来,血朝脑门上冲,眼前一片漫天的血色。她扑通一声跪下,我记住了,记住了,记住了……

秋木婆娘从此变得疯了一般,家里已经丢个石头砸不到啥东西了,除了四堵漆黑的土墙要啥没啥,跑娘家也跑不起来。娘家人的脸色越来越难看,最后直接拒绝她再来。那晚的祭奠她受到强烈的刺激,秋石家的祭品样样齐全,而她家只有几个洋芋和两个鸡蛋了,鸡蛋原本是攒了三个的,不想被大娃追在鸡屁股后硬把鸡蛋偷来吃了,大娃那次其实已偷吃过祭品,但以后再也偷不到了。饿极了的大娃花了半天的时间吊着那只老母鸡,比现在城里的小伙子吊心爱的姑娘还耐心。出奇的耐心终于有了出奇的结果,那只老母鸡才趴在地下就被他抱住,硬是将才屙出半截的鸡蛋从鸡屁股里抠出来吃了。秋木婆娘气得吐血,她过去就给大娃屁股上一脚踢了个狗抢屎,又将大娃提起来猛抽他的耳光,你吃,你吃,你吃个够! 等扇得手都木了才觉得大娃脖子软软地耷下了,吃进去的鸡蛋顺着嘴淌了出来,像金黄色的鲜血。她才猛醒,这是咋啦,七爷说好运要应在大娃身上的呀,我是疯啦,我咋这么狠心?她抱着大娃又哭又揉又拍,心疼得血珠珠直冒,好半天大娃才醒过来。

打工去,秋木婆娘下了决心让秋木出去打工。她的一个本家兄弟在城里当小包工头。秋木不愿去,秋木没有技术不说,还是病秧子。一个大男人连皮带骨、连毛带屎不到一百斤,挑沙浆挑土方搬水泥这些活他干不了。秋木婆娘中了邪样执拗,天天和他吵,天天拿话刺激他,秋木在家受不了,秋木夹起个薄薄的背包进城打工去了。

秋木的血汗钱,全被婆娘拿来买祭品了,那次秋木婆娘拿到钱时,明显地感到钱上有隐隐的暗红色的血痕,她一阵心酸,流下眼泪。但又想,这钱,不像秋石这砍头的钱,他当着村长,吃众人的,喝众人的,等我家大娃成了器,当了比他更大的官,让他给老娘修新房子,穿缎子衣裳,天天往家里搬东西。

秋土没成家,秋土就可以免去了买祭品的责任。秋木婆娘就这也有意见,说秋土又不是晚老爹养的,他也该尽份责任。秋石说你才是晚老爹养的,你妈才是招晚老倌的。秋木婆娘说漏了嘴,就不敢再吭气了。

但秋土却不争气,秋土背着秋石婆娘经常找秋石要钱。秋石说你不要瞎子点灯白费蜡了,村里这些娃娃读得出书来,我拿手掌心煎鱼给你吃。秋土的脸一下白了，白了又青了，他的眼珠一下就血红了，红得喷血。秋石蒙了，他不明白怎么这样一句话就惹恼了秋土。秋土考高中时他的老师就对他说过这样一句话，为这句话他发过血誓，赌过毒咒，要让望云村的娃娃读出书来。

五

秋石因为望云村的这场冰雹变得很有威信起来，秋石因为望云村的这场冰雹变得富足起来。自从爹被厝以后，这种预兆似乎没断过，刘大毛不会水，但鱼却往刘大毛嘴里塞，往他手上钻，这不是预兆么？厝爹的那偏厦后出现了那道殷红的血晕，望云湖的鱼在暗红色冥蒙中叭叭乱跳后，他不是就当上村长了么？就连从来也没下过的冰雹，也下了。下了冰雹，就带来好运，其实老天不是下冰雹，是在下钱、下粮、下东西啊。

有了钱、有了粮食和物品的秋石威风得很，他不想威风也得威风，他的腰杆就像吞下扁担想弯也弯不了。他走到哪里都有人跟着，一脸讪讪的笑。石柱婆娘在村里算是有点姿色的，就是太肥胖，每次见到他都把那肥肥的腰扭得叫人心烦，故意撩起衣襟给娃娃喂奶，那奶确实是肥肥的、颤颤的、乱蹦乱跳的，她还故意说快吃哟，不吃叔叔要吃了。秋石说只有猪才吃你的奶，留着给你那小猪吃。石柱婆娘说村长你吵我是母猪，我看你还像公猪呢。秋石不愿和她斗嘴，放在过去他愿意，现在他就没得心肠。

望云村这次到底得了多少钱多少物，谁也不知道。秋石倒是把不少物品、衣物分给望云村和望云村管辖的几个村子，望云村自然分得多些。其他村的人不服，骂骂咧咧，分到不少东西的刘大毛将酒喝透了，说你们吵个屌，你们得了这么多东西还不知足，以前你们哪时候得过东西，不是秋石当村长，你们有个屌。

秋石去了一趟乡上，最近也没啥会，但他老是想去，他隐隐约约地感到白菊对他的依恋。那天在乡政府大院，去看热闹的白菊没和他说过一句话，只远远地投来热辣辣的一瞥，那目光穿过围观的人墙，灼得他的心滚烫。这是他期待多少年的目光呀，他的目光是越来越短，越来越冷了，连自己也丧失了信心。谁承想在他的目光熄灭时，白菊的目光却灼灼燃烧起来了。

白菊的爹，是乡供销社的营业员，这个职业在过去很长一段日子，足以使白菊成为他们这个班最骄傲的公主。这以后，白菊又开过杂货店、录像厅，而秋石呢？望云村的秋石从过去到现在，只敢暗恋白菊。

秋石现在有足够的条件装扮自己了，从城里送来的捐赠物品中，有不少是平时老板卖不出去的东西，而这些卖不出去的崭新的物品，放在望云村就是最奢侈的物品了。秋石在存放物品的保管室尽可随意选择自己喜欢的服装，光是西装就有几大麻袋,他反复地比试,挑选自己喜欢的颜色和款式。送来的东西啥都有,就连衬衣、领带、皮带、皮鞋甚至短裤都一应齐全。秋石换完之后找了面镜子照照自己。这一看,连他自己都被自己感动起来,秋石其实是个蛮不错的汉子,苦涩的日子如高原上厚厚的灰尘将他淹没了。他暗暗骂道:人是桩桩,全靠衣裳,日他妈的,穿上了,也就人模人样了。他还为找送给白菊的东西费尽了心思,白菊虽然住在大山上的乡场上,却不是那种没见过世面没有品位的女人,送给白菊的东西一定要合她的品位,不要让她不高兴。

一身新装的秋石悄悄摸出村去,他这身行头被人看见是会大吃一惊的。路上净是鹅卵石,穿着新皮鞋是很硌脚的,不一会儿他的脚就受不了了,像穿着钉满钉子的鞋,火烧火燎疼得不行。但他还是不愿脱下鞋来,穿着西装打着赤脚成何体统呢?走到乡场边他已经一身的灰尘,手一抹就是一手掌的黄灰,他想这高原硬不是人住的,就是有了好衣裳,也是穿不出个好来的。

在乡场后的小河里,他洗了脸,洗了头,又将一身的灰掸尽了,天也就黑定了。傍晚的小河水是凉冰冰的,山风是刺人肌肤的,秋石心里却是滚烫的,一想到激动人心的时刻,秋石觉得全身有了异样的感觉,就是猛烈刮来的冷风,也消除不了这种感觉。

秋石终于在白菊屋里坐定。白菊的房子虽然也是黄土夯的土房,但却打上了水泥地,吊了简易的顶,墙白得刺眼,还摆了一圈四川木匠来山里做的沙发。秋石想到自己的家心就烦,屋里永远跑着几只到处乱屙屎的鸡,屋的后半截躺着两头猪,人吃洋芋从中间咬,剩下的两头反手甩给猪吃,屋里永远是猪粪、鸡屎的浓烈气味,这是一种富足的象征,村里多少人嫉妒得眼珠滴血呢。再想自己的婆娘,他就不愿想了,想起来真是恶心。

白菊今晚穿得很惹眼,其实她平时也是这样穿的,乡场上像她这样穿的人不多,她一从乡场上过就将许多男人的眼珠吸引过来,他们一边吐唾沫一边不眨眼地看,眼珠子像子弹样射落,溅得乡街上那条水泥路火花四起。白菊今晚穿的是一条洗得发白的细腿牛仔裤,发明牛仔裤的人可能首先想的是干净利落,便于做事,没想到牛仔裤却把性最大限度地突出出来,穿着牛仔裤和紧身衬衫的白菊在屋里走来走去,她忙着给秋石沏茶和张罗吃的。也许是她心里激荡着一种强烈的情感,也许是秋石自己品咂出来的滋味,白菊走动时一身的肌肉都紧绷绷的,充满弹性和灵性,白菊紧紧绑在肉色衬衫里的奶子,活蹦蹦地颤动,像要挣脱胸罩的束缚而接受爱的抚摸,白菊修长的腿和浑圆微翘的臀部,随着她的走动而诱人遐想。坐在沙发上的秋石被撩得浑身冒火,他感觉到小腹下面的裤子被顶起来了,他很尴尬,忙把双腿并拢,并将双掌的手指交叉,覆盖在突兀而起的山丘上,眼睛望着电视,脑里却在翻腾。

白菊的男人是个司机,跑山路翻车死了。白菊也没再嫁,乡场上入她眼的几乎没有，她就靠开着一间录像厅维持生活。

一切事情都在预料之中，当秋石急吼吼地将白菊抱到床上时，白菊却不让，白菊要他洗了澡再行事，秋石怎么掰也掰不开白菊护在小腹下的手，只得怏怏地去洗。洗得秋石浑身冒火，对了多少冷水都嫌热。快洗完时，白菊知情知意地进来帮他擦背。他一把揪住白菊的手去按下面直撅撅的玩意儿，又把湿淋淋的手伸进白菊的衬衫去捏那温热饱满的乳房。白菊也被他捏得脸色潮红，呻吟起来，说你真是个发情的公狗，等烧不等煮的。秋石急得连身上的水也没擦，抱着白菊就倒在床上。

山崩地裂，石破天惊。一切都平息时，白菊说你给我带来啥礼品？秋石顾不得穿衣服，来到客厅把带来的一大堆衣服、裙子、鞋子，甚至还有一盒化妆品统统倒出来，说全送你，我要把我的小心肝打扮成最漂亮的人。白菊也赤裸着去翻摊得一床的东西，翻了一阵，脸就冷了下来。你就送我这些东西？你想用这些东西蒙我？你也不看看，这些都是卖不出去的伪劣产品。白菊说完猛地倒下，侧身而卧，脸丧得拧得下水来，秋石刚才的一腔热情一腔讨好以期换得白菊喜悦的心情，一下也降到冰点。

秋石刚才品尝了真正的快乐，白菊暖暖的潮湿的脸，白菊香喷喷的身体，白菊充满激情的投入和失控的呻吟，让秋石激动万分，留恋万分，心想活一辈子也值了。见白菊噘着嘴万分娇怒的样子，秋石爱怜不已，忙扳过她的身子，好言好语地百般哄她，同时还把手伸去摸那温润而充满弹性的奶子。白菊一掌打开他的手，不让他摸。秋石讪讪地，说你要啥呢？要星星？要月亮？只要我能办到的，我不去办就不是人养的。白菊转过身来，真的？说话算数？秋石说真的，男子汉大丈夫，说话能不算？白菊说那好，你也知道，我那录像店是办不下去了，山区人穷，一晚也就是几个人看，街上的几个混混还不开钱。我想开个药店，山里买药不方便，会有生意的。秋石是聪明人，说那需要多少钱呢，多了怕办不起来哟。秋石想如果是千把元，他扎紧脖子、敲骨吸髓也要拿出来。白菊说也就差两三万，上次你们受灾，上面不是拨了款，私人也捐了款么？你借给我，我会还你的。秋石惊得差点跌下床，两三万，妈吔，在望云村是个天文数字呢。这就等于造船大王的船全沉到水里去了，石油大王的油全白烧完了，不跳楼才是怪事。秋石呻吟着，牙齿肿疼起来，吁吁吹气。

看着他的样子，白菊说你不要装模作样了，我晓得男人没得一个好东西，做事的时候天上的月亮树上的雀子都哄得下来，鸡巴一拔就啥都没有了。说着抽抽噎噎地哭起来，哭得很伤心，肩膀一耸一耸的，奶子也随着耸动起来。白菊说你走，你走，就当我白让你玩一回，你以后再也不要想进这道门。秋石看着白菊剧烈耸动的奶子心里热起来，白菊所给予他的，是他这一生从来没有过的，是他永远难以忘记的。没有经历过这次，他一辈子都白过了。他真想把上面拨的款和捐的钱借给白菊，但他知道借的含意，借了，还能要回么？他也知道这钱的分量，这是从血里榨出来的，从骨髓里挤出来的啊，这钱牵着多少人的生活，甚至是命呀！搞不好，这辈子怕是要蹲在牢房里了。

钱最后还是借了。那天晚上秋石硬着心肠从白菊家里出来，连夜赶回村里。他庆幸自己在关键时的抉择，庆幸在泥淖里能拔出脚来。可是后来的日子，秋石却在痛苦和思恋中百般地煎熬。尤其是当他躺进湿漉漉、黏糊糊、臭烘烘的被筒里的时候，尤其是挨着一个头发脏得结成饼，一张脸、一双手糙得像松皮，一身瘪塌塌、平叽叽的身子的时候，他就厌烦透顶，恶心透顶；他就一边冷却着身子，一边热着心，经常睡不着觉，在床上欲火烧身，想象着白菊丰满、性感的身子和干净、松软的床。

挨了一个多月，秋石实在是熬不住了，秋石像尝到了美味的猫，急不可待地蹿出村子。那块悬在梁上的肉太诱惑人了，他恨不得马上把它取下来，放开胃尽情品尝。

整个过程和上一次一样激烈，比上一次更加投入，更加疯狂，更加销魂。秋石将钱“借”给白菊的时候，白菊两眼熠熠闪光，脸兴奋得通红，抱住他一阵狂吻，服侍他无微不至。秋石半夜醒来的时候，突然想起一件事，这件事使他一下恐慌起来，比当初为借不借钱给白菊还恐慌。这件事就是今天是爹的祭奠日子，祭奠的事在秋石心里比啥都重要。就是在乡上参加村长培训班，他也连夜赶回去，而这一次祭奠，怎么会连想也没想起来呢？这些日子，被想念白菊的欲望煎熬着，成天魂不守舍，晚上睡不着，老是想着那档事。这不，连这最重要的事都忘记了，要遭天谴的呀。如果惹恼了神灵，那尾红鲤鱼活不了呢？那是啥后果？秋石恼恨得狠狠地抽了自己两个大耳光，他的动静太大，把沉沉酣睡的白菊也弄醒了，白菊说你这是干啥呀，你怎么了？秋石不搭话，秋石连白菊也恼恨了，都是这臭婆娘、狐狸精，女人真是祸水呀，撩着你，拨着你，坏你的好事。白菊完全醒了，白菊万分娇憨，千种媚态地把秋石拥入酥胸，白菊是很贪恋床笫之乐的人，白菊把秋石的手拉到奶子上又把手伸向秋石的下边。秋石又想起七爷的话，在祭奠的日子里要禁房事，否则将大不利。想到这，秋石恼恨不已，他把白菊的手扒开，浑身软得像面条，软耷耷躺在那里。

秋石再也没心思躺下去，连夜赶回村子。到了村边，天又下了海罩，高原上的海罩浓稠得像一大锅熬骨头的汤，抓在手里都化不开，隔上一步就看不到对面的任何东西。还没到七爷的屋边，浓稠的茫茫的海罩里传来一个声音，罪孽呀，罪孽呀，死人在阴间受罪，活人在人间享乐。鱼活、鱼死；鱼死、鱼活……鱼活、鱼死；鱼死、鱼活……秋石在茫茫的海罩里听得毛骨悚然，那声音幽幽的、飘飘忽忽的、时断时续的，从四面八方包裹着他，他又累又惊恐，叭的一下跪下来，额头重重地磕在地上，叩头如捣蒜，嘴里喃喃地说饶恕我，饶恕我，上苍保佑、保佑那尾鱼，我愿悔悟，天天上供。

六

秋木的婆娘倒是一直坚持祭奠,她家的祭奠是越来越单薄,越来越少了。但她走火入魔了,她相信七爷的预言,在这样一个贫穷的山村,世世代代没有盼头地熬着,活着跟一棵草一棵苗样,寂寂地生、寂寂地死。七爷说鲤鱼要应在大娃头上,七爷是半个神仙,一只眼通神,一只眼通人,灵得很呢。所以,尽管祭品越来越少,她信七爷的话,心诚则灵。秋木进城打工的钱,她是一分也不敢用的。娃娃些馋极了,饿急了,也任他们去,把钱全用在祭奠上了。

谁想秋木却回来了。秋木是一个下大海罩的天气回来的,是被人抬回来的。秋木没有技术没有手艺,干的是挑沙浆的重活。每天沿着七八层的楼梯不停地挑沙浆,像蚂蚁样的上去下来,下去上来。秋木舍不得吃,连工地上供应的盒饭也舍不得吃,每盒要三块钱呀。他就吃洋芋,天天在食堂借火烧洋芋吃。活重,没营养,天天硬撑着干。这天撑不下去了,他挑着沙浆爬楼,爬到三层,虚汗直淌,头晕目眩,一个跟头连人带桶栽下去。好在楼层不算高,总算没摔死。老板送他去住了几天院,给了他两千块,让他回来养伤了。

秋木回来,人蔫了,灰心透顶,对啥事都看透了,对啥事都引不起兴趣,觉得人如蚂蚁,死了也就死了,想多少前程后事干啥,活一天算一天罢了。秋木婆娘心气高,硬要和命摔跤。她一边服侍秋木,一边一次不少地坚持祭奠。没钱了,她就找秋木要。秋木攥着那点用命换来的血汗钱,攥出血来,一分不拿。两口子为此就经常争吵。

秋土呢,越来越安心地教他的书,秋石当了村长,对他,对这个村小倒是给了不少好处。上次城里人捐的书包、文具、衣物连一堆可以用几年的作业本,全给了村小。学生些穿着五花八门、式样不一的衣服来上课,虽然不整齐,但新崭崭、厚墩墩的,学校有了生气。秋石还答应到城里去跑跑,请上面来现场办公。争取重新盖个小学。秋土想还是亲哥好,还是有权好,换了别人当村长,能这样吗?所以,对祭奠的事,秋土既不热心也不反对。读过的那点书那点知识告诉他不该信,但望云村是个神秘的村,冥冥中的事谁也不知道,神秘笼罩的望云村到处都有神灵在游荡,不由你不信。

秋木婆娘和秋石吵了一架。秋木婆娘如痴如迷,走火入魔了,她只要一见大娃在,就痴痴地打量着大娃,大娃一天到处疯玩,衣裳裤子被棘棵棵剐得筋筋绺绺,在风中像旗子样翻飞。手脚皴得开裂,血丝丝直冒。头发黏得像鸟窝。里面沾满苍狗子、枯草屑。脸经常不洗,黑得像锅灰,鼻涕流得老长,袖子一撸就剩个白印子。尽管这样,秋木婆娘还是爱得叮心叮肝,她看大娃看啥像啥,天庭饱满,地阁方圆,蚕眉凤眼，鼻高而隆。宁欺老杂种，不欺浓鼻筒。谁能说得清呢。朱元璋当年不也是讨饭花子么？不和朱元璋比，起码大小官总要做的。苦日子是熬过来的，做官也要熬，她就是在为子孙后代熬的。熬干心血，熬干骨髓，她也愿的。茫茫渺渺的日子，没个盼头，还过啥呀！

问题就是讲得嗓子出血，吵得卵子翻天，秋木那死鬼硬是不拿一分。眼下连洋芋，连荞子都接不上了，总不能空手套白狼，空口许白愿吧。她为此急得嘴巴结了血痂，她想唯一的办法，就是去和秋石借了。秋石是村长，上次下冰雹，村里得了不少东西和钱，全是他一人掌着呢。

去找秋石，她留了一个心眼，不能说是借钱买祭品，只能说借钱给秋木治病，自家兄弟睡在床上，总不能不管吧。谁知她一开口，秋石就一口拒绝了。秋石说村里是有点钱，但那是留着灾荒来了买救济粮的，钱借给你你也还不起，你是叫我犯法呀。秋木婆娘说依你的意思，好说让他拖死掉。秋石啥都知道，兄弟家的事瞒得过他么？他说老二媳妇，我说祭奠的事，有多大能力做多大的事，不要硬撑着，只要心头想着就行了。秋木婆娘说你倒会说，好比找你办事，不见兔子你会放鹰？你还不是要见到实实在在的东西才办事吗？秋石恼怒，说你咋这样说我，我啥时要过人家的东西了？秋木婆娘说你不要人家的东西？你去找人还不是要钱跟得上。说者无心，听者有意，秋石一下跳起来，你走，你走，我啥时给人送钱了？你是放屁放惯了，开口就臭烘烘的。不要说我没得钱，有钱也不借给你。你去做白日梦吧，你就是天天烧香，天天上供，你那脓包儿子永远也是脓包儿子。哼，还想和我暗中较劲，笑死人。这话戳到秋木婆娘痛处，她一下子跳起来，拍着屁股，把地跺得咚咚响，稀的脏的骂人的话全出来了，吵得祖宗八代打抖发颤，七窍冒烟。秋石婆娘回来了，秋石婆娘本来就心高气傲，从来没把秋木婆娘放在眼里，见她这样吵自己的男人，气得发抖，立即上去抓住秋木婆娘的领口就打，秋木婆娘猛地被扇了两耳光，愣怔片刻，马上就和秋石婆娘扭打起来。秋石婆娘矮小、体弱，被秋木婆娘打了压在身下，两人口手并用，乱抓乱挠。秋石见婆娘失利，立即过来掀秋木婆娘，秋石婆娘趁机压上去，把秋木婆娘打得乱叫。

这场争斗把秋木婆娘气得吐血，她回家来，蹲在灶边伤伤心心地放声痛哭，哭得揪心揪肺，哭得气绝声咽。躺在床上的秋木知道了缘由，也气得发抖。秋石杂种，你也太欺侮人了呀，不就当个村长么？两口子合伙打自己婆娘，这是牛马畜生干的事。老子再日脓，也不能让人家把屎涂在自己脸上。秋木挣扎着爬起来，眼睛吃过死娃娃的狗眼样通红，他抄起一把板锄就要出去，婆娘紧紧抱住他，怕他伤重人家，搞出人命来。他反手把抱住他的婆娘甩开，冲出门去。婆娘爬起来追上他，紧紧抱住他的双脚，任他怎样甩也甩不开。秋木气得打了婆娘几嘴巴又打自己的嘴巴，打得嘴角出了血，蹲在地上呜呜地哭。

秋木是个闷呆子，是个在心内做事的人。他在床上躺着，心却被刀绞着。他看着一身是伤的婆娘，实在咽不下这口气。他想秋石杂种不借钱说到底不就是怕厝在棺材下的红鲤鱼灵在大娃头上么？他当个村长就威风得亲兄弟都要欺负，要再当上乡长、县长，不是衣裳角角都扇得死人么？狗日的一家现在吃的是啥？穿的是啥？听说还和乡场上的小寡妇白菊姘着。他不当村长，怕连白菊的屁都闻不着，还想压着搂着睡？也好，你不仁，我不义，咱走着瞧，老子要让你后悔一辈子。

秋木要做啥？他已想好了，这事放在谁身上也不可能发生的，秋木决定做的事，九条牛也拉不回。

秋石呢，自从上次他在白菊那里做了那事以后，百事不顺。他心里一直被那个阴影笼罩着，被浓浓的海罩里的声音惊扰着。他后悔极了，他再也不愿去想他和白菊的事，白菊的影子在脑里一出现，他就拼命驱赶，嘴里呸呸地吐着。他心中的隐患是那件事会不会冲撞神灵，秋石对此事已经看得比命还重，已经深入到骨髓里去。他去七爷那里讨教，七爷骨瘦如柴，声若游丝，七爷半天不讲一个字。等他走远，那游丝一般的声音才远远飘来：去的要去……来的要来……天道如人……人道如天……听着七爷这禅语般的话，秋石更是觉得背脊上冷气飕飕，出了一身的冷汗。

村里不再下冰雹，还是一如既往地打霜、下凌，这是高原常规性的灾害，年年都发生。一年发生几次，这就使上面觉得不是一回事。今年的庄稼出奇的好，洋芋和荞子从种下去没打过一次霜，洋芋已经有半腿深了，荞子结满密密麻麻的籽，浆刚灌饱，再过十天半月就可收割了。谁想那天早上一场大霜降下来，遍地白茫茫的，荞子和洋芋的叶片上，一身素缟，像有钱人家出大殡似的一片白茫茫。秋石一屁股坐在地上，又惊又怕。他今天早上早起，看到厝爹的偏厦的上面又出现了浓黑中的那道血红。沿着血红的方向又来到望云湖，他当时惊喜不已，预兆又一次来临，会给他带来什么好运呢？现在，来到的却是凶兆，今年的庄稼又绝收了。而绝收后，上面不会再给他一分钱一斤粮了，上次已经给够了。粮呢？早分完了，钱呢？“借”给白菊了。想起白菊和那晚的事，秋石悔得不行，恨得不行，钱是再也要不回来的了，为了那夜欢情是连借条都没的。而一村人等着用钱买粮食，全村人不把他撕成绺绺吃了才怪。再说，饿死人咋办？只要饿死人他就彻底完蛋了。

秋石急火攻心，他趴在地上拼命刨土，两只手掌把净是沙砾的地下刨了两个深坑，刨得十个手指鲜血淋淋。他号叫，他咒骂老天，咒骂自己，疯了样撕扯被霜打蔫的庄稼，他脑海里是几十几百个人围追他的场面，是白骨森森的尸骨，多少骨瘦如柴的手在抓他、撕他，他惊恐地在荞子地里疯跑，打过霜的天空黑沉沉的，浓重的黑雾把天地彻底包裹。他不知跑了多久，终于被一个沟坎绊倒，躺在沟里昏昏沉沉睡去。

秋石病了，秋石中魔了，他昏昏沉沉地睡在自己屋里，几天水米不进，脸黑如铁，嘴皮上净是燎泡，干得起火。他一会儿惊悸地爬起，手舞足蹈，十分惊恐的样子;一会儿又乱喊乱叫,喊些莫名其妙的话,还一个劲地朝被盖里缩,把自己紧紧裹住。

秋石婆娘又惊又怕,喊来娘家兄弟帮忙照料,又请人去接卫生所的医生。药也吃了,针也打了,就是不见好,秋石还是一阵痉挛,一阵乱叫。秋石婆娘急得直哭,娘家兄弟想起请七爷,秋石婆娘直点头,看来只有七爷能祛灾了。

七爷来了,七爷更瘦更轻飘了,走路像一片叶子样悄无声息,深凹进去的眼紧紧闭着,下巴上的胡须全白了,大家又敬畏又紧张。七爷进了秋石的房间就将门关了,灯也不让点。大家都不知道七爷在里面做什么……

秋石终于好了,秋石到处乱走动了,但秋石却一直是恍恍惚惚的,心不在焉的,心里沉沉的。灾荒在一步步逼近,大家都看着秋石,看秋石怎么办。

而秋木呢?秋木在干啥,谁也不知晓,秋木在干一桩惊天动地的大事呢,外面的事他啥也不知道,他在地里。

上次发生了那件事后,秋木铁下心来挖地洞。这个匪夷所思的事发生在别人身上就是荒唐透顶的了,但秋木这样做却是一点也不奇怪。这个把屁都憋着从来不放的汉子,认定了就去做。他从厝他爹的偏厦后的牛厩里开始挖洞,从这里到偏厦距离不远,也就十来步,牛厩早就喂不起牛了,他找了许多杂物和山茅草盖住洞口,成天潜进洞里挖土。洞虽然不远,但毕竟是强劳力活,洞里又憋又闷,食物又少,为了让他养伤,家里的粮食重点保证让他吃,但始终就是洋芋和荞子。他的伤又没完全好,在洞里又乏又饿又疼,白毛汗经常湿透全身,全身软得拈草都没劲,身上疼得把牙都咬碎了,他还是不停地挖。他被一个信念支撑着,信念的力量是巨大的,使他克服了疼痛、饥饿、疲惫。也不知挖了多少天,他终于将洞挖到他爹棺材下了,他狂叫一声,因为激动而晕厥过去。等他醒来,他浑身颤抖,两眼血红,闭着眼,一手指向那盛鱼的钵……

外面,雷声大作,乌云翻动,竟下起了暴雨。

那场大雨下了三天三夜,村里的茅草屋几乎都倒塌了,全村人陷入了饥寒交迫之中。村里到处积满水,任何一家没有一块干的地方,有的茅屋顶塌了之后,露出了残垣断壁,在风雨中瑟瑟发抖。没有吃的、用的、烧的,一些人开始病了,一些人已经倒下。秋石急得胡子茬一下白了,头发一把一把地掉,人瘦得变了形,飘飘忽忽的在水里像个鬼影。钱是没有的了,灾情惨不忍睹,接下去发生的事就是村亡人死了。秋石在雨水里疯跑了两天,冥黑如铁的雨幕里又出现了那个苍老的游丝般的声音:天道如人……人道如天……秋石镇定下来,他不再跑了。暴雨使他全身湿透,寒冷使他浑身痉挛,他的心却定下来了。他决心去乡上报灾,该去的要去,该来的要来,他现在不惧怕啥了,救人要紧,如是自己该撤职、该宰也认了。

县乡领导来了,他们被眼前的灾难震撼了,他们没去想什么和追究什么,立即采取各种措施救灾。好在望云村的房顶是茅草盖的顶,好在望云村土夯的房子只有人高,虽塌了、垮了也没死人。县上立即调来砖头、木条和油毛毡,为村里搭了简易住房;立即调来粮食、衣物和燃料,还派了两名医生来救助病人。村里的人住进了简易房屋,还燃起了熊熊的煤炭火,吃的和穿的都有了,村里人满足得不得了。光棍刘大毛还悄悄溜到乡场上用苞谷换了一塑料桶酒来喝,喝得一脸红光,步履蹒跚,指手画脚地看来帮他们抢险的人干活,还不时地提出指导性的意见。石柱家婆娘一天追着县上、乡上的干部的屁股跑,不停地诉说她家的困难,扯住人家要去她家看,分了一次东西又去要,哭天抹泪的弄得带队的民政局长心里酸楚,掏出身上的二百元给她。报社的一个女主编看了村里的惨景,把身上的钱掏完了还向其他人借,说回去后要叫上中学的姑娘来看,让她受受教育,免得吃啥她都嫌腻味。

救灾基本结束,来救灾的县乡两级干部在村里的残壁颓垣前心情沉重。他们分析了望云村的情况,分析了望云村的自然状况,气候、出产、灾害,等等,分析得很透彻。最后的结论是只有异地搬迁。在旁边听他们讲的望云村村小教师秋土冷不丁地说还有教育。村长秋石说滚尿一边去,这里领导在开会。带队的领导说这人是谁?秋石说是我小兄弟,在村小代课,带队的领导沉吟,是啊,还有教育,还有教育……

七

望云村终于要搬迁了,秋石那些天心情好起来。如果不是这场毁灭性的灾害,上上下下只忙救灾,他的问题可能就要暴露了,他庆幸这场暴雨来得及时。他想无论如何要想法把这笔钱补上,好就好在搬迁到遥远的异地,上面给的钱多,光是安家费就是望云村人想都不敢想的。只要一家扣一点,这笔钱就凑齐了。真是该来的要来,该去的要去啊。他满心欢喜,做起事来又勤勉又有魄力,身上抽丝样抽去的精神和自信,慢慢回到体内。

搬迁的日子和厝他爹一年时间的日子正好相差几天,这几天他爹的香火尤盛,一个是救灾的款和物品多着呢,一个是他想在最后的日子表现好点。这就像考试,平时的工夫是少不了的,但临近那几天下的工夫更是非常重要的,工夫下猛点,一考也就考上了。上面让他决定搬迁的日子,他推迟了几天,说还要做几家的工作,使他们不要出乱悔变。

搬迁的头一天,县上派了好些辆大卡车来,乡上也来了人。望云村地势广阔,到处是沙滩、砾石,不修路汽车也开得进来。那天晚上家家忙着往汽车上装东西,东西不多,净是些破家烂什,丢在别处要罚款的,县上的同志劝他们丢了,他们舍不得。县上的同志叹口气,由他们去了。人要走了,就要永远离开这世世代代生活的高原了,虽然过去的日子只有贫穷、艰辛和苦难,他们还是依依不舍,有的坐在残垣断壁下哭泣。只有七爷一声不吭地坐上车，他啥也不带，面无表情地坐在车上。

鸡叫头遍，秋石就心急得不行。他悄悄叫上几个人，去起厝他爹的棺材。这是个多么重要的日子，这是激动人心又叫人担惊受怕的日子。一年了，这一年中发生了多少事，这一年中为那尾鲤鱼，他担够了心，受尽了苦，多少牵挂，多少希冀，多少寄托，甚至把肉体和灵魂也交给了今天的结果。秋石激动万分，紧张万分，他希望立即就起又怕立即就起，就像一个下了巨大赌资的赌徒在揭开胜负之碗那一刻的心情。

他跪下了，他跪得极为认真，极为虔诚，把额头都磕出血珠了。他紧闭双眼，喃喃祈祷，一切完毕，第一声铲土的声音，使他激动，惊悸得肉跳心惊。随着泥土越挖越深，见得到棺材了，秋石一下又跪了下去，伸手摸着爹的棺材，爹，你要保佑我呀，我要把你好好安葬，尽其力量地好好安葬……

随着一声起的声音，棺材抬起来了。秋石第一个跳下墓坑。秋石才看一眼，那棺材下的鱼早就成个肉团了，盛水的大土钵里，还漂着丝丝血痕。秋石长号一声，立即晕死过去了……

（选自《当代》2005 年第 1 期）

夏天敏

1952 年出生，云南昭通市人。《昭通市报》主编。2002 年加入中国作家协会。现为云南省作家协会聘任制签约作家，云南昭通市文联主席、市作家协会主席。

1986 年开始文学创作。著有中短篇小说集《乡场上的皮匠》《乡村雕塑》《飞来的村庄》《好大一棵桂花树》，长篇小说《极地边城》，散文集《情海放舟》等。中篇小说《好大一对羊》获第三届鲁迅文学奖。

状元羊

吴克敏

一

给你说你别不信,你有好事了!姜干部在坡头村截住冯来财,在给他报告好消息时,胖乎乎的一张圆脸笑成了一朵花。不是腌臢姜干部,乡政府的干部都一样,看人的脸色是在变的,就像现在,看着冯来财是一脸的笑;过去就不了,一个烂放羊的,哪儿来的好脸,看他时早就挂上了一层霜,看一眼,冻得透冯来财的心。

回家侍候好瘫子爹的吃喝,冯来财走出门来,就要顺沟而上,照顾他的宝贝羊群,迎面碰上姜干部,听他嘴上说,便站下来问他能有啥好事?

姜干部却不直说,反问冯来财:你说呢?

冯来财说:知道就不问你了。

灿烂着脸儿的姜干部心情不坏,他像一只肥猫逮了一只瘦老鼠,岂有不逗的道理?生活太单调了。有机会逗一逗乐子,总是不错的。姜干部就那么心情很好地笑着,并不急着告诉冯来财。

羊群在沟坡上散放着,冯来财有牵心,不想和姜干部闲熬磨牙,低了头要走,姜干部才又说话了。

姜干部说的是:你的羊当真吃的中草药,喝的矿泉水?

冯来财不想回答这个问题,依然低了头走,姜干部便绕到他的前头,截了他的去路,无法再走的冯来财就又抬起头来了。他的两只眼睛睁得大大的,瞪视着挡了他路的姜干部。短胳膊短腿,短身子短腰的冯来财,是个半截人,当然,这是个俗叫法,文明的称呼为侏儒。尽管矮了姜干部大半截,抬头瞪他的眼神却并不矮,直把姜干部瞪得脸上没了嬉笑,换上一层讪讪的神采。

不只是姜干部这么问冯来财,许多人都问过了。

特别是他们坡头村的人,政府鼓励养羊时没人养,冯来财养了。起初看见他和他的羊群,多是一种幸灾乐祸的神情,等着瞧他的热闹了。这样的机会等了些日子,没有等来,却眼盯眼望地看着冯来财的羊群不断壮大,卖价不断提高,便后悔了当初,自己怎么就没眼色,顺着政府鼓励的风势,也养一群羊。心里这么想着,嘴上就有了妒忌的味道,和冯来财碰面了,便心不由口地要问上那么一句酸溜溜的话。

姜干部截住冯来财问出这句话时,正有两个坡头村的人走来,就很兴奋地又加进来问了。

一个说:哪里是中草药?哪里是矿泉水?

一个说:这还不好办,杀一只,喝口羊汤,就都知道了。

冯来财懒得理会他人说道。而他自己也是,对他的羊群吃中草药,喝矿泉水的说法,心里同样没有底。他说不出这话,也不会说出这话。

那么,是谁说出这话的呢?

只有蒋县长了。敬爱的蒋县长有文化、有知识、懂科学、会研究,蒋县长说的能有错吗?别人有怀疑,冯来财不怀疑,但也不在嘴上说。蒋县长之于冯来财,是有恩的,大恩啊!冯来财满腹感激之情,下了狠心,要把他的羊群服侍好。因为那群羊,是蒋县长扶持他发展起来的。

眼睁眼望地,看见一群膘厚毛光的羊,使冯来财枯焦的日子有了起色。

这是冯来财的福,托羊的福啊!

蒋县长来坡头村抓点,推广由他引进的澳洲优良品种布尔羊,把他的唾沫都吐干了,苦口婆心地找人谈话,一家一家地去,好处和道理,说了七沟八坡,却没能说通一家人。客气的拒绝像是商量好的:咱没经验喀,养不好的咋弄?把你蒋县长的人丢了,咱可是担当不起。冯来财答应养了,蒋县长就拿冯来财做样,还给大家做工作,大家还是没热情,回绝蒋县长的话多了几个字:等等吧,看冯来财养得可好。他养好了,咱们跟着养,给自己包里积攒几个,也是给你蒋县长争脸哩。

没办法,蒋县长把宝都押在半截人冯来财的身上了。

放心不下冯来财,放心不下点上的布尔羊,隔些日子,蒋县长就到坡头村来一回。冯来财在沟坡上放羊,蒋县长跟着到沟坡上去。撵在羊的屁股后头,看羊儿好吃哪些草。沟坡宽阔得叫人心慌,转过一道弯,以为是个头了,转过去又是一道弯,总是不见头,深长宽阔的沟坡,满是草的世界,蒋县长认识不认识的草有一百种,一千种。他撵着羊的屁股,发现被冯来财所叫的夫子蔓、老鸹枕头、老鼠干粮、构曲牙等草样,是羊舌头上的最爱,争着抢着地吃。蒋县长是从省城下到县里来的科技副县长,锻炼一些时日可是要往上走的。他耐得住那些泼烦,从羊嘴里弄了些草的标本,回到省上去,找人分析化验,回来给冯来财说,这些草都是中药哩。

当时,冯来财想起了一句乡村人的口边话:秦地无闲草。

再到坡头村来,蒋县长还跟着冯来财去放羊。羊群吃草吃饱了,就顺着沟坡下,一直地下……蒋县长跟在羊群身后,也顺坡下了,深一脚,浅一脚,倒比半截身材的冯来财下得还困难。跌跌绊绊地下到沟底,便见一条小河,时而被草隐没,时而又露出草丛,流得无声无息,清清浅浅。站在河沿上的羊群,伸长了脖子,叼一口水，仰起来喝了，再伸脖子叼水，再仰脖子喝水，轮番往复，喝得从容又贪婪。蒋县长看得高兴，把他早就预备好的一个空瓶子，淹进河沟里，灌满了水，带到省城去化验。下一次再来坡头村，就说：河沟流的都是矿泉水哩！

冯来财想起进山的人说，河沟的尽头连着一眼山泉。

还瞪着姜干部的冯来财，这么想着他的羊群，想着他的羊群吃的是不是中草药，喝的是不是矿泉水，就觉出了姜干部和村上人的无聊。他不想和他们无聊，就把蒋县长抬了出来，说：爱信不信，都是蒋县长化验了的。

哪能不信呢？姜干部的口气就认真起来了。

姜干部说：县上要赛羊了。乡上决定，就是你了，要你代表全乡人民去赛羊。

冯来财说：羊有啥好赛的？

姜干部说：赛得好了有奖哩！

冯来财说：有奖也不一定是我。

觉着一时不能说服冯来财，姜干部有点急了，也像冯来财镇他一样，抬出了蒋县长。

姜干部说：蒋县长打电话了，你还能不去？

冯来财仍有疑心，说：真是蒋县长打的电话？

姜干部说：这也能骗你？

冯来财没话说了。既然蒋县长打了电话，他就必须去了。肯定要去，蒋县长的面子，在冯来财的心里就是一面火亮的太阳。冯来财没有不去赛羊的理由了。

想着蒋县长，冯来财心里就有笑；想着与蒋县长初识的那个日子，冯来财心里就更有笑了。

二

那些日子，冯来财出门躲催粮要款的干部，就在村前的那条大沟里。

所谓坡头村，顾名思义，就是坡头上的一个村子。出了村子往上走，沟深不见底，坡长不见头，乱草丛生，早些年逃避兵匪，村民们走进深沟，选择险峻背人的地方，凿一眼土窑洞，把身子躲起来。往往是，你今日凿一眼，他明日凿一眼，深长的沟坡上就满是那样的窑洞了。如今是，久无用场的窑洞有些塌了，有些还勉强可用，隐没在荒草坡上，不下工夫找，还真是找不到。关中西府的北塬上，多有这样的大沟，坡头村临着的一条叫龙尾沟，往西还有马尾沟、牛尾沟，等等。冯来财就躲在龙尾沟的一处破窑洞里，陪他躲在一起的还有几只老绵羊，也不敢放到坡上去，怕干部发现捉了去，那可就要了他的命了。

躲在窑洞里的冯来财，掐着指头过日子。

有十多天了吧，躲在这里，冯来财昼伏夜出，到沟坡上给他的老绵羊打够来日要吃的草，再到沟底挑来要喝的水，还要乘着夜色，摸进村里去。不能点灯，也不能弄风箱，黑灯瞎火地给他瘫痪的老爹准备几口吃的，天不明，又急如星火地躲进沟里去，和他的老绵羊缩在破败的小窑洞里，相依为命地度过又一个白天。

瘫子爹心疼儿子，在儿子回家给他备吃备喝时，睁着眼睛在暗夜里埋怨：老天咋把我忘了？

瘫子爹说：快把我收去吧，天爷爷哩，别害娃娃没得好过！

瘫子爹的埋怨灌进冯来财的耳朵里，自然也不好受，听了也不言语，该做什么照做什么。倒是瘫子爹说得狠了，他也会高调回两声，叫他不要乱想，说：老天把谁忘得了？贵如干部，老天该收他时照样收。

高调回了两声，接着又软下语调说：人家不收你，是要你看着你娃过上好日子哩！

也是奇怪，和瘫子爹说过话，冯来财轻车熟路躲进深沟的窑洞里，把一只羊揽在怀里，在羊身上顺手捋着，忽然感到窑口一暗，他就知道有人跟来了。

跟来的是个干部，脸是白皙的，文文绉绉的样子，戴了副如他脸色一样白皙的眼镜，看上去，很像一个教书的先生。

晨曦里，白脸干部环视了一下冯来财穴居的破窑洞，又看一眼和冯来财躲在一起的老绵羊，他的脸先红了，是那种透亮得像要滴血的红。

镇定了也就眨眼的工夫，冯来财的手就抖起来了，而与他一起躲在破窑洞里的羊儿，早已不能忍受一个生人的闯入，紧紧地挤在一堆，咩咩咩咩叫成了一片。冯来财的心就如刀割似的痛起来了。

家里原来是有一群羊的，很有规模的一群羊啊！冯来财和他瘫子爹的日子，就驮在羊背上，羊的毛色亮堂，日子也就亮堂；羊的毛色暗淡，日子也就暗淡。天生会养羊的冯来财，把羊儿养得如同家里的成员一样，养得特别得仔细。可有啥用呢？一只一只的，被干部捉去了。捉一只有一只的理由，不是顶了这费，就是顶了那费，现在，就剩下和他躲在窑洞里的几只了。

在冯来财的心里，几只羊儿都是他的亲人哩，像永远爱着他的瘫子爹一样，至亲不能分离……

这是不难理解的，半截人冯来财，活在坡头村，几百号人口，谁对他亲过？差不多都视他为玩物，把他当做猴子一样耍，少不更事的时候，人家耍他，他也跟着耍，耍的把戏，省事后想，全他妈的是羞辱人呢。明白了这一点，他不和村上人耍了，但他挡不住人家耍他，有时候把他架在一堵土墙上，问他话：你是谁日下的呢？咋不像你爹，你看你爹就不是半截人。知道羞辱的冯来财咬紧牙不吭声。有时候又把他沉下一口土坑里，问他话：你是谁生下的呢？咋不像你妈，你看你妈就不是半截人。知道羞辱的冯来财咬紧牙不吭声。往往是，冯来财被架在土墙上下不去，沉在土坑里上不来，他就只有哭了，伤心伤肺地哭，哭来了爹，哭来了娘，把他从墙上抱下来，把他从坑里拉上来，戏耍他的人才嘻哈哄笑着散去。但这挡不住他们再一天又来逼他戏耍，直到母亲不明不白地满口吐着白沫，不治而死后，还有人把冯来财往土墙上架往土坑里沉，当然，还要问那问了千万遍的话。冯来财不哭了，也不求饶了，他愤怒地骂出了口。

头一声他骂：我是你爹日下的！

再一声他骂：我是你妈生下的！

这倒是很起作用，从此没谁再和他玩那个游戏了，同时，也没谁再理睬他了。他在坡头村的街道上走过来走过去，很想和谁说几句话，却终究没人和他说话。……孤独，太孤独了，到这时，他竟然不知羞耻地想，如果有人把他架上土墙，沉入土坑，他不会再骂人，他会很知趣地和大家玩上一场。可就是这样的想法，他也只能是空想了，直到家里养了羊，他提起放羊的鞭子，把羊赶到村前的沟里，与羊在一起的时候，他的孤独才减了几分。

冯来财把羊儿当成了他的亲人，及至长成大人，一个有血有肉有感情的大人后，他把羊儿干脆都看成了他的爱人。

爱人啊！谁能知道半截人冯来财内心的悲凉，他也是要有人爱的呢！但谁会爱他，特别是一个女人的爱，简直成了冯来财日夜做不完的一场梦。没办法，他就只有把羊看作他的爱人，除了给羊儿捉虱子，他还会把羊儿抱在怀里，抚摸它柔软的一身羊毛，把这一只抚摸顺了，再把那一只抱来，继续他的抚摸，偶然地，还会用他的嘴对了羊儿的嘴，香香地亲上一口。

白脸干部找见他时，他恰和一只羊亲在一起。白脸干部没说啥，只是看看他笑。

冯来财是心慌了，为自己不可告人的举动，也为脸笑着的干部，心里恨着自己。

努力地躲着，怎么还是躲不开干部的追踪？

冯来财接下来又在羊毛里徒劳地捉着虱子，他一脸的沮丧，满腹的怨气，说：捉吧。都捉去吧，把羊都捉去了干净。

脸上架着眼镜的干部是一副好脾气，不论冯来财怎么敌视，他都一脸笑模样。那笑藏在干部的眼镜后边，冯来财却也看得很清楚，没有一点装腔作势，没有一点欺骗蒙蔽，全是他内心的表露。冯来财就有一些感动，并感到干部和干部是不一样的，有蛮横霸道不讲理的，也有关心下情讲道理的。

果然是，这个找到他的干部一说话，就把冯来财死寂的心说活了。他说：谁捉羊呀？我不捉，不仅不捉，还要再送你几只良种羊哩。

冯来财听得清楚，把怀里的羊推开，认真地看着干部的脸，发现干部白皙的脸还红着，是那种纯朴的、知错改错的脸红。见的干部多了，虽然没有冯来财认识的，也叫不上人家的名字，不知道人家的职位，可在他的意识里，干部的脸千人一面，差不多都有几分僵硬，几分冰冷。而跟踪到他藏身的窑洞里来的干部，怎么就脸红了？这使冯来财莫名地新鲜，在心里咕哝着了：原来干部也会脸红呢！

咕哝着的冯来财突然就声高起来：你是谁？你说话算数？

脸红的干部没有告诉冯来财他是谁，只告诉他说话是算数的。还说，咱光明正大地养羊，咱躲他谁？村上人穷，你家更困难。按政策，你们村定为重点扶贫村了，你家是重点里的重点。你有养羊的技术，听人说，你会走路时就养羊了，先给集体养，后给大家养，现在给自己养，你有经验了。经验是个宝，哪能不用你的经验呢？你就还养羊，咱不信脱不了穷帽子！

冯来财怔怔地看着脸红的干部，听他一句一句地说着话。那些话他爱听，他听着就点头了。

没出两个日头，有一辆农用车载着五只布尔羊到坡头村来了。随车来的就有戴着眼镜的干部，他招呼着冯来财，把布尔羊卸下车，混进他的羊群里，使他的羊群突然起了变化，变得壮阔起来。

冯来财这时已知给他送来布尔羊的干部是县长了。他感激地看着说话算数的蒋县长，脸上倏忽浮起一抹羞涩的红晕，很有些不知所措地围着蒋县长的身子转。冯来财的心是忐忑的，局促的，因为他不知道这几只布尔羊需要多少钱，而他身上，干得没有几个子儿。

蒋县长看出了冯来财的忐忑和局促，拍打着身上的尘土说话了：安心养你的羊吧。现在没钱不要紧，把羊养好了，繁育起来了，就会有钱了。

三

有资格参加县城的赛羊会，乡政府一旦重视起来，村上自然也要重视了。

本来也是，村长与冯来财是连着一点亲的，就像他在村里常说的，谁能一笔写出两个“冯”字。好像冯来财有条件上县城参加赛羊会，是他的政绩工程一样，几天时间，咧着一张大嘴，喊得坡头村的人都知道了。去县城参加赛羊，开天辟地的头一遭，村里人是高兴的，也是眼红的。但是眼红归眼红，冯来财养羊给坡头村争了光，大家还是兴高采烈地寻到冯来财的家里来，向他表示真诚的祝贺。就是冯来财瘫痪在炕的老爹，也比以往精神大。冯来财在家时，就由冯来财招呼大家，冯来财不在家时，他就撑起半个身子，招呼大家了。

老爹的口气是豪迈的，说：回头让来财杀只羊，大家都吃上一口。

村里人就起哄：是啊是啊，咱们馋得喉咙长出手了。

大家正起哄时，姜干部又来找冯来财了。这次是来帮助冯来财在羊群里选秀的。

选哪只羊好呢?

自然要选布尔羊了。这是原则问题,不把蒋县长推广的布尔羊选出来上县城参赛,还能选一个老绵羊不成?在这一点上没有争议,但在一群壮大起来的布尔羊里,该选哪一只呢?姜干部的意见,是要在蒋县长最先推广的几只里选一只。冯来财不同意,理由是,那几只羊都过了年纪了,养在一群羊里,几年下来,该配种时配种,该下羔时下羔,表现虽然出色,也很有功劳,但已不复当初的壮美。倒是繁育下来的后代,青出于蓝胜于蓝,显现出一种青春的优势来。特别是那只生了一双黑眼圈的公羊,膘肥毛光,同在一群羊里,就显得鹤立鸡群,很是出类拔萃。

冯来财从羊群里把那只黑眼圈公羊牵出来,姜干部的态度就先变了,绕着黑眼圈公羊看了一圈,他自己就先乐了。说:怎么像只熊猫。

冯来财跟上也乐,说:熊猫,人才爱哩。

黑眼圈公羊这就成了进城参赛的羊了。它自己也像知道了这份荣誉,以往的张狂和顽皮也有所收敛,裹挟在一群羊里,就有些许的矜持和傲慢。这是不难理解的,毕竟它已两岁的口了,目光中有了一种爱的渴求,仰头看着一团团雪花似的羊群,极为谨慎地选择可能成为它新娘的母羊,同时还不忘机警地发现可能挑战它的公羊。

姜干部把他在群羊里的选秀结果报告了乡上领导,作为一把手的侯书记和二把手的苟乡长,也撵到了坡头村,看了黑眼圈,忍俊不禁地笑了起来,他们笑得好开心,好快活,顺口表扬冯来财几句,说他会养羊,养得好。冯来财倒不怎么受宠,偏是姜干部跟着两位乡上领导,屁颠屁颠地乐,胖脸上的一张小嘴,一会贴在侯书记的耳朵上,一会儿又贴在苟乡长的耳朵上,说个没完。

姜干部对侯书记说:怎么样?不错吧。

姜干部对苟乡长说:弄不好在县城赛个状元回来,咱们乡可就光彩了!

侯书记点头了,说:是不错。确实不错。

苟乡长翘指头了,说:拿状元,咱不拿还让谁拿。

姜干部就更来精神了,走到冯来财的跟前,拍着他的肩膀吩咐着,要他拿出全身的本领,把黑眼圈侍候好,不敢在关键时候拉稀。县上举办赛羊会,不是冯来财一只羊,还有其他乡其他镇的羊哩,集中在一起了,能有一只孬羊吗?不会的,谁都攒足了劲,要夺羊状元。夺了羊状元,既是养羊人的光荣,也是村上乡上的光荣啊!可不敢马虎,不敢掉链子。啊,记下了吗?

说了一堆话,姜干部的嘴角上起了沫子,擦了一把,又强调了一句:记下了吗?啊,一定要记牢。

是个人,谁没有点儿虚荣心呢!

冯来财是一样的,尤其是他,天生短尺少寸,家里偏又窘困难当,一直以来,他就几乎活在人们的眼角缝里。幸亏蒋县长找到他,不遗余力地扶持他养羊,才使他的日子过得有了起色。这一次，他能去县城参加赛羊会，他想，他也该有这么一次风光了。

善于察言观色的姜干部，看懂了冯来财的内心变化，不失时机地在一旁鼓励着他：夺取羊状元，你有信心吗?

冯来财不是说大话的人，他低了头没应声。

姜干部哪里会放过他，在一旁更起劲地煽动着：当着两位领导的面，你表个态。

侯书记、苟乡长也在一旁鼓励冯来财了：是啊，你应该有信心的。

冯来财就抬起头来了，迅速地瞅了一眼姜干部后，把眼睛盯在乡上的两位领导脸上，一改曾经的犹豫和迟疑，很干脆地表态了：有信心。

陪在一边的村长先鼓起了掌，再有姜干部和侯书记、苟乡长，以及围来的村里人，都哗哗地鼓起掌来。掌声里，姜干部提议到冯来财的家里喝口水，侯书记和苟乡长便动了步，在姜干部的招引下，向冯来财的家里走去。进了冯来财的家门，两位乡上的领导并没喝水，只对瘫在炕上的老人安慰了几句，就又走出了院子。

讪讪地跟着乡上领导的村长，不断看着领导的脸色，怕被领导批评。而事情就是这么怪，越怕批评，领导偏就批评上了。

侯书记批评说：当干部，心里要时刻装着群众，为群众的甘苦着想。

苟乡长跟着批评：冯来财的家庭问题，村上要有考虑。

领导的话，听得冯来财的心里热乎乎的，眼睛也湿润起来了。

姜干部熬在乡政府的院子里，侯书记、苟乡长的小九九，他的心里自有一本账。他所以热心这次的县城赛羊会，首先是他的本职工作要求，因为他就是农业专干；再者通过赛羊，加深一下他和领导的感情，这感情有和蒋县长的，还有和乡党委侯书记及乡政府苟乡长的。在这样的节骨眼上，他可不想出啥事。于是调整着说话的气氛，对冯来财说：领导多关心你呀！姜干部说话还瞄着侯书记、苟乡长的脸色，估摸自己说得可妥当。他从两位领导的脸上得到了鼓励，就又对冯来财说：你也是，不能把钱都填进老人的药罐里，那有多少钱都是填不满的。倒是你，该有个女人了，白天给老人烧热饭，晚上给你暖热脚。

乡上领导的关心感动着冯来财。但他心里还有疑惑，疑惑他的困难是一直存在的，不是说乡上领导发现了才有的。而且，过去的困难更大，比现在大多了，有些就是他们当领导当干部的造成的呢。疑惑归疑惑，冯来财不会陷进疑惑里不出来。从蒋县长的身上看得出来，干部不是都不好，像现在的乡上领导，侯书记和苟乡长，就也表现得很有人情味，这样就好，老百姓就会欢迎。

冯来财还想，干部在一些时候的生硬甚至霸蛮，也许是一种不得已呢。干部也有自己的苦衷哩。

谁说不是呢？就说乡党委的侯书记，一家人都在县城，工作的工作，上学的上学，和他一起在县上工作的人，有人提拔当了县上领导，有人赖在县城就是不下乡。

他是听了组织的话，下到乡上来了，从副乡长当起，快十年了，熬到书记的位子上，那一份苦和累，没经历过的人，谁又知得道。他已经想通了，不想往上走了，就像他在县城教书的老婆说的，“官大官小，多大是个了？”老婆的心思他明白，就是想一家人在一起，热热乎乎过日子。老婆想得对，他的目标也就是回到县城去，平级调个肥一点的单位就成。可就是这一点目标，要想实现都是那么困难，找谁说话，都说再等等，下边离不开你，还需要你压阵。可他知道，跟在屁股后头的苟乡长，是怎么也等不及了，日思夜想，盼着他快走，走得早，给他腾位子就早。不言自明，苟乡长就是这么想的。这么想错了吗？自然不错。

苟乡长也老大不小了。论年龄和资历，还都比侯书记长了一些。但他的文凭不如侯书记，混了个党校的毕业证，在提拔上就不如正规国民教育的文凭了。他不甘心啊，就只有努力工作了，努力地配合侯书记工作，把侯书记光光彩彩地送上去，也许就会有自己的发达。

四

当干部，没个热心肠还真是不行。

临去县城参赛的那日，热情的姜干部到坡头村接冯来财和他的黑眼圈公羊了。都是脸上贴金的事，村长自然要送一程的。虽然都是一门冯姓人家，过去的村长，不是乡上的侯书记和苟乡长批评他，他确实是不大关心冯来财的。在他的眼睛里，不是因为冯来财上县参加赛羊会，哪儿会有他的位置？现在不同了，冯来财受到了乡上的重视，村长的态度自然大变样，再不能眼中没有冯来财了。如果在县城的赛羊会上，冯来财当真得个羊状元的荣誉，他的脸上也有光呀！当村长，就得有这点活思想，要不还有个啥当头。

把冯来财和他的黑眼圈公羊送出村子，送了很长一段路，直到姜干部把村长拦下来，他才拉住冯来财的手，告诉他放心地赛羊去吧，家里有他村长哩，不会叫炕上的老人受亏，不会叫圈里的羊受亏。

这些都是提前安排好的，村长再说，冯来财还是一句一个感谢。他欣幸，因为赛羊会，他在村里活得像个人了。

姜干部前脚走，冯来财牵头黑眼圈公羊后脚跟，这就到了热闹的乡街上。村长算个会来事的，扯了一条大红的绸子，找来几个手巧的女人，扎了一朵大花，戴在黑眼圈公羊的头上，使这只即将赶赴县城参加赛羊会的羊儿就很惹眼了。走在乡街上，一路走，一路有人赞叹，一直走着，就由姜干部招引着，端直走进街边的一个美发店。

赞叹的人群惊讶了！冯来财也惊讶了！

这是姜干部的预谋哩！他要把黑眼圈公羊洗得干干净净，打扮得漂漂亮亮，好到赛羊会上拿奖呀！

乡街上的美发店本来就小，三张椅子，有两张上坐着客人，正无限舒服地接受着美发师的服务。突然闯进来两个人一只羊，地方便显得逼仄了。黑眼圈公羊对这样的环境是陌生的，行为就有些烦躁，如果不是冯来财牵得紧，左冲右突，还不知会惹出啥乱子来。而且因为这只羊，原来馨香的美发店，顿然弥漫起一股特殊的公羊的臊膻味。美发师和客人吃惊了，店老板也敏感到店里的变故，从店后的一个小隔间蹿出来，怒目盯着躁乱的黑眼圈公羊，刚喊出一声把羊牵出去的话，就发现了一张笑脸的姜干部，当下换了一副模样，换得那个快，冯来财打死也做不到。

老板很是殷勤地招呼着了：哎哟，是您来啦！牵个羊做啥呀？

姜干部也不客套，说：美发呀。

老板说：给您做吗？

姜干部说：不，给这只羊！多么漂亮的一只羊呀，像只国宝大熊猫。

小小的美发店哄地笑翻了天，老板笑了，美发师笑了，客人也笑了。姜干部很有耐心地等着大家笑，笑得没力气了，才说这只羊是不好小看的，要上县城参加赛羊会，弄不好，得个状元回来，也是你们美发店的荣耀哩。姜干部还把冯来财介绍给了老板，说这羊就是他养的，他是蒋县长抓的点，知道吗？蒋县长都把他当朋友哩，你们还不快点儿，使出好的手段，给黑眼圈公羊美个发，也给羊的主人冯来财美个发。

老板哭笑不得地搓着手，却也只有诺诺地应承了。

在美发店里工作的美发师是几个姑娘，她们天天给人洗发美发，清洗美化了无数的人头，却从来没有给一只羊做过洗发美发。显然，这是个新的课题，几位姑娘很快给她们的客人做完活，打发客人出了店，就围上来给这只黑眼圈公羊洗发美发了。洗是头一道工序，姑娘们伸着手，就是不知从羊的哪儿开始用功夫。而且一双眼睛满含惊异的黑眼圈公羊，完全不能领会人的心意，躲在冯来财的怀里，不肯让姑娘们给它洗。姑娘们就又乐成了一团，嘻嘻哈哈地朝着姜干部打飞眼。

同在一条街上，出门不见进门见，姑娘们都认识姜干部，笑闹本是平常事。今天却不同了，姜干部的脸板起来了，责备姑娘们笑什么笑？有啥好笑的，快动手吧，我没时间和你们笑。

给黑眼圈公羊洗发美发，是姜干部想出的主意，他自知这个主意的荒唐，但为了黑眼圈公羊在县城赛出成绩，他是什么手段都敢用的。

姑娘们乐着，姜干部训斥着她们，可他心里也有乐呀。但他是不敢乐的，训斥了姑娘一顿，就又用好话哄着她们了，让她们不要有保留，放心大胆地给咱们黑眼圈公羊洗发美发。什么洗发香波好，咱就用什么。乡政府埋单，把黑眼圈公羊给咱弄漂亮了，老板有钱赚，姑娘们少不了有小费拿。

姜干部还强调：黑眼圈公羊的脸就是乡政府的脸。

姜干部的话字字如铁，句句似钢，说：咱能给乡政府丢脸吗？当然不能了！

姑娘们就收住了嬉笑，很认真地给黑眼圈公羊洗发美发了。姜干部站在一边指手画脚，一会儿要姑娘们用心，一会儿要冯来财好生配合，毕竟是你自己养的羊，肯定听你的拨弄。

从一踏进美发店的门，冯来财便毫没来由的心口痛，姑娘们的嘻哈调笑，姜干部的颐指气使，冯来财都没有太在意。他忍着心口痛，很配合地帮助姑娘们给他的黑眼圈公羊洗发美发了。

应该说，姑娘们是很有经验了。她们热水兑上冷水，兑出来的水温不热不冷，灌在绿色透明的喷壶里，照着黑眼圈公羊的卷毛，不紧不慢地喷着，喷出的水雾，像是晶亮的莲蓬，有着极强的穿透力，从毡片一样厚实的毛梢，一下子喷到毛根上。一个姑娘有层次地在前喷水，另外的姑娘就在手上挤了洗发香波，涂抹在湿淋淋的羊毛上，很有节律、很是温柔地给黑眼圈公羊洗着了。

对于适当的享受，不仅是人的需要，其他动物也是需要的。可爱的黑眼圈公羊，刚开始还有点不习惯，渐渐地适应了，不需要冯来财的抚慰，就很自觉地配合着姑娘们，十分惬意地接受着她们的服务了。

放养在龙尾沟里的黑眼圈公羊，身上的确是脏，洗了一遍是黑水，再洗一遍还是黑水……几个姑娘不歇气地洗了五遍，从黑眼圈公羊的卷毛上流下来的水才不怎么黑了。一直坚守在美发店里的姜干部还不满意，招呼姑娘们又给黑眼圈公羊打了两遍洗发香波，又是极尽温柔地揉洗了两遍，看着黑眼圈公羊身上流下的水彻底的清亮起来，这才满意地说了一声好。不过，他还指示，给黑眼圈公羊的卷毛打了护发膏，又让姑娘们启动了一台小巧的吹风机，小心地给黑眼圈公羊吹风了，直到吹干了卷毛，使黑眼圈公羊一身雪白的绒毛蓬松起来，这才号令冯来财牵了黑眼圈公羊出来。

牵出来一看，心里是得意的，却又发现羊的黑眼圈不够油亮，就又号令冯来财把羊牵到美发店，让店里的姑娘们给羊的黑眼圈焗油。原本就好看的黑眼圈就更好看了，黑乌乌像在眼睛上戴了一副墨镜。

要知道，乡镇干部可是都爱戴那样一副墨镜的，侯书记是，苟乡长是，姜干部也是。

很自然地，被寄予厚望的冯来财在美发店里也洗了他的头发，也用吹风机、啫喱水造了型。

有了这一场的洗刷吹风，黑眼圈公羊确实好看多了，让人很容易地联想到“女大十八变”的那句俗语，雄健的黑眼圈公羊更显雄健了，一身松软的卷毛，绒绒的似一堆雪片，遇风吹来，就会飘飘然飞去一般。冯来财也是一样，比他进美发店前的样子，有了很大的改观，虽然他的腿还是那么短，胳膊也还是那么短，但头光了，脸

净了，还真是美观了不少。

只不过，冯来财看不见自己。

冯来财眼睁眼望着他可爱的黑眼圈公羊，因为卷毛蓬松起来的缘故吧，好像比原来胖壮了许多，精神了许多。到这时，他倏忽有些明白，刚才自己的心口痛，是他的黑眼圈公羊破天荒地由乡政府掏钱洗发美发，他借黑眼圈公羊的光，也破天荒地由乡政府掏钱洗了发美了发。

冯来财心头不是滋味地悲哀着，又高兴着。

过去的日子，冯来财从没进过美发店的门，他自己舍不得掏那个钱，乡政府更不会给他掏那个钱。不过，他得承认，在职业的美发店里那一番捣腾，感觉真的是好。

姜干部当然只有高兴了。为他别出心裁的这一手，兴奋得手舞足蹈了，招引着冯来财，牵着他愈加美丽漂亮的黑眼圈公羊，进了乡政府的院子，并立即引来一片目光，大家无不对黑眼圈的精彩而叫好了。

乡党委的侯书记和乡政府的苟乡长自不例外，喜眉笑眼地夸了黑眼圈公羊，也夸了姜干部。

而姜干部细致入微的表演还没有结束。他让冯来财把吹洗过的黑眼圈公羊拴在院子里，捉了冯来财的手，去了他的房子里，变戏法似的从他的房门背后取出一套藏蓝色的西服和白色的衬衣，帮助冯来财换上。姜干部的话说得入情入理，暖心暖肺：咱们是谁？打断骨头连着筋的乡党啊！我得给你操着心，你说是不是？咱去县上赛羊，咱的黑眼圈公羊倒是漂亮的，黑眼圈公羊的主人，怎么能不漂亮呢？你没女人，有女人我就不操这份心了。没有呢？我就不能不操心，给你提前预备了一身，赶紧换上，看是哪儿不合适，也好到街上的裁缝铺里改。如此厚谊，冯来财不能不领情，而且不能不感动。

在姜干部的房子里，冯来财刚脱了旧衣服，姜干部又喊起来：先别换。你看你的脖子，车轴一样满是油！嘴里忙着，手上也忙着，姜干部打开房子里的热水瓶，向洗脸盆里兑着水。兑好了，就按着冯来财的脖子洗，洗了一脸盆的油腻。洗得通透了，这才让冯来财换西服。照说冯来财的身材，要弄一身合巧的西服是不容易的，可姜干部给他准备的，换上身还真没刺挑，正好应了“人的衣裳，马的鞍场”那句话，冯来财立马就有一种脱胎换骨的变化。姜干部的脖子上是系着一条铁锈红的领带的，也当即扯下来，打在冯来财雪白衬衣的领子上，使得已很精彩的冯来财显得更加出彩了。

冯来财照了镜子，自己就很不好意思，嘴上说：不晓得要多少钱呢？

姜干部打量着冯来财，说：俗了不是？什么钱不钱的，咱不提这个话。

冯来财终是不能过意：哪还能让您破费？

姜干部的手掌就拍在冯来财的肩上了，拍了一下又一下，多年的老朋友似的，说:你要心里不落忍,得了羊状元,给蒋县长说句话,就说是我帮了你。

五

县城陷在一条深深的河沟里。

党委的侯书记和苟乡长,各自坐了一辆桑塔纳的小汽车前头走了,名义是冠冕堂皇的,给冯来财和他的黑眼圈公羊打前站。兵马未动,粮草先行,冯来财心想,这是对的。虽然不是行军打仗,却也是一场真刀真枪的竞赛,没有前站的充分准备,凭他一个冯来财能做什么?即便他有一只冠盖天下的黑眼圈公羊,也难保能赛出个好结果来。冯来财理解乡党委侯书记和苟乡长的苦衷,就自个儿坐着一辆农用小三轮在后边撵了。自然的,好一场洗吹美发之后的黑眼圈公羊与他要同在一起了,一人一羊,相依为命地厮守在一起,在农用小三轮惊天动地的咆哮声里,往充满期待的县城蹿跳着。

这就从县城的北坡上下来了。

过去从未到过县城的冯来财,突然觉得自己像是跌进了一口大缸里,四围壁立的土崖上,全是雨水累年冲刷出来的小沟小渠,沟渠帮上,生着茂密的酸枣丛,与他们坡头村的龙尾沟没啥大差别。这使冯来财忐忑的心有了些许的平复。到沟底,农用小三轮又跑了一段路,便爬上一座拱起的水泥桥,污染得像是一河墨汁的流水,卷裹着一堆一堆的泡沫,那泡沫既有灰色的,又有黄色的,极不情愿地向下游涌动着。冯来财还嗅到了一股莫名的臭味,于是,他的心里竟然有了些微的骄傲,觉得他生活的坡头村,小则小点,沟河的水却要清亮得多,是矿泉水哩,村里人吃沟河的水,他的黑眼圈公羊们也吃沟河的水。县城人可也吃沟河的水?如果无法选择地也吃沟河水,他们就太不幸了。那水能是人吃的吗?这么想着,冯来财就觉得自己生活的地方是多么幸福啊!

人山人海的赛羊会场就设在过了桥的一片空场上。给乡党委的侯书记和苟乡长开车的司机,都在桥头上站着,看见拉着冯来财和黑眼圈公羊的农用小三轮,立马迎上来,指挥着农用小三轮,停在水泥拱桥的一边,招呼冯来财下了车,并把黑眼圈公羊也卸下来,嘴里便一声赶一声地催:快!快!快!可是哪儿快得了,身材矮小的冯来财,和他雄壮貌美的黑眼圈公羊,当下引来无数的目光,大家纷纷围拢过来,兴高采烈地评品着冯来财和黑眼圈公羊了。

说话的是个眼尖的女人:看吧,这人,这羊……嘿嘿,太有趣了!

接话的是个半老的男人:这是羊吗?怎么像只大熊猫?

再接话的又是个好奇的女人:好了,状元羊有了。

再再接话的就又是个男人了:还别说,哪只羊赛得过这只羊?!

人山人海的喧嚣，压不住大喇叭的歌唱。冯来财听得清楚，大喇叭唱的是《走进新时代》。

冯来财爱听这首歌，一字一句，很是悠扬地传进耳朵时，也不妨碍众口毫无遮拦的议论，也纷纷地传进了冯来财的耳朵。尽管议论有嘲笑他的词儿，但对他的黑眼圈公羊都是好奇的，肯定的，他心里就高兴。本来嘛，又不是来赛人，他身矮又怎么了？不妨事，赛羊会，他的黑眼圈公羊才是主角哩！

两个身体健壮的司机，在前头奋勇地推着人群，分开一条小道，才使冯来财和他的黑眼圈公羊顺顺当当地往前挪着。此情此景，冯来财似觉眼熟。在哪儿见过呢？噢！对了，电视上经常有的，是那演戏的、唱歌的明星出现了，才会有的场面呀！

两个司机一头的大汗，这才把冯来财和他的黑眼圈公羊送到预先分配的赛位上。

侯书记和苟乡长都等在那儿。侯书记手里提了一爪胡萝卜，苟乡长手里捏着一个肉夹馍。冯来财和黑眼圈公羊在赛位上刚站稳，侯书记把胡萝卜喂给了黑眼圈公羊，苟乡长把肉夹馍喂给了冯来财。侯书记嘴上“嘟嘟”、“嘟嘟”招呼黑眼圈公羊吃，苟乡长嘴上“快些”、“快些”催着冯来财吃。侯书记和苟乡长，都是一脸的焦急之色。

不急不由人啊。黑眼圈公羊把胡萝卜带叶子才吃了一半，冯来财把肉夹馍啃了两大口，就听到刚才唱着歌儿的大喇叭，传出两声“噗噗”的吹气声，接着就有人大着嗓门宣布，全县首届赛羊会开幕！

临时搭建的主席台上，站着许多领导干部，身材矮小的冯来财，从人缝里找着空隙，在主席台上找着他热爱的蒋县长。但他没有找到，所有的脸都不是他熟悉的那张脸，白皙的、温和的、戴着眼镜的……他人呢？正疑惑着，大喇叭里介绍着赛羊会专家组的成员，列在第一位的是蒋县长，下面还有一串名字，冯来财记不住，记住的只有蒋县长。是啊，有蒋县长在，他就高兴，就有信心。但他听得仔细，听见在蒋县长职务的前头，多加了一个“副”字。

冯来财懂得点官场的规则，有了那个“副”字，就只有站在人后了。

蒋县长这样的好人，是不该站在人后的。

果然是，蒋县长在大喇叭的介绍声里站到人前来了。那也是一个新搭的平台，高出地面三尺的样子，四方四正，各有丈余的宽度，铺了深绿的地毯，周边的栏杆上，也拉着深绿色的粗绳，看上去像是一个比武的高台。蒋县长站上去后，朝台下的群众举手致礼，冯来财就狠着劲地鼓掌了，嘴里好像还高喊着蒋县长、蒋县长的，只是他自己没意识到罢了。

跟在蒋县长后边，又有被介绍的几位专家走上了那个显眼的平台……赛羊活动这才进入到实质阶段。

赛羊会是以各乡各镇为单位组织的，大喇叭点着参赛乡镇的名字，每点一家就有人牵着羊上到那个平台上，接受专家的评判了。专家们的工作是认真的、公平的，先为参赛的羊称体重，量身高，再是为羊测体温，看牙口，最后就是观体态了。每只羊都有一份体测表，详细地记录下观测到的数字，以便最后决出状元羊来。

点到冯来财的黑眼圈公羊了。

现场嘈杂，大喇叭叫头一声时冯来财竟没听到，点过了三声，他才在乡党委侯书记和苟乡长的提醒下，牵着他的黑眼圈公羊向竞赛台上走去了。不可否认，冯来财是特殊的，他的特殊就在于他的矮小；黑眼圈公羊也是特殊的，它的特殊就在于它的高大，当然还有它的黑眼圈。一个矮小的人，一只高大的羊，刚一站到竞赛台上，专家们还没有测量，台下的观众就先喝起彩来，仿佛一对人们心仪的明星，走上台来做表演，大家能不喝彩吗？热烈的掌声，此起彼伏，像是旱天里炸响的巨雷。

这太好了，就是说，冯来财和他的黑眼圈公羊已经赢得充分的印象分。

前面说过了，冯来财是懂得一点官场规则的。就说他吧，和蒋县长是熟悉的，黑眼圈公羊能来参加赛羊会，还不都是蒋县长的功劳？但在竞赛现场，蒋县长当着专家组组长，冯来财就不能上前套近乎，他得避嫌，不能被人怀疑。不过不太要紧，冯来财看见了蒋县长投向他的眼光，那眼光是热的，透着十分的赞赏，十分的鼓励。冯来财心领神会。

扛着摄像机的电视台记者，举着照相机的报纸记者和拿着话筒的电台记者，呼啦啦围到竞赛台前来了。他们有从省城西安来的，有从市府陈仓来的，还有就是本县来的，围在竞赛台前，咔嚓、咔嚓地按着快门，像是三伏天里的一场太阳雨暴，晃得冯来财的眼睛都花了。

冯来财有那个感觉，记者们对他和他的黑眼圈公羊有着一种别样的热情，那是其他上台参赛的羊只所未能得到的。这不难理解，他和他的黑眼圈公羊是太特殊了，特别是羊，比他冯来财更特殊。记者们的职业，决定了他们的敏锐，对特殊的事物，就有特殊的感觉，自然就会用功一些。而且冯来财也注意地看了，前面上台接受专家组测评的羊，确实没有哪一只能比得上他的黑眼圈公羊。他的黑眼圈公羊太出色了，就是还没上台前，和各乡各镇选送的参赛羊站在一溜，他的黑眼圈公羊就已表现出与众不同的优势，是那种鹤立鸡群的一边倒的优势呢！

像其他的参赛羊一样，黑眼圈公羊也被称了体重，量了体高，测了体温，看了牙口……而且还应专家组的要求，黑眼圈公羊在高台上走了秀。要说，黑眼圈公羊是没有那个训练的，但它走了，走得从容不迫，走得有模有样，很容易让人想起T型台上的模特儿，有形有款地走给人看。黑眼圈公羊的走秀，绝不比职业的模特儿走得差，一步一步，四只蹄子像是装了弹簧，抬腿轻盈，落地灵动，牢牢地吸引了评委们的眼睛。大家的脸上就有笑，是满意的、喜悦的笑……蓦地，黑眼圈公羊还昂起头来，高叫了两声，那嘹亮的叫声通过赛台上的麦克风传开来，不亚于一个高音演员的演唱，天籁一般，清脆悦耳，赏心悦目……人山人海的赛羊会场上，不失时机地响起了掌声，海啸一般的掌声啊！

现场打的分，现场出的结果，冯来财的黑眼圈公羊众望所归，戴上了羊状元的桂冠。

冯来财流泪了。

他脸上是幸福的笑，眼里却是不断线的泪珠子。他和他的黑眼圈公羊又一次被请上了赛羊台，又一次地被记者们的摄像机、照相机灯光哗哗地闪射了一场，冯来财的眼泪流得就更多了。

冯来财不认识县委熊书记，却是县委熊书记对着话筒，大声宣布他的黑眼圈公羊获得状元羊的好消息；冯来财不认识牛县长，却是牛县长给黑眼圈公羊戴的金牌，自然了，也给育养了状元羊的冯来财戴了金牌。随着牛县长登上赛羊台的，还有两位穿旗袍的姑娘。两个姑娘的身材真高呀！站在冯来财的面前，像是两棵挺拔挡直的白杨树。冯来财小心地举起头来，看见一身艳红旗袍的姑娘，脸上都扑了粉，涂了胭脂画了眉。光闪闪的金牌，原来就端在姑娘们手里的圆盘里，还有花，一束扎着彩带的鲜花，也端在姑娘们手里的圆盘里。牛县长和冯来财握了手，说着"恭喜"、"祝贺"的话，给他戴了金牌，送了鲜花。

接下来，就是状元羊的大巡游了。

来县上的农用小三轮车自然要退位了。一辆装饰得花团锦簇的彩车，早就预备在赛羊台一边；负责维护秩序的两位警察，全身披挂好了，很是威武的样子，帮助冯来财把黑眼圈公羊弄上了彩车。陪同牛县长给冯来财和黑眼圈公羊颁奖献花的两位姑娘，早前一步，已经上了彩车，一边一个，满面春光地站在彩车的前边，两个全身武装的警察，也是一边一个，守在彩车的后边，中间就是冯来财和黑眼圈公羊了。原来在赛羊会上挤成一疙瘩的人，现在又扯成了一条线，跟在彩车的后面，兴高采烈地涌动着，仿佛获得状元的是他们自己一样。

巡游的彩车上，装了两只大喇叭，一会儿唱歌一会儿播音。唱的歌还是《走进新时代》，播的音就是冯来财如何养羊致富，他的黑眼圈公羊如何争得状元羊的消息了。

黑眼圈公羊像是通了人性，知道它的身份起了变化，有了一顶辉煌的状元桂冠，站在巡游车上，举止就有些高傲，头仰着，乌溜溜的黑眼珠，左看一眼，右看一眼，在大喇叭唱歌的间隙，还像它在赛羊台那样地高声叫着："咩——咩——"

六

电视机前的姜干部激动地跳了起来。

不仅是姜干部，在乡政府收看电视实况的干部，在冯来财的黑眼圈公羊荣获状元榜的那一时刻，全都欢呼起来了。只是大家的欢呼，都没有姜干部表现得那么强烈。这是自然的事情，乡上有多少干部呢？老百姓不知道头数，混在其中的姜干部是知道的，党委口，正副书记有五个；政府口，正副乡长有七个；再是人大和政协，与上面两个口里的职数差不多，而且每个口里，都有一大帮的办事人员，政府大灶不吃饭时见不着人，吃饭时就都是人了，敲碗打筷子，热闹比过庙会。哪个人都有点儿自己的想法，黑眼圈公羊赛出了名堂，大家礼貌地欢呼一阵，已是对姜干部的鼓励了，平时多有走动的几个同僚，就撵到姜干部的跟前，要他请客了。

大家的意见是统一的：吃他狗日的状元羊怎么样？

姜干部的态度是暧昧的：又不是我的状元羊。

说说笑笑的，姜干部走出了乡政府的院子，向近傍的一个村子走去了。乡上的干部头数多，但真正本乡本土的干部却不多，姜干部算是其中一个。他走去的那个村子就是生养了他的家。他所以未能跨乡工作，与他的身份有关系。不像其他人，大学校门出来就是干部了，他没能上大学，自学成才。早些年国家试行干部制度改革，在社会上公开招考干部，他参加了，考上了，签了一纸合同，荣幸地成了所谓的“合同制干部”，户口还挂在家里，领着国家的工资，吃着自家的粮食。因此，在政府大院里，他处事待人就要特别地谨慎，特别地小心了。就是来政府院子办事的人，乡里乡亲的，别人可以生硬，可以不理不睬，他又怎么能呢？既然不能，他就只有热心了，热心热肠地为群众做事，因此也为自己赢得一个好人缘。

选了冯来财和他的黑眼圈公羊去县城参赛，说心里话，姜干部也是想去的，毕竟他为黑眼圈公羊参赛做了许多工作。但是侯书记、苟乡长出马了，他就不好争了，就只有带点委屈地留在乡上了。

他还记着一句话，是他说给冯来财的，“是该有个人给你暖脚了。”说了，就不能言而无信。

那么，找个谁给冯来财暖脚呢？

冯来财的那个条件，说谁谁愿意呀？熟悉乡情的姜干部，心里想着这件事，就很自然地想到一个人，他邻家的一位小寡妇。小寡妇比他低一辈，管他是叫叔的。两日天，回家碰到小寡妇，他把话也挑明了，只是小寡妇的态度不甚明朗。

小寡妇红着脸嗔怪他：好我个叔哩，你给我说个好点的人嘛。

姜干部感觉有戏，说：我看冯来财就好着哩。

小寡妇说：他一个半截人，能有啥好？

姜干部说：他羊养得好。

小寡妇说：羊养得好不稀罕。

姜干部说：稀罕人家的日子吗？把羊能养好的人，日子就一定能过好。

小寡妇不说话了。就这态度，是有了戏的态度。现在的冯来财和他的黑眼圈公羊风光了，他要再去找一回小寡妇，把她心里的肯话掏出来。

就在姜干部去找小寡妇掏肯话的路上，冯来财和他的黑眼圈公羊巡游结束，受邀参加蒋县长给他特设的一顿佳宴。

是乡党委侯书记和荀乡长通知冯来财的。

也不知在县城大巡游时，侯书记和荀乡长都去了哪里。彩车锣鼓家什地巡游完了县城的两条主要干道，再回到初始时的赛羊台前，侯书记和荀乡长就冒出来了，招呼他们俩的司机把冯来财和黑眼圈公羊弄下彩车，便迎着冯来财，告诉他蒋县长设宴相请的消息。

侯书记的话是欣羡的：县长宴请，你有面子呀。

荀乡长的话也是欣羡的：跟你蹭口酒，县长的酒哩，那么容易蹭？

半天时间，冯来财做梦一般匆匆忙忙赶到县上来，匆匆忙忙地赛羊，匆匆忙忙地巡游……心里是热的，脸上也是热的，一切还在不知所措中，又有蒋县长特地设宴，请他喝酒。他无声地问自己：冯来财呀，你是什么东西？一个半截子放羊人，怎么就有了这么大的面子？

冯来财是想不明白了。

想不明白干脆就不想，跟着侯书记、荀乡长，向蒋县长设宴的关中风情园去了。

原以为宴请的只是人，没想到黑眼圈公羊也在内。侯书记和荀乡长前头走，冯来财牵着黑眼圈公羊后头跟；侯书记、荀乡长手无牵挂，走得快了，和冯来财及黑眼圈公羊落下了距离，两人就会放慢脚步，等着冯来财和黑眼圈公羊赶上来。黑眼圈公羊争了状元，巡游时戴在头顶的大红花还在，戴在脖子上的状元牌也在，一路走来，像是又一次巡游，围观的人不时还要喝一声彩。走得冯来财的肚子叫了，这才走到气派非凡的关中风情园！

建在县城外的这处庭院式餐饮娱乐中心，冯来财只是听说过。待他走进来一看，比他听说的格局还要大。但又只是庄稼院落的格局，有新移栽的大槐树，以及树荫下排列整齐的石雕的拴马桩，石雕的狮子，石雕的门礅等物，一一看来，风剥雨蚀，都有了很深的岁月痕迹。对此，冯来财并不陌生，他们坡头村，随便哪家，都少不了几件这样的物什。气派豪华的关中风情园，使冯来财兴奋的心，顿时有了一种回归感。

离开家也就不到一天的工夫，冯来财就想家了。他想把在县城发生的一切告诉病瘫的老爹，让他老人家忧愁的心，也有一次开怀和欢乐。

老人家为他的半截身材，背着人是流过泪的。为人父者，谁都想自己的后人魁梧高大、顶天立地，老天不睁眼，遇上他这个样子，哪能不忧愁呢？想不到老天也有开眼的日子，偏是他半截人冯来财，和他养的黑眼圈公羊夺了状元。

风光啊！太风光了！

冯来财还在为自己高兴时，蒋县长（讨厌的副字，冯来财不理会副不副的）满脸笑容地迎上来了。

蒋县长捉了冯来财的一只手,说:恭贺你呀。

冯来财脸上飞着红,说:都是你的功劳哩。

扛着摄像机、举着照相机的记者,原来就跟着蒋县长的,这时又围上来,像在赛羊台上时一样,哗啦哗啦又是一通暴雨雷电似的闪光。

记者们问话了,七嘴八舌的,听得冯来财不知回答哪个问题好。蒋县长在一边打圆场了,吃饭吃饭。饭也把咱们记者的嘴堵不住了,有记者抗议了,抗议的理由很充分,说:请尊重我们的职业需要,采访不到好新闻,吃饭不香嘛。冯来财就说话了。有些话是姜干部教给他的,心细如丝的姜干部在接他到乡政府后,不仅给他和黑眼圈公羊洗了发,美了发,还把他留宿在乡政府一夜,给他做了极尽可能的语言准备。姜干部信心十足地说,黑眼圈公羊肯定能当状元。当了状元就会有记者采访,也会有大领导问话,黑眼圈公羊回答不了记者的采访,回答不了领导的问话,成了状元也不成,除非成了精。怎么办呢?就只有你说话了,回答记者的采访,回答领导的提问。你要记住,该说的话就要说,不该说的话半句都不要说。啥是该说的话呢?譬如你感谢领导的关怀,感激政府的帮助,一级一级地感谢,像蒋县长、乡党委书记和乡政府乡长,还有你们村的村长。这些话怎么说都不为过,要反复说,不断说,说得越多人越相信。姜干部说着,有一个小小的停顿,冯来财感觉得到那个停顿,就是说,冯来财也要感谢他的。那样的话,还就准备在他的舌头尖尖上,一张嘴就出来了。冯来财琢磨过了,认为姜干部说得对,他应该感谢帮助扶持了他的各级领导的。而且,他自己业已积累下了太多的感激之情。就是姜干部不在乡政府培训他,他也会大说感谢话的。特别是他身临其境获得如此大的荣誉后,面对好奇的记者们,那些话就像油炸花生豆,咯嘣咯嘣地就从嘴里滚出来了。

冯来财说:我的黑眼圈公羊赛成状元羊,大家知道我最想感谢谁吗?

众记者面面相觑,谁都没再说话。

冯来财就说了:最想感谢的就是蒋县长。

话匣子一打开,想关都关不上了。冯来财把他怎么躲干部,他怎么无奈,怎么困窘,怎么不得意都说了,正说着话题一转,说起蒋县长怎么找到他,给他送良种羊,帮助他分析草和水的品质……说到这里,冯来财的声音大了起来,而且还带着幽默的成分。

冯来财像他起头回答记者提问一样,用的还是提问句,说:大家知道我的羊吃的啥草吗?

众记者已习惯了他的说话方式,就都静默着等他说。

冯来财就说了:吃的中草药。

众记者就都惊讶了一下。

冯来财又说了:大家知道我的羊喝的啥水吗?

众记者依旧静默着。

冯来财说：喝的矿泉水。

众记者就都又惊讶了一下。

冯来财这才把蒋县长跟着他在龙尾沟一起放羊，收集草样标本、水样标本，到省城找专家化验的情况，仔细给记者们说了一遍。

记者们听得兴趣大增，有记笔记的，有录音的，穿插还有一句两句的提问，冯来财也都恰到好处地给了回答。

冯来财也被自己感动了，感动自己这么能说。

啥时候说过这么多话呢？没有吧。记忆中，他冯来财只有听别人说话的份儿，或者他被别人围起来嘲讽。而他的生活状况和他的身体状况，也有太多被人嘲笑的地方。

嘲笑者说他：咋不娶个媳妇呢？

这样开头，冯来财是不敢接茬的。他有经验了，这往往是被人残酷嘲笑的一个话头。

果然，嘲笑者又说了：热烫烫的媳妇多好呀！搂在怀里，你咋弄呢？啊？你行吗？要人帮忙吗？

哄堂大笑随之而起。

嘲笑者还不罢休，还要说：哎哟喂，还有这上炕，怕还得媳妇抱着你上吧。

今天不同了。没人嘲笑他，他也不用只听别人说，他成主角了，都听他在说，听他说话的人，还都是比过去嘲笑他的人高级多少倍的记者，他就不能不为自己感动了。

一旁听着的蒋县长也插话了：大家入席吧。我们的状元羊和主人在县上还要留两天的，有大家采访的时间，现在该吃饭填肚子了。

热热闹闹的采访告一段落，大家便随着蒋县长的引导，进了一个陈设古朴的雅间。获得状元羊称号的黑眼圈公羊，刚才还牵在冯来财的手里，这时也由关中风情园的服务生牵了过去，到院子的一角，享受给它准备的盛宴去了。

隔着明亮的玻璃窗，冯来财看得见他的黑眼圈公羊，在一堆平时很难吃到的胡萝卜、南瓜条、土豆块里，很矜持地吞咽着，不时地还有人过去，站在黑眼圈公羊一边，哗啦哗啦合着影。

蒋县长把冯来财安排在宴会桌的主席位上，他则坐在一边。就是这样一个举动，也被众记者所赞叹了。乡党委的侯书记和苟乡长依次坐在冯来财的另一侧，与记者们坐成一个圆圈。当记者们为蒋县长把冯来财推上主席位这一细节交口称誉时，蒋县长把他面前的一杯酒端起来，站着说话了。蒋县长祝贺了冯来财，感谢了众记者，话锋一转，便说起了送冯来财来县上参加赛羊会的乡党委侯书记和苟乡长。

蒋县长的语气是真诚的，说：真的功臣还要算上他们俩。黑眼圈公羊能够当状元，冯来财养羊致富，没有乡党委和乡政府领导的支持扶助，是不会有现在的成果的。

侯书记和苟乡长都是明白人，赶紧抢过话：惭愧惭愧，我们能做多少工作，都是蒋县长的决心大。

侯书记、苟乡长说着，还把冯来财心里的一个疑问说出来：比方冯来财的良种羊养殖，最初的扶持贷款，可都是蒋县长自己掏钱担保的呢！

蒋县长一仰脖子，把他手里的酒先喝了，亮着酒杯给大家看，意思是先喝为敬。大家就不说话了，就都仰起脖子，喝了杯中的酒。

平时没喝过酒的冯来财，在对蒋县长的无限感激之情催促下，也把杯中的酒喝了个底朝天。

七

女人是和冯来财在乡政府有过接触的麻拉拉。两人因欠交粮款，一块儿在乡政府的黑屋里蹲过。麻拉拉失业好几年了，眼角上经常印着一抹泪痕。

姜干部急如流星的脚步走进麻拉拉的家里时，看见她正在起羊圈。这是个力气活，男人在世时，都是由男人来干的，男人过世了，就只有她来干了。虽然她养的羊有限，就那么可怜的三两只，但养在圈里半个月，也是要起一次圈的。起出羊屎羊尿浸透的旧土，换上没有膻腥的新土。不为别的，就为羊儿不落病。起出圈的土上到地里，种啥长啥，保证都是一季好收成。麻拉拉是个过日子的人，这些日常的经验她都有，既然有，就不能违背。因此，起羊圈的麻拉拉干得特别奋勇，特别专注，到姜干部站在羊圈外了，她还没有感觉。

姜干部说话了：唉！苦了你咧。

隔着半人高的羊圈墙，麻拉拉跟着话音把一锨羊粪撂出来，碎碎的几块粪土滚着，滚到了姜干部的脚面上，染脏了他的皮鞋，他就狠命地跺着脚，离得羊圈远了些。麻拉拉瞧见了，就有些抱歉。

麻拉拉擦着脸上的汗，说：是你呀，还惦记着我的苦。

姜干部顺着杆子上，说：我惦记，还不是空惦记。有个人，实实在在地惦记着你哩。

麻拉拉从羊圈里转出来，招呼姜干部到前院里说话。前院里有棵枣树，青碧碧一树的枣儿，在阳光的照射下泛着玉一般的光斑。枣树下，四块碎砖支着一方过去槌布的青石板，石板的两边放着两块形状相像的石礅，来人了，就在上面坐，坐得石礅玉一样溜光干净。同是一村人，姜干部对麻拉拉家的情况是了解的，知道她持家的谨细整洁，男人在时是这样，男人不在了，仍然保持着原来的整洁谨细。当然，要说变化也还是有的，就是家里没了原来的热闹，变得冷清了些。姜干部在石礅上一坐下，就又对麻拉拉说话了。

姜干部说：想知道谁那么惦记你吗？

从屋里端来一碗茶水的麻拉拉，对心情不错的姜干部说：喝口水，润润嗓子。

姜干部接了水却不喝，眼睛逼着麻拉拉，说：你不想知道吗？

麻拉拉经不起姜干部热情的目光，说：你前次都说了，还非要再问吗？

姜干部就得意了，说他前次是说过了，但你不知道冯来财现在的情况，他出名了，一下子出名了，大大地出名了，他的黑眼圈公羊在县城竞赛，一举夺得状元，羊风光哩，冯来财跟上也是风光哩。你没看电视吧，我在乡政府看了，戴了红花，披了彩带的冯来财和他的黑眼圈公羊，和县长一起照了相，还像耍社火一样，搭了彩车，满县城巡游。那个风光，你看见了，你会眼红的。你还会看见几个标致的小姐，是穿了旗袍的小姐哩，腿杆光着，白白的、长长的，陪着冯来财在巡游的车上，全县的人都看见了，冯来财太风光了！

只顾自己说话的姜干部，突然发现麻拉拉的脸有了点阴，就收住了自己的夸夸其谈，接过小碗，猛劲地喝了一口。

姜干部不知晓，麻拉拉对他早先说的那话是上心了的。近些天，冯来财去县上赛羊，她也是极上心的，家里没有电视，她去邻家屋里看。一趟一趟地去看，看到冯来财的风光，她高兴啊！为在一个黑屋子里关过的人高兴，便看得有些失态，把有电视的那家弄得不知她吃了什么药。她就慌慌地跑回家，前院后院地转，想着姜干部说的话，她的脸上就发烧，火辣辣的，没法平静下来。后来想起羊圈里喜土，知道该起出来了，这就钻进羊圈，发着狠劲起羊圈了。起着羊圈，盼望姜干部再来说那话。现在，姜干部来了，说了，她却心里起了别扭。

姜干部窥破了麻拉拉的心理变化，放下水碗，说：咋的了？你不想听冯来财的好事？

麻拉拉也不否认：好事是人家的，我听的啥哩，还不是白听。

姜干部就笑了，知道他的热心有结果了，说：你别不想听。听我的话，把你那几只羊合到冯来财的羊群里去，他牧羊主外，你理家主内，他的好事就是你的好事了。

阴了的脸又有些发烧，麻拉拉却还犟着嘴，说：半截人风光了，眼里还能有我？黄花女子还不一定入他眼哩。

姜干部再一次端起水碗，再一次猛劲喝了一口，放下水碗站起来，给麻拉拉肯定地说：你等我的话吧。我是干部，我不能说谎话。

还在县城留着的冯来财，不知道他的家庭生活将要发生的变化。他在蒋县长的安排下，要去几个适宜牧羊的乡镇去，与他的争得状元桂冠的黑眼圈公羊一起去，现场演讲，鼓动大家像他一样，积极发展养羊事业，脱贫致富奔小康。

持续几天的奔波演讲，冯来财累了，他的黑眼圈公羊也累了，这才由乡上的侯书记和苟乡长陪同着，回了他坡头村的家。

村头上，村长组织的锣鼓队，敲得地动天喧，把冯来财接上了，又一路敲敲打打地送到了他的家。鼓手舞动的鼓槌上，也都系了炫目的红绸布，飘飘荡荡，荡荡飘飘，红火了整个儿坡头村。

但这已不能使冯来财有所触动了。连续几日的风光，冯来财经历的红火，哪一场都比村长组织的红火排场，他习惯了，不以为然了。可他一进自己的家门，就没法不睁大眼睛，闪出那种喜出望外的目光。

原来杂乱的院子，现在是既干净又整洁。

散乱撂着的碎砖头烂瓦，全都归整到院子的一角，垛得整整齐齐，还有散乱堆着的柴草，也都归整到院子的另一角，垛得整整齐齐。再是荒长着的杂草，一根根拔除后，泼了水，脚挨脚地踩了，踩得平平展展……冯来财注意到了，那挤挤挨挨的脚印，是一双女人的脚踩的呢！他的心便跳起来，猜想不会是七仙女下凡，也不会是狐仙鬼怪现身，到他院子来做好事。那么，会是谁呢？

从乡政府接着冯来财，并把他送回家的姜干部，也太沉得住气了。他有几次机会，可以明确地告诉冯来财，我是干部，我说话算话，说给你找个暖脚的，就给你找一个，现在，暖脚的人已进了你的门了，坐在你炕上了。但他忍了忍，把涌到喉咙口上的话又咽回了肚子。他在等待机会，像一个蒸馒头的高手，非得等到蒸笼里的气圆了，才好把锅揭开来，那样就一定是一锅又白又暄的好馒头。

这个机会到了，姜干部不能再等了。

紧紧地陪在冯来财身边的姜干部，高声大气地朝着烟火蒸腾的灶屋里喊了一嗓子：麻拉拉，出来接人呀！

一团烫人眼目的红，从灶屋的烟火气里钻出来了，映照得湿淋淋的烟火气也似一团红色的雾岚。

麻拉拉？谁是麻拉拉？冯来财的思绪回到了乡政府的那个黑屋子里，不知道这个麻拉拉可是那个麻拉拉？

烫眼的那团红，大方地走到了冯来财的跟前，把他挎在肩上的一个布包接了过去，给他说：

累了吧？进屋去歇着，一会儿吃饭。

这声音，这身段，就是黑屋子里与他挨在一起守了些日子的麻拉拉呀！

冯来财又有一种做梦的感觉，嘴里呢喃地说：是你吗？

麻拉拉浅浅地笑着，鲜亮的脸色和她穿在身上的贴身衫子一样的红。

冯来财还像梦呓似的呢喃着：真是你吗？

暂时受了些冷遇的姜干部，显然不知道他们曾经的遭遇，只是看见他们认识，自己先放了心，觉得他的好心操对了。当然，事前他和冯来财的瘫子爹也说过了，麻拉拉未见冯来财,先见了公爹,把公爹喜兴得挣扎着,险些从炕上坐起来。

老人眼里喷着泪花花,口齿含糊地说:好啊好啊,我娃能得个女人,我死也能闭上眼睛了。

麻拉拉眼里有活,手上有活,跟着姜干部早两天来到冯来财的家,见过了病瘫善良的老人,自己就先心疼了。不用谁说,她自己就留了下来,先把老人炕上铺的盖的,身上穿的戴的,统统换洗了一遍,又把锅上灶上,盆盆罐罐,碗碗盏盏,也都洗刷干净,这才腾出时间,清理杂乱的院落。冯来财回家看到的景象,就是麻拉拉清早起来收拾出来的。

村长带着人,在村口锣鼓家什敲打着迎接冯来财的时候,麻拉拉开始入厨做饭了。

姜干部心里乐着,脸上笑着,趁兴向涌进冯家来的坡头村人宣布:我有一双鞋穿了。

西府的风俗是,成就一双好夫妻,谢媒的礼物就是一双鞋。麻拉拉在冯来财的家里忙了几天,坡头村的人不知道原因,还以为麻拉拉是乡政府指派来的义工,在冯来财上县城赛羊的日子,帮助他料理家务的。姜干部这么一宣布,大家才回过神来,就都鼓着掌起哄了。

有人喊:挂红,赶快挂红。

有人喊:杀羊,马上杀羊。

迎接冯来财载誉回村的锣鼓队逐渐弱下去的声响,突然又动地喧天的敲打起来了。铜钹上、鼓槌上的红绸布,在鼓乐手们的舞动中,浸染着冯来财的家院,不知不觉地,麻拉拉站在了冯来财的身边,一个高挑,一个低矮,在一种不甚和谐的景象中,获得了一个料想之外的新和谐。

八

季节伴随着冯来财的运道,从炎热的夏天,已经越过成熟的秋天,进入漫长的冬天了。乡政府换届选举,坡头村是要推出一位人民代表的。这个严肃的事情,却在坡头村出了故障,村民们在选举中,把自己神圣的一票,差不多都投给了冯来财的黑眼圈公羊。

村民的理由是:就是状元羊了,咱们村子,谁有状元羊的名气大?谁有状元羊的声望高?咱就推状元羊。

投票的会场在坡头村的街道上,虽只是初冬,顺着龙尾沟吹来的西北风还是有了一些寒意。主持选举人民代表的村长铁青着脸,不知道该怎么办了。过去,村里选了几届人民代表了,很顺利的都是他,这一次选举,他也想过了,把全村的男男女

女都想了个遍，没有想出哪个人能跟他争当人民代表。因此，村长表现得很放松，既没在骨干群众里统一口径，也没要求骨干群众影响选票。做动员时，说得就很随便了，让大家充分发扬民主，不要瞻前顾后，不要留情面，觉着自己信任谁，就把自己神圣的一票投给谁，哪怕你投给的是一只羊。

村长的动员讲话说到一只羊时，散乱坐着的村民堆里，传出几声窃笑，同时还有一阵子的小骚动。

这有什么问题吗？村长没有意识到，却还得意他的讲话有水平，懂艺术，获得了村民群众的共鸣。

投票开始了。办法是原始的撂豆子，有选举资格的村民，人手一粒大黄豆，向一张条桌的碗里撂豆子。条桌上一溜摆着三只碗，碗边上贴着纸条子，写着村长和另外两个候选人的名字。开始撂豆子时，倒也撂得顺利，大家跟在村长的身后，看着他把黄豆撂进自己的碗里后，叮叮当当的，就都撂到村长的碗里了。村长自信地笑着，走到一边去，和几个撂过豆子的人一块儿扯闲话。就在这个空当，不知是谁，到桌前撂豆子时又摆了一只碗，并把自己的黄豆撂进去，嘻嘻地笑了一笑，轻轻地说：状元羊！这便不好收拾了，跟在后边的选民，接二连三地把自己的大黄豆就都撂进新摆的那只碗里了。

条桌边是有两个检票的人，看出了问题的严重，抽身去给村长汇报，结果却不能逆转了。

根本不用数黄豆，搭眼一看，代表黑眼圈公羊的那只碗里的黄豆就最多。村长春风得意的脸，到这时才拉了下来，他听得见村民中不甚友好的嬉笑，还听得见村民中开心地起哄。

起哄声像是有人指挥着，先是一句：状元羊。

紧跟着又是一句：黑眼圈公羊。

那个时候，冯来财不在推选人民代表的会场上。不在会场上，自然就不知道他媳妇麻拉拉的惊讶，她怔怔地看着热烈的人群，看了一会儿，却也兀自高兴起来，脸面上是喝了酒后才会泛起的红，艳艳的像是两朵花儿。

嫁在坡头村的麻拉拉，早给自己定了一条规矩，凡事不出头，凡事不说话。可是面对这突如其来的事情，她就不能不出头，不能不说话了。

麻拉拉说：怎么能选一只羊呢？

尽管麻拉拉说话的声音不大，近乎自言自语，大家还是听见了，便也安静了下来。

麻拉拉却还说：羊又不是人。

正是她的这一句话，提醒了从乡政府来坡头村指导选举的姜干部。刚才，他被村民的选举弄蒙了，胖乎乎的一张圆脸上，不尴不尬的，渗出了一粒粒油腻的细汗。他在心里叫苦了：怎么办？啊！啊！他完全地失了主意了。一向很有办法的姜干部，被坡头村的这场选举事弄得手足无措，不知如何是好时，麻拉拉的两句话，仿佛两束耀人眼目的闪光，使他的精神为之一振，他又成了很有办法的姜干部了。

姜干部是坐在村民搁黄豆的碗旁边的，他很用力地清了清喉咙，一只手扶着放碗的桌子，极有气势地站了起来，把眼睛睁得大大的，环视了坐得很散的坡头村村民，开口说话了。

确有一些历练的姜干部，一开口，就表扬了坡头村群众的主人公意识和对自己的责任意识。他说，这很好，我们的事业要发展，大家要过上幸福美满的小康日子，没有主人公意识，没有对自己的责任意识，是绝对不行的。今天，大家推举乡人大代表，就充分地体现了这两种意识，大家把黄豆儿投给了状元羊，这没有错。咱们村最能代表群众利益的是什么？是黑眼圈的状元羊！

寂静的会场，这时起了一点点的骚动。

姜干部就把他的话停了一刹那，抬起他的双手，在空中向下压了一压，小小的骚动就又平息下来了。

当然了，黑眼圈的状元羊不是人。姜干部的声音是洪亮的，手势也是有力的，又比画着，就说得有些滔滔不绝了。这是事实，一个不可否认、不可辩驳的事实，状元羊不是人。但我要问大家，状元羊是风吹起来的？状元羊是天上掉下来的？不是吧。那它是怎么来的？也就是说，它是怎么成长的？怎么成为状元羊的？是人！我的亲爱的父老乡亲，大家应该比我看得更清楚，它是冯来财养大的，是冯来财把它养成了状元羊。

掌声接着姜干部的话音，刮风一般地响了起来。

姜干部在他的胖脸上抹了一把汗，等着大家的掌声停下来，就又说了一句话。

他说：状元羊不是人，冯来财是人。大家投票给状元羊，就是投票给冯来财，你们说，是不是这个理？

村民的回答声是那样的齐：是！

大家的目光在会场上逡巡着，找着被选为人民代表的冯来财。遗憾的是，大家找不见冯来财，只找见了冯来财过门才几个月的媳妇麻拉拉。大家就想，这没啥奇怪的，不止今日的村民大会见不着冯来财，过去的村民大会，谁又见过同为坡头村村民的冯来财了？没有见过吧！在坡头村的政治生活中，在今日之前，大家把冯来财忘了，他冯来财也把自己忘了。

悄悄地就有了议论，说的什么话，似乎灌进人们的耳朵里了，却又辨不清是什么话。大家议论着，有人就冲着一脸喜色的麻拉拉起哄了。

起哄的人说：麻拉拉你说话呀，杀羊熬汤给大家喝。

一人起哄，大家跟着起：前次办喜事，说要杀羊熬汤，把人的胃口吊起来了，却没杀，这次饶不过你了。

在乡政府的黑屋子里蹲过的麻拉拉，在村民的吵闹起哄声里，突然流泪了。她为她的半截男人冯来财高兴着，这份高兴也因为半截男人和她一起蹲过乡政府的黑屋子。那时候，半截人冯来财和她是个啥呢？猪狗不如呀！现如今，半截人冯来财是她的男人了，她是半截人男人的女人，她的不如人的半截子男人冯来财有机会成人了，被大家推选为人大代表，她怎么能不高兴呢！她眼里流出的泪水是甜的，是欢喜的、高兴的眼泪水哩。

村民的吵闹起哄声还在耳边响着：杀羊熬汤……杀羊熬汤……

麻拉拉站立起来，挺起了胸，仰起了头，她想，她必须答应诚心诚意的村里人了。前次她和冯来财结婚，冯来财是要杀羊熬汤的，她把冯来财挡住了。她的理由很简单，咱就红火结婚这一天吗？一天的红火过去了，咱把嘴拿根绳子扎起来，不吃不喝不过日子啦？这么说，还不能拒挡冯来财，麻拉拉就又说，我又不是黄花闺女，头一回顶盖头，弄得那么铺张，你不怕人笑话，我还怕人戳脊梁骨哩！这么说，就没有给村里贺喜的人杀羊熬汤。这一回不同了，大家推举冯来财当人大代表，一个过去不像人的人，能够像人一样参加人代会，像人一样发表自己的意见，像人一样表达自己的立场，像人一样宣示自己的态度，就没有道理不给大家杀羊熬汤了。

阳光这时候照在人的身上，是那样的暖和，坡头村的父老乡亲，全都听到了麻拉拉嘴巴里响亮的承诺：杀羊……熬汤！

九

一只、两只……七只、八只……十八、十九只……半截人冯来财对他当选人民代表的事丝毫没有预料，他像度过的每个日子一样，起早赶到龙尾沟的羊圈里，把他的羊儿撵出来，任由黑眼圈的状元羊领头走进龙尾沟的草坡上去。他则留待一会儿，抄起一张擦拭得明亮的铁锨，迅速地把羊圈里的羊粪蛋儿收起来，装进一辆堪称文物的木轮推车里，运出羊圈，堆在不远的那个羊粪堆上，日积月累，羊粪堆大得像座小山了。冯来财乐见羊粪堆的不断增大，那可是再好不过的农家肥料，种麦下地肥，育秋上追肥，是价钱步步攀高的化学肥料所不及的。正是他所拥有的许多羊粪，他的责任田不及别人作务得细，长势却比别人家得好，收成也比别人家丰……养好羊，养好良种羊，是冯来财成家立业的根本。他爱羊，爱得如他的性命一样，不只是黑眼圈的状元羊，与黑眼圈状元羊同在一起的所有羊儿，都是冯来财心尖尖上的肉，与它们朝夕相处，冯来财唯恐怠慢了哪一只，更怕少了哪一只。在他把羊圈收拾干净后，小步紧跑地撵上羊群时，他总会不由自主地要数一遍他的羊群。

冯来财数羊，数一遍就会增加一遍感情，而且会有一遍新的发现和收获，像他现在数到的那只和他关系最亲的羊，他还给它起了一个很好听的名字：福娘。

冯来财说不清楚，是他先亲着“福娘”的，还是“福娘”先亲着他。说不清楚是不要紧的，只要他的眼睛看见了“福娘”，他就知道他的眼光是柔和的。虽然他的眼光对每一只羊都是柔和的，但柔和与柔和是有区别的，那种细微的区别，除他自己体会得到外，“福娘”似乎也有体会。这也难怪，“福娘”是一只草羊，是冯来财羊群里最漂亮的草羊，它一胎下得了三只羊羔。它有充足的奶水养育它的羔儿成长，现在的羊群里，有它的儿子和女儿，还有它的孙儿和孙女，换句话说，它已是一只儿孙满堂的慈祥的羊奶奶了。

慈祥的“福娘”似乎懂得冯来财对它的偏爱。只要冯来财高兴，朝着羊群任意喊一嗓子，或是吼一句小调，“福娘”都会不失时机地呼应一声，自然它的呼应永远是那一种语言：咩！不要小看这一声单调的呼应，它会牵动冯来财的眼光，柔和的眼光啊，越过所有的羊儿，落在“福娘”一团雪似的身上，轻轻地抚摸着，“福娘”就很满足了，低下头来，拼命地啃着坡上的草，拼命地孕育下一代。

遗憾的是，“福娘”老了，它老得太快了，四五个年头的样子，就老得怀不上羔儿了。可它还在拼命地吃草，把自己的肚子吃得鼓鼓的，有可能的话，就寻到冯来财的跟前来，偎在冯来财的身旁，有一下没一下地反刍着。冯来财听得见它反刍的动静，比往年小了许多。

这一天，“福娘”就很懂事地随着羊群，向龙尾沟的深处走去，自信是一坡好草时，羊群不再往深沟走，原地散开，埋头吃着秋天发黄的草。春天的青草使羊肥，深秋的枯草，其实更会使羊肥。青草肥羊，是因为青草的嫩；枯草肥羊，则是因为枯草的籽实，那可都是天然绿色的养料呢，在羊的齿舌上反刍烂了，咽在胃肠里，羊儿没有不肥的道理。“福娘”同往常一样，拼命地吃了一肚子的草，就又踱到冯来财的身边，偎着他的脚腿，仔细地反刍着胃肠的枯草和草籽。冯来财伸手摸着“福娘”身上的卷毛，一遍一遍地摸……摸着摸着，他叹息一声，他知道是为“福娘”而叹息的，不能怀羔儿的草羊，最后的结果只能是杀了熬汤。

冯来财的叹息，“福娘”好像也听懂了，眼眸上蓦地蒙上了一层水汽！

冯来财是个放羊汉，早出晚归，相伴他的就只有羊群和草坡。放羊汉也是人呀！是人，怎么能一整天一整天地不与人说话呢？这没有办法，乱草丛生的龙尾沟除了他冯来财，没有第二个人，他就不能与人说话。尽管冯来财有了女人麻拉拉，有了麻拉拉带进门的一个儿子，可他也只有天黑回到家里，吃着麻拉拉做的饭，摸着儿子油光光的黑头发，还有虽然病瘫着，却是一脸笑模样的老父亲，冯来财才有机会说上话。他所说的，还只是他的羊群，羊群里的“福娘”，羊群里的喜欢打架的羊，渴望言语的羊……当然，还有功劳簿上英名赫赫的黑眼圈状元羊。

说起黑眼圈的状元羊，冯来财就又要说敬爱的蒋县长了。冯来财从县城的赛羊会上获得巨大荣誉回到坡头村后，就再没有见过蒋县长了。冯来财想念蒋县长，他说：蒋县长自担风险，给我贷款送来良种布尔羊，我不能让他再担风险了，我要攒钱，把蒋县长给我的风险贷款还了！

车轱辘似的话，冯来财在家里说过许多遍了，他知道自己说得唠叨了，不说了，就到草坡上给他的羊说。那么大的一群羊，有只吃草不长膘的羊似乎特别乐意当他的听众，听过了，还要喋喋不休地自说一通。

它说话的神态是逗人的，咩——咩——咩——一声连一声，情急时张着嘴半天不合，小巧的蹄子也派上了用场，急切地又是刨又是敲，生怕冯来财听不懂它的说话一样。

冯来财的好性子，在这时表现得就更充分了，他会对略显干瘦的渴望言语的那只羊招招手，会像它又刨又敲的小蹄子一样，抬起脚来，跺在坡里的草上，大声地嘱咐着：少说话，多吃草，把你的身子吃肥了再说。

数羊的冯来财，眼睛盯着那只喜好打架的羊了。

虽说这只羊喜好打架，冯来财还是很爱它的。个中原因，在于它太像状元羊了。雪白的毛，如状元羊一样，到眼睛上，就很突出地生了两个黑眼圈，像是哪位著名画家蘸着浓墨画上去似的，漂亮极了。

它有一对粗壮尖锐的角。

它似乎知道其一生的荣耀就在那对角上，因此它要打架，像个好战的英雄一般，挺着它锋锐的角，追逐着它要挑战的对象。起先它是乱战的，逢着哪只羊，就是哪只羊，不分青红皂白，不辨曲直是非，迎头就是玩命的一击。乱冲乱撞地打斗了一些时日，它开始注意黑眼圈的状元羊了，注意地观察了一些时日，它混沌的眼神便完全聚焦在了状元羊身上了。

这不奇怪，谁叫它们俩都是骄傲的公羊。

在一群羊里，只能有一只威霸四方、勇盖群雄的公羊。黑眼圈的状元羊，目前还是冯来财羊群的君王，它不怕那只像它一样的公羊，甚至胸怀开阔地容忍了像它一样的那只公羊的乱战乱斗。显然，黑眼圈的状元羊低估了很像它的那只公羊，就在冯来财兵不血刃地打败他们的村长，被坡头村的村民推举为人民代表的这一天，一场潜伏着的战斗，在黑眼圈的状元羊毫无准备的情况下开打了。

年轻总比年老勇。不幸的是，只一回合，年轻的黑眼圈公羊，便把年长的黑眼圈状元羊顶了个四蹄朝天。

这个时候，与坡头村村民搿黄豆，把村长的人大代表资格选下来的时间很接近。

冯来财未能目睹村长败选的场景，却完整地观看了两只公羊的战斗。起先，冯来财很为黑眼圈的状元羊不平，还想上手帮它一把，急慌慌追到战斗者的身边时，冯来财笑了，他笑自己的呆傻。放了那么多年的羊，积累下来的经验告诉他，年轻的公羊挑战年长的公羊，是太自然不过的一件事。是状元羊又怎样？还能逃避羊群里这一自然法规不成？这么想着，冯来财站在一边不动了，他不错眼珠地看着两只公羊的打斗，打得激烈时，他还情不自禁地为它们喝彩。

持续不断地打斗，打了多长时间呢？冯来财没有认真记，看着两只打斗得筋疲力尽的黑眼圈公羊，各自退后一步，撤出打斗后，他坐在了深秋的草坡上，又用眼睛数他的羊儿了。

很自然的，冯来财数到落在最后的那只羊了。

冯来财不由自主地心疼了一下。

他没法不让自己心疼。在他的羊群里，总是落在后面的那只羊，就离挨刀宰不远了。麻拉拉过门来，把病在炕上的瘫子爹服侍得病情大为好转。依着麻拉拉的主意，十天半月的，一辆皮轮架子车上，铺上厚厚的麦草，麦草上再铺被褥，把瘫子爹扶着坐在暄软的被褥里，由麻拉拉拉着，去一趟乡医院，扎针拔火罐，开药换方子，开销不谓之不大。钱不便利时，就牵一只羊，麻拉拉前头拖着架子车，架子车上躺着病瘫的老爹，车后还拖着一只羊。吃着中草药，喝着矿泉水的羊儿，因为状元羊的名声，已成为人们渴望的一种口福。因此，钱不凑手不要紧，羊能维持对老爹的医疗费支出。

好些日子了，落在羊群后面的羊儿，已有六只牵进了医院，成了医院灶上的美味。

再是麻拉拉带给冯来财的儿子，暑假过后要上学，学校的老师，委婉地提出一个要求，让给他们灶上贡献两只吃着中草药、喝着矿泉水的羊儿，他们的儿子就可以上学了。冯来财疼着他的羊儿，却也觉得老师们的要求没什么不合理，便在儿子上学的那天，又把落在羊群后边的两只羊牵着，和他的儿子一起送进了学校，一起交给了尊敬的老师。

在龙尾沟的荒草坡上放着羊，冯来财支棱着耳朵，倾听来自学校的孩子们的琅琅读书声，很意外地，也听到了他的羊儿挨刀的哀鸣声。

冯来财数着羊儿，数得他一会儿喜一会儿悲，数得他蓦地闭上了眼睛，不再数羊了。他举起头来，感受着那太阳的光芒，漫天遍野地笼罩下来，他和他的羊群就都笼罩在缥缈的阳光里了。

麻拉拉就在这时撵到了冯来财的身边。她走得太急了，一走到冯来财的身边，粗重的喘气声就把冯来财惊得站立起来。

冯来财余惊未消地说：你，你咋来了？

麻拉拉说：我怕等不及哩。

冯来财说：啥事等不及了？

麻拉拉说：好事么。

冯来财笑了：好事？你怀娃了吗？

麻拉拉喘气匀了些，也不和冯来财绕圈子了，直截了当地说：村民推举你当人民代表了。

十

冯来财听了,却并没有乐起来,背过身去,看着他数一回少一回的羊群,嘴里没来由地叨咕着了:人民代表,我当人民代表了?该不是我的羊成了人民代表吧?

做人大代表的感觉还是不错的。

冯来财没上会前,只晓得人代会上吃得好。好到怎样一个程度呢?他就不知道了,凭想象,大碗吃肉,大碗喝酒是不会错的。可在他上会后吃第一顿饭时,就叫他张大了嘴,举着筷子不晓得从哪里下手了。乡街上的几家大馆子,在那几天都被乡上包了下来,每一顿饭都由乡上出菜单,各家按着菜单准备。为了不致吃饭时混乱,人大代表都分了组,一个组里一个乡干部,恰好,冯来财分在姜干部所在的那个组里。几天的好吃好喝下来,要冯来财说他都吃啥喝啥了,他还真的说不清楚,因为许多东西都是他头一次吃,头一次喝。譬如他听说过的海参、甲鱼、河蟹,等等,再是他没听说过的生鱼片、海鲩蚌、老鼠鱼,等等,无一样不吃得人大代表饱嗝冲天,心花怒放。还有喝,白酒倒上了,红酒倒上了,啤酒倒上了,而服务员还在一旁征求代表的意见,喝啥饮料,酸奶、果汁、醋饮……冯来财听着,没一样不陌生,看别人要什么,他也要什么,喝了酸奶,喝了果汁,喝了醋饮……如果还有别的啥饮料,也会跟着大家,一样都喝上一些的。

陪在桌子上的姜干部也是,高声大气地招呼大家吃喝,他自己则转着桌子敬大家的酒,白酒敬了一圈,红酒、啤酒又敬了一圈,敬到冯来财身边,总要多停那么一会儿,手拍着冯来财的肩膀,问他家里可好?冯来财听得懂,姜干部所问的家里,其实就是他的媳妇麻拉拉。冯来财心领神会地点着头,一连声地回答:好么。敬那一圈白酒时,姜干部这么问冯来财,冯来财这么回答了,转过身又敬红酒、啤酒时,姜干部又这么问,冯来财还这么回答。同桌人,就是不知道姜干部给冯来财说媳妇的事,也听出了其中的故事。当然,那样一件美事,与红火一时的状元羊搅在一起,桌子上的人就都知道了,就把那事在桌子上说了一遍又一遍,满桌的人就都嚎叫冯来财了,说他不能有了女人,忘了媒人,怎么着也该谢一谢媒人的。邻桌的人听得高兴,也插话进来,吵叫冯来财,牵两只羊来,在人代会上谢媒,大家跟上喝口汤。

嚎吵声起伏不断:杀羊——喝汤!

嚎叫声连成了一片:杀羊——喝汤——!

此情此景,冯来财没法再装了。他想,姜干部对他也真是不薄,蹿前跑后,把他的黑眼圈公羊推到县城拿了状元桂冠;跑后蹿前,又给他说了麻拉拉这样的一个好女人,他真该谢谢姜干部的。

吵叫声还在继续:冯来财杀羊,我们选姜干部!

这么嚎叫着，冯来财便站起来，尽管他站着和坐着高不了多少，却也尽显了冯来财一身的豪气，端起餐桌上的一杯啤酒，仰脖儿灌进喉咙，放下酒杯，两只手在嘴上大气地一抹，声音拔得高高地说：

我现在就回家牵羊去！

冯来财这么一说，嚎吵着的代表们却静了下来，静得谁腕上手表嗒嗒的走动声，都听得很清楚。姜干部站出来打圆场了，拉冯来财坐，说大家瞎吵叫啥？他关心冯来财，是他做干部的本分，怎么能受人谢呢？快甭乱嚎吵了，腾出嘴来吃饭。

大家都吃姜干部的劝，冯来财却还犟着脖项，立马要回坡头村牵羊。

姜干部按着冯来财的肩头，说他：想让我犯错误吗？啊？乡上开得起人代会，就供得起代表的吃喝，这也是尊重代表、尊重民意的呀。

暂时地，冯来财不乱挣了，话却说得掷地有声，大家等着，我一定牵两只羊来，我不丢谎。

接下来又是一通地吃，一通地喝。姜干部就把蒋县长副职升为代县长的事给冯来财说了。

冯来财是高兴的，连声地问：真的吗？真的吗？

得到了姜干部肯定的回答，冯来财就说：就该是这样！就该是这样！

姜干部还透露了乡党委侯书记的事，说他如愿以偿，调回县上了，和老婆娃娃团聚了。

冯来财自然还是高兴的，说：这就好，这就好。

说话之间，一桌人你碰一下，他碰一下，大家吃得一嘴的油气，一嘴的酒气，直把餐桌吃喝得一片狼藉，这才作罢。

乡上的人代会，按着既定程序进行着，听了政府的工作报告，讨论了乡政府的工作安排和打算，就到投票选举乡政府班子的重大事情来了。这次投票增补一名副乡长，姜干部是一个，还有县上安插来的一个。会议把投票选举的事放在第三日的上午，也就是说，选举一结束，人代会就散。但在代表中间，流传着两个选举动向，有说要选县上安插的那一个当副乡长，有说要选姜干部当副乡长，听说组织上给一些骨干代表谈了话，倾向是县上安排的那一个。这样的风声，自然地灌进了冯来财的耳朵，在会间休息时，他还凑到姜干部的身边，低声地问了他。姜干部不好说啥，脸上苦苦的，也是低声地回答了冯来财：凭良心吧。

冯来财听得出姜干部的弦外之音，就在会议的第二日傍晚，偷着溜回坡头村，从他的羊群里牵了两只落在后头的羊，连夜回到乡上，交给承办会议吃喝的几家餐馆，叫他们把羊杀了，来日早上，让代表们喝羊汤。

羊在挨刀时的嘶叫声是很悲哀的，冯来财听不得那个声音。把羊交代给几家餐馆的老板后，就躲出去找姜干部了。

冯来财把姜干部堵在了他的宿舍里，平时不见烟火的一个年轻人，这个晚上一根接一根地抽着烟。冯来财推门进去后，发现姜干部的宿舍里着了火一般，捂得都是呛人的烟气了。姜干部坐着的那个三斗桌上，有一个权且用碗做的烟灰缸，里边的烟头重叠着，堆得都快满碗了。

姜干部被冯来财的悄然进入惊了一跳。

冯来财嘿地憨笑了声，就把他牵羊给大家喝汤的事说了。

正说着，就有羊挨刀子的悲鸣声传来，冯来财本能地缩了缩脖子，浑身不由自主地打起了哆嗦，好像挨刀的不是他的羊，而是他自个儿的肉体。姜干部也听到了羊挨刀的悲鸣。自然地，他比冯来财要超脱一些，在一碗烟灰里拧灭了他还夹在手上的烟头，对依旧瑟缩的冯来财说了一句话：何必呢？不值当。

冯来财不明白姜干部的真实心理，说：咋就不值当呢？

姜干部还是苦瓜一样的笑脸说：给你说，你也不明白。

冯来财说：我不要多明白，只明白一条就好，谁给老百姓做事，我就支持谁。

姜干部就不再说啥了，伸手捉了冯来财的胳膊，使劲地摇了摇。

来日早起，代表们都喝了羊汤。喝着时，就有传话，是半截人冯来财献的羊呢。

投票开始了，县上安排的那位副乡长候选人也得到了一些票，而三分之二的多数票，却老实不客气地投给了姜干部。

掌声鼓起来了，冯来财听得见他的掌声是最响的……也就在他热烈鼓着掌的时候，他不知道，正有一个无法回避的悲剧，在他们坡头村的小学发生了。

十一

妻子麻拉拉给冯来财带来的乖儿子，受老师指派上树打核桃时，踩劈了核桃树股，闪跌在地上，摔得昏迷了过去。

会议一结束，就有村上派来的人，把这个不幸的消息告诉给兴高采烈的冯来财。

冯来财脸上的笑一时还收不回来，问着来人：谁从核桃树上跌下来了？

来报消息的人不管冯来财听清楚了没有，拉着他的胳膊就走，边走边又给他说了一遍。

冯来财这才听清楚了。失慌地问：娃现在怎么样？在哪里？

报消息的人说：已到了乡医院了。

冯来财就和报消息的人往街西的乡医院跑。起先跑得很快，跑到医院门口了，冯来财的腿一软，一下子趴在地上，像是他身上的筋被人抽去了，骨被人敲碎了，几次挣扎都没能从地上爬起来。还是报消息的人，几乎是连搀带抱，才把他从地上拉起来，扶着他进了乡医院的急诊室。在那里，冯来财一眼就看见躺在一副门板上的儿子。冯来财的声哑了，扑到儿子跟前，惨烈地叫着：儿子！儿子！

一旁的麻拉拉便起了哭声。

冯来财的呼叫声大了起来：我的好儿子啊！

麻拉拉的哭声跟着也大了。

检查完毕的医生，收拾着他的听诊器、血压计，很无奈地摇头了。医生说乡医院的条件有限，孩子摔得又太重，不是乡医院能看好的，赶快转院吧。

情急之中，冯来财拧转身，抓住医生的手，非常冲动地说：医生奶奶，你给娃治，我回去牵羊，你要多少只，我给你牵多少只。

医生很年轻，还是个女的，对冯来财的举动和言语很不适应。但她在医院里，哪天不得经几件事？想想比之冯来财的举动言语还有更为难堪的，给她下跪，抱她的腿，她都忍过去了，怎么能忍不了冯来财的举动和言语。她忍住了，很有耐心地劝慰冯来财：不要你牵羊。

冯来财却还固执己见：我有羊，我要牵。

女医生打断了他的话，说：这不是牵羊的事。娃的伤太重了，你在乡医院耽搁一分钟，娃就有一分钟的危险，你不想叫娃一直在危险中吧。

麻拉拉悲极声咽，哭得昏了过去，一摊泥似的软在了地上。

医生甩脱了冯来财抓她的手，俯下身赶紧救起了麻拉拉……在女医生的好心帮助下，叫来了县医院的救护车，冯来财和麻拉拉的宝贝儿子顺利地住进了县医院。

县医院的救助是有效的，娃的命保住了，喂吃也能吃，喂喝也能喝，而且能拉屎能撒尿，可就是不说一句话，睁着眼睛，骨碌碌转到大眼角了，骨碌碌转到小眼角了，却总是视若无物。

守在娃娃病床边的麻拉拉一个劲地抹眼泪，一个劲地唠叨：你说话呀，儿子，就说你疼，身上疼哩，好吗？

冯来财附和着麻拉拉：是哩，就说一句，说你身上疼。

植物人！县医院的医生做过会诊了，明确地告诉了冯来财和麻拉拉，孩子就这样了，成了植物人了。

十二

冯来财和麻拉拉起先还不明白植物人的意思，去问医生，问了这个问那个，把医生差不多都问烦了。医生就给他们说：你叫你娃，看你娃能应你们吗？不能答应，就是植物人。

冯来财和麻拉拉这才有些明白，但又不愿承认，嘴里喃喃地：能吃能喝，能睁眼睛，怎么就植物人了？

医生中有人早已认出在县城和媒体上大出了一回风头的冯来财，就给他说：你是谁呀，黑眼圈状元羊的主人呢，我们能哄你？你说，我们敢吗？

冯来财和麻拉拉就有些泄气，但又不想认命，就还坚持住在县医院里，给他们植物人的儿子治疗着。可是这样的治疗是个无底洞，别说冯来财那样的穷家小户，就是一个财大气粗的暴发户又能怎样？把钱扎成砖头一般的硬块，一个一个往里扔，也难填满那个无底洞。无限的哀与无限的愁，像是秋尽冬来的天气，印在冯来财和麻拉拉的眉眼上，再也退不去了。主治医生也是好意，看出了他们的困窘和不甘，在一个初雪的早晨，来到病房例行查房手续时，先是“唉”了一声，便开口劝着冯来财和麻拉拉，说：不是我说我自个儿，也不是说你们为父为母的，咱都尽心了。我是医生，不能见病不医，可有些病就是医不了。不错，你们是娃的父母，心在儿身上，儿有病，爹心疼娘心疼。可也只能心疼，爹娘替不了儿子。咋办呢？总是耗在医院里，不是个办法，非把你一家耗光耗尽耗得没个出路。这样吧，我开些药，你们把娃弄回家去，在家里将养着，看有没有奇迹发生。

熬在医院里，麻拉拉把一双风里雨里挖抓得糙黑的手，也熬得白白嫩嫩的了，搭在儿子的额头上，本能地抚摸一下，抚摸一下……麻拉拉没接医生的话，甚至连头都没抬，泪水在眼眶里旋转着，扑嗒嗒就有一串子滚落下来，冰冰凉凉的，砸在她白皙的手背和儿子的脸上。

不！冯来财努力地挺了一下身子，说：我们不回家，就在医院里治。

冯来财说话的声很大，是他过去从没有过的事情，麻拉拉就有些受惊似的抬起了头，望了一眼冯来财，又望了一眼主治的医生。让人难以想象的是，在这时刻，麻拉拉的脸上竟然有了一丝笑意。久违的笑意呀，仿佛梨花带雨一般，这使为人夫为人父的冯来财，还有尽职尽责的医生，心口上都有被刀戳了一下的锐疼。

麻拉拉说：谢谢你了，医生。你是好意，你尽力了，我们听你的。

冯来财却不答应，看着医生的肩头上有从外边带进病房的几片未消的雪花，他踮着脚为医生拍了去，说：就在你手里治。我们不怕花钱，只要娃好，花钱怕啥？你说呢？冯来财说得豪气满怀，柔肠满怀。为人父母，能把一个重病的娃娃拉回家吗？不能吧！

主治医生还能说啥呢？摇了摇头，又点了点头，转身从病房里要出去时，麻拉拉叫住了医生，说娃的事她做主，就听医生的，给娃办出院，回家去。冯来财却推着医生出了病房，给医生说：你听我的，这事我说了算。还说他回家牵只羊来，都是状元羊一样的品种，吃中草药，喝矿泉水，熬的羊汤香哩。

也不管医生的态度如何，冯来财说到做到，果断地回了一次坡头村，从羊群里捉了一只羊，像他的状元羊一般生着两只黑眼圈的羊。这只羊不是因为落在羊群后边被冯来财捉住的，恰恰是要和状元羊争夺羊群统领的那只青春的羊，冯来财打破过去坚守的规矩，刻意地把这只羊选出来，他要以他的诚心感动医生，治好他植物人的儿子。

儿子是在学校劳动受的伤，学校也花了一些钱。农村学校能有多少钱呢？小小的花费，已告穷尽。这一点冯来财也知道，再逼学校，就只有拆房卖了。冯来财怎么敢让学校拆房呢！其间，当了副乡长的姜干部来到村上，计划大力推广冯来财养羊致富的经验，碰到这样的悲伤事，一方面安排村上派了专人，为冯来财义务放羊，一方面掏出他工资的一半，捐给冯来财为儿子治疗。在他的带动下，学校的老师也都捐了钱。但这些钱，在治疗一个植物人的费用中，只能起些雨过地皮湿的作用。

一文钱难得倒英雄汉。

半截人冯来财不是英雄，为了儿子的治疗，他必须英雄起来。捉了羊后，在家看了一眼父亲，就一路小跑地往县城的医院赶了。这次回坡头村，冯来财感觉他和自己的村庄陌生了。哪儿陌生了呢？细想，又找不出头绪，只觉村里的人，看他的眼睛，又回到了他未养成状元羊以前的那种神态了。倒是被他挤掉人大代表资格的村长，得知他回村的消息，颠颠地撵了来，问长问短，其超乎寻常的关心，叫冯来财简直不敢多想，他是真的关心，还是一种幸灾乐祸？

牵羊路过乡政府，冯来财想起了姜干部，脚底一斜，便进了乡政府的大门，去敲姜干部的宿舍门。敲了一阵，没有敲出姜干部人来，却敲出了其他几个干部，问人家，也问不出个眉目。冯来财只好牵了他的羊，又从乡政府的大门里走出来，心想日了怪咧，乡政府的气氛咋的和他们坡头村一个样？

答案在喧嚷的乡街上得到了。

是几个嘴快的人，看见一脸晦气的冯来财牵羊走来，围了上去，问他牵的可是状元羊。冯来财老实地回答：不是。众人就有些奇怪，责备冯来财莫要哄人，是你的状元羊，谁还能抢了去不成。话撵话地说着，就说到了状元羊获选人大代表的事，连带着说了姜干部，拉大旗，做虎皮，借着一只状元羊，不把上级组织安排的副乡长人选当回事，自己逞能选自己，当上了副乡长。位子还没坐热乎，有人反映了，上边下来查，看不把他查下来才怪。

头脑中像是钻进了几只蜂，嗡嗡地响着，冯来财张着嘴，脸上不尴不尬尽显愣怔之色。

围着冯来财的人，说话散了。

他们走出很远了，还有话传来，什么状元羊，还不是姜干部日鬼捣棒槌的结果，找小姐给羊洗澡不算，还找小姐给羊焗油打摩丝，也太费心了吧。

从纷乱的乡街上怎么走出来，又怎么风尘仆仆地走进县城，冯来财全无知觉了。到他牵着羊一头走进县医院，迎面碰上了他在乡政府找不见的姜干部，脸上就像火一样烫了起来，好像他做了多大对不起姜干部的事。原来的情况是，冯来财想他见了姜干部,有一肚子的恓惶要说,现在却是绝对说不出来了。

显然的,姜干部是一脸的愁云,看着牵羊走来的冯来财,紧走几步,走到冯来财近前,一肚子的话像豌豆一样滚到嘴边了,也是硬生生咽回去了。

有恩于他的姜干部说不出话来,冯来财不能不说话:上边查你了?

姜干部点了点头,说:你知道了?知道了好,知道了也好有个思想准备。等人家找你谈话时,你就知道咋说了。

冯来财火急地接了话,说:我就给他们说,你是好干部,老百姓欢迎的好干部。

姜干部脸上的愁云淡了些,说:我也是,想当个百姓欢迎的干部,但这由不了我,我没办法了。

冯来财抖了抖精神,说:我找蒋县长去,他给我说过,有啥难事就找他,我去找他,就说你的事。

姜干部脸上的愁云就又淡了些。

冯来财信心十足地说:你回你的,让他们查去,我给蒋县长一说,看他们还咋个查。

十三

县政府和县医院在两条街上。

县政府在老街上,县医院在新街上。从县医院要去县政府,非得穿过一条繁华的市场,市场上人山人海,从来都是那么热闹。半截人冯来财刚一走进市场,就有眼尖的人认出他和他牵着的羊,虽然这只羊不是那只名扬县城的状元羊,因为都有两只熊猫一样的黑眼圈,就很自然地被大家误认为状元羊了。

哇呀!是状元羊哩。

卖吗?啊,给个价,咱要了。

吃中草药,喝矿泉水的羊,熬汤一定鲜了。

七嘴八舌的,全都是说话的嘴,冯来财这才醒悟,他到县政府去找蒋县长,还牵着他给县医院牵来的羊,脸上讪讪的,很有些不好意思,转身牵着羊,又回了县医院,直直地去了后院的职工食堂,把羊拴在食堂存煤的板棚下,给灶上的大师傅招呼了一声,这才一身没有牵挂地去了县政府。叫他遗憾的是,他没有找见蒋县长,他甚至连县政府的门都没能进。窗玻璃明亮的门卫室里,两个身穿黑色制服的青年,把他拦在大门外,告诉他,蒋县长到省上开会去了。

冯来财知趣地转了身,走了两步,又拧过身去,对那两个英俊的青年说蒋县长回来了告诉他,我是冯来财,我的羊夺了状元,我还没好好谢他哩。

再回县医院,天已经黑下来了。

冯来财去医院病房看麻拉拉和他们的娃娃，在门口，听到他贴心贴肺的麻拉拉一声又一声地呼唤着娃娃的名字，他听着，心里一颤一颤的，感觉到亲爱的麻拉拉，从喉咙里发出的呼唤，都带上热烘烘的血的味道。冯来财挪进病房，在娃娃的头上摸了一把，在麻拉拉的头上也摸了一把，啥话都没说，就又退出病房，去了后院的食堂。

食堂的师傅们都认识冯来财，原因不仅在县医院住得久了，重要的是他和状元羊的名气。他把类似状元羊的那只羊一拴到煤炭棚里，大师傅们就明白了，半截人是送给医院感谢医生的。因此，他刚一折回医生们的职工食堂，就有大师傅把一碗稀饭和夹着咸菜的两个蒸馍给了冯来财，让他先吃，吃饱了再杀羊。

这样的两个蒸馍和一碗稀饭，吃得冯来财颇不自在，几次，卡在食管咽不下去。

杀羊，冯来财是下不了刀子的。他养的羊啊，一只一只，全都宝贝似的，他怎忍心操了刀子，血刃羊的脖子呢！但在今天傍晚，为了他和麻拉拉的娃娃，他必须杀他宝贝似的羊了。毕竟，羊的宝贝，是不比他和麻拉拉的娃娃宝贝的。

艰难地吞下了蒸馍稀饭，冯来财接过大师傅们给他准备的一把刀子，走向了他的宝贝羊，只见眼前一道白光闪过，黑眼圈的宝贝羊一声尖锐的啸叫，当下便倒在了血泊中。冯来财扔下刀子，不再看他的宝贝羊一眼，转过头去，径直去了前院的病房。

香哩！真个是香呀!!

从天明的沉睡中醒来，冯来财就闻到了羊汤的异香。他从陪床的一只小凳上站起来，抽了抽鼻子，便循着羊肉的香气而去。在医院的职工食堂，已是黑压压的一片来喝羊汤的人。大师傅们不忘冯来财，给他舀出原汁原味的一大碗来，让他先尝味道。喉结在他的瘦筋筋的脖颈上活动着，他几次举起碗来，都已挨着嘴唇了，却没有尝一口。

冯来财咽不下他宝贝羊的肉汤啊！

端着热气腾腾的羊汤碗，冯来财走出医院职工食堂，走出医院的大门，走过了早晨清寂的市场，走到了县政府的大门口，昨天值班的那两个青年不见了，换班的是另外两个穿制服的英俊青年。冯来财问他们，蒋县长可回来了？两个青年面面相觑，冯来财就有些明白，昨天的英俊青年把他骗了，他们不想让他见到蒋县长，编着谎话哄他走。明白了这一点，冯来财的胆子大了起来，也不等新换门岗同意，端着羊汤碗就往县政府的院子进。回过神的两个青年，赶在冯来财的前头，拦住了他，问他找蒋县长有啥事？冯来财把羊汤碗向两个青年鼻尖上逼了逼，说，没啥事，就给蒋县长送一碗羊汤。两个青年还是拉着他不让进，还说：你的羊汤你喝吧，蒋县长还缺一口羊汤了。冯来财强辩着，说得好，说得对，蒋县长还就缺我一口羊汤。给你说，我是谁？我是冯来财，状元羊的主人冯来财，蒋县长支持了我，帮助了我，我还欠着蒋县长为我养羊贷款的担保钱哩！我给蒋县长送一碗羊汤算个啥，送他一只羊,送他十只羊,都还不了他的人情呢!

冯来财的强辩越说越声高。然而,不管他是喊也罢,吼也罢,终究被两个青年门岗挡着,未能走进县政府大院一步。时间一分一秒地过,县政府大门出来进去的人稠了起来,而端在冯来财手的羊汤,才来时还冒着热气,现在已经凉下来了,凉得汤碗上起了一层蜡样的白油。

滴滴,滴滴,两声蜂鸣似的轻响,有辆黑色闪光的轿车从县政府院子的深处开出来,开到了大门口上。青年门岗把冯来财强拉到门边上,举起右手,向那辆小轿车敬着礼,目送着小轿车滑出门外转头向大街的一端驰去……肚子里生着怨气的冯来财,眼珠子也跟着黑色小轿车转了。倏忽,他看见坐在小轿车后座上享受门岗敬礼的人,就是他要找的蒋县长哩!甩开两个青年门岗,追着越跑越快的小轿车。

冯来财喊叫着:蒋县长,羊汤。……蒋县长,羊汤……

十四

接下来的日子,冯来财从县医院到县政府去,又从县政府走回县医院,这样的行走,像是他经常温习的功课,没完没了。他数着自己走来走去的次数,数到后来,数得他都糊涂了,不知道自己来来去去走了多少趟。总之,没有一次进得了县政府的大门,没有一次见得了蒋县长。

自然,冯来财还必须筹措给娃娃住院治疗的费用,原来的一点积蓄,加上麻拉拉带来的一点箱底,早已花得精光。冯来财就卖起他的羊儿了,不管他的羊儿是什么优良品种,能换来钱就都卖,一只一只又一只,从坡头村他的羊群里捉了出来,或在乡街上卖掉,或牵到县城的市场上卖掉,换来几张铮铮响的纸币,一张一张地花在娃娃的伤病上。但是,如医生说的那样,花再多的钱,都没有治愈的迹象,苦受苦挨,羊群里也只剩下最后那只闻名遐迩的状元羊了。

应了那句俗语,祸不单行。长期病瘫在炕上的老爹,在初冬一场连绵三日的大雪天里,硬在了他睡了一世的土炕上。

冯来财回到坡头村给老爹办丧事,前脚进屋,刚哭倒在爹的灵前,麻拉拉后脚跟了回来,背上驮着他们植物人的娃娃。把娃娃在另一盘炕上安顿好,麻拉拉像冯来财一样,悲天哀地地也哭倒在爹的灵前了。

眼泪安埋不了爹的尸骨。

冯来财把状元羊捉到村长跟前,跪了下去,声音嘶哑地说:就靠村长你了,我没啥谢乡亲们,就这一只状元羊了,吃中药,喝矿泉水,杀了它,叫大家也喝一口汤。

村长的脸是冷的,比过去曾经有过的冷还冷……他看着跪在他面前的冯来财,从口袋里掏出一盒好猫烟,弹出一根叼在嘴上吸着了,吸得快要烧到他的嘴唇上了，才狠狠地吐出来，张嘴说话了。说出的话，一字一句，都像冰疙瘩一样，砸到了冯来财的脸，砸到了冯来财的心。

村长说：你能吆，你的羊能吆，现在咋不能了？

村长说：甭给我跪，安埋你爹不是我一个人弄得了，你得给村上跪去，挨门齐户地跪，把大家都跪出来再说。

冯来财听出了村长的怨气，也感受到了村里人的怨气。他实在弄不明白，这人都是咋了，昨天是一个样，今天是一个样，明天又会是一个样，脸像小孩的屁股似的，变得那么快。他冯来财得罪谁了，他谁都没有得罪，他只是遭了难，儿子摔成了植物人，爹没了命，就把人都惹下了。冯来财这么想着，怎么都想不通，觉得应该另有原因，是什么原因，是他和黑眼圈羊一起风光过吗？如果是，他仍然想不通，他怎么就不能风光一次呢？理是这个理，但现在讲不通了，给谁讲都不通，眼目脚下的事，就是求爷爷告奶奶，把瘫子爹安埋了比啥都重要，入土为安。冯来财不敢和村长、和村上人抗辩。

冯来财捉来了黑眼圈的状元羊，把它抱在怀里拍了拍，就又猛地推开来，顺手抄起一把利刀，照着状元羊的咽喉捅了进去。

状元羊尖厉地叫了一声。

是夜，冯来财架起一口大铁锅，把状元羊剥了皮的肉氽在锅里煮烂了，切成块，装了碗子，浇上羊汤，赶在天明时，一家一户地送。他相信村里人都听见了状元羊挨刀的尖叫声，也相信村里人吃了状元羊的肉，喝了状元羊的汤，会到他们家里来，帮他安埋他的瘫子爹的。

不出冯来财所料，村里人来了，探头探脑地都来了。

就在把瘫子爹的棺材下到坟坑里的时刻，远远地站着姜干部，一把一把地在他的脸上抹着泪。

冯来财不知道，姜干部的副乡长帽子已被摘下来了。

十五

锅是冷的。炕是冰的。

依偎在一起的冯来财和麻拉拉，咋也觉不出一丝的暖意。隔着一道一道的黄土墙，悲苦的一对人儿，嗅得到人家锅灶上蒸馍煮肉的香气……年来了，偶尔的，会有一个二踢脚的炮仗“嗖”地蹿到高空中，“啪”地炸出一片红纸屑……透过镶了一块手片大的窗玻璃，冯来财看见了钉在院墙上的羊皮，他的荣耀的状元羊的羊皮呀，平平展展地被几个木头橛子钉着……家徒四壁的一个院子，能换两个小钱的，唯有这一张状元羊的皮子了。冯来财把昏昏沉沉的麻拉拉从他的怀里卸出来，言语柔暖地说:年难过,年难过,难过也得过呀。呢喃地说着,冯来财从炕上下来,头重脚轻地走到状元羊的皮子前,拔了钉着的木橛,卷了羊皮出了门。天黑时,就上了县城,来到县政府的大门口。

说个良心话,冯来财没想再来县政府了。

冯来财不傻,他知道蒋县长是躲着他了。

卷了状元羊的皮子出了门,冯来财的本意是在乡街上卖掉,换两个小钱,割两斤瘦肉,剁碎了包饺子过年的。可他不知为什么,心由不了脚,一步一步地竟又下了县城,去了县政府的大门口。是的,他想见蒋县长,他想给蒋县长说说姜干部的事,姜干部被选上副乡长,他不够资格吗?他不够条件吗?什么贿选,不就是给代表杀了两只羊吗?我愿意,心甘情愿地杀给代表吃,关姜干部什么事?当然还想给蒋县长说声对不起,他把优良品种的羊群养没了,他还欠着蒋县长为他养羊担保的贷款,他没办法,厚着脸皮只有先欠着了……是的,他还想再问一声蒋县长:你咋也躲着我了……下到县城来,冯来财不像过去找蒋县长,都要和门岗强辩理论,说他是蒋县长扶持的养羊专业户,他的羊获得了县上赛羊会的状元……这一次,他静静地等在县政府的门外,看着一个个走出走进的人,看着一辆辆滑出滑进的小汽车,希望蒋县长看得见他,像头一次和他见面时一样,和蔼可亲,知冷知热……可是,冯来财等到了天黑,也不见蒋县长出现在他的面前。

蒋县长忘记他了吗?

蒋县长认不得他了吗?

疑疑惑惑地,天黑尽了,天上又飘起雪花,冯来财也困得站不稳了。他踱到县政府大门口那个较为避风的角落,继续盯着从县政府大门出来进去的人和小汽车。他看见所有的人都很忙,都走得特别快,大包小包的,或提着,或扛着,仿佛威严的县政府大门前是个年货交易市场……终于,县政府的大门口寂静下来了,冯来财也觉得身上的冷了,先是皮肤上的冷,再是血管里的冷,后来就是他的骨头冷了……他觉得自己就要被冻僵了,这才意识到卷起来挟在胳膊弯里的状元羊皮子,抖开来,披到自己的身上。他感到了状元羊皮子的温暖,身子一点点地往皮子里缩着,渐渐地,竟然把自己的身体全都缩没在黑眼圈状元羊的皮子里了。落雪一重又一重地积累在状元羊皮绒绒的卷毛上,让人看去,好像冯来财就是那只黑眼圈的状元羊了!

是的,冯来财甘愿他能成为一只羊。他想,敬爱的蒋县长忘记了他,不认识他了,可他总该记得和认识状元羊吧?

(原载《江南》2007 年第 1 期)

吴克敏

1954年出生。陕西省扶风县闫村人。当过农民、生产队长、县农机局干部。1991年获西北大学文学硕士学位。曾任《咸阳日报》政文部主任,《西安日报》副总编辑。2008年加入中国作家协会。现为西安市文联主席、市作协主席。

20世纪80年代开始发表小说作品。著有中短篇小说集《渭河五女》《羞涩的火焰》《血太阳》《状元羊》,长篇小说《初婚》,散文随笔集《日常的智慧》《把窗子打开》《真话的难度》《俗人散文》《梅花酒杯》《不说理由》《伤手足》《碑说》及《吴克敏作品集》(4卷)等。

愤怒的苹果

王祥夫

一

九年前，亮气刚来的时候，书记王旗红嘻嘻哈哈陪着他，又是讲黄段子又是拍膀子亲热得了不得，还亲自卷了裤腿陪他过了南边的那条河，河水真凉。他们往南走了好远好远，南边都是坡地，留不住雨水，不好种庄稼。“这么大一片地我都想包了。”亮气指了指周围的坡地对书记王旗红说，书记王旗红说亮气你随便，这地你想怎么使唤就怎么使唤，就像使唤你老婆，你使劲使，不使劲使你就是个脓包！

时间是什么？时间就是根利箭，“嗖”的一下子九年就过去了。谁都想不到亮气的苹果树会成了这么大的气候，绿压压的一直接住了南边的山。只是亮气现在猛看上去老多了，头发都白了一小半儿。他现在很少回家，他在苹果园里盖了五六间房，他和他女人乔其弟商量好了，只要他们的儿子一考上，他就要他老婆也搬到村子里来。他一个人实在是忙不过来，村子里差不多有点亲戚关系的人都给他雇到果园里来了，看园子，打杂草，施肥，打药，园子现在是太大了，从这头走到那头要好半天，亮气还在苹果园里养了狗，到了夜里就放出来在园子里跑。果园的事，平时也没什么，最忙碌的时候也就是那么一个多月，平时的果园总是静悄悄的，但一到了苹果开始挂果的时候，人就多了，事也就多了，但好事不会多，多的都是些麻烦事，一件件都让亮气烦心。每逢苹果下来的时候，好像已经形成了习惯，亮气总是要给村子里挨家挨户送些鲜，每家每户都要送到。亮气特别安排自己的侄子二高，一定要给每家每户都送到，尤其是那些孤寡老人，不能让人说出闲话，既然果园用的是人家村子里的地，虽然签过承包合同，但还是要把关系搞好。但最近亮气发现自己这么做真是犯了一个天大的错误，自己的原意是想让村里的人尝尝鲜，想不到倒好像是他欠下了村里人什么。就在前天，亮气从村子里往大路那边走，大路上堵了车，他想看看拉苹果的车给堵在什么地方了，要想个什么法子让车绕路绕下来。村里的范江涛就笑嘻嘻不怀好意地从道边横过来，拦住了他，话里有话地对亮气说我们村的地就是好使吧？地可真肥是吧？可肥了你亮气一个人了！范江涛这么说话的时候，亮气就也站了下来，直盯盯看着范江涛。他想问问范江涛这屁话是什么意思？想不到范江涛却用手指着亮气教训起来。说最近送苹果怎么有几家就没送到？比如谁谁谁家，谁谁谁家，怎么就没送到？天很热，亮气站在那里，出了一脸的汗，末伏虽然已经早过去了，但天还是很热。亮气当时就生起气来，他不是生气园子里的人把苹果送到没送到，而是生气好像是他该着谁了。

"我该着谁了？这事什么时候上宪法啦！"亮气说。

让亮气想不到的是范江涛竟然一下子就恼了，翻了脸：

"你还想不想种苹果，你说说地是谁的？"

"那我问你合同是谁的？是你的？"亮气说。

"合同是个屌，还不是一张擦屁股纸！"范江涛说你那个当副区长的白同学呢？还不是调走了？你还有啥人？还有谁给你撑腰？有本事你把那些苹果树都搬走，搬城里种大街上去，种楼顶上去！

亮气和范江涛在路边说话的时候很快就围过来一些人。这些人是既不向着亮气，又不向着范江涛，都满头满脸的汗，都在一边数说亮气是不是挣钱多了不把村里的人放在眼里，怎么送鸡巴几个苹果还要看人下菜碟，有的人家送，有的人家不送。有的人家送得多，有的人家送得少，要知道地可是他们村的，苹果可是从他们的地里长出来的，没地就不会有苹果。

"亮气你把这话说清楚了！"范江涛说。

亮气脸憋得通红，火气一下子就上来了，他觉得村子里的人就是村子里的人，怎么会是这样？送你苹果吃，是心意，又不是该着谁了。亮气也是气了，年年下苹果，年年挣不了几个钱，这费那费合下来，自己到手的钱还没那几个雇工多，他亮气现在只是白头发一天比一天多，收获了一大把白头发。他女人乔其弟给他理发的时候总是一理就是一地的白发，地上的白发让乔其弟叹息不已。

"从今以后我谁也不送！送是心意，不送是本分，别以为我该着你们谁了。"亮气觉得自己该硬朗一下了，对村子里的人你有时候不能不这样。亮气这么一说，周围的人们就都不说话了，都冷冷地看着亮气。

亮气马上又骑着车子气鼓鼓转了回来，他要问问侄子二高，怎么回事？既然自己已经吩咐过他，怎么还让人说出这种咸不咸甜不甜的闲话？其实自己刚才那句话一出口亮气就后悔了，觉得自己是不是说得过了火。但亮气实在是忍不住了，再不把话说出来他就要憋死了，王旗红就更要蹲在自己的肩头上拉屎了。

二高泪汪汪地站在那里，说范江涛那天无理取闹的事，骂他连个眼力都没有，骂他怎么就不懂从古到今人分三六九等？村干部怎么能和一般人高低？要不怎么只有村干部可以在喇叭上喊话，一般村民就没这个权力？

"范江涛是想让我给他家多送几份儿，还有他爹。"二高说。

"今后我一个苹果也不送！干部，什么干部！鸡巴干部！白条子干部！"亮气气了，不再说话，坐在那里生气，人就忽然睡着了，他太累了。

二

王旗红现在很少和亮气见面，总是避着见面，有什么事总是写个条子，再让范江涛送过来。王旗红写条子也没别的事，就是要苹果，今天区上要几篓子，明天乡里要百八十斤，后天市里谁谁谁又要几十斤。乡妇联开会也要，人大开常委会也要。就在前几天，王旗红和亮气动了气，区长王小东的父亲王金林过生日，王旗红就想起了亮气这里带“寿”字的苹果。亮气这几年年年要弄一些带“寿、福、禄”字样的苹果，这种带字的苹果在市场上十分受欢迎。王旗红写了张条子来，他自己把字写错了，把个“福”字写成了“禄”字，那几天苹果上的字还没晒太红，一百来个带字的苹果好不容易摘够送到区长家里倒惹得区长生了气，王区长打电话问王旗红是什么意思？老爷子过生日送“禄”字苹果？什么意思？是讽刺老爷子没当过官还是讽刺他这个区长官当得小？其实王区长骂人另有原因，是因为治理软环境办公室下来检查工作正好碰见他和几个朋友在办公室里乌烟瘴气地打麻将，这事被通报了一下。王区长打电话骂了王旗红，王旗红便找亮气动粗。问亮气是什么意思？“人家老爷子过生日，你摘‘禄’字苹果，禄在东边还是禄在西边？你是不是想害我。”王旗红这么一说亮气也不再客气，转身进了屋，把王旗红写的条子都找出来，整整一大摞白条子，看着那些白条子，王旗红当时就怔在那里，自己怎么会有这么多白条子？

“你自己看看？”亮气把那张条子找了出来。

王旗红被自己弄了个大红脸，条子上明明写的是要一百个“禄”字苹果。他马上转过脸来骂范江涛：“我写错一个字，你那嘴是屁眼儿！是不是只会放屁？”

范江涛看看王旗红又看看亮气，居然眼对鼻子瞎说，说他当时就对亮气说是过生日用的。

“那天我在不在？”亮气更气了，马上把二高叫过来对质。

二高站在那里只是不说话，不敢说话，半张脸给太阳照得很亮，另半张脸又给树阴遮得很暗。其他人的脸也是明明暗暗。王旗红突然就发作了起来，他把亮气手里的白条子一把夺了过来，一张一张送到鼻子下都又看了看，这是三年多的白条子，三年的时间里，他也想不到自己写了这么多白条子，要了那么多苹果，但这不让他愤怒，让他愤怒的是亮气把这些条子都留下来做什么？

“你说，你留这些条子做什么？”白条子在王旗红的手里“哗哗哗哗”愤怒地响着。

亮气倒不知怎么说话了，看着王旗红。

"是不是想到时候当盘菜用?"王旗红的手又在白条子上拍得"啪啪"响。

"当什么菜?"亮气倒不明白了。

"给纪检委当下酒菜?"王旗红说。

亮气想笑,心里说王旗红你这个村里的小鸡巴官还用不着麻烦纪检委,"这是规矩,不管什么人从果园里拿了苹果他都会留下条子。"亮气说。

"规矩? 什么规矩?"王旗红就更来气,说他王旗红就是这村里的规矩,除了他,谁还敢在村里立规矩,说着就把手里的白条子撕了,撕得很碎,然后冲亮气把两手一扬,纸片纷纷落地,在阳光里简直就发出光来,有那么点晃眼。

"你种我们村的地倒想给我们立规矩!"范江涛马上在一边说。

亮气是越生气越不会说话的那种人,他不会说话,一张脸给气得煞白,四十多岁的人,眼里忽然满是泪水,他想不到王旗红会是这种人,种果树这么多年来,亮气挣不到几个钱,但他也不愿挣气。亮气不知道自己该说什么? 王旗红倒又说了话,王旗红嘿嘿冷笑了两声,说你亮气别以为还是那几年,别以为你那个同学白美田还在,再说白美田就是在位也鸡巴事都办不成。"他办成啥事了,鸡巴事也办不成!"王旗红又说了一句。

亮气明白王旗红的意思,前年王旗红想托白美田在河两边开沙场,结果没有办成,还有就是王旗红想把南边的那一大片土地包给河北人开砖场,也被亮气的同学白美田给顶了。但这种事怎么也不能埋怨到亮气身上,而王旗红就是怨亮气。

"你还想留我的材料。"王旗红忽然想起什么事了,眨眨眼,说果园的事我不说,我只要把你的一件事说出来你就得进公安局!

亮气倒愣在了那里,他不知道王旗红说的是什么事?

"什么事?"亮气说。

"你不知道吧? 那你就好好等着吧! 时间还不到!"王旗红斜瞅着亮气。

王旗红走后老半天,亮气还一个人呆呆地站在那里,身边树上的鸟叫着,树叶儿"哗哗哗哗"响着,他还是想不出王旗红的话是什么意思? 他不知道王旗红说的那件事是什么事? 什么事能让自己进公安局? 亮气坐了下来,他想让自己想明白王旗红说的事是什么事,想着想着人却又睡着了。亮气是太累了,总是休息不过来。

偏巧这天下午,外边又来了人,是区长王小东陪农科所的人下来参观。晚上自然要在村子里吃饭,王旗红在广播喇叭上喊来了人,去道士窑买了只肥羊,一过七月十五羊就好吃了,按村里的老习惯,还是在妇联主任王美月家吃盐煎羊肉,因为是区长在,亮气也被请去一块儿吃饭。大盘大盘的羊肉热腾腾地端上桌,还有鸡,拌粉条子,喝了几杯上皇庄出的老烧酒,当着王区长的面,坐在亮气对面的王旗红忽然又来了,他笑嘻嘻地用筷子一指亮气,对区长说:"亮气这小子要不好好给我种园子里的苹果树,看我小心撤了他。"这话王旗红不知在酒席桌上说过有多少遍了,

他总是对着上边的人这么说话，亮气也是喝了酒，再加上上午的事，心里的气再也憋不住，一下子就涌了上来。亮气把手里的杯子往桌上"砰"地一放，抬起手，也指着王旗红，"这话可不是你王旗红说了算，我是有承包合同的，别说是你，就是乡里和区上，就是王区长也办不了这事！"亮气又一指王区长。

亮气说完这话，桌上的人你看看我我看看你都不好说话了。

"咱俩敬王区长一杯酒。"范江涛看看王美月，想打个圆场。

"还轮不上你狗日的敬酒！"王旗红一肚子恶气，指着范江涛，脸憋得通红。

"马上就八月十五了，八月十五我再来吃苹果好不好。"王小东区长却掉过脸，对亮气说话。亮气这时的脸像是突然受到了烫伤，红得很不均匀，一片一片的红，王小东区长拍了拍亮气的肩，说喝酒喝酒，还和亮气碰了一下杯，把话题一转又说起别的来，就像是熟练的老渔夫一下子把舵掉了一个个儿，一般来讲，酒席上的方向盘总是掌握在他们这样人的手里。王小东区长和亮气说起苹果品种改良和引进的事，把王旗红那么大个人一下子晾在了一边。王旗红忽然像是溺了水，不知道脚下的水有多深，也不知道头上的水有多深，他只知道自己这时对亮气的恨有多深。

三

秋天来了，果园里的果子先是一天一天在悄悄上着色，由黄变红，由红变紫，谁见过苹果是紫色的？但亮气种的苹果就是紫色的，在阳光下紫得发黑，这才叫紫。果树是什么呢？果树有时候又像是魔术师，谁也不知道它从什么地方找来了那么多的颜色，那么丰富的颜色，上色对于果树而言只是一道工序，上完色，果树就要在空气中播放它的香气了，没日没夜地朝着四面八方播散着它们的香气，它们用香气告诉所有的人，我熟了，我熟了，是时候了。闻到苹果香气的时候，村子里的人们就都意识到，马上就要到八月十五了，该做中秋月饼割黍杀羊了。

亮气的女人乔其弟出现了，是亮气打电话要她来的，亮气自己想在这最忙的时候回避一下，这些日子人来得太多，但恰恰就是不见王旗红来，这让亮气心里很是不安，他明白自己是把王旗红给得罪了。亮气仔细想了想，认为自己还是不能和王旗红把关系搞得太僵。太僵又有什么好？要在往年，王旗红的条子早就一张接着一张防不胜防地飞来了，因为出了前不久的事，王旗红那边居然没有一点点动静，就像人已经死了，这最让亮气沉不住气。亮气的女人乔其弟也是农大毕业生，小时候读《米丘林传》让她喜欢上了园艺，报考大学的时候她就上了农大。从外表看，乔其弟已经没有一点点上海女人的样子，人很胖，很黑，不认识她的人都会以为她是本地人，一旦知道她是上海人，人们多多少少都会吃一惊。上海女人在人们的印象之中总是苗苗条条白白净净，哪像乔其弟？

亮气对乔其弟说了，这几天来要苹果的人多，有头有脸的私人都要给到，不能因为苹果得罪人，这么多年都这么过来了，一下子改了也不好，凡是有关系的都要白给，要想在这个社会把事干下去就得白给。要是公家单位下来要苹果就要看是什么单位，亮气还特意告诉乔其弟，要她十分留意王旗红的条子，如果是王旗红的条子，最好是要多少给多少，只要他王旗红写过条子来就都给。亮气要给王旗红一个台阶，一个很宽很大的台阶。亮气把该办的事情都安排给乔其弟，自己躲到果园最南边的那间屋里，那间屋也算是亮气的密室，人们一般不会找到那间屋。这几天，亮气就让自己一个人待在果园南边的屋子里，好像是在做反省，反省自己怎么和王旗红的关系弄得这么僵。说心里话亮气不愿得罪王旗红，亮气只是想把话明明白白告诉给王旗红，要他往后不要再那么说话，不要把自己当成是他的部下，也最好不要给外人造成这么一种印象。现在情况是，只要王旗红一在，就好像他王旗红是这片苹果园的主人，这真是很重要的事，这话不说明白怎么可以？至于王旗红撕白条子的事，亮气也想开了，明明知道王旗红的白条子放在那里根本就不会变成钱还放着做什么？亮气现在倒是有些埋怨自己，埋怨自己真是太笨，不把那些条子早早处理掉，造成这么大的误会，亮气在心里越来越不安。到了晚上，亮气会过到果园中间那间屋，第一件事就会问王旗红的条子来没来。但是王旗红连一个条子也没有，亮气还是有些不放心，把条子翻来翻去。

“你找谁的条子？”乔其弟明知故问。

“你明知道还问？”亮气又把条子翻了一遍，问乔其弟范江涛白天来过没有。

乔其弟说没有。她在那里做晚饭，都八点多了，米饭已经做好了，乔其弟把芹菜叶子择好了，又打了鸡蛋，在心里，她很心疼亮气，她要好好儿给他做几天饭吃，让他养养，或许还能把头发再养黑了也说不定，才四十多的人头发怎么就那么白了。

亮气坐不住了，他出去喊二高，要他马上装苹果，不能再等了，先给书记王旗红送两篓子好苹果过去。亮气站在黑影儿里说话，果园里总好像是要比别的地方黑得早，是树挡住了西落的太阳，但从树缝儿里筛落的太阳又似乎比别处的格外亮快。

乔其弟马上在屋里连喊了两声亮气，让亮气进来。

“你进来！”乔其弟在屋里说。

“干什么？”亮气进来了。

“你要干啥？”乔其弟又是明知故问，其实不必问，她已经在屋里听到了，所以她也不必等亮气回答她的问题，她放下了手里那碗黄汪汪金子样的鸡蛋，看着亮气，说你怎么这么软？你是不是想让王旗红把你攥在手心里往死了攥？

亮气看着乔其弟，想从她脸上看出个主意来，因为他自己实在是没有主意。

“你是不是还嫌他不过分？”乔其弟又说。

"树是植物，又不是一群动物，说赶就能赶走?"亮气说谁也不能得罪地头蛇，到时候会咬你一口，你又没办法治它，你又不能把苹果树一鞭子都赶走，像赶牲口。

"你当着王区长的面说那话，他当着你的面撕条子，这会儿你再主动送上门去，不合适!"乔其弟很有主意，她从屋里出去，告诉二高不用装苹果，"时候不早了，先回去吃饭。"

"婶子的意思? 装还是不装?"二高问亮气。

"你说呢?"亮气却问了二高这么一句话。

二高不说话了，二高脸很黑，牙齿就显得很白。

"听你婶子的话，别装了。"亮气想了想，觉得乔其弟有理，这回就一硬到底吧，做人总是要硬一回两回的，一个人老是硬不起来那是啥玩意儿?

"二高你要不在这儿吃吧? 听听你的意见。"乔其弟这才说。

亮气的侄子二高准备走了，忽然又站住，嗫嗫嚅嚅地说:"眼瞅着快过八月十五了。"

亮气倒不知道侄子二高想说什么?"过八月十五又怎么了?"

"你说吧，你的意思是不是应该给王旗红送?"乔其弟一下子就猜准了二高心里的话。

"我说不清。"二高不说了，他认为自己不该多说话。二高转身走了，背了一袋子落地的烂苹果，他们家的猪这下子要提前过八月十五了。

吃饭的时候，亮气吃着吃着忽然笑了起来，他吃芹菜吃得很响，就像嘴里安了个扩音器，亮气的哥哥最讨厌他吃饭吃出声音，总是在吃饭的时候用筷子打他，结果是亮气的声音更亮了。乔其弟问亮气笑什么? 亮气倒问乔其弟自己是不是笑了? 是不是笑出声了?

乔其弟不明白亮气是怎么了? 总是睡不醒的样子，屋子里静下来的时候屋子外的声音就大了起来，可以听到给虫子咬过的苹果落地的声音，还有就是那几条狗全跑到门外了，它们像人一样喜欢光亮，但它们不像人那样喜欢苹果，亮气养的四条狗里边，只有一条有时候会把一个掉在地上的苹果追着咬来咬去，好像是咬给亮气看，让亮气觉得它热爱苹果，好让亮气喜欢它。

"你再说一遍，他王旗红把条子撕了就朝你脸上一扬?"乔其弟又说这事了，这事是前几天亮气才告诉她的，为这事乔其弟很生气，说王旗红什么东西，不过是个村支书，再大点儿还了得。

"就朝我脸上把碎纸条子这么一扬。"亮气说。

"你怎么会把那些条子给他?"乔其弟说。

"你说要是你你会不会撕那些白条子?"亮气说。

"问题是一般人给你写白条子你会不会给他苹果，而且是给了又给，给了又给。"乔其弟回答得很好，从上大学的时候开始，乔其弟就会说话，会把话说得很好。

乔其弟的拿手好戏还在于她有时候干脆什么话都不说，只是听，好像她生下来的时候就只带过来两只耳朵。即使是别人问她好几次她都不会表态。

“王旗红是不是以为他就是你的领导?”乔其弟说。

“他经常那么表示，只要一有机会，好像我就是给他打工的。”亮气说。

“他怎么说?”乔其弟看着亮气。

“我不想说了，说这干啥。”亮气不吃了，把嘴里的芹菜丝子吐到桌子上，他已经吐了一堆了，他这几天牙疼得厉害，十分厉害，厉害得都好像是有人在上边钉了钉子。

“他怎么说?”乔其弟其实早就知道王旗红怎么说了，但她想再听听，生气有时候也挺让人激动，要不生活就更显得平平常常了，平平常常的生活有什么意思?

“他能说什么，他总对别人说‘你给我好好儿种苹果，你要是不好好干，小心我下你的链子’。”

“下链子?”乔其弟没听懂。

“下自行车的链子，自行车下了链子还能不能骑?”亮气说。

乔其弟就笑了起来，说这个比喻很好，说王旗红有时候很会说话。

“别的没有了，就这么几句话，翻来覆去地说同一句话才气人，才是给人难看，我知道他想让周围的人都觉得果园就是他的，我只是他的长工。”亮气说。

乔其弟已经吃完了，她是个勤快的女人，她马上就去洗碗了，一边洗碗一边说，她的意见是，不能因为王旗红这么一闹就不给村上的人送苹果了，尤其是马上就要过八月十五了，该送的还要送。乔其弟直起身来，看着亮气，说怎么也不能得罪一大片人。

“都送?”亮气说。

“但就是不能给王旗红和那个范江涛送。”乔其弟说。

“给他俩点儿颜色看看?”亮气有些激动。

“怕什么?”乔其弟说。

“对。”亮气说。

“让他也明白明白。”乔其弟说。

“前前后后加起来他拿到手的苹果也不知有多少车了，每次给他的又都是最好的苹果。”亮气又来气了，王旗红太不像话了，把白条子撕了还不算，还要扬到他脸上。

“我是不是什么地方得罪了他?”亮气忽然小声问乔其弟。

“是他得罪你!”乔其弟几乎是厉声说道，看着亮气，说亮气你怎么搞的，一说话就把理给了他，他吃你的苹果，不给一个钱，打了那么多白条子，最后还都给撕了，撕了还不算，还把撕成碎片的白条子往你脸上扔，为了这，你也要出口气，起码给他点儿颜色，你待会儿就去找二高，再让他叫几个人，把后边那堆苹果先分了，这次可以给村民们苹果，但是绝对不送，送什么？让村子里的家家户户自己来领。

“要是王旗红和范江涛家里也来人领呢?”亮气说。

“你以前给村里人送苹果让他们打不打条子?”乔其弟忽然问亮气，新的主意是突然而至的，一下子就在乔其弟的心里产生了。

“没呀，那还打什么条子。”亮气说。

“明天就这么办，无论是谁家，来拿苹果就打条子。”乔其弟说。

“那人家也许就不要了，不过十来斤苹果。”亮气说。

“说好只打条子，不收钱，是白给，不要白不要。”乔其弟看着亮气。

“我明白你的意思了。”亮气笑了起来。

吃完饭，亮气和乔其弟去看白天摘的那些苹果。他俩走在林子里，果园里时不时有苹果落地，每一个苹果落地的声音在亮气的耳朵里听来都很大，果园里每掉一个果子亮气都会停下来，忍不住要“啊呀”一声，说：“又掉一个。”过一会儿，亮气又会停下来，又会“啊呀”一声，又说：“听，又掉一个。”“听，又掉一个。”“听，又掉一个。”

“你给王旗红的难堪也不算小了。”乔其弟忽然又说起亮气当着王区长的面给王旗红难堪的事。她十分赞成亮气这么做。

“那叫难堪？那是教他怎么说话!”亮气说。

“就是要给他难堪，这次让村民们打条子就是要给王旗红更大的难堪。”乔其弟说。

“又要下雨了。”亮气说雨下得太多对苹果不好。

九月的天气，只要一下雨就会冷一阵子，这几天就好像突然已经有了深秋的感觉。但村民们还是都冒着雨去亮气的果园取苹果，这对村民是件新鲜事，村民们吃亮气的苹果已经不是一年两年的事了，人们好像已经习惯了，一到这时候就等着有人把苹果送上门来，但今年却变了样，果园那边通知让村民们自己去果园把自己的那一份拿回来。二高已经把这事都说到了，而且把要打条子的事也说明白了，这让村民们很不解又很不放心，不知道亮气那边是什么意思，打什么条子？还要在条子上签字？村民们最怕把自己的名字写在这样或那样的纸条子上，又不是卖，是家家户户都有一份儿，既是每家每户都有还打什么条子？人们一个一个都狐狐疑疑的，都不明白亮气是什么意思？但既然是白吃，又要过八月十五了，村民还是都来了，只要是白给，哪有不来的，而且是争抢着来，好像是来晚了就没份儿了，或者是来晚了就没好的了。亮气的这种做法让人们想起了人民公社那几年，那几年总是分东西，总是大家伙儿一起行动，这几年没这做法了，而亮气的果园却又开始这么做了。亮气的果园很大，苹果只能是一片一片地摘，偌大一个苹果园分了好几个片，先从南边摘，摘下的苹果都先堆在地上，村民们都拥到果园南边去，每户十斤，在一张白条子上签好字然后就可以把苹果拿走，那可是又大又红又鲜亮的苹果。二高在那里给人们过秤，天气有点冷，二高身上居然披了件部队的军绿色小棉袄。乔其弟在一边看着人们签字，一摞白纸早放好了在那里，等着人们签，签好，然后再由乔其弟一张一张收起来。乔其弟是个和气的女人，这种事还用得着向人们解释？可她却在那里一遍一遍向人们解释，说签个字也知道到底都谁家拿到了，到底是分了多少卖了多少，也好统计个年产量。

果园里的地都耙得很松，这样一来苹果落了地就不会摔坏，村民们在果园来来回回地走着，脚下发出很难听的“咕吱咕吱”声。村民们想不到果园里的苹果会堆得那样高一大堆，树上的苹果会把树枝压得那么低，低得都贴到了地面。村民们分了苹果也不肯走，这里看看，那里看看，说树上的这个苹果真好，怎么就会这么大，好像光说话还不行，接着是动手，把树上的苹果摘一个两个下来放嘴里吃。有人在一旁说在果园里吃一个两个苹果算什么？只要不往回拿就行。不知是谁这么一说，许多人干脆把自己已经分好的苹果都放在了一边，干脆在那里摘着苹果吃了起来，也有把苹果先送回去，再过来吃苹果。还有的家长把孩子们喊回来，告诉他们去果园吃苹果，说是吃个鲜，从树上现摘下来的苹果就是好吃。孩子们这几天刚刚开学，去果园吃苹果的毕竟不多。先把苹果拿回家的人们把亮气的话也带了回去，那就是今年谁家也不要想等着让人家送苹果，家家都有一份儿，得去把条子签了字才能拿走。这话自然传到了王旗红的耳朵里。

四

望着黑沉沉的天空，王旗红忽然笑出了声。王旗红这几天也没什么事，南头沙场那边一下雨就停了工，要不就要塌方，这雨下得很让人讨厌，要是打个雷就好了，让人觉着有晴的意思，王旗红最喜欢天上打雷了，打雷的时候他比谁都兴奋，这就是王旗红和别人不同的地方。王旗红觉得天上不打雷是个怪事，天上有那么多的云，好像是五湖四海的云都跑到他们村子的上空了，这让他想到了一句话：五洲震荡风雷激！这句话好啊，有了风雷这个世界才像个样子。王旗红忽然想起以前那个老乡长伍倍富的话了。伍倍富说过，人这种玩意，你要是不管他他就不理你，这就叫“管理”，人这种玩意儿你要是不害他他就不怕你，这就叫“害怕”。王旗红对着黑沉沉的天空又笑了起来，他觉得老天不打雷他也要打个雷了，打个响雷，他这个响雷要打在亮气的头上，他要是不打这个响雷，不但亮气这小子不怕他，而且村民们也不会再觉得他有权威了。王旗红刚才打手机让范江涛过来一下，说有事让他马上去办。江涛马上就过来了，江涛过来后王旗红忽然又改变了主意，他问范江涛取了苹果没？范江涛很怕王旗红，看看王旗红的脸，说没去取。其实他早打发他女人去取过了，取了十斤回来，不取白不取。可这会儿他觉得自己不能对王旗红说自己家里已经取了苹果的事，这么一说就显得自己和王旗红不在一条线上站着了。

“没呀，我又不是这辈子没吃过苹果?”范江涛说。

“这就对了，鸡巴十斤苹果还想唱大戏!”王旗红说。

“还让打条子呢。”范江涛说亮气这么做是什么意思?

王旗红说这事他早就知道了，说亮气一撩尾巴他就知道他拉的是什么屎！“他是怕我了，怕我把他让我打条子的事往心里去，所以才这么做，让人人都打个条子，我打条子的事就给抹平了，我偏不给他这个台阶下。”王旗红看着范江涛，像是想在范江涛的脸上看出话来。

“说的是，是想给你个台阶。”范江涛马上说。

王旗红的脸马上就变了，说是你妈个×，你妈个臭×，他是想给我难堪，他这叫以其人之术还其人之道，我撕了他的白条子，他倒让全村人都统统打白条子，家家户户十斤打一个白条子，他妈个臭×，我看他是长大了，不知道什么是管理和害怕这两句话！王旗红的脸色在瞬间变得十分难看，他不看天了，他让范江涛随他进家，他有话要对范江涛说，王旗红一边往屋里走一边对后边的范江涛说看看咱们谁厉害！打条子咱们就打条子！

范江涛不知道王旗红是什么意思，王旗红总是让他害怕。

王旗红在一进门对面的沙发上坐下来了，他要江涛也坐下。

“你说你到底取了苹果没有?”王旗红又说。

“没呀。”范江涛说。

“操你妈个臭×!”王旗红又骂开了，说范江涛你这是自己想找骂，有人看到你老婆往家里背苹果了，你还说没有，是不是你老婆往家背了一口袋大鸡巴!

范江涛说他真不知道，不知道有这回事，快过八月十五了，谁家没个果子香，就是她往回背，又不是我，这是委屈我，我总不能整天看着女人，她又不好看，脸都像个紫茄子了。

“算了算了，不说这，我也不害你，你也别怕，你要是不知道什么是害怕你也可以等着看。”王旗红不说这话了，他要范江涛拿个主意，这个主意就是，亮气他可以用条子给自己难堪，他也要用条子给亮气个更大的难堪。王旗红已经把好多年前的那张和亮气签的协议纸拿了出来，要范江涛看，纸上写明了亮气承包村里曲河以南一带的土地种苹果，村委会负责监督协理他搞好承包。

“你说什么叫监督协理?”王旗红问范江涛。

“就是管他。”范江涛说。

“差不多。”王旗红对范江涛的回答还算满意，他又问范江涛“协理”两个字怎么解释?

“帮他办事，协助的意思。”范江涛在区中学读到高中毕业，人还不糊涂。

“你他妈只说对一半儿,你说是帮助他? 说反了! 咱们是一级政府,他大还是咱们大? 鸡巴大还是卵大? 所以说不是帮他办事,是一道做一件事。”王旗红从沙发上跳起来,去了另一间屋,从另一间屋里取出了一大摞白纸,他要范江涛做一件事,就是把白纸都裁成一巴掌宽的纸条儿,王旗红说看看谁的纸条子多。

“按着户,把户主的名字写上,一户五十斤苹果。”王旗红说。

范江涛愣了愣,看着王旗红,他不知道王旗红是什么意思,但范江涛已经激动了起来,范江涛知道王旗红这回要闹事了。

“五十斤比十斤多吧?”王旗红说。

“当然。”范江涛也激动了起来,看着王旗红,还是不知道王旗红是什么主意。

“多要比少好吧?”王旗红又说。

“当然。”范江涛说。

“我要!”王旗红又从沙发上站了起来,站起来后又不说话了,这说明他激动得真是厉害,王旗红激动得厉害的时候就是这样,一下子就说不出话来了,要接着说,就总会结巴。他又坐下来,说:“你写吧,每户五十斤,把每家每户当家的名字写上,他亮气给人们十斤,我的条子要给人们五十斤,我代表村委会。”

范江涛明白了,嘻嘻嘻嘻笑了起来,“那人家亮气能给?”

“给了就坏了,你妈个臭×,你就不用脑子想想事?”王旗红说。

范江涛张大了嘴看着王旗红,开始想事,开始用脑子想事,起码是装着用脑子想事的样子。

“不过话又说回来,他给也好,不给也好,给,是听我的,算他识相;不给,村民们都拿着我的条子你说能不能让他?”

“好啊,好啊。”范江涛说,脑袋转过来了,开始动手写他的条子了,对着王旗红拿出来的那本老厚的户口簿。

“看看咱们谁厉害,不害他他就不知道什么是‘害怕’!”

“你还用不用在上边签字?”范江涛说。

“当然签。”王旗红说不签字他亮气还不知是谁和他玩儿,不签字村民们还不敢朝他去要,王旗红想了想,说不但要签字,而且还要盖上村委会的公章。

外边又开始下雨了,下得很小,王旗红坐在炕桌边开始在范江涛写好的条子上一个一个签字,他把名字签得很大,“王旗红”三个字最数后边的那个“红”字大,红字的最下边的一道猛地往左一拉又猛地往右一甩,真是十分有气势。“大人物都这样写。”王旗红说过为写这个字他练了许久,说一般人想模仿都模仿不来。然后王旗红又取出了村委会的公章,让范江涛给每一张条子都盖上公章。

村里的人们都不清楚到底是什么日子又要来了,总之是好日子,总之是要让人过一个好八月十五了。几乎是全村的人都听到了喇叭广播,要村民们都到村委会去取领苹果的条子。亮气的表哥和表舅也听到了，甚至亮气的侄子二高也听到了，他们都没多想，他们也不用多想，这是从外边往回拿东西，又不是要从家里往外倒腾，想那么多做什么。而且村委会给的是五十斤，好家伙，加上亮气果园给的正好是六十斤苹果，够吃一阵子的。许多人家都在想着怎么分配了，给女儿家多少，给小舅子多少，或者是卖了买什么？也有准备储藏起来的，比如放在地窖里。消息是晚上由范江涛通过广播喇叭一遍一遍播出去的，喇叭里告诉人们让人们晚上就去把条子领回来，明天上午再把苹果取回来。人们都马上行动了，去村委会领条子，条子上的大红公章更加令人们兴奋，人们好长时间没见过这种大红公章了，这大红的公章多么神圣，这说明是公家在办事，是牢牢靠靠，是千真万确。有的人就悄悄打听是不是村里又要换届了？要不是赶上换届王旗红绝对不会做这种好事，有些人又盼着换届。发条子的时候，范江涛还一遍一遍告诉村民们明天上午就去果园把苹果取回来，要是去晚了剩下不好的可谁也别怪谁，“天在下雨，越是下边的苹果就越是坏得快。”范江涛还对人们这么说。发条子的时候，妇联主任王美月也在，她负责在另一张纸上登记，登记都谁谁谁领了条子，一个发条子，一个登记，这才像个办公的样子。范江涛和王美月发条子的时候王旗红也过来看了一下，说苹果大丰收了，给大家多吃些苹果也是村委会的一点点小心意。王旗红转了一个圈儿又回去了。他没回家，他出了村，去了果园，那条小河上现在修了一座水泥小桥，桥下的水亮晶晶的，好像一晚上那些河水都变成了银子。他站在桥上朝果园那边看，果园在夜里更显得黑压压的，没一点儿亮光。王旗红忽然笑了起来，心里说看你亮气厉害还是我王旗红厉害。王旗红觉得这还不够，他想干脆绕着果园走一圈儿，他是这么想，那么大个果园他能绕得过来吗？他从南边往北边走了走，果园里的狗就叫了起来。王旗红又踩了两脚的泥回到了村委会，村委会里还有人在领条子，领了条子不走的人聚在一起说话，谈话的焦点是村里是不是真的又要换届了？如果年年都换届就好了，如果月月都换届就好了，会不停地有好事，到时候有苹果就发苹果，有香蕉就发香蕉，要是有×呢，就每人再发一个×！一屋子烂光棍就大笑了起来。

“都早点儿去，都早点儿去。”王旗红对屋子里的人说果园里的苹果也下得差不多了，粗粗地估摸了估摸每户五十斤差不多少，要是不够数就明年再补，苹果不像是山药蛋，起出来堆地上狗也看得出有多少，果子在树上，地上摘好的有多少好说，树上有多少就不好说，还是早点去为好。王旗红又说天不早了，还有几家没来？七老八十的家里来不了的江涛你就给送一下，别光等着，那些人干着急也来不了，小心急得溺了裤子。

王旗红挥挥手让那些烂光棍们散了，接着他也笑嘻嘻地回了家，和老婆上了炕。

“你等着看好戏吧。”王旗红躺在被窝里笑了又笑，说明天保准有场好戏看。

五

天刚刚亮村里的人们就陆续去了果园。果园的早上是鸟的世界，像是在演出，又好像那些鸟经过了一夜的休息精力太旺盛了，不叫叫就要憋出病了。第一个拿着王旗红签过字还盖了章的村民出现在亮气面前时简直是给亮气带来了惊喜。好像是天终于放晴了，这时天刚刚才亮，二高那一帮子园工还没来。亮气简直是给吓了一跳，亮气正在一棵苹果树下撒尿，他这泡尿撒得要多长有多长，亮晶晶地拉出一条线。亮气忙系好裤带给这个村民过了五十斤苹果。他把那张条子拿进屋要乔其弟看，乔其弟正在给他做早饭，昨晚的稀饭热一热，再在稀饭里放些甜菜叶子，她给亮气煎了两个鸡蛋，给他补补。

“你看你看。”亮气让乔其弟看条子，王旗红打过条子来了！

乔其弟居然也高兴了起来，这说明形势在好转，这就像是一辆车在路上跑，前面是座山，视线被遮住了，遮得云山雾罩，什么也看不清，这下子好了，车一下子终于转过这座山了，可以看到前边的平坦大路了。

“好了好了，这回你放心吧。”乔其弟给亮气分析了一下，这说明王旗红服了，脑子转动开了，乔其弟着重说到那个公章，说以前好像他没在条子上加盖过公章，看样子这回他规矩了。

“知道规矩就好。”亮气洗过了脸，开始吃饭，心情一下子变得好极了。

这时候，第二个和第三个来果园拿苹果的人出现了，手里都拿着王旗红签过字而且加盖了公章的条子。亮气嘴里倒腾着饭接待了这两个人，这只能说是接待，因为亮气高兴，所以他从来都没像现在这么客气，还尽量给这两个人拿好一点的苹果。这时候天已经亮了，当然果园里的黎明总要比外边来得晚一些，但落在果园里的阳光都是金子，一点一点都金光闪闪，所以这里的黎明来得更加动人。但更加动人的场面是村民们蜂拥而至了，像是一次赶集，像是看大戏，更像是一场战争，这让亮气感到吃惊，他不知道究竟发生了什么事情？怎么来了这么多人，而且他们的手里都有一张王旗红签过字盖过公章的白条儿。

“怎么回事？”亮气问乔其弟。

“怎么回事？”乔其弟也不知道是怎么回事。

乔其弟不吃饭了，她已经飞快地在脑子里算了一笔账，每户五十斤，五十斤乘以三百户得出的数字可不是个小数字，怎么回事？她把亮气拉到了屋里，让那些人在外边先等着。

“像是不对劲？”乔其弟看着亮气，她已经感到这不可能是一件好事了。

“我以为只是一两户，怎么都来了？”亮气朝外边看看，外边都是人，不少人正在树上摘苹果吃，嘴张得老大，大口大口吃苹果，拿苹果当早餐。

“你想想是怎么回事?”乔其弟看着亮气。

“我也不知道怎么回事?”亮气脑袋发蒙了。

“我看是王旗红在收拾你，给你好看，每户五十斤，谁给你结这笔账。”乔其弟说。

亮气有些明白了，他朝外边看看，抬抬手，把二高招呼了进来，让他暂停给人们过苹果。

“那怎么说?”二高从外边进来，说有的过了有的没过。

“我怎么一点儿都不知道这事，每户五十斤。”亮气看着二高。

二高有点毛愣，也看着亮气，说这种事连你都不知道村委会那边就能往外开条子？王旗红敢往外开条子？这到底是怎么回事？二高就把自己家的条子也取了出来让亮气看。

亮气明白过来了，明白这是王旗红在收拾自己，亮气把收回来的条子看了又看，又看看站在一边的乔其弟，他不说话，他明白就是条子上打了村委会的公章，到时候这笔账也可以无休止地拖欠下去以至于到后来谁也不认账！或者是把账永远地爬在村民的头上，这种账也太多了，多会儿见谁还过？每户五十斤苹果如果发下去，也就是说那些平素和自己有来往的客户都要拉不到苹果，已经交了订金的也摸不到苹果皮。

“不能再给。”亮气说早上那一两个来拿苹果的他还以为是王旗红的关系户，照顾一下也可以，现在说什么也不能给了。

乔其弟不说话，站在那里想她的主意。她在想怎么把挤到果园里的这么些村民赶出去，赶当然是不能赶，人又不是羊，要去说，说什么？怎么说？说让大家先回去，说让他们分批分批来，这就是搪塞，明说吧，就说这条子不起作用？说果园里不知道这回事，怎么说?

亮气看着乔其弟，想看看她有什么好主意。

“最好是让人们先回去。”乔其弟说。

“当然是让人们先回去最好。”亮气说。

“要是不回呢?”乔其弟说。

“哪还能不回?”亮气其实也没有主意，他看看乔其弟又看看二高。

“这件事王旗红压根儿就没跟你商量过?”二高看着亮气，明白过来了，他明白王旗红的厉害。二高是个脑子特别灵活的人，他的主意是先让人们回去，就说是今天先不分，今天下的果子马上有车来拉，要按着计划来，这些人一走，就赶快联系客户，让客户紧着来拉苹果，到把苹果拉得差不多了，谁再有什么想法也是白搭。二高又看了下日历牌，说今天是八月初五，离八月十五还有十天，就说到八月十三四再给村民们分这五十斤好不好?

亮气出去了，他有些激动。天气已变冷，毕竟不是前一阵了，早上起来果园子里特别的凉。地上潮乎乎的，亮气出去说话的时候嘴头子上都有呵气。亮气对站在那里等分苹果的村民们说今天一是腾不开手，二是果子都还在树上没摘，有远道来拉苹果的，先要让人家客户走。亮气这么说的时候村民们就有些急，马上有人说那刚才谁谁谁家的谁谁谁家的怎么就分走了呢？亮气就说过几天分更好，果子会在树上熟得更好，这着什么急？离过八月十五还有十天呢，你去出远门看外母娘还是怎么的？着什么急。

其实最打动村民们的话是亮气说果子在树上再熟几天就更好，更红，更甜。亮气说了，果子在树上是一天一个样，别看颜色差不多，早摘一天和晚摘一天吃起来甜头就是不一样。亮气这么一说，等着分苹果的村民们就开始往外走，怎么说这苹果都是人家亮气园子里的，又是白吃，刚刚每户给了十斤，先慢慢吃着，亮气说的也对，这五十斤着什么急，在树上挂着吧，越挂越甜。不少人嘴里吃着苹果开始往果园外边走，脚下发出“咕吱咕吱”难听的声音，地上都是隔夜的雨水。鸟在叫着，一声一声很清亮，但已经不那么热闹了，小鸟已经出窝了，大鸟的叫声凛利而悠长。这个节候还不到收割庄稼的时候，人们比较消闲。一过了八月十五人们就要忙碌了，各种庄稼都要收到场上来，紫的玉米，红的高粱，黄的谷子，黑的豆子到时候都要进仓。这个节候是村民们少有的消闲时候，所以人们的精神就格外的旺气。

“王旗红这一手真厉害。”亮气看着离去的村民，对乔其弟说，他在心里简直都有些佩服王旗红了。

“他撕你的条子，你让村民们打条子，他反过来再来一手，给村民们打更多的条子，简直是流氓。”乔其弟拍了一下手，笑了起来，说这是条子大战。亮气说别笑了，赶快联系客户让客户拉货。亮气又对二高说让他安顿园子里的工人赶快摘苹果，摘了就拉走，到时候出丑的不是亮气而是王旗红。

雾散开了，果园里的雾先是飘起来，像一张纱，慢慢慢慢飘了起来，让阳光照进来，把果园照得晶晶亮亮。这时候又有人出现了，是村里的几个老人，来采蘑菇，树下的蘑菇很多，不及时采太阳一出来就会变成一股子黑水。

六

王旗红在村子里是个出了名的孝子，他现在只有一个八十岁的老娘，他这个老娘却总说自己已经八十五了，八十五就八十五吧，没人跟她讨论这些烂事。一入八月，屋子里就凉了。王旗红的老娘这几天感冒了，在床上躺了一个多星期，王旗红不敢让村里的大夫给她输液，怕岁数大了来个输液过敏不好。王旗红的老娘就住在王旗红的后边院子里，王旗红天天一早一晚都要去看自己的母亲，这天早上一起来，王旗红的老娘就拄着拐杖在地上来来回回地走，窗子和门都开着，这样的早上，风是凉的，王旗红的老娘在穿堂风里一边走一边说自己不行了。王旗红是孝子，孝子最爱对谁发火，其实就是对他要尽孝道的那个人发火儿，王旗红发急，大声说大清早开门开窗做什么！王旗红的老娘就又让王旗红喂那两条小红鱼，说不喂就要饿死了。王旗红没好气，说饿死就饿死吧！他这么一说话，他老娘就开始抹眼泪。王旗红最怕看他老娘抹眼泪，为了让老娘高兴，王旗红一大早就又坐车进城给他老娘买菊花去了。他娘最喜欢千头菊。

王旗红给他老娘买了千头菊，接下来的事，他就想知道亮气的果园那边进行到什么地步了。让他想不到而且生气的是去果园的那些人又都回来了，王旗红在当街拦了个村民问了问，那村民叫豆五，豆五告诉王旗红说是亮气让村民们八月十三四再去分，苹果在树上多挂几天才甜，谁不知道苹果是越甜越好吃？傻×吧，你！操你个妈！王旗红没再跟豆五说什么，他去了村委会。接下来，村民们就感觉到了事情的严重性，因为他们听到了书记王旗红的声音，他们一般是在喇叭里听不到王旗红的声音的，一般在喇叭里通知个什么事都是范江涛的事，书记王旗红从不在喇叭里"吱吱哇哇"地露面。村民们几乎都放下了手里的活计，连正在解手的男人们都凝了神气在听王旗红的讲话了。王旗红把扩音器拧到了最大，这么一来，他的声音就像是变了形，如果声音能变形的话，又粗，又嗡嗡嗡嗡，有一种空前绝后的威慑力，是要发生什么事了，人们先是听到声音，到后来才能听到书记王旗红在扩音器里讲什么？讲苹果。王旗红已经生气了，他的生气先是小小的两片嫩芽，就像春天刚刚从地里钻出来的那种嫩芽，但随着他的分析和评论，这嫩芽很快就长成了参天大树。一棵愤怒的参天大树在扩音器里出现了，这棵愤怒的参天大树一下子伸展到了整个村庄的方方面面。王旗红的声音在扩音器里传遍了四面八方，他先从土地讲起，讲到一半儿就停了，这让人们有些莫名其妙不得要领，因为讲到一半儿的时候王旗红想到了土地承包法，而亮气是有承包合同的。王旗红只好及时刹车，从土地法一下子又讲到了今年的雨水和天气，说雨水和天气都好，更好的是咱们村的土地，所以那些苹果才长得又大又红，要比真正的日本富士苹果都好他妈的一百倍。接下来，王旗红讲到了八月节，说八月节是重要的节日，日本人不过，美国人也不过，只有中国人才过，是中国人的节日，所以要好好过，所以村委会决定给村民们每人分五十斤苹果。王旗红的讲话随意而激动，但人们还是听懂了，苹果的事情很重要，王旗红的广播讲话可以归纳为两点，那就是：一、苹果是咱们村的土地上长出来的，所以要吃在头里，这是什么意思呢？王旗红还补充了一句，那就是要人们到果园去先摘了苹果然后再过秤，果园里人手少，还能等人家摘了再给你过秤？自己动手吧，摘了过秤就是。二、要吃就先吃好的，苹果是咱们的土地上长出来的，好的要先给咱们自己人吃，怎么也不能等外地的贩子们把好的拉走留下烂货咱们再吃。王旗红在讲话的最后停顿了一下，说了一句他老娘经常说的话，他老娘经常说的一句话就是："儿啊，谁不知道拦园茄子是蔫货！"王旗红在讲话结束时说："别给亮气找麻烦，自己去摘，摘了过秤，早摘早好，你们啊，谁不知道拦园的茄子是蔫货！”

这讲话是太重要了，人们都感到了这讲话的重要性，这讲话一上来就显出了它的重要性，是王旗红亲自讲，要不重要就会由范江涛来讲了。村子里的人几乎都听了这讲话，当然远在果园里正在忙着摘苹果的那些人不会听到。这种事情当然不能等，人们忽然对亮气有了某种意见和某种愤怒，王旗红说得对，那些好苹果要是都让那些贩子们拉走了送到城里，还会剩下什么？剩下的只能是一堆蔫货。村民们开始重新行动了，最最让他们激动的就是先摘后过秤这句话，这话真是深入人心，让人听起来要多舒服有多舒服。五个手指还不一般长，树上的果子有大有小，有红有绿，这可太重要了，谁不愿摘最大最好的苹果。

王旗红不愧当了这么多年的农村干部，政策性还是有的，最后他特别强调村民们要爱护果树，不要只顾了摘好果子伤了树。他这么一说，就更加显示出了这是一次村委会的工作安排。

七

夜里亮气就梦见了一窝马蜂，他梦见自己把一个碗掀开，是在农大食堂，他上学的那个学校，他梦见同宿舍的两个同学笑嘻嘻地说给他特意留了一碗肉，他就去掀那个碗，碗掀开了，里边却飞出了一窝金黄的马蜂。果园突然乱起来的时候亮气就想起了这个梦，觉得这个梦是个先兆。亮气连一点点准备都没有，他想不到村民们会第二次再拥到果园里来。村民就像他梦中的马蜂一样第二次冲进了果园，村民们都很兴奋，兴奋得有些过了头，他们一个个都走得很快，像是在搞竞走比赛，快到果园的时候他们走得越快，树上的苹果能大到哪里去？但他们好像有了某种惯性，再也停不住了，王旗红已经给他们加了油，人性的本能又给他们加了速度，他们只能快，而且只能越来越快，到了后来人们就开始小跑。一跑进果园的门就马上散开，他们也是昏了头，根本就摸不着头脑，不知哪棵树合适自己，哪棵树不合适自己，有些人看了一棵树又看了一棵树，都觉得树上的果子太小，当别人开始上树摘的时候他们又觉得大果子都要被这些人摘走了，便不再找树，不再犹豫，就近上树摘了起来。这都是些年轻一些的人，上了年纪的人有上了年纪的人的办法，他们直奔已经摘好的苹果堆，干脆在那里又刨又比地挑起来。亮气最先发现的是这些老人。亮气很奇怪怎么会一下子来了这么多人，而且都是村子里的，他一时产生了错误判断，认为是不是客户雇了他们来挑拣坏苹果，后来才发现周围的树上也有人了。亮气拉住了一个离他最近的挑苹果的人，问他这是在做什么？那个人连头也不抬说他是在给自己挑苹果，不能把最大最好的苹果给了水果贩子。亮气不知是愣还是气愤，他又拉了一下这人，这人正把一个小一些的苹果一下子扔到一边去。

亮气问他是谁让他这么做的，他摘的又是谁的苹果？这人看了一下亮气，说是书记王旗红在喇叭里告诉让摘的呗，再迟好苹果都要让水果贩子拉走了。这时候乔其弟正好走了过来，她把话都听到耳朵里边去了，她的反应真是快，这话一进到她的耳朵里便马上变成了一种尖叫又从她的嘴里喊了出来。

“大伙儿都不要乱闹！不要乱闹！”

乔其弟的声音很尖锐，吓了人们一大跳，人们停了一下，不知道乔其弟是说谁在乱闹，紧接着人们就听到了亮气的声音，人们对他的声音可是太熟了，但这会儿听上去却有些别扭。亮气用了最大的力气在那里喊，他怕声音会朝四面八方跑掉，怕声音聚不在一起，便用两只手把嘴给拢了起来，让声音集中一些：

“大家不要乱闹！大家不要乱闹！”

“大家不要乱闹！大家不要乱闹！”

亮气的声音引起了人们的一阵哄笑，这怎么能是乱闹呢，这是在摘苹果，说到家是在帮你亮气的忙，省得你树上树下雇人再忙乎。

这时候更多的村民都拥入了苹果园，他们先是往有人的树下跑，但他们马上发现自己是犯了一个错误，来晚了，然后就往没人的树下跑，这样一来，自然的分布就渐渐合理了。但他们又听到了，亮气在那里大声喊：

“你们这样做是犯法的，苹果是私人财产……”

“你们这样做是犯法的，苹果是私人财产……”

这句话是乔其弟喊出来的，只不过她的声音太小，亮气不过是在重复她的话而已，但人们都不再理会乔其弟和亮气的尖叫，乔其弟和亮气的声音现在只能说是尖叫，叫了一声又一声，叫了一声又一声。二高也跟着喊了几声。然后人们才听到了那让人心里一惊的“嘭”的一声。这声音很响亮，又很闷，人们都停下了手，不知道这一声是怎么回事。

在苹果堆上挑苹果的人一开始都不理会亮气，他们只觉着亮气跑来跑去地喊有些可笑。后来他们就看到了亮气跑进了屋，亮气再从屋里出来的时候吓了苹果堆旁的人一跳，亮气手里是一杆枪，一杆看上去很滑稽的家伙，说这支枪滑稽是因为它应该是支长筒猎枪，而它却很短，它原来确实很长，因为公安局不让人们私自收藏枪支，亮气就把它给锯短了一大截，就成了现在这个怪样子。

亮气从屋里出来了，手里就是这样的一支枪，他一出屋门就喊了，他也是给气蒙了，他是想吓吓这些狗日的村民，他一出门就喊谁要是再乱来我就开枪了。苹果堆旁的人是听到了，也都给这支怪模怪样的短枪给吓了一跳，马上就停下手不再挑挑拣拣了，而且都直起了身子。但树上的人还在忘我地摘着苹果并不理会亮气。亮气的样子有多么滑稽，脸色白得怕人，再白恐怕就要菠菜绿了。他用枪比比这边，再比比那边，瞄瞄这个，再瞄瞄那个，好像是在那里吓麻雀，但无论他怎么比画都好像产生不了什么效果，树上的人还在那里枝动叶摇大干快上。亮气当时真是想朝某一株树“嘭”地来那么一枪。但他既不是不敢也不是不忍心。亮气这时候好像是听到了一个命令，那命令其实就是他自己心里的一句话，乔其弟在他耳边一遍一遍地喊：“亮气你可不能用枪啊，”“亮气你可不能用枪啊。”亮气虽然没有理会乔其弟，但他在心里早已经和乔其弟对了话：

“我不能用枪打别人还不能用枪打自己吗？”

站在苹果堆旁的人猛地都给枪响吓得一怔，他们想不到亮气这家伙还真敢开枪。他们眼巴巴看着亮气把枪筒朝下，再朝下，他们以为亮气是要撸火儿，紧接着他们看到亮气把枪筒又朝下，再往下，挨住了他自己的腿，亮气把枪挨住自己的腿干什么？随后他把枪又往上提了一下，枪就是在这时候发出了“嘭”的一声，火药味一下子弥漫了开来。这是支装铁砂的火枪。那些站在苹果堆旁的人这时还不明白是亮气自己打了自己一枪。亮气倒下来的时候他们才明白是亮气中了自己一枪。

“我打自己一枪行不行！我打自己一枪行不行！我打自己一枪行不行！”

亮气好像不是在说话，而是在嚎叫，这时候人们才害了怕，一下子都跑开，一下子又都跑回去。树上的人也跳了下来，人们知道出事了，但许多人不知道到底出了什么事，更多的人还沉浸在摘苹果的喜悦之中。一直等到人们抬着亮气往果园外边跑，人们看到亮气的一条腿已经给铁砂打烂了，血和肉，还有烂布子混在一起成了一种混合物。这时恰好有水果贩子的车来拉货，也顾不上拉货了，先拉着亮气去了医院，乔其弟也坐着车跟了去。这时候，果园里树上的人还没有停止，他们都好像是疯狂了，好像他们用手摸到的不再是苹果，而是金子，有人摘了几筐送回去，又马上回来再摘，摘了几筐送回去再回来摘，直到乡派出所的人气急败坏地用电喇叭“哇哇哇哇、哇哇哇哇”地喊起来。先是一个喇叭在那里喊，后来增援的电喇叭来了，一共是四个电喇叭在那里喊，树上的人才慢慢下了地，下了树的人只能猫下腰往四周看，才看到果园里到处是人，到处是人腿，到处是苹果，完整的苹果和踩烂的苹果。

“亮气用枪把自己打了……”

“亮气用枪把自己给打了……”

“亮气用枪把自己给打了……”

村子里，不知是谁跑到村委会用喇叭大喊了几声，什么意思呢？谁也不知道。

在喇叭里传出这么几声喊声后，喇叭里又“咯啦咯啦”响了几声，然后有一个陌生的声音响了起来，鼻音很重，像是感冒了。村里的人们是从广播喇叭里知道了事态的严重，这一回不是王旗红在广播喇叭里边讲话了，喇叭里的声音有些陌生，甚至有些慵懒，好像没睡够觉，但口气是斩钉截铁，这就让广播喇叭里传出的既显得慵懒而又斩钉截铁的声音有了一种神圣而且居高临下的怕人效果。人们后来知道这是乡派出所刘起山所长在讲话。实际上他是在那里念稿子，念写在一张巴掌宽的白纸条子上的短稿，他念了一遍再念一遍，念了一遍再念一遍，反复地说每个村民都必须听好了，要赶快把从果园里抢的苹果必须在天黑之前都送回到果园里去。如果过了天黑再不送的话可能就没机会了，由此造成的一切后果必须由自己负责。其实反反复复只有这几句话，没有讲什么大道理，也没有分析，反复只说在天黑前家家户户必须把从果园里抢的苹果送回去。人们都听明白了，明白广播喇叭里的说法突然有了变化，和王旗红的说法不一样了，用了一个“抢”字，这个字让人感到了害怕，让人感到心惊肉跳。有人便开始去了果园，背着和扛着他们从果园里弄来的苹果；有的人家还出动了小驴车，拉车的小毛驴浑身湿漉漉的，四个小蹄子在泥里每拔出来一下都“咕吱”一声。广播喇叭里已经说过了，说有必要的话还要到家里去搜，如果不自觉的话，如果搜出来性质就大不一样了。天又下雨了，广播喇叭里传出来的声音在暗沉沉甚至湿漉漉的村子上空浮动着，这种看不到的东西眼看着就要变成一大块沉重的铁片，一大块无边无际的铁片，要把整个村子压垮了。到了下午四五点钟的时候，几乎是整个村子都出动了，人们争着往果园里送苹果，送到果园里的苹果左一堆右一堆堆得到处都是。那色彩亮丽的苹果因为堆得满地都是已经不再是亮丽而是变成了怕人的斑斓，雨落在上边无疑是给这遍地的苹果洗了一个澡，这么一来呢，那满地的苹果简直就像是要放出光来，湿漉漉、光滑滑给人们留下一种从没有过的印象。甚至那满地的苹果都好像是有了某种动感，好像就要滑动起来，也许就像电视里演的滑坡那样不知道滑到什么地方去。村子里往果园里送苹果的人们不敢再往果园深处走，都只匆匆忙忙把苹果倒在果园的边上。

广播喇叭在天黑之后又广播了一回，这一回派出所所长刘起山的声音有所改善，因为喝了酒，嗓音终于亮了一些，他要求村民们家家户户都要留人在家里等候，以便协助派出所调查村民哄抢果园这件事，更重要的是调查亮气的枪击事件。

八

调查整整用了两个多星期，果园里遍地的苹果在调查中慢慢慢慢熟到了怕人的程度，村子里没人再愿靠近亮气的果园。亮气中枪的那条腿光做手术就用了三个钟头，外科大夫以极大的耐心把绿豆大和黄米粒大乃至更小的铁砂一粒一粒小心翼翼地取出来，主刀的大夫每取出一粒铁砂，那个手术用的小腰圆形盘子便会发出一声清晰的响声。亮气那条腿一共钻进了一百二十三粒铁砂。关于这个手术的报道在本地引起了极大的轰动。报纸上还登了一张照片，照片上的那个大夫就是主刀大夫，他的手里拿着一个不太大的手术用腰形小白搪瓷盘，人们看不清盘子里放着什么东西，但可以想象里边是那一百多粒铁砂。村子里的调查也已经接近了尾声，派出所所长刘起山已经调查得很烦了，单调的调查最容易让人心烦，每家每户的村民都被传到村委会问话了。问话单调而回答也很单调。

"苹果已经送回去了?"

"送回去了。"

"够多少?"

"五十斤吧。"

"刘亮气的腿是怎么被打伤的?"

"是他自己打的自己,和我们无关。"

"他自己打自己?"

"是他自己打自己。"

下一个又进来了,对话又开始了一回。

"苹果已经送回去了?"

"送回去了。"

"够多少?"

"五十斤吧。"

"刘亮气的腿是怎么被打伤的?"

"是他自己打自己,和我们无关。"

"他自己打自己?"

"是他自己打自己。"

下一个村民在外边等着,早等得有些不耐烦了,好不容易进来了,湿漉漉的,对话又开始了一回。

"苹果已经送回去了?"

"送回去了。"

"够多少?"

"五十斤吧。"

"刘亮气的腿是怎么被打伤的?"

"是他自己打自己,和我们无关。"

"他自己打自己?"

"是他自己打自己。"

派出所几乎把全村所有的村民都做了口供,已经是深秋了,秋雨连绵的结果是连村子里都闻到了亮气的果园里苹果腐烂的味道,那味道甜甜的,好像很好闻,而实际上最难闻。但村子里没人再敢去果园,在这种时候,牲畜们显示出了它们的活跃和胆大包天,羊和猪,还有牛都跑到了果园里边去大吃二喝。但也有个吃够的时候,先是羊们退了出来,而且许多羊开始跑肚拉稀,拉得到处都是。然后是牛也退了出来,牛也开始拉稀,坚持在果园里大吃二喝的是那些猪,又能吃,又能拉,整个果园给弄得乱七八糟。好的苹果和坏的苹果都混在一起发出了空前的臭气。而且那臭气一天比一天凶，到了八月十四这一天，臭气达到了顶峰，许多人不得不暂时到亲戚家躲避一下。

八月十四这天，王旗红又在广播喇叭上讲了一次话，主要是作一次总结，讲话的时候王旗红好像是喝了酒，许多人都认为他是喝了酒，说话就没了条理，他先是讲了一些同情亮气的话，说他那条腿可受了苦，然后说一个人怎么会打自己一枪？所以希望这种事以后最好不要再发生，派出所的调查也已经完了，定性是亮气自己把自己打坏了，怪不得别人。自己拿起枪干自己一家伙你们说能怨谁？王旗红在广播喇叭里说：谁也不能怨！是他自己打了自己一枪！王旗红讲话从来都很少条理，他的话需要听的人慢慢去领会，不过村里的人们都早就习惯了。人们把他的话总结了一下，归纳了一下，他的讲话最后还是归结到亮气的身上来，那就是王旗红在广播喇叭里的声音忽然大了一下，说这次苹果事件对咱们村还是有教育意义的，那就是我们发现了直到现在还有人在私藏枪支。藏得还很巧妙，把枪筒锯短了藏起来，但是！怎么样？打了一家伙！有一句话叫搬起石头砸自己的脚，亮气却是拿起枪打自己的腿。

王旗红在广播喇叭里讲话的时候，村子里几乎所有的人都在听着，一边听一边做着手里的活儿。他们已经做好了过节的月饼，但他们一点点都闻不到月饼的香气，他们的鼻腔里都充满了苹果腐烂的臭气，愤怒的臭气，说它愤怒是它太臭了，排山倒海地播散到村子里来，把村子盖住，遮得严严实实，让人们一点点都闻不到节日的香气。到了后来，连猪也不去果园了。人们都说，这个该死的亮气，打自己一枪不说，还把苹果都臭在了园子里！

“这个亮气，怎么就这么狠，自己打自己一枪！”

已经是冬天了，人们还常常说起亮气，说亮气真是够狠的。

（选自《山花》2004 年第 11 期）

王祥夫

1958 年出生，辽宁抚顺人。山西文学院专业作家。1992 年加入中国作家协会。现为《小品文选刊》主编，山西省大同市作家协会主席。

1979 年开始发表文学作品。出版有中短篇小说集《永不回归的姑母》《西牛界旧事》《鸟巢》《狂奔》，长篇小说《乱世蝴蝶》《生活年代》《种子》《百姓歌谣》《屠夫》《榴莲榴莲》《米谷》，散文集《纸上的房间》《何时与先生一起看》《子夜随笔》《杂七杂八》等。短篇小说《上边》获第三届鲁迅文学奖。

灾 星

阿 宁

二 伯

民工的夜晚单调枯燥。工棚里亮着昏暗的灯，臭鞋、臭袜子散发出的味道在空中飘浮着。一些人在打扑克，另一些人在聊天。他们聊的话题永远是女人。厨房里做饭的月饼是他们百说不厌的话题。

福亮不愿听他们的脏话，他离开工棚溜达到火车站附近。那里有一个录像厅，是民工们的好去处。录像厅门口一瘦一胖站着两个女人，她们冲福亮招手，大兄弟，进来歇歇吧。

福亮一愣神，胖女人抓住他的胳膊。胖女人的手掌湿润温暖，拉着他的胳膊往怀里一带，他感到了软软的一团，那是她肥硕的乳房。

福亮肯进去不是因为蹭了她的乳房，而是因为听了两句对话。那是录像里的声音。

女：发哥，我真的好爱你啊。

男：小妹，我也爱你。

录像厅为了招揽客人，把声音接到了外面。声音不清楚，男女一律是嗲声嗲气的港台口音。声音里有一种东西吸引了福亮，就像这个女人的乳房，狠狠地撞击了福亮心里一下。已经六个月没回家的福亮把脚步停下来，他听见胖女人低声说，进去吧，进去以后——随便儿。

女人跟他个子差不多高，脸色红润鲜亮。福亮注意到她眼睛里有一种暗示，很暧昧，很柔软。她的鼻孔有些大，嘴也很大，咧开嘴笑时露出洁白的牙。这样的牙啃人一口一定会让人受不了。福亮不知为什么想到这些，觉得小腹里一股热气升上来。

他没有问胖女人随便儿是什么意思。问那个不是傻吗？他问，多少钱？

女人说，五块。

太贵了。

你想看到几点就看到几点，两点以后还有更好看的。你就傻吧。

女人在他后背上拍了一下，拍得很亲切。

录像厅里充满了呛人的烟味、汗味和臭脚丫子味儿。画面像在下雨，恍惚不清，声音很吵，还不如在外面听得清晰。虽然这么多不如意，故事情节还是把福亮抓住了，画面上的女孩子一步步被骗，他的心也被一个巨大的手攥紧。

恍惚中，身边有一些女人走来走去，用浓烈的香气袭扰他，有的坐在他身边用腿挤他，用脚踩他，他顾不上理睬她们。他从画面里那个女孩子身上看到了自己。他听见一个女人在旁边喊，大兄弟。他扭头看了一眼，女人的牙翘在外面，咧开嘴冲他笑。很骚情。他想这可能就是胖女人说的“随便儿”。他脑子很清楚，随便不是白随便的，他兜里的钱不允许他随便。

他没有看到两点，故事演完就出来了。这故事足够他回味半年。他从那部录像里知道了什么叫富人，过去不明白的事一下就明白了。

以前仰视的那些富人，在这个晚上被扒了衣服。他在外面打工已六七年，盖了数不清的房子，那些住在他盖的房子里的人，他一直以为都很了不起。现在有录像里的发哥比着，算不了什么。

他正盖的这个地方，叫富豪小区。一律上下层，最小的叫四室二厅二卫，比他住的地方不知道好多少倍。过去他对这样的差距不在意。这是两个世界。有一年他去孙元家，看见孙元家孩子拿着白面馍馍玩儿，自己却连莜面都吃不够。他没有觉得不公平。孙元是村长，他不能跟人家比。他从小就养成了服从的心理，他跟别的孩子玩耍时总是服从的角色。这种角色他已经习惯了。

从录像厅出来，他最先想到的是孙元。孙元家已经盖了楼房，二层。村里的砖厂是孙元承包的。为什么他就该出苦力？为什么别人就该使唤他？福亮的结论是那个发哥给的，他穷，别人富，只有一个原因，别人比他卑鄙。

他们盖的这栋楼快完工了，工头说再过两个月他们将转到另外一个工地。他在十四层的脚手架上干活儿，看下面的人一律渺小，工头在他眼里是一只蚂蚁，举着一面黄色的旗子来回舞动。休息时工头冲他招手，告诉他对面那栋楼里有一家要弄一弄厕所和阳台。

他和另外一个民工去了。在他看来，里面已经相当豪华。一个挺着孕妇般大肚子的男人却让他们把墙上的瓷砖都凿下来，换上更光洁更昂贵的。一个像和面盆似的坐便器拆下来，换上更宽大更舒适的。摁一下旁边的按钮，有一股温热的水冲着上面喷出来，是专门洗屁眼儿的。福亮按了一下，觉得屁眼儿发紧。

他们在那里干了半个月活儿，大肚子男人给了六百块钱。两个人一人三百，分了。他拿着分到的三百交给工头。因为大部分是在上工时干的，他挣了工地的钱就不该挣大肚子的钱。工头没要，让他把钱收起来。他一直觉得这个工头对他不错。工头却觉得他老实、憨厚。

他已经跟了工头三年,在这之前,他受过一次次骗。第一次离开家出外打工是跟红菱的亲戚出去的,红菱的亲戚姓韩,当了好几年工头。红菱的爹再三嘱咐他,到外面要多干活,少说话。庄户人有什么?就是有把子力气。在家靠爹娘,在外没有爹娘靠的就是力气。力气就是爹娘。

他狠狠地干,从头年腊月一直干到第二年夏至。他饭量惊人,干活像拼命。他不是干活,是恨活儿。他跟活儿有仇,干不完就难受。有人说他傻,有人说他实在。他觉得自己是最聪明的人。

到了整栋建筑都完工时,他找工头算账,他叫工头二伯。二伯坐在椅子上剔着牙说,钱我欠不下你的。有红菱呢你怕什么。坑谁我也不能坑红菱,对不对?

他蹲在地上说,我知道,家里等着钱花呢。

家里花钱干啥,你又不盖房。吃的喝的都在土里边,你要钱干什么?你要这么多钱干什么?!工头大声地说,好像他干了对不起工头的事。

他说,给个准日子吧,什么时候给我结账?

今年秋后你再跟我干,到时候一块儿给你结了。

他就这么回去了,走得犹犹豫豫的。心里觉得让人骗了,却又安慰自己说天下没那么多骗子。红菱的亲戚能骗咱吗?

回到家红菱的爹说,钱在你二伯手里,也是给你攒着呢。真给了你们,你们也胡花了。

他相信自己错了。人蹲在地上,头勾到了裤裆里。红菱悄悄拉了他一下,他才起来。那天晚上,他看着红菱破旧的衣裳还是觉得让人骗了。他悄悄抹了把泪,把更仔细的爱抚给了红菱。

半年没见,红菱像换了个人,她不再矜持,一次次地抱着他哭,说再也不让他打工去了,说舍不下他。他说不能不去,不去,上一年的工钱就没有了。

九月底他又跟着二伯走了,一连干了七个月。想到这是在挣两年的钱,他干活儿比以前还拼命。睡觉有人拿土坷垃砸他,吃饭有人往他碗里扬沙子。一样的民工他把别人比下去了,哪个心里舒服?他把碗里的沙子拣出来,把枕头旁边的土块拂掉,第二天还接着拼命。都说这小子缺心眼儿,这辈子灵醒不起来了。

他瘦了一圈儿,像熬过漫长冬天的狼,瘦得更精神,更凶狠了。他在工棚里很少跟人说话,所有人在他看来都是敌人,他们阻挡他拿到该拿的钱。夜深人静时他梦见红菱,工间休息时他跟红菱说话,告诉她再有两个月就能拿到钱回家了。那时给红菱扯最好看的花布,给红菱爹买一盒洋烟,给红菱娘买止痛片,他还没想好要不要给杨守满买点儿什么。他早就不再叫杨守满爹了,自从杨守满不能再打他,他就在心里叫他杨守满了。想到家里有这么一个人,不给他买点儿东西似乎过不去。他的眼神散漫开,望着很远的地方,心回到了家里。他在夜晚做梦时想着家里,白天歇工时做梦,他身边围绕着的都是他的家人,工地上的人一个都不在他心里。

工地完工时他再一次失望。这是他早就预感到的。他七八个月的苦干好像就是奔着这个预感去的，就是为了让预感成为现实。自从工地的活儿进入扫尾，二伯见了他就不再咧着嘴笑了，二伯沉着脸，眼神却躲他。他把目光直射到二伯脸上，二伯却把脸转向别人了。

那些天他手里拿着一把锤子，睡觉放在枕头底下，吃饭坐在屁股下边。心里说，二伯这回再不给钱，铁家伙可不认二伯了。

工地上的人都注意到了他的阴沉脸色，有人跟工头说了，工头一笑。工头知道他心里想什么。拿着锤子只能说明他是老实人，工头最会对付老实人了。

工地所有活儿完工后，民工们围在工头门口。现在已经不是福亮一个人着急了。他们像大雪后的一群牛羊，静静地等在牛圈羊圈门口，这些老实的牲畜们沉默着，等着圈门打开，等待命运给它们寻找食物的机会。他们的眼神又善良又固执，他们的嘴巴紧紧抿着，抿住可能发出的吼声。他们从来不呐喊，沉默是他们最好的表达方式。

工头住处的门还锁着，已经锁了两天了。工地已经不管饭，民工们在街上胡乱买最便宜的吃食，他们领不到工钱，还要花身上的现钱。从怀里拿出钱时，心比领不到钱还痛苦。

人们不知不觉把福亮推到前面，都知道他枕头底下有锤子，都知道他脸色已经阴沉了很长时间。人们忘了曾给他碗里扬过沙子，曾向他扔过土坷垃，福亮也忘了。领到工钱比什么都要紧。他站在人群最前面，许多人站不动了，蹲在地上，地上蹲了黑压压一片。他不蹲。蹲着看了没气势，再累也要站着。干活都不怕累，要钱还怕累吗？

第五天，他领着人卖了工地的架子板，得来的钱买了烙饼，一人一大张，民工们不用自己花钱买饭了。接着他卖了工地的钢管和角铁，他不多卖，只卖一顿饭的钱，下顿吃时再卖。有人问他，东西卖完了怎么办？他说，楼在这儿呢，你怕什么？

人群里像泼了汽油，福亮一句话就点着了，浓烈的燃烧气息在工地上弥漫，许多人拿起了铁镐、钢钎，他们的怨愤冲着刚刚盖好的大楼，他们可以建，也可以拆。

二伯就在这时赶回来了，一回来就发钱。他没有发完，只发三个月的。民工们领了。他们怕这三个月的也领不到。领了钱他们仍然在门口站着。福亮也领了三个月的工钱，不光上一年的没有给，今年又欠了四个月的。许多人看福亮，福亮一推门就进去了。

二伯把门关上，训斥他，你还是红菱的女婿不？你这是跟谁闹事呢？你还要拆大楼，你还卖我的架子板，别人不维护我，你也不维护我？

福亮把脚踩在椅子上，手里拿着二伯喝水的缸子，一使劲儿缸子就扁了。他说，事不能做绝了。

二伯说，我想做绝吗？我是牲口吗？我能忘了你是我的亲戚吗？我想让这么多人骂我吗？人家骗了我，我有什么办法？他们不给我的账上划钱，我拿什么给你们发？你们才扔几千块钱，我是几十万、上百万打水漂了。

二伯说着哭起来。都见过他骂人，没见过他哭。二伯蹲在地上，一头花白头发随着哭泣颤动，福亮想起收音机里说过的一句话，老泪纵横。一瞬间他怀疑自己是不是过分了，他把一个长辈逼得痛哭流涕，把给了他挣钱机会的好人挤向难堪。拿着锤子不应该，卖架子板不应该。他没有说话，气呼呼地推开工房门走了。他不是跟工头生气，这回是气自己不是东西了。

随着返乡的路程越来越短，他的悔恨心淡了。家越近，越觉得没法跟家里人说。红菱把全家的地种了。夏天晒得脱一层皮，秋天累得直不起腰。冬天她用爹的两条破裤子，拼成一条棉裤穿上了。她才二十七岁，城里二十七岁的女人嫩得像一块豆腐，她不该这么老。结婚至今她还没买过衣服，结婚的衣服是红菱家花的钱。想到红菱的委屈他又愤怒了。他该拿锤子砸工头的脑袋。

红菱爹没有怨他。爹说，认了吧。这是命。不到来财的时候，财到眼前也留不下。他流了泪，为自己没有财运难过。他把红菱一家带累了。

慢慢他明白，这点儿钱不叫财。跟城里人花的钱比，连饭渣子都算不上。大肚子男人告诉他，那个拉屎的东西花了三千多块。钱多了往屁股上花。自己一家嘴还糊不上呢。

他盖着楼恨楼，恨楼里住的每个人。他突然看见一大帮人走到那栋楼跟前，用铁丝网把楼围起来。所有人都不能出来，大肚子男人也出不来了！

民工们都远远地看。楼里人得了怪病。这种病不容易好，一个人得，一家人都得。一家人得，一栋楼都得。楼里的人正慢慢地等，等着那病把他们叫到阴曹地府里。事情的严峻让福亮把仇恨淡了。他觉得后背有些发凉，脚踩在地上发飘。他自小是个不怕病的人，病了从来不吃药。这一次他心里发虚了。

那天晚上他吃得比平常多，手里干着活儿，心里还惦着那栋楼里的病。他认定多吃身子就强壮，强壮了百病不生。有些民工想回家，他们认定这是一场灾，该躲一躲了。

福亮不想躲。躲了还能挣上钱吗？钱跟灾比，他跟钱亲，躲灾就成躲钱了。这一年的钱不挣到手他决不走。他打了这么些年工，好容易碰到一个实心实意给钱的人，他不能放过他。

他遇到的第二个工头叫来顺。来顺以前和他一起给二伯干活，是个木匠。秋天二伯找到福亮，让他还跟着出去。二伯的工程队找不上民工了，他说，这回挣了钱，我把前二年的工钱都给你结清了。

福亮看了看红菱爹，红菱爹眼睛看着别处，不看他。他蹲在地上说，不去。说什么也不去。他可以不要前几年的钱，今年再也不去了。就是有一座银山等着，他也不去挖了。

二伯是红菱三舅的亲戚，三舅娶了二伯的表妹。三舅家的孩子叫他二伯（按说叫二舅才对），红菱也跟着叫二伯。这算鸡巴亲戚，就让他坑两年吧，再也不让他坑了。

送二伯走时红菱爹不好意思。说，福亮这后生膪，城里去怕了。

二伯说，好些人想跟着我去，我总得先照顾自己人。

二伯走后，他们才想起。怎么不问他要工钱呢。好像他没有跟着出去，以前的工钱就自动抹了。没拿到钱，人家还一肚子不高兴。他当时该说，你把以前的工钱给了，我就跟着你干。他又亏了。

当时没要，福亮也不想要了。红菱爹说那是命，他信。

来顺到家里找他，说，你跟着我干吧。来顺揽的是木工活儿。杨守满是木匠，没有教过福亮，福亮从小看过他怎么推，怎么锯。在二伯的工地上，来顺忙不过来，福亮帮着他干过。来顺没有相中他的技术，相中了他的力气。

他们给学校做桌椅板凳，来顺总是呵斥他。他把线画斜了，桌面推得毛毛糙糙。他哭，夜里偷着哭。他不是当木匠的料。杨守满不是东西，他带了十几个徒弟，却不把技术传给他。没有技术他有力气。出大汗的活儿他从来不让来顺动手，他一个人把一根檩子扛了起来，他胳膊上的肉跟绳子拧成似的。

过年他只回了三天家，学校开学急着要桌椅。完工时来顺说，你就算是给我当了一年徒弟，收徒弟都不收你这样的。他拿眼瞪来顺，什么意思。徒弟跟着师傅干活，从来不能要工钱。来顺是想要他吗？

来顺没要他。来顺给了他一半儿工钱，比二伯强多了。二伯是亲戚都不如来顺。回家时他不那么痛苦，他总算是拿钱回家了，钱不多，比没有强。来顺衣裳比他穿得好，家里盖了新房，他觉得应该。来顺有技术，是个好木工。非亲非故的，这就不错了。

他不再跟着来顺干。他打定主意，要找一个给他全工资的。来顺没找他，找他他也不干了。他的力气不光值那么一点儿钱。

月 饼

打饭时月饼朝他使了个眼色，他朝旁边看了一眼。月饼给他打的菜比别人多，他不想让别人发现。以前有人发现了，他们说，福亮，你鸡巴上又没抹着蜜，她咋那么稀罕你。

他开始不知道她叫桂花，心里叫她月饼。月饼好吃，里面的馅儿是甜的。她的奶子肥肥的，挺挺的。福亮喜欢奶大的女人。他想不起母亲的样子，也忘了吃母亲奶是什么滋味。红菱的奶小，不喜欢别人碰她的奶。月饼喜欢。他第一次看见月饼时，一眼就瞅见了她胸前软软的两坨。他第一反应就是能吃。月饼这个称呼就这么跳到心里了。

吃完晚饭他到月饼住的小屋。月饼说，你知道对面楼里的事了吧？他点头。他平时就话少，到了关键时刻更是话少。月饼说，好些人都回去了。他说，没有多少人回去。月饼说，一顿有多少人吃饭，我心里还没数？

月饼告诉他这种病叫“非典”，过年放炮，不让你点，你非点。月饼说着笑起来。月饼爱笑。这个比喻他一下就记住了。她说这种病不好治，得上就死。这就是早先的瘟疫，得瘟疫死了的人，尸首都不能回家，倒上汽油就烧掉了。

福亮想起那个大肚子男人，他肚子太大，一走路就喘。福亮想象中给他肚子浇上汽油，他肚子里的肥油够烧半天了。

月饼的手能变，她把一块烤白薯递给福亮。福亮能吃，肚子有多少东西都能装下。福亮肚子里装着她的快乐。福亮每次办完那种事，都要吃一大堆东西。她想走，心里却放不下他。

她说，不能再待下去了，刘工头都说要出去躲躲呢。

福亮警觉了，抬头看着她。

福亮不在乎别人走不走，工头要走他在意了。工头走了他找谁要钱去？不过他想，楼没有盖完总有找到工头的机会。月饼说，你不走我也走。我不想死在这里，我那男人离不了我呢。

看福亮不言声，她又说，你跟着我走吧，咱们雇一辆车。车钱我出，不用你花一分钱。月饼大他三岁，大三岁的女人会心疼人。

月饼说火车站已经买不上票，现在还能雇上车，再不走车也雇不上了。这个地方能离得远一点就远一点，楼里的瘴气早晚要漫过来。他远远看着那楼，有车给楼里的人送吃的，城里人得了病也比农村人强，有人管吃管喝。他看着一辆辆车开过来，心里的不平又升起来了。

月饼拍拍他的胳膊，眼睛里有火要冒出来。月饼见了他总是火辣辣的，福亮没有那个心思。他说，还是再等一天吧，要走也得明天再走。

他睡的那间屋走了两个人，一个说家里老人病了，一个说兄弟要娶媳妇。没有人说因为那病。还有人在悄悄地收拾行李。一个民工来到他跟前，问他想好了没有。他说不走，就在这里等着工头。那人失望地回到床上去了。

半夜里他梦见有人掐他的脖子，出气儿不利索。醒来喝了一缸子水，又躺下了。身上不得劲儿，鼻子堵得慌。他没有想到是得了楼里那种病，只当是小时候玩耍着了凉。他接着做梦，梦见红菱擦他头上的汗，他从来没梦见过红菱，他白天想红菱想得厉害，晚上从来没梦见过。这一回他看见红菱坐在他床头，正亲昵地看着他呢。

有一阵他以为那是死去的娘，娘的样子模糊不清，他常把娘的脸跟红菱的脸弄混。红菱给他的疼爱在他看来就是娘给他的，他脸上流着温热的东西。再一次醒来天已经大亮了。

民工们一醒来就朝那栋楼里看，又一辆救护车开过来了，从车里下来的人都穿着白色雨衣似的衣服，捂得严严实实的。抬走的人回不来了。更多的人正等着抬。福亮忘了自己夜里曾发过烧，天一亮鼻子就通了。他在脚手架上出了许多汗，活不比平常干得多，汗好像比平常多了。这么点儿反常他不在乎。

下午他脚后跟发软，身上的汗跟雨似的。在脚手架上他不敢往下看，总觉得地在转，墙呀柱子呀都围绕着他走，他是熬到收工才从脚手架上下来的。本来不打算打饭，不想吃。后来拿着碗去了，是想见见月饼。

吃饭的人已经走光了，月饼把他领到她住的地方。月饼给他留了一份饭菜，看他不想吃的样子问他怎么了。她摸了摸他的额头，烫得厉害。你不是得了那种怪病吧？

月饼的话让他恼怒。她好像故意揭他的疮疤。他红着脸说，我能是那种病吗？能是吗？月饼说，你轻声点儿，怕别人听不见呀。他不说了。

月饼问他是不是去过那栋楼里。他说去过，给大肚子男人干活去了。月饼说这就没有假了，去了那栋楼里的就是那病。十来天以前去过，这会儿正好发病了。月饼的话使他心里发紧，嘴上却更加强硬。他不可能是那种病，那种病是有钱人得的，他没做过缺德事儿，凭什么找到他身上。

月饼不再跟他争辩，怜惜地看着他。每逢他们说不到一块儿，月饼都退让着他。她的容让使他心里难受，发热的感觉也越发强烈了。

月饼拿了一块手巾，低下头给他擦汗。他一把抱住她，把头埋进她肥硕的双乳间。他说不清这个动作的含意，不过心里明白这不是爱。以前他们争吵时，总是用这种方式结束争吵。也许是习惯，也许他是想证明，月饼说的是假话，她只是在吓唬他，如果他真是那种病，她不会再这么紧地拥抱他。

他的头使劲儿在月饼怀里拱着，月饼的身体挪到一边，先在床上坐下，慢慢仰面倒下了。她一只手拿着毛巾，一只手抚摸着他青青的头皮。她说，你烧得挺厉害，今天不行，好了再说吧。

福亮停止了动作，他觉得身上出了很多汗，烧也退下去了。那一瞬间他真的感激她。她说好了再说吧，就是说他能好，他得的不是那种病。不是身上虚得厉害，为这句话他也不会停下来。

月饼让他回去好好睡一觉，如果明天还发烧，不管见到见不到工头，他们也要回去。这儿人心惶惶的，再多的钱也不敢挣了。他没说什么，心里已经认可了月饼的话。工棚里的工友走了大半，看着一个个搬空的床铺，剩下的人住不下去了。有人感觉到他在发烧，悄悄搬到了别的屋子。后来其他的人也搬走了。他们走的时候没跟他说话，好像怕惊动了他似的。

第二天早晨月饼来了，给他送来了药，药是她一清早到药铺里买的，她用手摸了摸他的额头，说，烧已经下去了。

她问，屋里的人呢？

他说，让我给吓跑了。

他本来是开玩笑说的，月饼听后却皱起了眉头。她说，咱们走吧，再不走别人也容不下你。

上工时他头发晕，身体轻飘飘的。他站在脚手架上看着对面那栋被封闭的楼，那里很安静，穿白衣服的人少了很多，没有人再从里面被抬出来。

那楼里的安静鼓舞了他。他拿起一块砖头，别人让他放下，他们不让他干，让他离远一点儿。他在脚手架上成了无所事事的人。工头让班组长传过话来，把手里的活儿扫一扫尾，都回去吧，等过了这股风再回来。

民工们就像电影里溃退的军队，工具扔得到处都是，中午吃饭还有百十号人，吃完饭就剩下几十个了。他觉得身上烧得不厉害，恐慌却强烈了。人走得越多，他心里越空。月饼跟他说中午过来看他，可到现在还没有来。她是不是也在躲他？因为企盼，他越发不愿意去找她了。

他在屋里等她，心里想，今天她要是不来他就再也不理她了。他有着老实人的执拗。听人说，火车站已经买不上票，预售的车票已经到了大后天，长途汽车好些都停了，司机们害怕得上“非典”，不敢出车。

没有工可做，他在这里就是多余的人，周围越是空落，他越待不下去。他从来不敢去医院，他挣的钱不够他上医院的。他不知道月饼给他买药花了多少钱，如果是他自己，他不舍得。他大部分时候都能把病扛过去。偶尔吃一次止痛片，特别管事。这一次吃了药，没有什么效果。他身上还在发烧，胸里有一条缝隙，一把小刀正在那里切割着。他觉得胸里面在流血，把肺憋住了。他的呼吸有些吃力，汗却流得特别畅快，哪怕翻个身也要出一身汗。

他朦朦胧胧回到家里，红菱正给他擦汗。红菱对他真好，不管月饼对他再怎么好，他也觉得红菱才是他的亲人。

他跟月饼是怎么认识的？已经想不起来了。他只记得月饼开始对他并不友好，好像有些讨厌他，给他的饭菜总是不够分量。工地上好些人跟她打闹，在她面前说荤话，有时还夸她漂亮。

他觉得她说不上漂亮，只是惹人。他不会用性感这个词，惹人其实比性感还准确。月饼来工地前刚刚生了孩子，刚生育过的女人浑身都散发着奶香，她胸前的大乳很多人看了眼热，有人偶尔上前捞一把，月饼就在他们身上又拧又掐。月饼骂人声音很脆，像炒豆子一样。

他从来不跟月饼开玩笑，也不像别人那样盯着她看，其实他心里早已留意过她了。她的脸粉白粉白的，嘴唇鲜艳得像一颗樱桃，上面有露珠要滴下来。她的肩膀、胳膊、脸蛋，哪儿都是圆滚滚的，白嫩的皮肤里面包的好像不是肉，而是熟透了的果汁。工地上没有人不想吃这个果子。在工棚里，人人都躺在被窝里说她，她身上每个部位都被民工们议论了无数遍。

只有他不议论，也不盯着她看。他对她的美丽好像视而不见。看见别人跟她打情骂俏，他皱着眉头。

她问别人，那个青皮后生是什么人，他是哪个地方的？他的饭量不小啊。她好像在恨他，打饭她故意给他少打，让他吃不够。他仍然不跟她说话。他其实是因为她的美丽故意跟她疏远了。

他在漂亮女人面前有自卑感，从记事起漂亮女人就没有喜欢过他。他从小听杨守满说漂亮的女人都靠不住，她们是妖精变的，妖精吸完人的骨髓就把人吃了。

长大了他知道那不是真的。漂亮女人不吃人。她们高傲，从来看不起他。她们等着更有钱更有势力的男人。他总是躲着这样的女人。

他疏远月饼，还因为怕对不起红菱。每次他出来，红菱都舍不得他走，她抱着他哭，她让他一遍一遍地做那种事。她说，把你累够了，你在外面就不招惹坏女人了。

每次他回家，红菱都要问他工地上有没有女人，都是什么样的，长得好不好，年轻不年轻。他说，没有几个女人，有几个也都长得不咋样。红菱问，不咋样是啥样？他说，也就比母猪好看那么一点儿吧。

红菱就在被窝里咯咯地笑了。

他喜欢红菱，红菱不像别的女人那么漂亮，但是她耐看，过的日子越长，越觉得她好看。他想，再好看的女人也是别人的女人，只有红菱是自己的。他不想把精力浪费到自己家以外。

有一次他实在忍不住了，找到月饼，问她为什么给他打的饭菜总比别人少。她眨了眨眼，说，你想吃多少啊？他说，只要是该给的，多少都吃。

月饼从旁边拿过一只碗，给他盛了满满一碗。他蹲在地上，不一会儿就吃完了。他用仇恨的眼光看着月饼。月饼问他，还吃不吃？他说，吃。月饼拿着一只盛满饭的碗，一步步走到他跟前，却不递给他。

他的眼睛不再盯着那只碗。他盯着月饼的前胸，像海一样的前胸随着呼吸起伏着。乳峰的每一次颤动在他看来都惊心动魄，他觉得自己呼吸急促了。月饼拿着碗，身体朝他一步步挺过来，她说，你不是能吃吗？你吃呀，吃呀。她的胸朝前挺着，向他逼近。

有一瞬间他犹豫了，想退却。月饼看着他，目光好像在嘲笑。她傲慢的眼神激怒了他。他把她手里的碗夺了下来，扔到桌子上。她的手仍然像刚才拿着碗那样子端着，她喘息的样子感染了他，犹豫了几秒钟，他的嘴唇贴近了她的嘴唇，那里面如兰的气息使他增添了勇气。他狠狠地吸吮着，恨不得把她整个嘴唇都吸吮到自

己嘴里。接着他感到了月饼的反扑，她吸吮的力气比他还要大，她的一只手抓着他的后脑勺，另一只手像铁桶一样箍住他的后腰，他们的样子不像是在亲热，像是在搏斗。

外面响起了脚步声，他们听到声音同时放开了对方。脚步声走远后，她朝着住的地方走，他本来不打算跟过去，她在门口回过身，朝他狠狠地瞅了一眼，他就不由自主地改变主意了。

他心里仍然是犹豫的，不过他已经走上了一条路，不管再矛盾，再犹豫，脚步是退不回来了。他走进她住的屋子时，觉得眼前暗了一下。这是他第一次走进女工的工棚，里面廉价的护肤品的香气刺激了他的神经。一个脏布娃娃扔在床上，月饼随手把它拿开，扔到枕头旁。她拂了拂床单，扬起脸朝他笑了一下，笑容在黑暗中照亮了他。

他走进屋里时谨慎多于兴奋。他知道来到这里意味着什么，但他的行动畏首畏尾，他的心在她身上，听觉仍然留在外面。每一个细小的声音在他耳朵里都是万钧雷霆。在他看来，和快乐相比危险总是更大，他不能不小心。

她却显得勇敢、坚决，她快步走到门前，“咔”地一下把门插上了。一点都不拖泥带水。她回过身朝着他笑，对自己的这个动作非常满意。她的率直和满不在乎使他觉得她可能是专门干这个的，实际上她不是。她跟别的男人只是说笑打闹，从来不肯真做什么。他说不清她的这份坚决从何而来，也许她自己也说不清，她只是对他说，她喜欢他。

他曾经问过她，家里的男人是什么样的，她不愿说。他问她是不是不喜欢那个男人，她说不是。他们在一起闲聊时，她总是说，我那男人，我那男人，好像心里始终放不下似的。也许她是个在某些方面特别强烈的人。福亮不愿意这么想，真是这样，他的位置就相当可怜了。

他知道，他不爱她。他的心始终在红菱身上。她说她也舍不下她的男人，他完全相信。因为他一时一刻没有忘记过红菱。他的爱没有转移，只是欲望转移了。

他扑到她身上时，仇恨多于温情。也许欲望就在这仇恨中混杂着，轰轰烈烈的肉体搏斗掩盖了他对这个世界的声讨，他不只是占有了一个女人，而是把一个失重的天平重新摆了回来。与此同时，身体深处的欲望占了上风，她身体的喧嚣吸引了他，他掀开她的衣服，看见两个月饼似的大奶朝他挺着，他只是嚅动了一下嘴唇，月饼就把乳头挺了过来，和她的大奶相比，她的乳头很小，却鲜艳欲滴。她用乳头蹭着他的嘴唇。世界不存在了，他再也感觉不到危险，意识不到外面可能正有危险等着。

他在肉的海洋里劈波斩浪，身上大汗淋漓，眼前汗雾蒸腾。他把脸埋在她的乳房间，身体却陷入了另一处沼泽，每一次艰难拔出的后果，都是越陷越深，好像再也挣扎不出来了。

这时响起了敲门声，他们停止了动作，紧张地谛听着。月饼迟疑了一眨眼的工夫，就用清脆的声音问道，谁呀？

外面的人回答，我。福亮听出来，是工地会计的声音。月饼说，我正洗澡呢，等会儿再来吧。那人的脚步走远了，月饼冲他做了一个鬼脸。月饼有着天然的镇定自若，无论多大事情在她眼里都不算什么。事情过后，他心里是歉疚的，觉得对不起红菱，也对不起月饼。

月饼对他的自责不以为然，她说，好就好呗，你哪儿那么多事儿。

她从来不觉得这不道德。她愿意，她喜欢这个叫福亮的后生，她应该好好活着，应该快乐。所有道德观念在她面前黯然失色，她喜欢这个后生就好像喜欢好吃的食物，好听的戏文。她对所做的一切从不后悔。

福亮听见了她的脚步声。虽然烧得昏昏沉沉的，她的脚步声还是能感觉得出来，脚掌着地，声音踏实而又快捷。她走进工棚，用手摸了摸他的额头，说，你烧得又厉害了。

你到哪里去了？

我找了一辆面包车，不贵。

现在就走吗？

车在外面等着，走吧，越快越好。

她帮着他收拾东西，把所有用具装在一个大尼龙包里。她用暖水瓶里的最后一点水给他服了药。他问被褥怎么办？她说先在这里放着吧，那么多人都没拿行李，你怕什么。过些日子就回来了。

她的话给了他信心。他想自己能很快回来，这点儿病能好，这场灾难很快就能过去。她把他扶出工棚，说，挺起来点儿，别让人家看出你有病，看出来司机就不拉你了。

车还在她的工棚门口停着，她跑过去把车喊来，司机给他们往上搬那个大尼龙包时，她使眼色让他上了车，坐在最后面一排。月饼坐在司机旁边，跟司机说着话。

她说这一次她给司机的钱真不少，不是急着回家，谁舍得花这么多钱啊。她一个月才挣几个钱？

司机说，回去就安全了。在这里待着，你要是传染上“非典”，住院钱你也花不起。再说花了钱，也不一定能把命救回来。

他以为月饼说这些，是提醒他车钱的事。月饼说过，车钱不用他出，现在是不是嫌太多了？他应该给月饼一些，心里却犹豫拿多少合适。他不想出多，也不好意思出少。

他这么想着，月饼回身朝他笑了一下。他明白月饼是在转移司机的注意力，她不想让司机察觉他正在发烧。他在司机眼里是什么人？是这个女人不常出门的弟弟，还是老实窝囊的丈夫？

走到一个路口，有人拦车。看样子也是急着回家的民工，司机问月饼拉不拉，月饼说我下去问问他们。月饼在车下跟他们急速地讨价还价，后来她让那些人上来了。那些人坐在前面，她坐在福亮身边。

这些民工跟他们不是一个县的，但离得不太远。他们对司机和月饼千恩万谢，说有个司机本来答应拉他们，又变卦了。他们说"非典"让他们倒了大霉，本来要到手的钱挣不成，回去还要搭路费。倒是司机们捞足了。

司机回过头说，我们捞足了？我们这是拿命赌钱。你看有几个司机肯出车，家里人跟我吵了好几回了。

福亮明白，这也是个急于挣钱的人。他不像是城里的司机，是那种住在城市边儿上的。有老婆，有孩子，还有常年吃药的老人。他的弟弟可能遭了什么事，要让他往里贴一大笔钱。

也许，他以前做生意欠了别人的债，债主天天逼他。他不这么冒险挣钱，家里过不了安生日子。

坐在车后面的福亮浮想联翩，把过去看到、听到的遭难事都安到了司机头上。高烧使他的思维活跃了。他身上好受了一些，烧虽然没有退，头脑却比中午清醒，开着的车窗把凉风吹到他脸上、身上，缓解了高热给他带来的昏沉。

他甚至有心思看窗外闪过的风景。大片大片的碧绿旋转流过，小麦在晚春和煦的微风里摇动唱歌，一只燕子低飞而去，一些麻雀在路边的高压线上站着，它们排成一排，看着公路上驶过的简陋的面包车。人有时候活得不如一只鸟儿，你看它们多惬意啊。

二十七岁的福亮在车上忍受着高烧的痛楚，感悟着人与动物的区别。鸟儿没有人这么复杂，当下吃饱当下高兴，饿了就飞出去找食儿。鸟儿没有高低贵贱，它们不用往高了争，不用拼死拼活把别的鸟比下去。

人配对，鸟儿也配对。鸟儿比人配得简单多了。你能分出公母，但分不出哪一只鸟是这只鸟的红菱，哪一只鸟是这只鸟的月饼。它们也不用牵心扯肺地想念，更没有谁对不起谁，谁怨恨谁。

福亮是土生土长的庄户人，经历却使他比别的农村青年复杂，他不善言谈，脑子却不停地转。小时候，他拿着一块土坷垃摆弄，悟出那是由一个个小颗粒组成的，小颗粒可以越掰越小。后来老师告诉他物质无限可分，跟他悟出的结果差不多。

面包车跑得很快，超过了一辆辆卡车、轿车。家越来越近。他离红菱越近，就意味着离月饼越远。月饼肯定感觉到了这一层，她一只手握着他的手，眼睛不时地看着他。她的目光有些担心。她悄声地问他，身上觉得怎么样。他摇摇头，不想说话。他嗓子里很干渴，想喝水。可惜这地方没有水喝。

车开进一个县城，月饼让车停下来。她在路边花两块钱买了一瓶纯净水，福亮就着水吃药。司机看见了。司机没说什么，把前面的车窗打开了。这个动作月饼注意到了，福亮也注意到了。

车在半路坏了一次，司机趴到车下修理时，问月饼为什么不告诉他那个男人有病。月饼说那是我的老乡，我还不怕呢，你怕什么。司机后来说什么福亮没听见，只听见月饼呵呵地笑。月饼在关键时总是用笑声解决问题。以前福亮听见她跟别的男人笑，不高兴，现在却怕这笑声不能打消司机的顾虑。

车修了很长时间，不时能听到她跟司机讨价还价。她给司机又加了钱，后上来的那些民工的钱，也完全给司机，司机仍然不干。月饼说要是这样不行，她就一分钱也不给，车回去，她再租别的车。司机不再说话了。

司机把车开动时脸耷拉着，好像吃了天大的亏。福亮跟月饼说，要不咱们下去吧，不坐了。月饼捏了他一把，不让他说话。没想到这一来，司机的脸色倒和缓了。

傍晚时车停在一个县城，司机说要吃饭。问他们吃不吃，民工们说坐了一路车，不饿。没有挣到钱的民工能省一顿就省一顿。月饼问福亮吃不吃，福亮摇头，他只是想喝水。月饼也不想吃，她拿路上用过的纯净水瓶子到饭馆里灌了一瓶开水，自己先喝了几口，剩下的全给了福亮。

福亮喝水的样子很疲惫，手好像连瓶子也举不动。她伸出手摸了摸他的额，烫得厉害。车一停下来，外面的凉风吹不进车里，福亮的体温又升高了。

车里的民工们挤在一处，他们只想离福亮远一些，尽量地远，却没有人提出下车。天马上就要黑了，下了车他们无处可去。他们挤在前面两排，生怕福亮呼出的气吹到他们脸上。

司机骂骂咧咧地上了车。司机骂饭馆太坑人，骂现在的人都不是东西，福亮听出来还是对这趟活儿不满。福亮老实却有些倔强，要是平时他早跳起来了。现在他装着没听见。

夜色渐渐浮上来，车行驶在黑暗中。车的前灯在前面冲开一条发亮的胡同，路边的高速公路围栏上，一个个发亮的荧色光斑一闪而过。这千篇一律的夜景使人乏味，高烧中的福亮渐渐升上困意。他一入睡，月饼也开始发困。她给他掖了掖衣领，轻轻把车窗关上，也睡了。

她坐着睡。随着车的颠簸，她的头在靠背上左摇右晃，身体不知不觉向福亮的方向倾斜，终于靠在了他身上。她的头在他肩膀上倚靠着，觉得那里是最合适的位置。

半夜里福亮醒来。他是被热醒的。他身上出了很多汗，觉得透不过气。车厢里空气有些发闷，汗臭味儿、口臭味儿混淆在一起。有人打呼噜，有人咬牙切齿，像在恨什么人。

福亮打开车窗，一股新鲜空气吹进来，他冲着外面大口大口地吸着。冷风把月饼吹醒了，她打了一个喷嚏，坐直了身体。她看着福亮冲着窗口贪婪地呼吸，没有再去关窗户。不一会儿她就又睡着了。

天还没亮，车就到了他们县城。车里的人还睡着，司机把车停在路边，也趴在方向盘上睡着了。整个车里只有福亮一个人醒着。他在想怎么回家。从县城到他们村还有二十六里路，他一个人回不去，月饼会送他吗？

当福亮再一次入睡时，车里的人都醒了。民工们跳下车，提起各自的东西往前走。月饼想起他们还没有付车钱，跳下去追他们，但那些人很快消失在人群中，月饼在他们身后喊，你们坐了车不给钱啊。一个小伙子转回身，冲着她嚷，你把我们害苦了。回去要是病了，我们都找你。

月饼冲着他们的背影骂，骂他们的祖宗八辈，骂他们断子绝孙，骂他们头顶长疮脚底流脓。骂着骂着，月饼哭了。这是福亮第一次看见月饼哭，从一认识她，就看见她跟各种各样的男人们笑，没见她哭过。

福亮知道这是一笔不小的数目。最主要的是，她被他们耍弄了。福亮跳下车，说我身上有钱，月饼摆了摆手说，你病成这个样子，就不用管了。

她从腰里拿出钱给了司机。她虽然是个女人，在这种时候却比男人还有刚气。让福亮意外的是，司机把钱退给了月饼，只收了原先讲定的价。司机这个举动连月饼也意外。她说老天爷有眼，你这样的人有好报应。

司机冲她笑了笑，说，我原先以为你们是一家，现在知道你也是做好事。我有好报应，你也有好报应。

司机说着踩油门起动车，月饼冲着车屁股招手。车开出老远，月饼还在朝远处望着，她的脸上挂着一行泪，风已经快把泪吹干了。

红　菱

几个月没来，长途汽车站变了样儿。新建的车站广场已经初具规模，工程虽然只进行了一半，也能看出原先那个车站没法儿比。

早晨风凉，福亮直打哆嗦。他脚下放着尼龙包，提着走了几步，身上出了许多虚汗。过去他一只手能拎二百斤，现在一只小包好像有千斤重。

月饼跑过来，把他领到卖早餐的小摊前。没吃以前觉得堵得慌，不想吃。吃起来还是挺香的。昨天晚上没吃饭，他吃了七八个小包子。

吃完饭，月饼问他去不去医院，他摇摇头。民工们说这种病发现了就要关起来，到医院只是关在屋里等死。死了没人给穿寿衣，一个挺长的铁钩子钩住下巴，送到火炉子里烧了。

福亮不想让铁钩子钩下巴，他希望不是那种病，找个地方养几天就好了。以前病了，红菱给他拿生姜、葱根儿、大蒜熬一碗汤就能治病。他要回家喝红菱熬的辣汤。

他们在县城长途汽车站雇了辆小三轮。月饼扶他上了车，问他身上是不是觉得好点儿。他说觉得精神些了。这么说是为了安慰月饼，其实身上并不见好。

路边有一个自来水龙头，月饼跑过去洗了一把脸，说，洗一洗身上好受多了，要不身上觉得躁得慌。

小三轮跑起来，风把月饼的头发吹向后面，那姿态就像电影里演的一样。福亮觉得月饼脸很红，很鲜艳，他没有想到那是她发烧的缘故。他以为风一吹，使她白皙的脸变得红润了。

他想，月饼真是比红菱漂亮。红菱在村里吃苦，脸色总是蜡黄蜡黄的。他跟红菱认识的时候，红菱才刚二十，梳着两个发黄的小辫子，脸上干巴巴的。他第一眼没看上红菱，不过他心里知道，不找红菱，也没有更好看的女人嫁给他。

他们相过亲后，红菱的爹娘留他和媒人吃饭，媒人朝他使眼色，意思是女方愿意了，问他吃不吃。他说随你。其实他也知道，肯留下来吃饭就是愿意的意思。

媒人从身上拿出五块钱，让他到外面买瓶酒。那时他身上连一块钱也没有，杨守满不给他。他想不要媒人的钱，却硬气不起来，只好把媒人的钱接了。他拿着钱走到街上，看见红菱拿着一瓶酒从外面回来。红菱相亲时没说一句话，这时却站住了，问他干什么去。

他说媒人让他到外面买酒。

红菱说，我买了酒，不用买了。

他说，你是你的，我是我的。

红菱用身体拦住他的路，大声喊，爹，你快来，他要买酒呢。

红菱爹慌忙赶出来，把他拽回去了。

福亮从来没喝过酒，他从小看见杨守满喝，喝醉了打他娘。因为他娘总挨打，他就恨酒，也恨喝酒的人。红菱爹让他喝酒，他说不喝，红菱爹还是给他倒上了。他喝了酒才知道酒是让人迷恋的东西，一喝到嘴里，以前受过的苦啊委屈啊就都没有了。

媒人和红菱爹劝他喝，他从小到大，没这么平起平坐跟人相处过。不管到哪里，都是不把他当人看。现在有两个人跟他说客气话，他不知不觉喝了很多。喝着喝着哭了，一边哭一边骂杨守满，说杨守满把他娘害死了，说早晚要把杨守满杀了。

媒人跟红菱爹说，这后生从来没喝过，这回是喝高了。

红菱爹说，扶他到屋里睡吧。

他不知道是谁扶着他，晃晃悠悠去了另一个屋。躺下什么也不知道了。第一次醒来，听见红菱娘埋怨红菱爹，咋让孩子喝这么多酒。媒人说，给他喂点儿醋。他不知道是谁喂的他，喝了几口，就又睡过去了。

第二次醒来他听见媒人说，这后生命苦着呢，早早死了爹，他娘带着他改嫁给杨守满，杨守满把他娘打死了，又给他娶了一个后娘。后爹加后娘，他过的是什么日子。要不怎么一喝就醉了呢。

媒人是村里小学校的老师，福亮一直跟着他念到小学毕业。杨守满喝醉了酒打他，不肯给他出学费，老师都给他免了。老师张罗着给他说媒，也是因为同情他。

回家的路上媒人埋怨他，你没喝过，怎么不知道把着点儿呢。老师也是第一次做媒人，生怕不成功。福亮觉得，红菱家不会不愿意，他走的时候，红菱的眼睛一直盯着他呢。

几天后媒人找到他，说，好小子，你有福气，红菱家愿意了。不过就是有一个条件，人家不肯嫁过来，你得到他们家当倒插门女婿，你愿意不愿意？

福亮早就不想留在杨守满家了，能让他离开杨守满，不娶媳妇也行。别人娶媳妇是为了传宗接代，他娶媳妇是为了不受杨守满的气。他对媒人说，愿意，我愿意。

媒人把他叫到村口。在村口一片小树林里，媒人蹲下了。他看了看福亮，闪着一双斟酌的眼睛说，福亮，我还有句话得跟你说，要不以后结了婚，你知道了埋怨我。

福亮也蹲下了，他想不出媒人还有什么要紧的话。

媒人说，我跟红菱家说了你这边的情况，你结婚，杨守满不会给你花多少钱，想你自己也攒不下几个。

福亮的头低了。他知道杨守满不会给他花钱，媒人给他提过好几家，人家都不愿意，说不是相不中后生，是他那个家实在够呛。

媒人说，人家明知道你是这种家庭，还同意，总得有个原因吧。福亮愣了，是啊，红菱家为啥愿意呢？难道就图他倒插门吗？

媒人说，这话我本来不该告诉你，现在不说，以后你知道了更麻烦，还不如把丑话都说在前头。

媒人说的时候，福亮脑袋使劲儿转着：红菱的腿拐吗？胳膊有问题吗？脸上有麻子吗？他想不出她有什么残疾。他抬起头，使劲儿盯着媒人。

媒人说，我听别人说，这丫头让他们村一个男人祸害过，只怕不是闺女了。

福亮盯着媒人，好半天不明白他说的意思，慢慢明白了，他就恨媒人，他告诉他这些干什么？他是不想让他娶她吗？

媒人看他神色不对，又说，其实也就看你在乎不在乎了，要是在乎，就是个事儿；要是不在乎，就不是个事儿。人家还有娶二婚的呢，照样过得挺好。

福亮站起来往树林外走。媒人追过来，问，我咋给人家回话呢？

他没有说。他不知道该说什么。他想娶红菱，可他心里咽不下这口气。媒人一直在后面跟着，问他到底愿意不愿意。福亮一边跑一边说，你别问我，我不知道。我真的不知道。

福亮不往村里跑，他往村外的草滩里跑，媒人在后面追他。他们一直跑到草滩深处的一个大坑里，大坑是村里人挖草坯挖出来的，这时候天旱，里面没有水。福亮蹲在里面，大坑四周的青草正好把他遮住。他蹲在那里哭，媒人在坑沿上坐下，一边抽烟一边等着他。媒人说，你也知道，我是为你好呢，我是看你这个后生窝在杨守满手里可惜了。

福亮说，我在乎，我凭什么不在乎！我凭什么就娶别人糟害过的女人，要人家玩过的剩货呢？福亮一边说，一边哭。

福亮的话好像在谴责媒人，弄得媒人挺灰心。草滩上起了风，草滩的尽处，天变得黄黄的。坑边的青草在风中胡乱地摇动，扬起的草叶打在媒人脸上。媒人站起来，准备离开。福亮看媒人站起来，也跟着站起来。他拉住媒人的胳膊，低声说，老师，我愿意。

媒人愣住了，弄不明白他到底什么意思。福亮说，像我这样的人，不愿意还能娶上谁呢？

媒人说，你可想好了，以后可不能埋怨我。

福亮说，我知道你是为我好，我真心愿意，以后就是再出了差错，我也不能埋怨你。看他坚决的样子，媒人倒有些犹豫了。这个小伙子关键时刻的果断让人害怕。

福亮就这么招赘到了红菱家。红菱爹娘给他准备了新房，还给了他二百块钱，让他和红菱到县里买了一身新衣裳。那是福亮第一次到县城。他跟红菱在县城的大街上还离得老远。他已经算是红菱家的人了，心里对红菱还有几分不自在。他知道红菱真心喜欢他。红菱每次一贴近他，他就想起媒人的话。想起一个说不清楚模样的人，把她摁在一个角落里。看不到红菱的时候，他会想起红菱待他的很多好处，一跟红菱在一起，另一种念头就浮了上来。

老实的红菱把他的躲闪当成羞怯了。她大大方方地叫着福亮，把二百块钱差不多都给福亮花了。后来红菱爹看见红菱没买什么衣裳，心里有些不悦，又给了红菱一百。

福亮用红菱娘家的三百块钱娶了媳妇，心情并不快乐。入洞房的时候，他心里是抵触的。他坐在炕边上迟迟地不愿意脱衣裳。红菱看他发呆，捅了捅他，脱了衣服吱溜一下钻进被窝。他不脱，他对即将发生的事情没有喜悦，只有恐惧。过去他害怕传言，村里人看他的眼光都是怪怪的。现在他害怕那个传言成为现实。结婚对他来说是从一个灾难走向另一个灾难。整个事件是被别人安排好的，一个男孩被人领着走进一个从来没去过的地方，而对方已经是轻车熟路了。

红菱早早地脱衣上炕，证明了一切。这不是他的喜事。他不敢明明白白地拒绝，一切都被羞怯掩盖了。

半夜里他听见了红菱的哭声，开始只是抽泣，后来成了压低的呜咽。他不能再待下去了，再待下去就是他的不是了。他的前半生受够了欺压，现在他不能再欺负别人。红菱没有过错。

他脱衣服的时候，红菱已经不哭了。他钻进被窝时红菱抱住了他，问，你是不是不喜欢我？他说，不是，我喜欢你，我只是不喜欢这天，不喜欢这地。他的话红菱不懂。红菱说，我爹说你好，想让你来这边，还说我们村比你们村富。其实按我的心思，我也愿意嫁过去。

红菱以为他不高兴，是因为当了倒插门女婿。看着红菱小心的样子，他的心有些疼。除了那个方面，红菱是个好女人。

他们开始时，红菱有些扭捏。他心里想，你扭捏什么，你不是早就被人家干过了？带着这样的心思，他有一些发恨。他怒冲冲地爬到红菱身上，可是他的怒气找不到发泄的地方，他在那里左冲右突，遇到的都是死胡同，该去的地方近在咫尺，却又远隔天涯。

红菱在他走投无路时悄悄地点拨了他。一经点拨一切都豁然开朗了。此时他已出了一身汗，却没有感到什么快乐。他听见红菱说，疼。她只说一个字，别的再也不说了。红菱疼得满头都是汗，最疼的时候，红菱的眼睛吧嗒吧嗒地往下掉泪。开始他以为红菱是装的，可是装能装得出那么多汗吗？能流泪吗？

他对红菱说，要不算了吧。红菱说，别，反正早晚也得过这一关，你来吧。他听见红菱痛楚地叫了一声。他在这叫声中狠了一下心，接着就一切都顺顺当当的了。

事情完后，他看见褥子上流了很多血。红菱对着血迹流泪，他却对着血迹发愣。整个过程是吃力的，流了很多臭汗。所有的性启蒙都是在村里男人们的玩笑中完成的，他没有体味到人们津津乐道的快乐，现在却快乐地想喊，想叫，想让所有人都知道。

第二天他找到媒人家，把整个经过跟媒人说了。他的快乐是抑制不住的，他从心底里感谢媒人。红菱是他人生的第一个成功。人有时候以为委屈了自己，其实老天爷是想逗逗你，跟你开个玩笑。就看你识逗不识逗了。

想到红菱对自己的种种好处，福亮对自己是鄙视的。第一次跟月饼发生那种事，他一夜没有入睡，红菱在对面冲着他笑。红菱的笑脸变幻着各种角度，歪着头的、侧着脸的、回眸的、低首的；有浅笑、有大笑；有凄苦的笑，有顽皮的笑。红菱的笑是鞭子，在抽打一个肮脏的灵魂。

他觉得自己被月饼强奸了。没有占有的感觉，只是若有所失。他丢失了人生最宝贵的东西，他再也不能坦然地面对这个世界。无论月饼对他多么好，他都从不感激她。

他没有想过要跟她断绝来往。月饼是个谁黏上都离不了的女人，她比红菱会做得多。红菱从来不喊，他觉得红菱从来没有快乐过。她做那种事只是为了让他快乐。月饼是把那当成享受的。月饼在黑夜里的喊声惊天动地，他用一只手捂住她的嘴，声音还是从他的指缝里跑出来。她在最快活的时候还会骂人。她骂福亮的祖宗八辈，骂完了又说多么喜欢他。她在那种时候说出的每一句话都让他信心百倍，都让他觉得没有白来这个世上。

如果红菱是他的爱，月饼就是他的欲望。办完那种事他有时会想，刚才那个人是不是自己。他想起了录像里的那个发仔。人有时候是欲罢不能的。他身体里有一个魔鬼，正在跟月饼身体里的魔鬼一块儿折磨他。

小三轮在乡村的田野疾驶着，烧了一夜的福亮反而清爽了。大自然正在给他降温。今年春节他没有回家，算下来离开村里已经半年多了，乡间的一切在他眼里是亲切的。土道上散落的马粪，草滩里突然窜出的野兔，都会勾起他的乡情。村子越来越近，家越来越具体。他再也不用担心死在外面，也不怕大铁钩子钩他的下巴了。

如果死的话，他愿意死在红菱怀里。离家越近，死好像离他越远了。他在小三轮上看着四处的田野，昨天在面包车上他看见的是绿油油的麦田，现在却是刚刚耕种的土地。内地的空气里流淌着麦子生长的气息，这里是刚刚翻开的土壤的清香。田头的一两棵歪脖子树，才刚刚抽出绿色的嫩叶，在他看来却是更有春意了。

唯一不好的，是他在不停地咳嗽。早饭时呛了一下，这一咳就咳开了口子，一路上他都在咳。凉爽的空气、乡村土路的颠簸、飘浮在空中的灰尘，都是他咳嗽的理由。月饼问他觉得怎么样，他说还在烧，身上发软一动就出汗。月饼伸手在他额上摸了一下，说，你的烧好像退下去了。他说不会吧，我觉得浑身都在疼痛。月饼说，我怎么觉得你头上比我的手还凉？

他抓住月饼的手摸了摸，发现他们手的温度差不多。小三轮转过一个弯的时候，月饼打了个喷嚏。他看着她红艳艳的圆脸说，你不是也在发烧吧？这句话提醒了月饼。她说，也许吧，从昨天晚上我就觉得身上不得劲儿。

月饼发烧这件事，让他出了一身冷汗。他想起了被封闭的那栋楼。看来他真得那种病了。他传染上了月饼。这时候回去，会不会也传染给红菱？

他还来不及细想，小三轮就到了村口。月饼说，我就不跟你进村了，我得早早返回去。从县城到我们那里还有六十里呢。

福亮却有些留恋了。他看着月饼，问，你觉得身上怎么样？月饼说，怕是不好。不过我的身体比别人强，就是病了也能好。

他想说，不是都说好不了吗？看了看月饼，又忍住不说了。他说，你可千万小心啊。月饼说，怕啥，人怎么不是个死？活一天就得活痛快了，死我也不能窝窝囊囊地死。月饼说这话时，他想起了月饼在那种时候的长吁短叹，她活得真是有滋味呢。

小三轮载着月饼返回了。他没有像城里人那样摆手，不过目光一直送到她消失。现在是早晨八点钟，家家的炊烟刚刚散去，村里人三三两两地扛着农具出来，他们一眼看见了站在村口的福亮，都停下来跟他说话。

福亮，什么时候回来的？咋站在这里？快回家吧，你媳妇的热被窝还没有叠呢。

福亮，这回挣了多少钱，给你媳妇腰里都揣满了吧？

福亮胡乱地回答着，有些心不在焉。站在村口，他还在犹豫该不该返回家里。他已经把月饼搭进去了，难道还想再搭进去红菱吗？

红菱要是病了，孩子也得病。还有红菱的爹娘，一直都拿他当儿子对待，他不能害他们。他得了这种倒霉的病，不能让一家人跟着倒霉。他又不能不见红菱，他腰里还有钱，别的可以不给红菱，这千辛万苦挣来的钱他得交给红菱。

路边的树下有块石头，他顺着石头坐下靠在树上。毕竟是家乡的树，靠着就像靠在亲人怀里，不一会儿就似睡非睡了。他看见家里的六间大瓦房刚刚盖完，房的外墙一律贴着青色瓷砖，里面铺着大理石地面，人往上面一站能照出影子。村里小孩子们兴奋地在地上打出溜。

村里人说，福亮，你咋不盖楼？福亮说，城里没钱的才住楼，有钱的都住别墅。别墅就是平房。

就是，人家福亮在城里见过世面，你看这房子，比楼房还阔呢，你看看人家的厕所，亮得到处能照见屁股。福亮特地把他们领到那个坐便器跟前，宽大舒适，比那个大肚子男人安的还高级。村里人说，福亮，这得多白的女人屁股才能坐这种东西啊？

福亮心里说，红菱就应该使这种东西。城里女人比红菱哪儿高贵？他要让红菱好好享福，对得起红菱给他的一切。

他知道自己正在做梦，他好长时间没做梦了，从五六岁起他就没做过好梦。他的梦都是噩梦，杨守满打他，打他的娘。娘喊，福亮快跑，他就是跑不快。他跑到哪里都有恶鬼追着。一直跑到红菱怀里，他再也不怕恶鬼了。

影影绰绰一个女人站在他面前，喊他。他心里知道，就是睁不开眼睛。他听见女人说，福亮，你咋睡在这里？城里女人夜里怎么折腾你来，把你弄成这个样子？

女人的话没有把他弄醒，倒是笑声把他唤醒了。他睁开眼对邻家的大嫂说，我病了，你让红菱过来接我。

红菱听见消息跑来了，上前要扶他。他说，别扶我，离我远一点儿。看他厉声厉色的样子，红菱不敢往前了，问，你怎么了？

福亮说，我病了，是城里的一种怪病，人家都叫“非典”。这病谁得上谁死，我不敢回村了，怕传染给你跟孩子。

红菱说，一家人，死也死在一处。

他说，胡话。咱们大人死在一处行，还有孩子呢。难道让孩子也跟咱们死在一处？

红菱说，你这个样子能到哪里去？

福亮说，你不用管，你把孩子拉扯好，把爹娘管好，我就放心了。

站在红菱面前的福亮恢复了一家之主的威严，红菱流下的眼泪他看也不看。挣的钱都放在裤衩里，他背过身解开裤子，从里面拿出一个布包扔在地下。怕风吹了，又拿一个土块压住。

他做这些事时，红菱只是流泪。他不看。这时候硬不下心，以后就把一家人害了。

红菱把钱拿起来，说，钱都给了我，你咋办呢？总得给你留点儿吧。福亮说，我身上还有钱，这钱就是给你们的。你快走。

红菱不走，说，要不我跟着你？

福亮说，你又说胡话呢，跟着我孩子交给谁？咱俩都死了，不就苦了孩子？也许我根本不是那种病，在外面待几天就好了。

红菱说，你去城里的大医院看看，什么病能这么厉害？

福亮说，这病听说都惊动联合国了。不过，再厉害的病也有能活下来的人，我的命硬，以前那么苦的日子我都没死，跟你结了婚好容易过上好日子，怎么会死？我不死。你跟孩子好好活着，我过几天就回来找你们了。

红菱问他，你要去哪儿？

他想了想说，我去杨守满那里待几天。我得病的事，你不要跟村里人说，就说杨守满病了，我去伺候他几天。这个尼龙袋子你也拿走，里面的东西先不要让孩子动，放在院里晾几天，等里面的毒气放完了再拿回屋。

红菱点了点头，一步一回头地走开了。福亮看见她的手在脸上抹了一把，他知道她是流泪了。

守　满

两个村子离得并不远。以前福亮去，抽一袋烟的工夫就走到了。现在福亮不是走，是在慢慢地挪。他走一阵，在路边坐一会儿，坐着坐着就睡着了。好在他总是咳嗽，一咳嗽又醒了。他的身体像一辆破旧的小三轮，在乡村的土路上颠簸着。田野里流荡着他的咳嗽声。

他已经好长时间没到这个村来了，大前年杨守满让人给他捎过话，让他回去一趟。他拖了半个月才过去。

他不相信这个叫杨守满的人会想念他。记忆里都是他发凶的样子。杨守满一手拿着酒瓶子，另一只手揪着娘的头发。娘的头被摁在水坑里，他听见了娘撕心裂肺的哭喊声。他走过去，使劲儿推着杨守满的腿，杨守满抬起腿，一脚就把他踢到了院外。他的身体在空中画了个弧线，落在地上。娘凄厉地喊了一声，福亮。朝他扑了过去。

醒来时，他听见娘在他身边哭。娘说，孩子，你跟着娘受苦了。

有一天，他决定离开这个家。他再也不想在这里待了。娘不离开，他自己离开。他相信能找到比杨守满家好的地方，哪怕这个地方非常遥远。这个七岁的孩子走了很长时间，饿了跟人们要饭，渴了就喝水坑里的水。等娘找到他时，他已经累得快要昏迷了。

娘把他背回家里，给他喝红糖水。那是他第一次喝糖水，知道了世界上有一种味道叫甜。他想，日子为什么不是这个味道？

后来他跟红菱结婚后，一次次地想到娘给他喝红糖水的味道。他相信甜是真实存在的。只要两个人相互恩爱，就能尝到这种味道。

他跟红菱在一起恩爱地生活，有时会想起这个叫杨守满的人。他想，是这个男人让他找到了红菱。他要寻找一份平和的生活，要让杨守满看一看，他生活得很幸福。

这一次与其说是来看杨守满，还不如说是来看娘生活过的地方。他像小时候一样，一遇到难事、愁事就想起了娘。现在他得上了可怕的病，娘是不是有办法救他？

杨守满的三间土房已经破旧了。房顶长年没修，上面长了很高的青草。左边一间的窗户坏了，他结婚后，杨守满一直住在右边的房子里，左边的房子早就闲置了。

院门没有关，实际上已经关不上了。他走进院门时在那里停顿了一下，想看看院里都有什么人，可是院里冷清得连一只鸡也没有。他走进屋里，屋里很黑，过了好长时间，他才看见炕上坐着一个满脸呆滞的人，那就是杨守满。

杨守满看着他，问，你是谁，是来会吗？是二会吗？

他说，不是，我是福亮。

福亮，你是福亮！你怎么不进来？

杨守满一看见他就流了泪，两只手支着炕，哆哆嗦嗦地爬到炕沿上说，福亮，你怎么才来，我还以为你再也不来了呢。你快上炕，柜子上有酒，咱爷儿俩好好喝一场。

杨守满的两个孩子一个在煤矿里做工，瓦斯爆炸捂在里面憋死了；另一个当兵转业到东北，这个孩子从来不给他写信，唯一的一次来信里面有一句话，杨守满念叨了好几年，他说，爹，我恨你。

杨守满在村里逢人就说，这个兔崽子，他恨我。村里人在背后议论，说他是缺德缺的，罪有应得。但是，这个孩子每月都给他寄钱。他虽然恨他，却还要按法律的规定赡养老人。

他寄来的钱足够杨守满生活，杨守满仍然不满足。有一次，杨守满让村里人给他写信，告诉他寄来的钱不够，每月至少应该再加一百。

这件事的结果是，那个孩子再也不寄钱了。杨守满不得不把他的酒壶收起来。过了几个月，孩子又恢复了寄钱，没有增加，也没有减少。杨守满再也不敢跟他的孩子胡闹了。他明白，他已经过了为所欲为的年代。

不缺钱不缺酒的杨守满，缺少的是有人理睬。福亮的到来使他兴奋。他浑浊的眼睛在黑暗中放着光，说，福亮，你快过来，让我看看你。福亮，你好像比以前高了，也壮多了。

看到杨守满后，福亮感到疲劳。他软软地坐在炕边上，没有说话。杨守满说，福亮，你往里面坐呀。把鞋脱了。

福亮脱了鞋，上到炕里面。他一上去就想睡觉，他往下躺时，炕上爆起了一层尘土，整条炕上只有杨守满坐的那片地方，没有尘土。这是个被尘土封起来的人。福亮的恨也被尘土封住了，他还有必要恨这个老人吗？

福亮身上烧得厉害。每天下午都比上午难受，身上到处都在酸痛，一盘腿骨节咯巴咯巴地响。他使劲儿看着杨守满，觉得他的脸是双的，模糊不清，脸上好像有两张嘴在动。

杨守满跟他唠叨村里的事，谁家的儿子娶了谁家的闺女，谁家的闺女嫁到了外地；谁家从安徽买了个媳妇，结婚一年，生下个孩子又跑了；谁家贩羊毛发了财，盖了二层楼，夜里跟别人赌钱，又把二层楼输出去了。杨守满说，这就是命。一个人有多大福分，那是天生的。

福亮听他说着，身体渐渐支撑不住。他刚睡过去，不一会儿又咳醒了。杨守满说，你咋咳嗽得这么厉害？福亮说，我可能病了。杨守满说，喝酒治百病，只要一喝酒，什么病都能好。

福亮在他的念叨声中睡了过去。后来咳嗽再也没有惊醒他，他一边咳一边睡。他在睡梦中想念母亲，想小时候他挨了杨守满的打，娘搂着他哭的情景。

醒来时，杨守满已经在炕上放了一个菜板，上面摆着几个水萝卜、几根小葱、一盒肉罐头和一瓶二锅头。福亮说，我不喝酒。自从相亲醉过一次，他再也没有动过酒杯。

杨守满很不高兴。他说，你不喝我喝。喝了酒的杨守满话更多了，他说原来的村长孙元下了台，新任村长是原村长的侄子。这个村长比原来那个村长更不是东西。

杨守满说，村里去年收提留款，我就不给他们交，我一个快死的人交什么提留款。今年他们又来找我，我更没给他们好话。这帮王八蛋，没一个好东西。

杨守满开始骂村里的人，从东西两边的邻居到本家的亲戚，从村干部到村里的电工，全村没一个好东西。如果说这世上还有好人的话，就是他自己。

福亮手里拿着水萝卜，慢慢地咀嚼。从小听见的就是杨守满的谩骂。杨守满对世界是仇恨的，所有跟他交往的人都对不起他。他是这世上最不幸的人，娶了个一钱不值的女人，还要养活不知道是谁操出来的小野孩子，如果不是这两个因素拖累他，他过得应该是多好的日子。

他骂福亮的娘是丑八怪，是骚货，是扫帚星，这种女人嫁给谁谁倒霉；骂福亮是土匪种，大了肯定没出息；骂老天爷没有长眼，怎么让这种女人进了他的家门。还骂自己的两个亲生儿子，说他们都是白眼狼。

现在他不再骂家里这些人了，他骂村里人。他说，我一个人拉着一车麦子回家，路上没一个过来帮我一把。这帮王八操的，看我老了，他们用不着我了。

听着杨守满的谩骂，福亮把年幼时的记忆都唤起来了。他把手里的萝卜扔到笸箩里，用愤怒的眼光看着杨守满。杨守满愣住了，用胆怯的目光看着福亮，说，怎么，你不高兴了？

福亮说，我看村里人都挺好，你怎么总说别人不好？

杨守满说，我知道，咱爷儿俩多会儿也说不到一块儿。他们有什么好的，他们对咱们家有什么好？

他记得小时候杨守满打他娘时，村里人跑到家里拉架。杨守满跟人家说，我打我老婆和你什么相干，你看上她了，我打她你心疼了。闲得你蛋疼呢不是？

村里人说，这东西喝了猫尿不说人话，简直是个牲口。

村里没人理睬他，这是意料之中的。

福亮记得，他小时候总是一个人躲在草滩里想亲爹。他对爹没有一点儿记忆，所有关于爹的回忆，都是在娘的叙述中形成的。

娘说他们原来在内蒙古的太卜寺旗，爹是那里的一个铁匠。爹的手艺在旗里特别有名，爹一只手能抡十八磅的大锤，爹打出的镰刀在水里淬过火后，发出蓝色的弧光，牧民们打草都愿意用这样的镰刀。爹给马钉马掌，再烈的马也服服帖帖的，因为爹钉的马掌跑起来舒服。马也通人性，爹只要钉一次掌，那马就认识爹了，再见着爹就咴咴地叫。

福亮想象自己也像爹一样一身力气。杨守满再欺负娘，他就抓住杨守满的胳膊使劲儿一拧，把杨守满拧一个跟头。他在想象中给杨守满两只脚都钉上马掌，让他在草滩里来回跑。

爹是怎么死的？他问娘。娘说，你爹的命太苦了。

娘始终没跟他说明白爹是怎么死的，关于爹的死因，有两种说法。杨守满说爹是土匪，杀了人被枪毙是罪有应得。村里人说爹是受冤枉的，他们村有个人被打死了，公安局把他当成了杀人犯。几年以后那个真正的杀人犯被抓住了，爹却再也回不来了。

杨守满的第一个老婆是让他打死的。杨守满是木匠，每年农忙时下地干活，农闲时就到外面做工。他在外面干一冬天活儿，回到家却一个钱也拿不回来，把钱都喝酒了。他老婆跟他吵闹，他拿起手边的锛子抡了一下，听见他老婆喊了一声就再也不出声了。

杨守满说，起来，再不起来我非劈了你。他女人在地上躺着不出声。杨守满说，你跟我装死不是，看我怎么收拾你。他提着锛子怒冲冲地走过去，杨守满的娘骂道，你个王八蛋东西，想把你媳妇打死呀。杨守满才害怕了。

村里人把杨守满媳妇送到医院时，她已经断了气。杨守满让人说情，这事总算没有经公安局了断。福亮的娘嫁到这里时，村里没有人跟她说这些。那时福亮爹的案子还没有搞清楚，她在村里抬不起头来，就急忙带着福亮嫁到了这里。福亮的姥爷信奉手艺人，总觉得嫁给一个木匠，将来日子不会过差了。

娘来到杨守满家时，觉得有些抬不起头。她在家里不停地干活，杨守满仍然骂她。杨守满常常想他死去的媳妇，觉得福亮娘这也不好，那也不好。杨守满的娘骂他，你媳妇那么好你还打死她干啥，这会儿你又后悔了。杨守满无话可说，心里还是不顺，他喝了酒在那里怨天尤人，说他的命有多么苦。

他看福亮哪儿都不顺眼。他不喜欢福亮，福亮自然也不喜欢他。他让福亮叫他爹，福亮不叫。福亮总是离他挺远。有一次娘跟福亮说，你就叫他一声爹。福亮说，他不是我爹，我凭什么叫他？他天天打我，骂我，我凭什么叫他？福亮娘说，你一叫他，他就不打你了。福亮说，我不叫，让他打吧。

福亮不知道为了他的不叫，娘要付出更多的辛苦，受更多的委屈。她是一个能劳作的人，从早到晚不停地干活，家里收拾得窗明几净，地里的活儿杨守满根本不管，除了杨守满七十岁的爹干一点儿，剩下的全是她一个人干。杨守满仍然不满意。他对福亮的娘除了打就是骂。

有一天，福亮的娘对杨守满说，你别骂了，我觉得今天身上不好受。杨守满说，跟我装什么蒜呢，你不好受，我哪儿好受了。觉得我这儿不好受，找你好受的地方去。

杨守满骂的时候，福亮的娘挨着后炕坐下了，接着就靠着墙一点点儿地萎了下去。杨守满骂着骂着跳起来，说，我骂你两句，你倒给我躺下了。这家里的活儿你想让谁干呢，起来。

杨守满一只手把福亮娘拎起来，冲着她脸上扇了一个耳光。他听见福亮娘喊了一声，福亮呢？福亮。然后头就歪到了肩膀上。杨守满把她拉起来，说，你怎么了，跟我装呢是不是？他突然想起了第一个老婆死去的情景，有些害怕了。他喊来了他的爹娘，他娘拿手在福亮娘的鼻子上试了试，说，怕是死了。

福亮回家时，看见杨守满正蹲在地上哭。别人告诉他，他娘死了，他不相信。他还是第一次经见死。他看着娘躺在炕上的样子，总觉得娘是睡着了，她天天干活太累了，睡一觉醒来就会给他们做饭。别人哭的时候，他不哭。他坐在那里傻傻地发呆。当村里人都在忙活丧事时，他突然跳起来冲着炕上喊，娘，我饿了。

这一句，把村里好些人都喊哭了。人们都说，这孩子太苦了。杨守满本家的一个长辈把杨守满叫到跟前，指着他的鼻子说，从今天起，我要是再看见你打这个孩子，我饶不了你。

杨守满点着头，他是真的后悔了。他本来应该有一份不错的日子，由于他的粗暴脾气被毁坏了。他蹲在地上哭，两只手捶着脑袋骂自己不是东西。他喊，杨守满，你不是人，你是牲口。

福亮看着他的表演，渐渐明白娘是真死了。他仍然没有哭。他一个人在村里街上走，想没有娘的日子会是什么样，他以后该怎么活下去。他那时才九岁。他没有悲伤，只是想要不要跟娘一块儿死。如果他想死的话，该怎么死。他把听说过的死的办法都想了一遍，喝农药、摸电线、跳井、上吊、拿刀抹脖子。他看见人们把他从井里捞出来，一村人围着看，说这孩子真可怜。看见他躺在村里的高压线旁边，一条胳膊烧成了焦黑色。种种死法他还没有想明白，村里一个女人找到他说，福亮，你在这儿干什么，快跟着我回家吧。

他跟着那个女人回了家。家里堆满了人，乱哄哄的。整个丧事期间，福亮没有感到多少悲痛，只是觉得乱得慌，许多人摸他的脑袋，蹲下身子跟他说话，对他表示关心和同情。这打扰了他的冥想，他对别人的同情显得挺漠然。他就是想安静一会儿，想一个人待着。

只是在丧事结束后，他才感到了悲痛。他再也没有娘了，以前渴了可以要水，饿了可以要吃的那个娘，没有了。夜里他伸手往旁边摸，旁边没有娘，他在黑暗中坐起来，一个人坐在那里想，娘哪儿去了？想了一会儿明白过来，娘死了。娘是让杨守满打死的，骂死的，是给杨守满家干活累死的。

自从娘死后，杨守满像换了一个人，他再没有跟福亮发过脾气，再没有喝过酒。他吃着吃着饭，会突然哭起来，他骂自己，杨守满，你他妈的不是东西。这让福亮增加了对他的鄙视和仇恨。

福亮的姥姥和姥爷都死了，娘没有兄弟姐妹。娘家的亲戚都是远亲，没有人愿意把福亮带走，福亮只有一个出路，就是留在杨守满这里。他仍然不叫杨守满爹，杨守满也不再让他叫了。他们冷漠地相处着。

家里没有了福亮娘，地里的活儿便都得杨守满做。杨守满的两个孩子在县里上中学，学费不是小数目，农闲时杨守满必须到外面做木匠活儿才能把学费挣出来。福亮在家里没人管，便是饥一顿饱一顿。村里女人看见他没有饭吃，常常把他领到自己家吃饭，有时吃饱便在人家家里睡着了。人们看着他，都感叹这孩子命苦。福亮就是这么吃百家饭长大的。

福亮想，他能活到现在真不容易，他这一生吃了太多的苦，老天爷不会这么不开眼，不会让他死。别人得“非典”活不了，他能活。

那天夜里杨守满跟他唠叨了一夜，福亮听着便睡着了。他在杨守满睡着以后，却突然清醒起来。他从炕上坐起来，想自己这一生。他只有一个念头，就是不能死。他死了，孩子的命运会像他一样。红菱带着孩子改嫁，会遇见一个像杨守满似的人。那时红菱天天让人家打骂，忍辱负重地生活。红菱死了，孩子会没有人管。

他把孩子的命运想得比他还要艰难。他不是不想死，是不敢死。他一定要活下来，要让老婆孩子过上像样的生活。

他在城市里干了好几年，这是他回到乡里的第一个夜晚，他觉得这里的月亮比城市里更圆，更明亮。月亮的清辉透过窗户照到他身上，他听到了自己身体里的声音。人在发烧时，身体里是有声音的，就像一壶水，在将要烧开时会发出嗡嗡的声音。月光是凉爽的，他的烧正慢慢地降下来，他会重新成为一个能吃苦的福亮。他干活时会重新让人们发出赞叹。

乡村的夜晚真安静，静得能听见土里虫虫草草的声音。根须在土里伸展，幼虫在破茧而出。他想，它们比人生活得好。这个念头他在来时的路上就想到了，一想到就再也去不掉。人这一生实在是太苦了。一个没有爹娘的孩子就更苦。他的病一定要好，一定要让红菱和孩子过上好生活。

他遇到现在这个包工头是三年以前的事，当时他在县里的劳务市场上转悠。他再也不相信什么亲戚、朋友，只相信自己的力气。他有一身好筋骨，干活不惜力气，不愁找不到别人用他。

他在劳务市场台阶上蹲了三天，最后一天已经准备返回去时，看见一个二十多岁的年轻人走过来。年轻人问他在这里蹲着干什么？他说找活儿。年轻人问他登记了吗？他说我不知道还要登记什么。年轻人说，你找活儿，先得进里面跟工作人员登记。他说，我听见别人说找活儿都得来这里，就来了，我不知道还有这么多事情。

年轻人说，你呀，真是个老实人。

年轻人问他都会干什么。他说不知道。我什么活儿也不会干，我只会吃苦。凡是吃苦的活儿我都能干。他说了以前在外面打工的经历，说原先的包工头怎么骗了他。说他前几天在县城里新盖的那片楼房里转悠，看见红菱的那个二伯从一栋漂亮的楼里走出来，胳膊上挎着一个抹着红嘴唇、鼓着一对大奶的骚娘儿们。骚娘儿们身后拉着一只比猫还小的狗，他们连人带狗都上了汽车。他走到车前面，把二伯的车拦住了。

二伯跳下车，跟他说，福亮，你在这里干什么？他说，我到处找你。二伯说，你找我干什么？他说，你还欠着我的工钱呢。二伯沉吟了一下，说，工钱你就别要了。老板到现在都没有给我钱，我拿什么给你们。我吃个大亏，你们吃个小亏，这事就算了。他说，老板没有给你钱，可是你买了汽车，身边有了漂亮娘儿们。我们一家老小得吃饭不是。二伯哈哈地笑了，说，福亮，你真是跟以前不一样了。以前你那么老实，现在也能说会道了。他说，我说的是理。二伯说，这事下回再说，我今天还有事。他拨开福亮，关上车门就开走了。

年轻人说，你说的那个人叫李金宏是不是？他偷税漏税已经被抓起来了。你受了他的骗，不等于别人也会骗你。这么吧，你要是相信我就跟着我干，我保证亏待不了你。

后来他跟着这个年轻的包工头干了三年。他们转了几座城市，他们盖的楼一栋接一栋。他挣的钱从一天十五块涨到了一天二十块。他们的工钱不再是完工时再结，而是每月都发。他每次回家都要拿很多钱。红菱告诉他，他们已经攒了一万多块。他一直有一个念头，再干几年他要给红菱盖一处新房。他结婚时住的是红菱家的房子，现在要给红菱补上。他躺在杨守满的炕上，想的是自己的房子会是什么样儿，红菱搬进新房有多么高兴。

他在炕上想着想着，慢慢地睡了过去。

第二天上午红菱赶了过来。她一进院就喊福亮，福亮，福亮。你在哪儿呢？福亮迎了出去。他不让她进门，在院里站着跟她说话。红菱是来叫福亮回去的。她说，你在这里我怎么能放心？

福亮说，让你走你就走，病好了我自然就回去了。

红菱说，你不回去我不走。

福亮大声地说，你想害孩子不是，你想让咱们一家都倒霉不是？

红菱说，哪能那么巧，就把孩子也招上？她不说传染，说招上。

福亮说，怎么不能招上？跟我一块儿在工地的，有的已经让我给招上了。

他没法跟红菱说月饼的事，只能说工地。他说这个病在城里多么厉害，风一吹，就能吹到别人身上。吹上谁谁得病。这病没有好。

红菱哭了，说，福亮，你别吓唬我。咱们家里不能没有你。这家里要是没有你，天就塌了。

福亮说，我知道。你让我在这里再养几天，我能好，我一好就回去了。

红菱还是不想走，福亮怕时间长了传染给她，就跟她发起了脾气。红菱最后给他留下了一些钱，哭着回去了。

福亮回到屋里，杨守满说，我说你怎么来我这里了呢，原来你是跟你老婆打架了。福亮没有更正他。说，就是，我就是跟她打了架，不想回去了。

杨守满说，女人都是害人精。越是长得好看的女人，越是害人精。

福亮的娘死后，杨守满爹娘的身子骨一天不如一天，一年以后，两个老人相继死去。家里没有女人，总觉得不是个日子，村里人看杨守满和福亮可怜，有好事的人又想说亲。近处的女人谁也不敢嫁给他了，杨守满便跟着人家往很远的地方跑。他见了好些女人，没有一个人肯嫁给他。

杨守满后来娶了个四川女人。四川女人脾气暴烈，每次跟杨守满吵架都是跳着脚骂，骂着骂着咕咚一声，往后一仰就背过气去了。已经死了两个老婆的杨守满再也没有以前的蛮横，他有时也会发一两次脾气，村里人就会指着他的鼻子说，死

了两个老婆你还嫌不够，还想再娶几个是不是？你挣的那点儿钱，将来就都娶了老婆吧。杨守满的脑袋在村里人的责备声中，渐渐耷拉下去。

这时杨守满把福亮当成了说话的对象。他常常在没人时跟福亮感慨自己的一生，说他的命多苦。福亮麻木地听着，从来没相信过他的话。杨守满的两个儿子都在外面找了对象，这么做的理由就是一辈子不想回来，不想再见到这个当爹的人。

四川女人对福亮是冷漠的，对他说不上恨，更说不上喜欢，只是一个使唤来使唤去的人。福亮衣服上挂着一个很大的口子，村里女人看见给他缝上了。都说后娘不行。小白菜，地里黄，三岁五岁没了娘。但后娘从来没有打骂过他。有时四川女人看着他，突然叹一口气就再也不理他了。福亮在家里像一个可有可无的人，他像一缕空气，飘来飘去没有人在意。有一天消失了，也没有人关心。

他记得和红菱结婚后，有一天在地里干活晚了，没有回家吃饭，红菱便到地里找他。红菱轻手轻脚走到他背后，用手捂住他的眼睛。他知道那是红菱，红菱的手软软的，他一摸就能摸出来。他故意不往对的猜，说了村里好几个女人的名字，都是他们在被窝里常说的几个烂女人。红菱便掐他。

他们在地里翻滚着，滚着滚着，他抱着红菱亲起来。他在地里亲吻了好久，他要解红菱的衣服，红菱说让人看见多不好意思。他们抱着说了很长时间的话，后来红菱的爹娘看他们不回来，就到地里找他们。他明白，他跟以前再也不一样了。现在他不回家，有人关心他，惦记他。他不再是这个世上可有可无的人，他对别人很重要。

他有了亲人。

红菱已经睡着了，他搂着红菱的身体想，他有了亲人。这个女人是他最亲最近的人，如果没有他，她会难过，会哭。他要好好珍爱她。跟月饼有了那种事后，他总是想红菱对他的种种好处，觉得自己失了身。虽然跟月饼做那种事，心里却在恨她。他从来没爱过月饼。他对月饼也有感情，那是一种说不清楚的感情。有时他对月饼也会产生负疚感，觉得自己对两个女人都不忠实。

他在杨守满家的大炕上，回想刚才红菱抹着眼泪，一步一回头离开的情景，感到自己这一生挺值的。他有了自己的家，有了自己的孩子。他不再是一个孤儿，他必须好好地活着，让红菱过上好日子。

他感到正在变好，身上的疼痛轻多了。虽然下午还在发烧，却不再烧得那么迷糊。他的体力稍一恢复脑子就活跃起来，以前忘记了的童年的事会突然冒出来。他常常看见娘在屋里忙活，娘拿着一块山药叫他，福亮，过来，给你个山药吃。他走到跟前，娘又消失了。

他说，娘，你不要走，你认不出我了吗？

他说，娘，你不要怨我不来看你，我实在忙得顾不过来。我一年有八九个月在外面做工，我现在跟的包工头是个好人，他按月给我们开钱。我干活从来不惜力，有十分力要使出十二分来。包工头常跟别人夸奖我。有一些额外的挣钱的活，他也愿意交给我干。

家里的事我都靠红菱了。红菱是最好的女人，她心疼我，心疼孩子，她一个人带着孩子，还要干地里的活。红菱的爹娘也是好人，待我就像亲生儿女一样。村里人都说我是修下福了。

他在屋里跟娘说话时，杨守满看见了。杨守满问他，你一个人念念叨叨的，跟谁说话呢？

他不告诉杨守满。他在这个屋里能看见娘，杨守满看不见。杨守满是一个谁都看不见的人。他要是死了，到了阴曹地府也没人理。

在杨守满家住到第三天，他的咳嗽又厉害了，身上又烧得厉害起来，他发现他发烧的时候，杨守满也在发烧，甚至比他烧得还厉害。

发起高烧的杨守满不再顿顿喝酒，萎在炕上说不想吃饭。他胡子翘起来，像一蓬乱草，脸上发着青绿色的光。他嘴唇烧得爆起了一层皮，用舌头舔来舔去，也舔不湿润。他趴在炕上用针扎手指头放血，说每次病了都这么治，挺管事。

到了夜晚，杨守满躺在炕上呻吟着，喊一些人的名字。四川女人、福亮娘，有时也喊福亮，福亮没有搭理他。

看到杨守满也开始发烧，福亮心里有说不出的滋味。既害怕，又有些得意。这个病真是太厉害了。他从小到大想过很多报复杨守满的办法，每次到实施的时候又打消了念头。现在他看着杨守满在床上一声接一声地咳嗽，心里想的是，杨守满，这不是我，是老天爷。因为你做的损事太多了。

现在他必须离开这里，只有离开这里，好像才不用承担责任。他还害怕红菱再来找他。杨守满一发烧，使他彻底打消了回家的念头。他离开这里，红菱就再也找不到他了。

他已经没有药了，月饼给他买的药早吃完了。他对杨守满说，我得走了。我想去县里的医院看看病，买点儿药去。杨守满说，福亮，你跟你娘说，让她给我从外面捎点儿醋来，我心里烧得厉害，喝点儿醋能解一解。

福亮胡乱地答应着。

离开杨守满家时，他从水缸里盛了一瓢水，在水缸边咕咚咕咚地喝了。他把剩下的水倒回缸里。他本来想把剩下的水浇到杨守满脸上，又把这个念头打消了。所以他把水瓢扔回缸里时动作很大，明显带着气。

孙　元

走到街上他觉得腿发软，脚底下像踩着棉花。街上的鸡呀猪呀，在他眼里都是双的。村子已经变了样子，一多半的人家住了新房，这一切在他的病眼里都显得不真实，像看一部陈旧的电影。

自从来到这里后，他还没出过杨守满的院子。村里人不知道他回来了。现在见了他，都跟他打招呼。他们问，福亮，什么时候回来的，看杨守满来了？

福亮不想承认他是来看杨守满的，含糊地答应着，说，回村里看看。

他觉得太阳光晃眼，在阳光下，身体越发虚弱。村里人的关切没有感动他。他从小就是在这些人的关怀下长大的，就像对杨守满的虐待一样，已经习惯了。

他在夜深人静时常常想起他们，谁曾经在他饿时给过他一块饼子，谁曾经在他渴时给过他水喝。村里的狗咬他时，谁曾经保护了他。他想过很多报答他们的办法。现在他唯一的报答就是尽量离开他们远一些，不要让自己的病传染到他们身上。

他往村外走时，听见他们在背后说，这后生总算熬出来了，天下没有过不去的火焰山。这淳朴的道理使他增添了信心。他想，没什么可怕的，只要走到县城，买上药，一切就会好起来。

走到村东边看见一栋二层小楼。他想，这是谁家又发了财？据他所知，村里只有村长孙元盖起了小楼。现在看来又有了新的暴发户。他走到楼跟前，出来的恰恰就是孙元。

孙元说，这不是福亮吗，什么时候回来的？他说，回来好几天了。孙元说，来看看杨守满？你这人有良心，连他自己的儿子都不看他。他说，人家不来看，可是月月寄钱呢。孙元说，你没听见电视剧里怎么说？钱就是王八蛋。

他说，要这么说，你们家里就净是王八蛋了。

孙元怔了一下，说，福亮，你在城里打工，真是出息了。瞧你这张嘴，我都说不过你了。

福亮感到了报复的快意。看着孙元发窘，他决定到孙元家里看一看。他要在他们家咳嗽几声，用他们家的水瓢从水缸里盛一瓢水喝。他说，你怎么不让我进去看看你的好房子？

孙元说，进来吧。你小时候净往我们家跑，这会儿在城里挣大钱，难请了。

福亮跟着孙元进了楼里。孙元一边走，一边给他介绍楼里的格局和新打的家具。福亮跟着走有些吃力，不过他尽量不让孙元看出来。走到楼上，他有些喘息，他站在那里咳嗽。孙元说，福亮，你身体不好，脸色有些发灰。

福亮说，没事，我就是干活太累了。孙元说，城里的钱挣不完，还是命要紧。福亮说，我怎么能跟你比，你当着村长，又承包着村里的砖厂，村里的钱还不是尽着你往家里拿？

孙元脸上有些得意。他说，我早就不当村长了。福亮说，你哄谁呢。这个村的村长不管谁当，最后还是你孙元做主。是不是？

孙元的嘴咧得很大，他不知道福亮正在恨他。也许他是太自信了，根本不拿福亮的恨当回事。村里人恨他的多了，谁又能够奈何他。

一直到临死娘都不恨杨守满。这村里她只恨一个人，就是孙元。娘说孙元比狼还狠毒。娘嫁到这里时间不长，就赶上了村里分地。人们都知道村里最东边的那块地紧挨着盐碱滩，盐碱滩里是一尺多高的人头疙瘩，到了夜里草滩里发出奇怪的声音，远处听着像是人哭，到了近前又成了风声。人们说吉鸿昌在那里打过仗，盐碱滩里死的人多了，净是些孤魂野鬼。挨着草滩的地谁也不愿要。到了天旱时地里泛起白花花的盐碱，莜麦只能长两拳那么高。生产队时只在那块地里种荞麦，正经粮食一颗也打不下。

一说分地，人们就都盯着那块地，担心自己分上。政策说分地五十年不变，谁家要是分上，五十年的日子就完了，还不如过生产队的日子。生产队要穷大家一起穷，现在只穷了一家。

那些日子孙元在村里特别神气。他看村里女人的目光不一样，像牙子看牲口一样。牙子就是牲口贩子。孙元明显把这些女人看成筷子下面的一盘菜了。没事时，村里女人在一起三三两两地议论，说谁家的女人去了孙元家，出来时是什么表情。说孙元看谁的眼神不一样了。

人人希望分到好地，更担心那块盐碱地分到自己头上。这都和孙元的眼神有关。孙元对哪个女人感兴趣了，这个女人就比任何时候都招人痛恨，她不只是把身上那块地卖给了孙元，更是把那块盐碱地推给了别人。

那些日子孙元把眼光瞄上了福亮娘，村里女人能收拾的他都收拾了，剩下那些不能收拾的，他早就死了心。现在他瞄上的是新来的人，村里一个新娶的媳妇家他串过几回门，开始好像没有得手，后来一弄分地的事，他再从那家出来就是一副满足的样子。渐渐他不再去那家了。他觉得老嚼一个馍没意思。

剩下就是福亮家。他每次在街上见了福亮娘，都站住跟福亮娘搭讪。他一只手拿着火柴棍剔牙，眼睛在福亮娘身上来回看。那时福亮娘的身材好，身上该鼓的地方都鼓着，孙元夸奖她说，杨守满这辈子算享了福，他娶的不是媳妇，是天仙。

别的女人听他这么说，都咳嗽着跟福亮娘说家里还有事，回去了。她们说，村长真是好眼力，长了一双看花的眼。孙元嘿嘿地笑。福亮娘不愿意搭理他，别过脸看别的地方。看他还不走，自己便走开了。

有时孙元找借口去了家里，娘就把福亮叫过来，让福亮在她身边玩。

有一次孙元拿出一角钱，让福亮到街上买糖吃。娘不让要，福亮就把那一角钱打扔掉了。孙元说，瞧瞧这孩子，大了也不是省油的灯。福亮用戒备的目光看着孙元，那时候他虽然小，但也知道孙元不怀好意。

杨守满在家里虽然暴躁，一出了家门，却是个最没出息的人。这村有一半人家姓孙，姓杨的只有两三家，没有地位。杨守满不光怕孙元，连跟孙元走得近的都怕。

孙元给他个好脸色，他就一副感激不尽的样子。

村里男人们跟他开玩笑，杨守满，你说咱们村那块盐碱地是谁家的。杨守满说，爱是谁家是谁家的，反正不是我们家的。村里男人们说，怎么不是你家的，你要是脑袋发木，那块地就是你家的。

杨守满没有恼，只是嘿嘿地笑。他的笑很卑琐。

村里人说，你还不赶紧到外面做你的木匠活去，看你也没个眼色。

福亮恨村里这些男人，杨守满不恨，他跟那些男人们一起笑。只要一回到家里，他就换了一副脸色，他看谁都不顺眼，觉得这个家里谁都对不起他。

过了几天，他真的打算出去做木匠活儿。他收拾箱子的时候，福亮娘说，你这时候不能出去。他说，为啥？福亮娘说，你没看见村里要分地了吗？这么大的事，你不在家咋行。他说，我出去了还有你，你去找找孙元。人家都找，咱们也不能不找。

看福亮娘不高兴，他便骂起来。他骂福亮娘脑袋是榆木疙瘩，说为这么点儿地的事，他还能一冬天不出去做活不成。别人家的女人能去孙元家找，你为什么不能去？你是什么金枝玉叶、皇亲国戚？

他骂的时候福亮娘哭。福亮娘哭起来跟村里女人不一样。村里女人坐在地上放声大哭，带有表演性。福亮娘无声地流泪。她哭的时候手不停，一边哭一边干家里的活。

杨守满骂了半天，背起工具箱走了。福亮娘在家里等着分地，那些日子她从不单独出去，走到哪里都让福亮跟着她。

孙元把那块盐碱地分成了两块，这意味着分到那块地后风险小了，概率却增大了。原来那地分给一户，现在分给两户。村里人都在孙元家里忙出忙进，农村人没什么好东西送，无非是些地里的东西。孙元对这些东西不入眼，他感兴趣的是人。杨守满的娘拿着二斤红糖和两瓶酒去了，孙元把东西留下，说，你这么大岁数跑什么，让守满媳妇过来一趟。

杨守满的娘把话带给了福亮娘。福亮娘说，我不去。杨守满的娘说，守满不在家，你不去咋行。福亮娘不说话。她最后还是没有去。就在杨守满的爹娘着急时，孙元自己来家里了。孙元说，守满媳妇，咱们村里就你架子大，我看你是不求人，就等着别人求你呢。

福亮娘说，我不是不求人，是知道村长做事公道，求不求一样。孙元说，你怎么知道我做事公道，我要是不公道呢？

杨守满的爹娘看见孙元来了，显得很激动，两个人比着向孙元说恭维的话。孙元有些不耐烦。杨守满的娘就说，我们走了，你们说话吧。福亮，走，跟奶奶去街里玩。

福亮娘说，福亮，别出去瞎跑。看你一天在外面瞎跑，把衣裳都弄烂了。福亮听娘的话，杨守满的娘往外拽他。他坚决不走。杨守满的爹娘只好走了。

福亮至今还记得那天的情景，孙元跨在他们家炕沿上，两眼盯着福亮娘。福亮娘站在灶台跟前，手里剥着山药皮。她把剥好的山药和莜面和起来，做山药烙饼。福亮娘做活的样子非常好看，孙元的两只眼睛发直。他没话找话地说，你说，咱们村里那块盐碱地该怎么分？

福亮娘说，你是干部，肯定心里有数。孙元说，要我看，也只好分给你们家。福亮娘问，为啥？

因为杨守满长年在外面做木匠活儿，他在队里出的工最少，在外面挣的钱最多，不分给你们家分给谁？福亮娘说，那就分吧，我不能不让你那么分。

她这个态度。弄得孙元很无奈。孙元说，那就这么分了？福亮娘说，那是你的事，你爱怎么分就怎么分。孙元不说话，他有些悻悻的。过了一会儿，他对福亮娘说，我看你是大闺女要饭，死心眼儿。福亮娘说，人活的是脸面，我是要脸的人。孙元说，你这么要脸面，给谁要？给杨守满要吗？只怕杨守满不说你好呢。福亮娘说，我给自己要。

孙元说，我把一块好地分给你，不管你跟我有没有这回事，村里人也得说你有，杨守满也得说你有。你信不信？

福亮娘抬起头看着他，说，我没得罪过你吧。孙元说，什么叫得罪？我想做什么，你不让我做，那就是得罪。你也知道，我在村里没别的毛病，就这么点儿小缺点。我不管你答应不答应，反正你是清白不了。不信你走着瞧。

说完孙元走了。

分地时，孙元把那块盐碱地分成了四十多份儿，每家分了一窄条儿。这一窄条儿谁也不去种。实际上就废了。几年后他自己把那块地都种上了。他用县科委拨的资金在那里打了一眼机井，种大棚蔬菜挣了不少钱。村里人都说孙元能，地是大伙儿的地，钱是科委的钱，他自己致了富。这都是后话了。

孙元把村里最好的一块地分给了杨守满。杨守满的爹娘很高兴，杨守满从外面回来却不高兴。村里的男人们都拿他开玩笑，说，杨守满，你这媳妇娶得好，你不在家，给你把好地要上了。

村里男人们都议论福亮娘跟孙元的关系，说福亮娘平时装得像，其实比哪个女人都浪得厉害。还有人说福亮娘会伺候人，把孙元伺弄得舒服。他们问福亮，福亮，你娘咋那么能？你娘那东西上抹着蜜呢，把孙元甜坏了。福亮便骂他们。

同样的话他们说给杨守满，杨守满不骂他们，只是把头低下了。没有分地时他担心分上那块盐碱地，分完了地他又觉得自己更吃亏。

回到家他质问福亮娘为啥分上了最好的地。福亮娘说，他要分给我，我怎么知道。杨守满说，你不给他甜头，他会把甜头给你？福亮娘便把孙元说过的话告诉了他。杨守满不相信，他说，你当我是三岁孩子呢，那么好让你们哄我。福亮娘说，你爱信不信，反正就是这么回事。

在福亮记忆中，杨守满对他娘的殴打就是从那时开始的。以前他只是骂，现在他打。他只要在外面有了不高兴的事，就要把他娘打一顿。杨守满是以这种方式表示他对孙元的反抗，好像经他这么一打，脸面就回来了。

福亮从小看见的是孙元淫邪的笑，他对孙元的恨是浸透在骨子里的。孙元跟福亮介绍他的楼房多么好时，福亮想起的都是过去的事。自从结婚迁到红菱村里，他一直想让自己家发起来，他的致富只有一个目标，就是超过孙元家。

他在外面一次次地被包工头欺骗，心里想的却是跟孙元复仇。这些年他挣的钱越来越多，每次回到家里，他都打听孙元家的情况。他慢慢地意识到，他靠出苦力永远赶不上孙元。因为想让他发财的只有他自己，想让孙元发财的却很多。孙元把自己发财跟别人的利益联在了一起，他没有这种联系的机会。

在城市的工棚里，他每听到一种死法都会想到孙元。他们干活的地方，一个老头在厕所里拉着屎死了；还有一个发了财的老头晚上跟小姐取乐，为了显示自己不老吃了两片伟哥，结果办着事死了；还有一个包工头，开着车在工地上出了车祸，脑浆子都流了出来。所有这些令人叹息的死法，他都会想到孙元。

偏偏孙元活得那么得意，那么硬朗。他还记得跟红菱结婚时，要把户口迁到红菱的村里。孙元不给迁。村里人给他出主意，让他给孙元送礼。他买了点心和酒给孙元送了，孙元还是不给迁。说迁了村里的地得重新分，太麻烦。村里分了地后，孙元总爱拿这类事显示他在村里有无上权力。

红菱一气之下找到了县妇联，县妇联说男到女家是新风，应该提倡。她们给乡里打了电话，乡里催了孙元几次，孙元才不得不给迁了。福亮一直觉得，红菱在关键时刻比他有主意。

那时他就想把孙元结结实实揍一顿。他总是想，孙元这样的坏人为什么倒不了。

他问孙元，不是说你的楼盖在村西头吗？怎么又挪到东头了？孙元得意地说，西头那栋楼是前几年盖的，这栋楼是去年盖的。一东一西两栋楼，这叫二郎担山赶太阳。

跟孙元的发财速度比，福亮的恨显得轻飘飘的。他的恨改变不了什么，倒是疾病找到了他。老天爷为什么不让孙元得病？因为他没有去城里，因为他吃最好的饭，却干最省力的活儿。他甚至不用干活，只是跟一些人吃吃饭，喝喝酒，钱就挣到手了。

福亮在屋里大声咳嗽。孙元问他怎么了。他说没什么，给我一口水喝。孙元要给他倒水，他说我喝你们家水缸里的水。孙元说，我给你沏杯茶吧。孙元虽然那么说，却坐着不动。他说，我喝惯凉水了。他找到孙元家的水缸，喝了几大口，把剩下的水又倒回了水缸里。

放下水瓢他跟孙元告辞。他来这里的目的已经达到。月饼得了病，杨守满也得了病。他对这个病很有信心。

出村后走了三里路，他到了公路边上。在路边他拦了一辆汽车。他跟司机说要到县里办点儿急事，司机犹豫了一下，他说，我不白让你拉，给你钱。司机就带上他了。

在车上司机告诉他，现在城里正流行一种叫“非典”的病，一接触就传染。病人跟你说几句话，你就传染上了。福亮说，那你还敢拉我，你不怕我是那种病？司机说，咱们县还没有传过来呢，过几天真不敢拉了。

他说话时尽量不把嘴对着司机，司机是个好人。他告诉了他最重要的消息。他看见孙元家里的大人孩子都病了，他们互相对着咳嗽，就像杨守满一样。

车开得很快，两旁的树木飞也似的向后倒去。快到县城时，沿路都是饭馆，什么“好再来”、“独一份”，月饼以前就在这样的饭馆干过，后来那个老板想占她的便宜，她一气之下离开了。月饼不是个随便的女人，她说她只跟看上的男人好，别人想占她的便宜没门儿。

他有时候问月饼，觉不觉得对不起自己男人。她说，你这个人就是事多，想那么多干什么。我挣的钱一分也不留，他要什么我给他买什么，有什么对不起他的？

她说，你要是觉得对不起老婆就别干，干了就别后悔。再说这有什么对不起的，你饿了就得吃饭，在家吃家里的饭，不在家吃外面的饭。不吃你就得饿着。

他在月饼的道德观面前无话可说。他现在也理解不了月饼。她爱自己的男人，也爱福亮。她说不上贞洁，也不能说放荡。有的男人想碰她一下都不行，对福亮却非常慷慨。有的男人给她花钱，她笑嘻嘻地收下了，真想占她的便宜她却翻了脸。有一次她一脚踢在工头的裤裆里，把工头踢得昏了过去。

他不知道就在他想着月饼的时候，月饼也在想他。发了高烧的月饼被送到县医院，县医院已经把她列为疑似病人。医生们问她都去过哪里，得病以前都跟谁接触过。

月饼问什么叫接触。她以为两个人在一起睡才叫接触。她当然不能说。她不傻，怎么能把两个人的事告诉别人？医生说两个人在一起说话、办事、工作，都叫接触。月饼松了口气，说她跟一个叫福亮的人接触过。福亮病了，身上烧得跟火炭似的，她跟他关系不错，当然要照顾他。她说他们干活的工地对面有一栋楼，那楼里的人得了“非典”，福亮曾去那栋楼里干过活，他给一个大肚子男人家里搞过装修。

在场的人毛骨悚然。他们互相看了看，问福亮现在去了什么地方。月饼说他回了家。他们问福亮家在哪里，月饼说了那个村子。

这个县前几天还没有“非典”病人，现在突然出现了两个“非典”疑似病人，领导非常重视。福亮往县城走的时候，县里的干部正往他家去。他们从头到脚都穿着厚厚的隔离服，身上背着消毒器械。他们一进福亮的家门，就先用药水把福亮家喷了一遍，红菱看到来了这么多白衣白帽的人，不知道出了什么事，家里的孩子吓得哭起来，她把孩子抱起来，问他们是干什么的。

干部们说，你们家的杨福亮呢？红菱说，没回来。干部说，明明回来了，怎么说没回来？红菱说，他只在村口待了一下，就走了。

干部们不相信。红菱告诉他们说，福亮因为得了病，怕传染给了家里人没有回家。他给家里留下钱，去了杨守满那里。

干部们问，杨守满是谁？红菱说，杨守满是他后爹。

干部们相信了。不过他们走的时候，还是把家里消了毒。他们告诉村干部，如果杨福亮回来，必须立刻报告，不报告就要负法律责任。

干部们一齐上了车，去了福亮原来的村子。他们到了杨守满家时，杨守满已经在炕上烧得动不了了。去的人把杨守满抬到车上，送到了县医院。杨守满告诉他们福亮已经走了，去了哪里，他也说不清楚。

他们在街上打听，有人说看见福亮去过孙元家。孙元家也被消了毒，并且孙元家的人都被隔离起来，谁也不能出门。孙元一家大骂福亮，说福亮不是东西。但骂归骂，他们还是服从了。

工作人员沿着福亮的去路一路寻找，他们找到了司机，司机说是有一个病病怏怏的人坐过他的车，到县城后那人就走了，好像是往南街去的，去了哪里他没有说。司机也被隔离了。

来 顺

县城的药店有三家，最有名的是南街的一家，叫“春和玉”。听人们说，是解放前李连春和李连玉哥儿俩开的。“文革”时，这里改名叫大众药房，后来又改回来了。

福亮进了药店，售货员问他要什么药。福亮拿出月饼给他的那个小瓶。小瓶上写的是温胃舒。月饼给他买的是罗红霉素，因为不好拿，售货员用一个温胃舒的瓶子装了。福亮便以为温胃舒就是他吃了管事的药。

他拿着药离开药店，在一个饭馆里吃了药。吃完想找个休息的地方，又回了长途汽车站。

他在车站候车室的长椅上眯了一觉。一个穿西服的人走到旁边，拍着他的腿说，师傅，起来。他睁开眼问，什么事？那人说，这是两个人的座位。

他坐起来。因为太累了，坐在那里又做了几个梦，一会儿是红菱在院里择菜；一会儿是杨守满在炕上喝酒；最后是红菱和杨守满不知为什么吵起来，都让他评理。他醒来看见右边两个乘客正在争吵，是为了占座位，而梦里为什么吵却怎么也想不起来。

他不情愿地醒了。一个乞讨的小孩朝他们走过来，先是跟他身边的人伸着手说，大叔，我娘得了癌症，行行好吧。那个人说，去去去，滚一边儿去。小孩子便低头走到他跟前，朝他伸出了手。

小孩子说，我娘得了癌症，我没有钱上学。

他把一角钱扔到孩子手里时想哭一场。他想多挣钱，下次见到孩子时给他一百元、一千元。人活一辈子不容易，这么小的孩子就知道拿脸面换饭吃。他曾经不如这个孩子，在村里这家吃一口，那家吃一顿。他怜惜孩子就是怜惜自己。

他咳嗽起来，把唾沫咳到了孩子身上。他没有意识到这一切的危险，坐在椅子上又睡着了。

长途汽车站不如火车站，火车站白天和晚上都能待，可以睡一夜。汽车站不行，他们下午七点就下班，福亮又被赶了出来。他听下班的工作人员说，这个县已经发现了“非典”病人，县里来了通知，从明天起车站要严格检查。

开始他没有在意，走出车站他意识到，人家说的那个“非典”病人可能是他。这就是说，他在县城任何地方待着都是危险的。

他在县城大街上走了一会儿。身体很虚弱，他必须找个休息的地方。他还没吃晚饭，找了几个饭馆饭菜太贵。这时他才明白，家是最好的地方。哪怕是杨守满那样的家，也比在街上流浪好。

他在饭馆里吃了一碗面，这差不多是最便宜的吃法。吃完饭他喝了药，然后想在饭馆附近找个角落躺一下。一个经理模样的人发现了他，问他在这里瞎转什么。他说没事，找人，然后走开了。

那天晚上他在街上转到很晚，走累了就在台阶上歇一会儿，他一边走一边咳嗽，觉得要虚脱了似的。最后他在一个单位的锅炉房找了个角落，他的半边身子靠着庞大的锅炉，躺下后就什么也不知道了。

如果再在街上流浪，他可能会晕倒在大街上。

第二天早晨六点钟，锅炉工推醒了他，问，你是哪儿的人，咋在这儿躺着？他说，我病了，天晚找不到回家的路，只好在这里歇一夜。锅炉工说，这么潮的地小心躺坏了。快起来，跟我来这边。

他跟着锅炉工到了旁边一间小屋里。虽然这里条件也不怎么样，却比地上强了百倍。他躺在床上说了句，大兄弟你是好心人。说完就睡过去了。醒来时看见锅炉工在旁边坐着，说，你烧得这么厉害，快去医院看看吧。他说，不用，我身上有药。说完把药抿在嘴里，干咽下去。锅炉工把自己的缸子倒了水，让他再喝几口，他端起来把一缸子水都喝了。他实在是渴坏了。

锅炉工给他从伙房拿了两个馒头，他拿起来就吃。他又渴又饿，不一会儿就吃下一个，觉得还饿，却再也吃不下了。再吃嗓子噎得慌。

锅炉工告诉他，县里正在检查流动人员，你要是吃饱了，就赶快走吧，领导不让收留外人。

他明白这不是久留之地，向锅炉工表示感谢后离开了。他走后不久，工作人员就来到这个单位。锅炉工因为跟他接触过，也被隔离了。

县城的大街跟城市相比，安静了许多。几个做生意的小商小贩，显得懒洋洋的。这里的天比城市的蓝，空气也比城市的清新些。女孩子的美都有些夸张。福亮顾不上看她们，他身上虚得厉害，每走一步都要喘息。

昨晚睡在潮湿的地上，腰有些疼，把半边身子对着阳光觉得身上舒服点儿。他不能在一个地方长时间停留，不然会引起别人注意。

车站、街上哪儿都不能待，他总得有个落脚的地方。他真的到了无处可去的地步？那样不是太惨了吗？

他想到了来顺。

他曾经跟着来顺做过活儿，后来跟了现在的包工头。不过他跟来顺没有掰了，回到县城还常常去看他。

去年出去做工时，他曾经到来顺家去过，大致方位他知道。他边找边问。他拖着一副病身子，在县城西南方向的小巷里转来转去，极力回忆曾经到过的地方。

就在他差不多要绝望时，忽然在一个拐角看到了来顺。他喊了一声，使了很大劲儿声音却很小，来顺没听见。他追赶着，可是来顺比他走得快。眼看来顺离他越来越远，他朝对面一个小孩打手势，让他拦住来顺。

来顺看了半天才认出是他。来顺说，你是福亮吧？他说，我是福亮。来顺说，福亮，你怎么成了这个样子？他说，我在这儿找了一上午，怎么也找不到你家了。

来顺想了想，说，你跟我来吧。

来顺领着他，绕来绕去绕出了小巷。他们在大街上走了好长时间，来顺脚步快，走几步就停下来等他。走了好长时间，来顺才把他领到一所学校。来顺正给这个学校做木匠活儿。

半年多不见来顺像换了个人，显得精神了。到了学校门口，来顺指着一辆松花江面包车说，这是我新买的车。福亮扫了一眼。他身上没劲儿，顾不上对来顺的发达表示惊讶。

来顺说，怎么不说话，嫉妒了吧？他说，我哪有资格嫉妒啊。

他们到了学校后院一间大房里。这里以前是库房，现在做了临时木工房。福亮找了块木头坐下，说，来顺，这里要是有个床就好了。来顺说，旁边那间房里有，我先给你弄点儿饭吃。

来顺从外面买了一包花生豆、一包猪头肉、一包榨菜、一瓶半斤的二锅头。他把菜放在木头上，酒倒在喝水的缸子里。福亮不喝酒。猪头肉是好东西，吃了几块就吃不下去了,他觉得吃饭都气喘,两个胸脯使劲儿起伏,还是觉得气不够使。他没有气力和来顺边喝边聊,吃了几口就在木头上躺下,头上枕着另一块木头。

来顺说,福亮,你这人就是太老实。看你一身力气混成这样儿,我都替你难受,你看看人家能干的人,哪个不早就发了起来? 福亮不说话。

来顺说,你要是想发财,光靠使苦力不行。一个你得有技术,一个你得有关系。你知道我为什么能揽上学校的活儿吗? 教育局局长是我姑父。社会就是这样的。福亮仍然不说话。

来顺说,像你这种一没技术二没关系的,想挣钱就得跟对了人。当初你要是跟着我,怎么也比现在强。我说这话你肯定不爱听。我知道你这几年在外面也能挣点儿钱,可那是下苦力挣的。都像你这么挣钱,早就苦死了。福亮你怎么不说话?怎么,你睡着了?

福亮不是睡着了,是昏了过去。

福亮醒来时,来顺把他领到旁边一间小屋。那里有一张床,一副脏兮兮的铺盖。来顺把他扶到床上躺下,一字一句地说,福亮,我是个明白人,我什么也不问你。不问你是从哪儿来的,也不问你犯了什么事儿,我知道你肯定是不敢回家了。咱们在一块儿待一场,我不害你,你也不要害我。我给你把吃的喝的都预备好,你就在这里待着,待三天、五天、一个礼拜也行。要是有人发现了你,你不要说认识我,就说你是自己走到这儿的。门我给你从外面锁住,人们一看锁着门,一般都不会进来。要是他们发现了,你就说你是从窗户进来的。福亮,你听见了吗?

福亮点点头。他说,来顺,我一辈子也忘不了你。说完就又进入了半昏迷状态。

眼前的来顺渐渐远了,他看见一个穿着水红褂子的女孩站在他面前。女孩对他说,福亮,我这辈子跟定你了。我爹说你老实、厚道,说像你这样的后生一个心眼儿,我一辈子跟着你靠实。

他说,红菱,我找了好些女的,人家都嫌我穷,嫌我没有亲爹亲娘,说跟上我要吃一辈子苦。你能看上我,我一定要让你过上好日子。我有的是力气,咱们村里土地就跟人一样,实诚着呢,只要你给它下力气,它就亏待不了你。

红菱用两只胳膊搂着他。他躺在红菱怀里,鼻子闻着红菱怀里的奶香味儿。那种味道让他陶醉。孩子看他躺在红菱怀里,就过去跟他抢妈妈。红菱没有让他起来,红菱把孩子也抱了起来,她的怀里一边躺着一个,她说,你们都是我的宝贝。

为了这句话,他也要好好地在外面打工。他不怕苦,也不怕别人看不起他,只要能把钱拿回家,他什么样的苦都能吃,什么样的累都能受。有时在外面受了屈辱,他就想家里,想红菱看到家里的钱多了,心里会多么好受。

他想,今年在外面再干一年,家里的钱差不多就够盖房的了。他在外面盖了好多房子,还没有给自己家盖过。他要再借一点儿钱,把家里的房子盖得好一些。他不怕借钱，他有的是力气，借多少钱也能还上。

他看见在辽阔的坝上草原，一座漂亮的住宅建了起来。六间大瓦房，东西一边两间厢房，一个大院子。院子是用土坯垒起来的，用麦秸和成的泥土抹得平平整整，院门高大、宽敞。草原的蓝天像透明似的，白云棉絮般铺展开，阳光下的红瓦屋顶发出漂亮的红光。

他们的院子里停着一辆胶轮大车，厢房里养着一头牛、一匹马、一头骡子。孩子正在大车下面玩耍，红菱在院里大声地呵斥着他。

福亮没想过要像孙元那样盖二层小楼。他的幸福生活是农家式的，阳光正在滋养着他的幸福。孩子的顽皮、妻子的呵斥，他自己坐在院子里看着这一切，嘴里品着自家种植的旱烟的滋味，这就是最幸福的时刻。

在更远的地方，他看见月饼正在低头哭泣。他心里产生了负疚，不过他还是回避了月饼怨恨的目光。他背过身，只看着妻子、孩子，他说，那个人不是我。那个和月饼缠绵在一起的人不是我。我要像爱护眼睛一样爱护自己的家。因为我跟别人不一样，我有一个家不容易。

半夜里他醒了，觉得前胸很疼，好像用什么东西堵上了。他的咳嗽就像一个孩子的手在敲打一个空水桶，发出空洞而无力的声音。他使劲儿呼吸，才觉得吸进去的气够用。为了呼吸他出了很多汗。他这些年使了太多力气，现在连喘气的力气也没有了。

外面正在下雨，淅淅沥沥的雨声从外面传过来。他依稀听见红菱在外面喊他，福亮，你在哪儿，你好点儿了吗？他说，红菱，我在这儿，我已经快好了。

福亮，你要挺住，咱们家不能没有你，我跟孩子还指着你呢。你不能死，你要是死了，我跟孩子怎么办？

他说，放心吧，我没事，再过几天我就回家了。

他听见红菱哭起来。红菱说，福亮，你不能死啊，你不要让孩子走你的老路，你要让他有亲爹亲娘。咱们是亲亲热热的一家人。

他说，红菱，你放心吧，我不会死。我真的不会，我身上已经好多了。

尾　声

县领导一连几天都在焦急，县长嘴上起了水泡，县委书记在闹牙疼。这个叫杨福亮的人一天不找到，他们就一天不踏实，因为他每接触一个人，就会把病毒传染给他们。

他们把福亮接触过的人，一个个都隔离起来，就是找不到福亮本人。县长在办公室里自言自语，这个杨福亮去哪儿了呢，早一点儿出来你还有救啊。

福亮不知道他如果出来，就会被安排到特护病房里，所有的治疗费用都由国家负担，医院对他是免费救治的。

福亮不知道这些。福亮怕被别人发现，怕被人家用大铁钩子钩住下巴，送到火化场里。他只相信命运，相信自己的身体，相信自己不会死去。

县里的干部们发现福亮时，他已经昏迷了很久。干部们来不及穿隔离衣，就把他抬到了救护车上。送到医院时他已经完全休克了。

医生对他抢救了一夜，他身上插满了各种各样的管子，输液的，输氧的。县医院唯一的一台呼吸机也给他用上了。福亮不知道这些，他朦朦胧胧地感到红菱站在面前。红菱拉着他的手，对他说，福亮，你别走。

他说，我不行了，我不想死，可是老天爷不让我活着。我只能走了。

红菱说，福亮，你别走，你真舍得撇下我们吗？你真想让孩子跟你一样吗？

他说，我不想，可是由不得我。我死后，你一定要找一个好人再嫁，千万不要像我娘那样嫁错了人。要是找不到可靠的人，就先带着孩子自己过。你听见了吗？

红菱说，听见了。

那天凌晨，福亮离开了人世，他临死前嘴里动了几下，正在抢救的医护人员没有听见他喊的是什么。远在几十里以外的红菱听见了，她在半夜里突然惊醒，听见福亮在远处喊她，红菱、红菱，我走了。

福亮死后，医院大夫确诊他得的是普通肺炎。这个诊断很重要，如果按照"非典"确诊，那个学校的师生都将被隔离。

主治大夫一开始就怀疑不是"非典"，因为跟福亮接触过的几个发烧病人都不是"非典"。月饼不是，杨守满也不是。他们给福亮做的各种检查都支持这个结论。他们遗憾地说，这就是感冒啊，早一点儿治疗完全可以治好。

（选自《时代文学》2005年第2期）

阿　宁

原名崔靖，1959年11月出生，河北故城县人。中国作家协会会员，河北省作家协会主席团委员、理事。已发表作品四百多万字。出版有中短篇小说集《校园里有一对情人》《坚硬的柔软》，长篇小说《天平谣》《爱情病》《城市季节》。作品多次被转载。中篇小说《无根令》获1998～1999年度《中篇小说选刊》优秀中篇小说奖。